Javier Moro

El sari rojo

Círculo de Lectores

El sari rojo

17 junio de 2009

Muchísimas felicidades,
que pases unos días estupendos
con tu familia americana, tu
familia española te espera
a que vuelvas para celebrar
todos los cumpleaños, y el
tuyo en especial.

Candi

Naciste con este libro y a ti te lo dedico, Olivia

Apertura

Condúceme de las tinieblas a la luz,
de la muerte a la inmortalidad.

Oración védica

I

Nueva Delhi, 24 de mayo de 1991.

Sonia Gandhi no consigue creer que el hombre de su vida esté muerto, que ya no sentirá sus caricias, ni el calor de sus besos. Que no volverá a ver esa sonrisa tan dulce que un día le arrebató el corazón. Todo ha sido tan rápido, tan brutal, tan inesperado que todavía no lo asimila. Su marido ha caído en atentado terrorista hace dos días. Se llamaba Rajiv Gandhi, ha sido primer ministro, y estaba a punto de volver a serlo, según las encuestas, si su campaña electoral no se hubiera visto truncada de manera tan trágica. Tenía cuarenta y seis años.

Hoy, la capital de la India se dispone a despedir los restos de este hijo ilustre de la patria. El féretro que contiene el cuerpo está tendido en el gran salón de Teen Murti House, la residencia palaciega donde vivió su niñez cuando su abuelo, Jawaharlal Nehru, era primer ministro de la India. Es un palacete colonial, blanco, rodeado de un parque con grandes tamarindos y flamboyanes, cuyas flores rojas destacan sobre un césped amarillento de tanto calor. Originalmente diseñado para albergar al Comandante en Jefe de las fuerzas británicas, después de la independencia pasó a ser la residencia del máximo mandatario de la nueva nación India. Nehru se instaló allí, junto a su hija Indira y sus nietos. A los jardineros, cocineros y demás miembros del servicio que hoy, junto a miles de compatriotas, vienen a rendir tributo al líder asesinado, les cuesta creer que los restos mortales que yacen en esta capilla ardiente sean los de aquel niño que jugaba al escondite en esas habitaciones grandes como cuevas, con techos de seis metros de altura. Les parece que todavía resuena el eco de sus risas cuando correteaba persiguiendo a su hermano por aquellos largos pasillos, mientras su abuelo y su madre atendían a algún jefe de gobierno en uno de los salones.

Una gran foto de Rajiv con una guirnalda blanca está colocada sobre el féretro envuelto en una bandera azafrán, blanca y verde, los colores nacionales. Su sonrisa llena de frescura es la última imagen que se llevan en el recuerdo las miles de personas que desfilan por Teen Murti House, a pesar de los 43 grados que marca el mercurio. Es la imagen que también se llevarán sus familiares, porque el cuerpo de este hombre que las mujeres encontraban tan guapo ha quedado tan destrozado que los médicos, a pesar de haber intentado reconstruirlo, no han conseguido dar forma a la masa amorfa de carne que ha dejado la bomba. Dicen que en el esfuerzo para embalsamarle, uno de ellos se desmayó. De modo que se han limitado a poner algodón y vendas, y mucho hielo para que aguante hasta el día de la cremación.

«Por favor, tengan cuidado, no le hagan daño», dice su viuda esgrimiendo una mueca de dolor a los que vienen periódicamente a reponer hielo porque el calor sube, inexorablemente, y seguirá haciéndolo hasta los primeros días de julio, hasta que descarguen las lluvias monzónicas. Su único consuelo –que bien hubiera podido acabar igual si le hubiera acompañado, como tantas veces hacía– no le sirve porque en este momento quisiera morirse también. Quisiera estar con él, siempre con él, aquí y en la eternidad. Le quería más que a sí misma.

Es cierto, tiene a sus hijos. La pequeña, Priyanka, de diecinueve años, morena, alta, es una chica fuerte tanto de carácter como físicamente. Se ha ocupado de los preparativos de los funerales y está muy pendiente de su madre. Le insiste para que coma algo, pero la simple evocación de comida le produce náuseas. Lleva dos días a base de agua, café y zumo de lima. Su vieja amiga el asma, esa que le acompaña desde que era muy niña, ha vuelto a aparecer. Dos noches atrás, cuando le notificaron que su marido había sido víctima de un atentado, tuvo una crisis tan violenta que casi perdió el conocimiento. Su hija le buscó sus antihistamínicos y se los dio, aunque no consiguió consolarla. Teme que del calor y el dolor se ahogue de nuevo.

Rahul, el mayor, tiene veintiún años, y acaba de llegar de Harvard, donde cursa sus estudios. En su hijo reconoce a su marido: las mismas facciones suaves, la misma sonrisa, la misma expresión de bondad. Ella le mira con infinita ternura. Qué joven le parece para encender la pira funeraria de su padre, como le corresponde al hijo según la tradición hindú.

A la una de la tarde, la llegada de tres generales, representantes de sus respectivos ejércitos, señala el comienzo oficial del funeral de Estado. Justo antes de que los militares levanten el féretro con la ayuda de Rahul y otros amigos de la familia, Priyanka se acerca a acariciarlo, como si quisiera así despedirse de su padre antes de que éste emprenda el último viaje. Su madre, que ha estado ocupada en saludar a tantas personalidades, se mantiene a cierta distancia, mirando la escena con lágrimas en los ojos. Va vestida con un sari blanco impoluto, como corresponde a las viudas en la India. Lleva más de la mitad de su vida viviendo aquí, así que se siente india. En febrero pasado, celebró sus veintitrés años de matrimonio con Rajiv cenando en un restaurante en Teherán, donde le acompañaba en un viaje oficial. Sigue siendo muy guapa, como lo era a los dieciocho años, cuando le conoció. El cabello negro, veteado de incipientes canas, está cuidadosamente peinado hacia atrás, recogido en un moño y cubierto por un extremo del sari. Si no estuvieran hinchados por el llanto, sus ojos serían grandes. Son de color castaño oscuro, con largas cejas finamente depiladas. Tiene la nariz recta, los labios carnosos, la piel muy blanca y una mandíbula bien marcada. Hoy parece una de esas heroínas afligidas de una superproducción del cine indio, aunque su silueta y su porte altivo evocan alguna diosa del panteón romano, quizás porque el sari que lleva con gran soltura se parece a las túnicas de las mujeres de la antigüedad. O quizás por su físico. Ha nacido y se ha criado en Italia. Su nombre de soltera es Sonia Maino, aunque la conocen como Sonia Gandhi, ahora la viuda de Rajiv.

Más de medio millón de personas desafían el calor para ver pasar el cortejo fúnebre que se dirige al lugar de la cremación, a una distancia de unos diez kilómetros, detrás de las murallas que los emperadores mogoles erigieron para proteger a la antigua Delhi, en unos espléndidos jardines situados a orillas del río Yamuna. Escoltada por cinco pelotones de treinta y tres soldados cada uno, la plataforma sobre ruedas que lleva el féretro adornado con caléndulas es remolcada por un camión militar también cubierto de flores. En las banquetas de su interior van sentados los jefes de Estado Mayor. Le siguen los automóviles que transportan a la familia. Algún curioso acierta a ver a Sonia quitarse sus enormes gafas de sol para pasarse un pañuelo por la cara y, con mano temblorosa, secarse las lágrimas. El cortejo enfila la avenida Rajpath, bordeada de cuidados jardines donde generaciones de delhiitas han paseado a la sombra de sus grandes árboles, en su mayoría jambules de más de cien años, con frutos negros como higos. La mayoría de árboles fueron plantados para luchar contra el calor, cuando los ingleses decidieron hacer de Delhi la nueva capital del Imperio en detrimento de Calcuta. Levantaron una agradable ciudad jardín con anchas avenidas y perspectivas grandiosas, como correspondía a una capital imperial. La gran vista central de Rajpath, rebosante de una multitud portando clavelinas naranjas, el color sagrado de los hindúes, le trae recuerdos a Sonia de un pasado de felicidad, tan próximo en el tiempo y sin embargo tan lejano ahora... En esta misma avenida y frente a la Puerta de la India, versión local del arco de triunfo parisino, se encontraba el último 26 de enero, día de la fiesta nacional, presenciando el desfile militar junto a Rajiv... ¿Cuántas veces lo ha presenciado? Casi tantas como años lleva en la India. Toda una vida. Una vida que se acaba.

Para añadir sorna a la tragedia, su coche se detiene y no consigue arrancar de nuevo. Los motores sufren con esta temperatura y a esta cadencia. Sonia y sus hijos abandonan el vehículo y la multitud se abalanza inmediatamente sobre ellos, forzando a los Gatos Negros, los comandos especiales de seguridad vestidos de negro, a desplegarse rápidamente y a formar una cadena humana para protegerles mientras cambian de automóvil. Luego el cortejo arranca de nuevo, al ritmo acompasado de los guardas de honor. Más tarde, en las calles estrechas cercanas a Connaught Place, la multitud se convierte en marea humana dispuesta a invadirlo todo, como si quisiera engullir el cortejo, y el sistema de seguridad consigue a duras penas mantenerla a raya. Los rostros de esa multitud muestran agotamiento, gotean perlas de sudor, y las miradas de ojos negros se detienen ante cuatro camiones militares llenos de periodistas del mundo entero. Hombres y mujeres, niños y ancianos con semblantes de desconsuelo y lágrimas en los ojos arrojan pétalos de flores al féretro.

El cortejo llega al lugar de la cremación a las cuatro y media de la tarde, con una hora de retraso sobre el horario previsto. Hay tanta gente que hoy no se ven los parterres floridos, sólo los grandes árboles, como centinelas de la eternidad que proyectan su benévola sombra sobre los asistentes, muchos vestidos con traje negro, como John Major o el príncipe de Gales, otros de uniforme militar, como Yasser Arafat, todos chorreando sudor. La pira funeraria compuesta por diez quintales de madera está lista. Detrás, en una plataforma especialmente construida para la ocasión que domina la pira, se colocan los familiares más cercanos. A unos trescientos metros de distancia hacia el norte se encuentran los mausoleos de Nehru y de su hija Indira, levantados en el emplazamiento exacto donde tuvieron lugar sus cremaciones, y que ya nunca podrá destinarse a otro uso, tal y como indica la tradición. Rajiv tendrá pronto el suyo, en piedra labrada con forma de hoja de loto. La familia reunida en la muerte.

Unos soldados sacan el cuerpo de Rajiv del féretro y lo colocan sobre la pira funeraria, la cabeza orientada hacia el norte, según el ritual. Luego, los generales de los tres ejércitos pliegan cuidadosamente la bandera que envuelve el cadáver mutilado y cortan las cuerdas de la mortaja blanca que lo retiene. La familia está de pie, codo con codo. El sacerdote, un anciano con barbas luengas y blancas como la nieve que parece sacado de un cuento antiguo, marca las pautas de los ritos védicos y reza una corta oración: «Condúceme de lo irreal a lo real, de las tinieblas a la luz, de la muerte a la inmortalidad...». Es un viejo conocido: también él presidió los funerales de Indira. A Rahul, vestido con una *kurta* blanca, le entrega una pequeña jarra llena de agua sagrada del Ganges. El joven, descalzo, cabizbajo y ensimismado tras sus gafas de pasta negra, da tres vueltas a la pira mientras va vertiendo unas gotas sobre su padre, cumpliendo así el rito purificador del alma. Luego se arrodilla ante sus restos y llora por dentro, sin que nadie le vea. Llora por un padre que siempre fue tolerante y compasivo y que adoraba a sus hijos.

Brotan lágrimas secas de una herida que, intuye, nunca cicatrizará. Su madre y su hermana Priyanka, cuya digna serenidad conmueve a los presentes, se acercan a la pira y colocan meticulosamente troncos de madera de sándalo y cuentas de rosario sobre el cuerpo, en unos gestos que son grabados por las televisiones del mundo entero.

Llega la hora de despedirse. Sonia deposita una ofrenda sobre el cuerpo a la altura del corazón. Está hecha de alcanfor, cardamomo, clavo y azúcar y se supone que contribuye a erradicar las imperfecciones del alma. Luego le toca los pies en señal de veneración, como es costumbre en la India, junta sus manos a la altura del pecho, se inclina por última vez ante su marido y se retira. A través de las cámaras de televisión, el mundo descubre a esta mujer estoica que recuerda a Jacqueline Kennedy veintiocho años antes en Arlington. Son las cinco y veinte de la tarde.

Cinco minutos después, su hijo Rahul, serio y decidido, da tres vueltas a la pira antes de plantar la antorcha encendida que lleva en la mano entre los troncos de madera de sándalo. No le tiembla el pulso: es su deber de buen hijo ayudar a que el alma de su padre se libere de su envoltorio mortal y alcance el cielo. Durante unos segundos, parece que el tiempo se detiene. No se ve humo ni llamas, sólo se oyen los cantos védicos entre la multitud. Sonia ha vuelto a protegerse el rostro detrás de sus gafas de sol. Que no la vean llorar. Hay que mantenerse entera, como lo ha hecho hasta ahora, cueste lo que cueste. Entera como se mantuvo Rajiv cuando le tocó encender la pira funeraria de su madre Indira Gandhi, hace tan sólo siete años, mientras el pequeño Rahul lloraba en sus brazos. Entera como la propia Indira cuando asistió a la cremación de su padre Jawaharlal Nehru, y luego a la de su hijo Sanjay, su ojo derecho, su heredero designado, muerto al estrellarse su avioneta una mañana soleada de domingo, hace ya once años. Una fecha que Sonia no puede olvidar porque a partir de aquel día nada volvió a ser como antes.

Ha tenido que sacar fuerzas de lo más profundo de su ser para encontrarse hoy aquí, porque los sacerdotes hindúes se negaban a que presenciase la cremación. No es costumbre que la viuda asista, menos aún si es de otra religión. Pero en eso Sonia se mostró inflexible. Reaccionó como lo hubiera hecho su suegra Indira, no dejándose avasallar ni por prejuicios ni por costumbres arcaicas. Bajo ningún concepto se quedaría en casa mientras el mundo entero iba a asistir a la segunda muerte de su marido. Así lo dijo a los organizadores del funeral. Ni siquiera tuvo que amenazarles con llevar el caso a la máxima autoridad del país porque ante la fuerza de su determinación, se achantaron. Sonia Gandhi bien merece una excepción.

Pero ahora hay que estar a la altura. No vacilar, no desmayarse, no decaer. Seguir viviendo, aunque resulta difícil hacerlo cuando lo que uno quiere es morirse. Qué difícil no dejarse ahogar por la emoción cuando los salmos védicos dan paso a unas salvas de cañón, y los soldados, perfectamente formados, presentan sus armas y apuntan al suelo, en señal de luto, haciendo sonar sus cornetas. Cuando los dignatarios llegados del mundo entero, los generales con sus chamarras coloridas de tanta condecoración y los representantes del gobierno indio, con sus ropas de algodón arrugadas y empapadas después de haber esperado tanto tiempo en la canícula, se levantan al unísono y se quedan inmóviles, de piedra, en un breve y último homenaje. Cuando los amigos, venidos de Europa y América para dar el último adiós, no consiguen contener el llanto. Sonia reconoce entre ellos a Christian von Stieglitz, el amigo que le presentó a Rajiv cuando eran estudiantes en Cambridge, y que ha venido acompañado de Pilar, su mujer española.

Y luego el murmullo que sube de pronto, como un mar de fondo que viene de lejos, de los confines de la ciudad y quizás de las cuatro esquinas del inmenso país, y que se convierte en un solo grito, espantoso, gutural, el grito de miles de gargantas que parecen tomar conciencia de la irreversibilidad de la muerte cuando la hoguera prende súbitamente en una explosión de llamas y en pocos minutos envuelve el sudario en un abrazo fatal. Rahul da unos pasos hacia atrás. Sonia se tambalea. Su hija le pasa el brazo por encima de los hombros y la sostiene hasta que recobra fuerzas. A través del muro de llamas, los tres asisten al espectáculo antiguo y tremendo de ver cómo la persona que más quieren se consume y se convierte en cenizas. Es como otra muerte, lenta, penetrante, para que los vivos siempre recuerden que nadie escapa a lo inevitable del destino. Porque es una muerte que entra por los cinco sentidos. El olor a quemado, los colores diáfanos de los vivos detrás del aire abrasador que sube de la hoguera levantando remolinos de ceniza, el sabor a sudor, a polvo y a humo que se queda pegado a los labios, y luego los gritos de «¡Viva Rajiv Gandhi!» que brotan de la multitud conforman una escena renovada y eterna a la vez. A medida que las llamas ascienden, Rahul se dispone a efectuar la última parte del ritual. Armado de un palo de bambú de unos tres metros de largo, da un golpe simbólico al cráneo de su padre, para que su alma ascienda al cielo en espera de su próxima reencarnación.

Para Sonia, no existen palabras para describir lo que está viendo, la escenificación del atroz sentimiento de pérdida que la desgarra por dentro, como si una fuerza invencible le estuviera destrozando las entrañas. Nunca como en este momento ha entendido el profundo significado de esta costumbre ancestral. Recuerda que hizo una mueca de disgusto cuando, nada más llegar a la India, se enteró de la existencia del *sati*. ¡Qué horror, qué barbarie!, pensó. Antiguamente, el pueblo adoraba a las viudas que tenían el valor de tirarse a la pira funeraria del marido para emprender junto al ser amado el viaje hacia la eternidad. Las que se entregaban heroicamente a las llamas pasaban a ser consideradas como divinidades y a ser veneradas como tales durante años, algunas durante siglos. El rito del *sati*, que tiene su origen en las familias nobles de los Rajput, la casta guerrera de la India del Norte, luego se popularizó a las clases más humildes, y acabó por corromperse. Los ingleses lo prohibieron, como luego también lo hizo el primer gobierno democrático de la India, por los abusos que se cometían en su nombre. Pero en el origen, convertirse en *sati* era una prueba de amor supremo que sólo puede comprender una mujer cuando ve arder el cadáver del marido que adora. Como Sonia en este momento, que ve el fuego como una liberación, como la única manera de acabar con esa pena tan total que embarga su alma.

«Reacciona», se dice a sí misma. No hay que dejarse arrastrar por la muerte. La vida es una lucha, bien lo sabe ella. El contacto físico con sus hijos la reconforta. Entonces, con fuerzas renovadas, brotan sentimientos encontrados: ansias de justicia, deseos de revancha por lo que han hecho a su marido, y una rebeldía profunda porque lo que ha ocurrido es inaceptable. ¿Se hubiera podido evitar?, se pregunta sin cesar. Ella lo intentaba en la medida de sus posibilidades, escrutando los rostros de todos los que se acercaban a su marido en los mítines electorales, intentando adivinar el bulto revelador de un arma bajo una camisa, o el gesto sospechoso de un asesino potencial. Porque siempre supo que podía ocurrir algo así. Lo supo desde el día en que Rajiv cedió al ruego de su madre, Indira Gandhi, entonces primera ministra, y se metió en política. Por eso, cuando hace dos días sonó el teléfono a las once menos diez de la noche, una hora tan insólita, Sonia se dio la vuelta en la cama y se tapó los oídos como para protegerse del golpe que sabía estaba a punto de recibir. La peor noticia de su vida era en el fondo una noticia esperada. Lo era todavía más desde que Sonia se enteró de que el gobierno había retirado a Rajiv el grado de máxima seguridad que le correspondía por haber sido primer ministro. En la jerga burocrática, tenía la categoría Z, y eso le daba derecho a la protección del SPG (Special Protection Group), lo que le hubiera protegido del atentado terrorista. ¿Por qué se lo retiraron, por mucho que ella lo reclamara? ¿Por desidia? ¿O porque ese pretendido «olvido» satisfacía los designios de sus adversarios políticos?

Un ruido seco, duro, indescriptible, la devuelve a la realidad. Suena como un tiro. O una pequeña explosión. Todos los que han asistido a una cremación saben de lo que se trata. Unos bajan la cabeza, otros miran al cielo, otros están tan cautivados por el espectáculo que parecen hipnotizados y siguen mirando. El cráneo ha estallado por efecto de la presión del calor. El alma del difunto ya es libre. El ritual ha terminado. La gente lanza pétalos de flores a las llamas, mientras surge otra visión turbadora. Las manos largas y finas que igual acariciaban a sus hijos como reparaban un aparato electrónico o firmaban acuerdos internacionales quedan al descubierto, y muestran unos dedos negros que se alzan y se retuercen, en una despedida desgarradora desde el más allá. Adiós, hasta siempre.

Sonia rompe en sollozos. ¿Dónde está el consuelo? ¿En qué Dios hay que buscarlo? ¿Qué Dios permite que un hombre bueno como Rajiv salte en mil pedazos por el fanatismo de otros hombres, que también tienen familia, que también tienen hijos, que también saben acariciar y querer? ¿Qué sentido darle a toda esta tragedia? Sus hijos, preocupados por que la mezcla de humo, ceniza e intensa emoción le provoque un nuevo ataque de asma, se colocan cada uno a su lado, mientras ella se calma y contempla, rota por dentro, cómo su sueño de vivir largos años de felicidad junto a su marido se convierte en humo. *Ciao, amore*, hasta otra vida. La India entera la recordará así, de pie e inmóvil como una piedra, estoica, ajena a los gritos de la muchedumbre que delira, mientras el fuego consume el cadáver de su esposo. Es la imagen viva del dolor contenido.

El rugido de un helicóptero del ejército ahoga los cánticos y los gritos de la multitud. La gente alza la vista hacia el cielo blanquecino de calor y polvo para recibir una lluvia de pétalos de rosa que caen desde el aparato que da vueltas sobre la pira. Mientras el cuerpo termina de arder, la familia baja los escalones de la plataforma. Con andar vacilante y rostros descompuestos, reciben unas palabras de condolencia del presidente de la República. En un desorden muy indio, las demás personalidades se agolpan. Todos quieren decirle unas palabras a Sonia: el vicepresidente norteamericano, el rey de Bután, los primeros ministros de Pakistán, de Nepal y de Bangladesh, el antiguo primer ministro Edgard Heath, los vicepresidentes de la Unión Soviética y China, la vieja amiga Benazir Bhutto, etc. Pero nadie consigue acercarse a la viuda porque de pronto estalla el caos. Y es que el cadáver no sólo pertenece a la familia, o a los dignatarios extranjeros. La multitud, que en sus primeras filas está compuesta por militantes y responsables del partido de Rajiv, siente que les pertenece también a ellos. Son sólo una ínfima parte de los cuarenta millones de afiliados del partido que bajo la denominación banal y poco llamativa de Congress Party (Partido del Congreso) representa la mayor organización política democrática del mundo. Nació a mitad del siglo XIX como una asociación de grupúsculos políticos para exigir igualdad de derechos entre indios e ingleses dentro del Imperio. El Mahatma Gandhi lo transformó en un sólido partido cuya meta era conseguir la independencia por la vía de la no-violencia. Nehru fue su presidente, después lo fue su hija Indira, y Rajiv ha sido el último. A pesar del aire abrasador e irrespirable, ahora los militantes quieren ver de cerca los restos mortales de su líder convertidos en ceniza. Todos quieren lamer las llamas de la muerte y del recuerdo, de modo que arrancan las vallas metálicas como si fuesen briznas de paja y se abalanzan hacia la hoguera al grito de: «¡Rajiv Gandhi es inmortal!». Los Gatos Negros, los comandos de elite, se ven obligados a intervenir. Forman una barrera humana alrededor de la familia, y deciden batirse en retirada, paso a paso, entre los gritos de histeria de una muchedumbre desatada, hasta llegar a los automóviles y ponerles a salvo.

Los días siguientes, Sonia, en estado de *shock*, se refugia en sí misma. Vive ensimismada en sus recuerdos con Rajiv, rompiendo a sollozar cuando sale de la ensoñación y se encuentra frente a la terrible realidad de su ausencia. No puede dejar de pensar en su marido, no quiere parar de pensar en él, como si hacerlo fuese otra forma de darle muerte. Ni siquiera quisiera separarse de esas dos urnas que contienen las cenizas, pero es parte del ritual que la muerte vuelva a la vida.

Cuatro días después de la cremación, el 28 de mayo de 1991, Sonia, acompañada por sus hijos, sube a un compartimento especial de un tren que les lleva a Allahabad, la ciudad de los Nehru, donde todo empezó hace más de cien años. En el compartimento totalmente recubierto de tela blanca salpicada de flores de margarita y jazmín, las urnas están colocadas en una especie de estrado junto a la foto enmarcada de un Rajiv sonriente. Sonia, Priyanka y Rahul viajan sentados en el suelo. El tren se detiene en un rosario de estaciones abarrotadas de gente que viene a rendir tributo a la memoria de su líder. El desbordamiento de emoción agota a Sonia, pero por nada en el mundo dejaría de saludar a esos pobres de rostros huesudos manchados de sudor y lágrimas que a pesar de todo sonríen para ofrecerle su consuelo. Las sonrisas de los pobres de la India son un regalo inmaterial, pero que anida en el corazón. Lo decían Nehru, su suegra y su marido: la confianza del pueblo, el calor de la gente, la veneración y, ¿por qué no?, el amor que te profesan compensa todos los sacrificios. Ése es el verdadero alimento de un político de raza, la justificación de todos sus sinsabores, lo que da sentido a su trabajo, a su vida. Durante las veinticuatro horas que el tren bautizado por la prensa con el nombre de *heart-break express* –el expreso del corazón roto– tarda en recorrer los seiscientos kilómetros de trayecto, Sonia es capaz de medir la intensidad del afecto del pueblo hacia su familia política –«la familia», como la conocen los indios, tan popular que no es necesario precisar de cuál se trata–. Una familia que ha gobernado la India durante más de cuatro décadas, pero que lleva cuatro años fuera del poder. Sonia contempla a su hijo Rahul, que se ha quedado dormido entre dos estaciones. Ojalá nunca vuelva la familia al poder. Priyanka mira con aire ausente, también está agotada. Tiene un gran parecido con Indira, el mismo porte, los mismos ojos brillantes e inteligentes. Dios nos proteja.

En Allahabad, las cenizas son depositadas en Anand Bhawan, la mansión ancestral de los Nehru, que Indira, cuando fue nombrada primera ministra, convirtió en museo abierto al público. Un patio de estilo moruno con una fuente en el centro recuerda al propietario original, un juez musulmán de la Corte Suprema que en el año 1900 vendió la mansión a Motilal Nehru, el bisabuelo de Rajiv, un abogado brillante que ganaba tanto dinero que, dice la leyenda, mandaba su ropa por barco a una tintorería de Londres. Aquel hombre corpulento, que llevaba siempre un espeso bigote y que vestía como un *gentleman*, que era extrovertido, espléndido, *bon vivant* y dicharachero, adoraba a su hijo Jawaharlal, quizás porque era el último que le quedaba, habiendo perdido dos hijos y una hija con anterioridad. Ese amor, intenso y recíproco, estuvo en el origen de la lucha por la independencia de la sexta parte de la humanidad. Motilal quiso que su hijo desarrollase todo su potencial, lo que significaba darle la mejor educación posible, aunque eso implicase separarse de él: «Nunca pensé que te quería tanto como cuando tuve que dejarte por primera vez en Inglaterra, en el colegio interno», le escribió, porque no conseguía reponerse de la angustia de haberle dejado solo, tan lejos, a los trece años de edad. Lo que ganaba Motilal en un año hubiera bastado para ponerle un negocio y solucionarle la vida para siempre. Pero para el padre eso era una postura fácil y egoísta: «Pienso sin atisbo de vanidad alguna que soy el fundador de la fortuna de los Nehru. Te veo a ti, hijo mío querido, como el hombre que será capaz de construir sobre esos cimientos que he creado y espero tener la satisfacción de ver surgir un día una noble empresa que se alzará hacia el cielo...». La noble empresa acabó siendo la lucha por la independencia del país, en la que padre e hijo se involucraron con toda la fuerza de sus convicciones.

La vida de los Nehru cambió cuando Jawaharlal presentó a su padre a un abogado que acababa de regresar de Sudáfrica y que estaba organizando la resistencia contra el poder colonial de los ingleses. Era un hombre singular, vestido con unos *dhoti*, calzones de algodón crudo tejido a mano. Tenía brazos y piernas desproporcionadamente largos que le hacían parecerse a un ave zancuda. Sus ojillos negros se cerraban cuando, detrás de sus gafas de montura metálica, esgrimía su típica sonrisa, entre maliciosa y bondadosa. Venerado como un santo por sus discípulos, era sin embargo un político hábil que poseía el arte de los gestos sencillos capaces de comunicar con el alma de la India. El joven Nehru le consideraba un genio.

Así entró el Mahatma Gandhi en contacto con aquella familia, y la transformó para siempre. El extravagante Motilal abandonó la sofisticación por la sencillez, cambió sus trajes de franela de Saville Row y los sombreros de copa por un *dhoti*, como Gandhi. Ofreció su casa y su fortuna a la causa de la independencia. El enorme salón fue transformado por Motilal en sala de reunión del Partido del Congreso. El hogar de los Nehru se convirtió poco a poco en el hogar de la India entera. Siempre había multitud de simpatizantes en la verja deseando ver al padre y al hijo, deseando tener su *darshan*, la antigua tradición de origen religioso que consiste en buscar el contacto visual con una persona altamente venerada para así recibir su bendición, a falta de poder tocarle los pies o las manos. Hacia el final de su vida, Motilal, aquejado de fibrosis y de cáncer, compartió celda en la cárcel de Nainital con su hijo, que le cuidaba como podía. El patriarca murió sin llegar a ver la independencia, sin saber que su hijo, que el mundo conocería como Nehru, sería elegido primer mandatario de la nueva nación. Murió en esta casa de Anand Bhawan, un día de febrero de 1931, acompañado por su mujer, su hijo sosteniéndole la cabeza en su regazo.

Las habitaciones, pintadas de azul celeste y crema, conservan los mismos muebles, los mismos libros, las mismas fotos y recuerdos de los que vivieron en ellas. La del Mahatma Gandhi tiene una colchoneta en el suelo, una cómoda y una rueca que utilizaba para hilar algodón y que convirtió en símbolo de resistencia contra los ingleses. La habitación de Nehru tiene una cama sencilla de madera, una alfombra, muchos libros y una estatuilla de los tres monos que simbolizan los mandamientos budistas: no veas el mal, no escuches el mal, no digas el mal.

Sonia recuerda la primera vez que visitó este lugar. Fue su suegra Indira quien se lo mostró. En aquella ocasión, no reparó en la tremenda carga simbólica que tiene esta casa en la historia de la India. Simplemente, visitaba el hogar de los antepasados de su familia política, la casa donde habían nacido y se habían casado Nehru primero y luego su hija Indira. No había sido capaz de calibrar en su justa medida todo el significado que los muros de esta mansión encerraban, a pesar de que Indira le enseñó el cuarto de reunión secreto, en un sótano, que Nehru y sus compañeros del incipiente Partido del Congreso utilizaban cuando se escondían para escapar a las redadas de la policía británica. Ahora que vuelve con las cenizas de su marido, lo ve todo con otros ojos. Esta mansión victoriana no es el simple escenario de una vida familiar intensa; sus muros cuentan las intrigas, los sueños, las esperanzas y los reveses de la lucha por la independencia. Sus muros *son* la India moderna. La urna con las cenizas de Rajiv, el último objeto que hoy viene a añadirse a los demás, es como un punto al final de una larga frase que empezó a escribir Motilal Nehru en el siglo XIX cuando fundó aquí la sección local de una organización política llamada Partido del Congreso. El círculo se cierra.

A mediodía Sonia y sus hijos, acompañados de un pequeño cortejo, abandonan la casa familiar para dirigirse a las afueras, al Sangam, uno de los lugares más sagrados del hinduismo donde las aguas marrones del Yamuna se unen a las claras del Ganges, en la confluencia de otro río imaginario, el Sarásvati. Llegan a una enorme explanada de arena que va a dar a la orilla, dominada por un antiguo fuerte musulmán cuyos muros están cubiertos de hiedra y que contiene en su interior un ficus bengalí centenario que, según la leyenda, es capaz de liberar del ciclo de reencarnaciones a todo el que salta desde sus ramas. En esta explanada se celebra sucesivamente cada tres años la Kumbha Mela, una festividad a la que acuden millones de peregrinos de toda la India para lavar sus pecados, convirtiéndola en la concentración religiosa más multitudinaria del mundo. Hoy hay mucha gente también, pero el lugar es tan inmenso que parece desierto. En una plataforma sobre el río, un sacerdote amigo de la familia, el pandit Chuni Lal, realiza una ofrenda y entona unas oraciones sobre el ruido de fondo del tintineo de miles de campanillas y el eco de las caracolas, antes de entregar la urna de cobre a Rahul. El chico la toma en sus manos, se acerca a la orilla y la vierte despacio, esparciéndose las cenizas en las aguas tranquilas que reflejan los rayos dorados del sol, las mismas aguas que acogieron las cenizas de Motilal, las del Mahatma Gandhi y también las de Nehru. A cierta distancia, Sonia y Priyanka observan la escena, los rasgos crispados, y luego se acercan a Rahul y, en cuclillas, acarician el agua con las manos. Los testigos de la escena, entre los que se encuentra el secretario de su marido, se llevarán en el recuerdo la imagen de los tres juntos al borde del agua, Rahul sollozando sobre su madre, Priyanka apoyando su cabeza en el hombro de Sonia y ella, inconsolable, con los ojos bañados en lágrimas que forman otro afluente que se une al Ganges, el gran río de la vida.

2

«Señora, éstos son los horarios de los vuelos a Milán.» Sonia no recuerda haberle pedido esa información al secretario de su esposo. Quizás lo hizo, en la confusión del principio, cuando ante la enormidad de la tragedia buscaba protección. Cuando de pronto pensó en huir de este país que devora a sus hijos, buscar el consuelo de su familia, el calor de los suyos, la seguridad de la pequeña ciudad de Orbassano, a las afueras de Turín, donde vivió su juventud hasta el día de su boda. Recuerda que nada más regresar del lugar del atentado, en el sur de la India, con los restos mortales de su marido, habló por teléfono con su familia en Italia, que estaba estremecida. Su hermana mayor Anushka le dijo que ya no cogía el teléfono porque llamaban periodistas del mundo entero preguntando detalles de lo que había ocurrido y no sabía qué decirles. «Todavía no se sabe –le explicó Sonia–, pueden ser los sijs que mataron a Indira, o los fundamentalistas hindúes que mataron a Gandhi, o extremistas musulmanes de Cachemira... vete a saber. Estaba en la lista negra de por lo menos una docena de organizaciones terroristas...» Y ahora Sonia se arrepiente de no haberle obligado a exigir al gobierno mayores medidas de protección. Rajiv no creía en ellas: «Si quieren matarte, te matan», decía.

Cuando tuvo a su madre al otro lado del teléfono, Sonia se desmoronó. La madre se hallaba en Roma, en casa de Nadia, la hermana pequeña, separada de un diplomático español. «Quizás deberías volver a Italia», le dijo.

–No sé... –le respondió Sonia con la voz entrecortada por el llanto.

¡Son tantas las dudas! Le parece que marcharse sería como matar una parte de sí misma, pero es cierto que vino a la India, adoptó sus costumbres, se enamoró de sus gentes por amor a Rajiv. Ahora, ¿qué sentido tiene quedarse? ¿No está cansada de vivir asediada por guardaespaldas que al llegar la hora fatídica se muestran incapaces de evitar lo peor? Le viene el recuerdo de cuando Rajiv, preocupado por la seguridad de los niños, pensó en mandarlos a estudiar a la Escuela Americana de Moscú. A Sonia no le hacía ninguna gracia separarse de ellos. La tradición británica, luego adoptada por las clases pudientes de la India, de mandar a los hijos a un internado chocaba de lleno con su condición de *mamma* italiana. De modo que los dejaron en casa, en Nueva Delhi, y primero venían tutores todas las mañanas y luego iban escoltados al colegio a educarse en un ambiente «normal», lo que en la sociedad se consideró un acto de audacia, tal era el peso de las amenazas que se cernían sobre la familia del primer ministro.

La sugerencia de su madre de volver a Italia toca una llaga que duele. Sonia se enfrenta a un conflicto que se ve incapaz, por ahora, de resolver. Un conflicto cruel, porque por un lado está la preocupación máxima, la seguridad de sus hijos, y parecería lógico emprender una mudanza de regreso a Italia, un cambio total de vida, el abandono de toda la tradición familiar de su marido, y por otro la inercia de tantos años aquí llevando el peso abrumador de los apellidos Nehru-Gandhi, y quedarse como están, en la misma casa, como guardianes de la memoria, rodeados de los amigos fieles de siempre, del cariño de tantos, a sabiendas de lo difícil que resulta escapar de la telaraña de la política india. En suma, elegir entre la seguridad, la vida anónima y el desarraigo de un exilio autoimpuesto o seguir en el candelero, lo que podría llevar a uno de sus hijos a ser un día primer ministro y, quizás, a ser asesinado también. Como Indira o Rajiv. Entonces piensa que sí, que mejor cambiar de vida para salvarse, olvidarse de la política que detesta, huir del poder que siempre ha desdeñado y que la está destrozando.

Pero... ¿se puede luchar contra el destino? Se siente muy india, ha aprendido a querer a la gente de este país, y se sabe querida por ellos. ¿Cómo romper ese nexo de unión con la memoria de su marido que representan los amigos, los compañeros, el afecto de la gente de la India? Sería un poco como desalmarse. Además, el cuerpo no miente: sus gestos, su forma de andar, de mover la cabeza de lado a lado para decir que sí pareciendo decir que no –tan típico de los indios–, su manera de juntar las manos, de mirar, de escuchar, su acento... todo su lenguaje corporal evoca al de una persona genuinamente india. ¿Qué haría ella en Italia? ¿Qué vida la espera en Orbassano, aparte de la compañía de su familia más cercana? Aquí está su círculo de amigos, aquí está su mundo, aquí están veintitrés años de vida intensa –y feliz–. Además, sus hijos ya no son niños... ¿Y ellos, querrán ir a vivir a un lugar que sólo han visitado de vacaciones? Después de haberse criado en las casas de dos primeros ministros de la India, la de la abuela Indira primero y la de su padre Rajiv, con todo lo que eso significa, ¿podrán acostumbrarse a una vida anónima en el extrarradio de una ciudad italiana de provincias? Es cierto, hablan italiano con fluidez, son medio italianos, pero se sienten indios por los cuatro costados. Aquí se han criado, aquí han aprendido de su padre a querer este inmenso, difícil y fascinante país; aquí han asumido los valores del bisabuelo Nehru, el gran héroe de la independencia y fundador de la India moderna, valores que tienen que ver con la integridad, la tolerancia, el desprecio al dinero y el culto al servicio a los demás, sobre todo a los más necesitados. Aquí se han criado, como una gran familia india, en la casa de la abuela Indira, que lo mismo les daba un achuchón mientras tomaba el té con Andrei Gromiko o Jacqueline Kennedy que les ayudaba a hacer los deberes en la mesa de la cocina. ¿Se conformarían sus hijos con una vida próspera y confortable en el mejor de los casos, pero alejada de todo lo que han mamado desde que nacieron? Y, para ella, ¿no sería una derrota regresar al pueblo de donde salió?

–Creo que mi vida está aquí, mamá... –acaba diciéndole Sonia cuando recupera la capacidad de hablar.

–Señora, tiene una visita.

El secretario que la ha interrumpido permanece en el umbral de la puerta hasta que Sonia le hace un gesto diciendo «ahora voy», y entonces el hombre se retira. Ella se despide de su madre y cuelga el teléfono, secándose las lágrimas. Al incorporarse se ajusta los pliegues del sari y se dirige al despacho de su marido, en la planta baja de la villa colonial donde han vivido desde que abandonaron la residencia del primer ministro. Al ver todos los objetos en su sitio, sus cámaras de fotos, sus libros, sus revistas, sus papeles, su radio, le parece por un instante que está todavía vivo, a punto de llegar de viaje, que lo que está viviendo no es más que un mal sueño, que la vida sigue igual porque es más fuerte que la muerte. Pero no es Rajiv quien entra por la puerta, sonriente, cansado y dispuesto a abrazarla, sino tres de sus compañeros de partido, tres veteranos con semblante triste y desconsolado, dos de ellos vestidos con camisas indias de cuello alto, el otro con traje tipo safari. Porque si este atentado ha devastado a la familia, también ha dejado al Partido del Congreso sin cabeza. Y alguien tiene que liderar el Partido. ¿Quién será el próximo?, ésa es la pregunta que los jerifaltes que ahora visitan a Sonia se han hecho horas después de conocer la tragedia.

–Soniaji –dice el portavoz de la comitiva utilizando el sufijo *ji* que denota cariño y respeto–, quiero que sepas que el Comité de Trabajo del Partido del Congreso, reunido bajo la presidencia del viejo amigo de tu marido, Narashima Rao, te ha elegido presidenta del partido. La elección ha sido unánime. Enhorabuena.

Sonia se los queda mirando, impasible. ¿No es la pena algo puro y sagrado? No le han dejado secarse las lágrimas por la muerte de su marido y ya están aquí los políticos. La vida sigue, y es cruel. Incapaz de sonreír, no tiene ni ganas ni fuerzas de fingir que está honrada por el resultado de la votación.

–No puedo aceptar. Mi mundo no es la política, ya lo sabéis. No quiero aceptar.

–Soniaji, no sé si te das cuenta de lo que el comité te está ofreciendo. Te ofrece el poder absoluto del mayor partido del mundo. Y lo hace en bandeja de plata. Te ofrece la posibilidad de liderar un día este gran país. Sobre todo, te ofrece la posibilidad de asumir la herencia de tu marido para que su muerte no haya sido en balde...

–No creo que sea el momento de hablar de esto...

–El Comité de Trabajo ha deliberado durante largas horas antes de hacerte esta propuesta. Te aseguro que lo hemos pensado mucho. Tienes las manos libres y cuentas con todo nuestro apoyo. Te pedimos que continúes con la tradición familiar. Es tu deber de buena hija de la India.

–Eres la única que puede colmar el vacío que ha dejado Rajiv –añade otro.

–La India es un país muy grande... –responde Sonia–. No puedo ser la única entre mil millones.

–Eres la única Gandhi...

Sonia alza la vista al cielo, como si estuviera esperando ese argumento.

–... Sin contar con tus hijos, claro.

–Mis hijos son muy jóvenes todavía, y tampoco están hoy para hablar de política.

–No es poca cosa en la India llamarse Gandhi... –añade otro.

–Sé lo que me quieres decir –le interrumpe Sonia–. Es un apellido que obliga, pero que también condena. Mira lo que ha pasado.

En realidad, Sonia se llama así porque su suegra Indira se casó con un parsi llamado Firoz Gandhi, no porque tuviera alguna relación de parentesco con el padre de la nación, el Mahatma Gandhi. Podía haberse llamado Kumar, o Bosé, o Kapur, o cualquiera de los apellidos comunes de la India. Pero la casualidad quiso que su apellido coincidiese con el del más célebre de los indios, el hombre más querido por su pueblo por haberlo guiado por el camino de la libertad. El hombre que se hizo tan íntimo de los Nehru que era considerado como uno más de la familia. Juntos consiguieron la independencia y lo hicieron gracias a un poderoso instrumento, el Partido del Congreso, que hoy está huérfano. Eso da a los Gandhi, incluida Sonia, un aura ante las masas que tiene un incalculable valor para los políticos de su partido.

–Mira... Tú eres la heredera de esta foto.

Uno de ellos señala una foto sobre una mesilla junto al sofá. Está en un marco de plata, y muestra a Indira, de niña, sentada junto al Mahatma.

–Os agradezco mucho, de verdad, que hayáis pensado en mí para ese cargo. Es un gran honor, pero no lo merezco. Sabéis que detesto la notoriedad. Además no pertenezco a la familia directa, soy la nuera...

–Te casaste con un indio, y ya sabes que aquí la nuera pasa a formar parte de la familia del marido en cuanto se casa... Has cumplido religiosamente con nuestras costumbres. Eres tan india como cualquiera, y no cualquier india es la mujer de un Nehru-Gandhi. Mira esta foto... ¿ese sari rojo que llevabas el día de tu boda, no es el que Nehru tejió en la cárcel?

–Sí, pero eso no quita que sea extranjera...

–Al pueblo le da igual dónde hayas nacido. No serías la primera extranjera de nacimiento en ser presidenta –interrumpe el tercero–. Recuerda que Annie Besant, una de las primeras líderes del partido y la primera en liderarlo a nivel nacional, era irlandesa. La idea no es tan descabellada.

–Eran otros tiempos. Soy demasiado vulnerable para asumir ese puesto. ¿Os imagináis los ataques de la oposición? Instrumentalizarían al pueblo contra mí, y sería un desastre para todos.

–Soniaji, te hacemos una oferta sin condiciones... –dice el mayor de todos, un astuto político conocido por su habilidad en manipular, y que parece estar a punto de sacarse un as de la manga–... Quizás lo más importante para ti es que vas a volver a disponer del grado máximo de protección, como cuando Rajiv era primer ministro.

–Lo siento, pero habéis llamado a la puerta equivocada. No tengo ambición de poder, nunca me ha gustado ese mundo, me desenvuelvo mal en él, aborrezco ser el foco de atención. A Rajiv tampoco le gustaba. Si se metió en política, fue porque se lo pidió su madre. Si no, seguiría siendo un piloto de Indian Airlines, estaría vivo hoy y seríamos probablemente muy felices... Así que, lo siento mucho, pero no contéis conmigo.

–Eres la única que puede evitar que el partido se derrumbe. Y si se rompe el partido, es muy probable que el país entero se desmorone. ¿Qué ha mantenido unida a la India desde la independencia? Nuestro partido. ¿Quién es el garante de los valores que permiten que todas las comunidades convivan en paz? El Congress. Desde que no estamos en el poder, mira cómo ganan terreno los viejos demonios: el odio entre comunidades, entre religiones, las tentaciones separatistas de tantos estados... El país entero corre hacia la ruina, sólo tú puedes ayudarnos a salvarlo. Tienes prestigio y la gente te quiere. Por eso hemos venido personalmente... a apelar a tu sentido de la responsabilidad.

–¿Responsabilidad? ¿Por qué ha de ser esta familia la que pague con la sangre de sus miembros un tributo constante al país? ¿Es que no ha bastado con Indira y Rajiv? ¿Queréis más?

–Piénsalo, Soniaji. Piensa en Nehru, en Indira, en Rajiv... Vuestra familia está tan íntimamente ligada a la India como una liana alrededor del tronco de un árbol. Sois la India. Sin vosotros, no somos nada. Sin ti, no hay porvenir para esta gran nación. Éste es el mensaje que venimos a transmitirte. Sabemos que son horas amargas, y te pedimos perdón por interrumpir tu duelo, pero no nos abandones. No tires por la borda tanto sacrificio y tanta lucha. Tienes en tu mano la antorcha de los Nehru-Gandhi, no la apagues.

Palabras, palabras, palabras... Siempre hay un propósito mayor, una meta más alta al final del camino, una razón más noble, una mejor justificación para adornar el fin último, que no deja de ser hacerse con el poder. Los políticos siempre encuentran argumentos y excusas para hablar de lo único que les interesa, el poder. A fuerza de haber vivido tantos años a la sombra de dos primeros ministros, Sonia se conoce el percal. Se imagina perfectamente la desolación de todos los cabezas de lista que iban a presentarse a las elecciones y que hoy también se sienten huérfanos. El asesinato de su marido ha roto los sueños de mucha gente, no sólo los suyos. Se imagina todas las conjeturas, las maniobras, las zancadillas, los engaños de todos los que luchan por la sucesión de Rajiv en el seno del partido. Es mucho lo que está en juego, por eso vienen los mandamases a rendirle pleitesía, sin perder un ápice de tiempo. No piensan en ella como ser humano, ni siquiera en estas horas bajas, sino como instrumento para mantener las riendas del poder. Es hora de posicionarse en el partido porque el poder no soporta el vacío. En un país de escasos recursos, donde las oportunidades son pocas, el poder político es la clave de la prosperidad individual.

Sonia aprendió de Rajiv e Indira a mantener a raya a los políticos, a no dejarse utilizar por ellos. Pero ellos son astutos y piensan que Sonia acabará cediendo, que lo hará, si no por ella, por sus hijos, por mantener vivo el nombre de la familia, porque el poder es un imán del que es imposible escapar. ¿No dicen los poetas védicos que ni siquiera los dioses pueden resistirse a los elogios?

El día siguiente, Sonia manda una carta a la sede central del partido: «Estoy profundamente conmovida por la confianza depositada en mí por el Comité de Trabajo. Pero la tragedia que se ha abatido sobre mis hijos y sobre mí no me permite aceptar la presidencia de esta gran organización». Es un jarro de agua fría para los fieles que no aceptan su rechazo y que deciden seguir presionándola con todos los medios a su alcance. Cada mañana, simpatizantes del partido se manifiestan frente a su domicilio, una villa colonial situada en el número 10 de Janpath, una avenida del centro de Nueva Delhi. Llevan pancartas y gritan eslóganes de «Viva Rajiv Gandhi; Soniaji presidenta». Sonia, irritada, le ruega al secretario de su marido que eche a los manifestantes, que ponga fin a este espectáculo que le parece estúpido y sin sentido. «Que se busquen un sucesor –piensa ella–. Mi familia ya ha hecho bastante...»

Los que de verdad se sienten tranquilizados cuando leen la noticia en el periódico son sus parientes en Orbassano, cerca de Turín. «En la ciudad respiramos todos con alivio –declara una vecina–. Menos mal que no ha aceptado el puesto de su marido, hubiera supuesto un gran riesgo para ella y para sus hijos.»

Acto I

La diosa Durga cabalga
sobre un tigre

Lo propio del poder es proteger.

Pascal

3

Sonia tenía dieciocho años, la edad en que decidió ir a Inglaterra a aprender inglés, cuando se enamoró de Rajiv. Era tan guapa que la gente se volvía en la calle para mirarla. Caminaba muy erguida, y su pelo castaño oscuro y lacio enmarcaba su rostro de *madonna*. Josto Maffeo, un compañero de clase que los fines de semana compartía con ella el trayecto en autobús desde el pueblo de Orbassano, donde vivía con su familia, hasta el centro de la ciudad de Turín, hoy convertido en un conocido periodista, la recuerda como «una de las mujeres más guapas que he conocido en mi vida. Además de guapa era interesante, muy amiga de sus amigos, tranquila y equilibrada. No le gustaba participar en juergas multitudinarias y, eso sí, siempre mantenía una cierta reserva respecto a los demás».

No es de extrañar entonces que el padre de Sonia, un hombre fornido cuyo rostro de montañés llevaba la huella de un pasado duro de trabajo al aire libre, se opusiese con tanta vehemencia a que su hija fuese a estudiar inglés a Cambridge. El bueno de Stefano Maino, con su pelo corto peinado hacia atrás, su bigote espeso que hacía cosquillas a sus hijas al besarlas y sus mejillas encarnadas, estaba chapado a la antigua. Tanto es así que años atrás, al instalarse en Orbassano y enterarse de que la escuela del pueblo era mixta, se negó a que sus hijas la frecuentasen y optó por mandarlas a Sangano, una población a diez kilómetros de distancia, a un colegio exclusivamente femenino. Cuando se fueron haciendo mayores, siempre quería saber en qué lugar y con quién se encontraban sus tres hijas. Tampoco le hacía mucha gracia que saliesen los fines de semana, y eso que no eran salidas nocturnas, lo que no hubiera tolerado. Eran salidas a Turín, a media hora de tren o de autobús, a pasear bajo los soportales de sus bellas avenidas o, si hacía malo, a meren dar con las amigas en una de las famosas *cremerie* de la ciudad. Stefano era un hombre de principios estrictos e irremediablemente chocaba con sus hijas adolescentes. Quien solía hacerle frente era Anushka, la mayor, una chica de carácter fuerte, rebelde y peleona. A su lado, Sonia era un ángel. La más pequeña, Nadia, todavía no daba problemas.

Su esposa, Paola, una mujer con facciones regulares, una sonrisa franca y aire más refinado, compensaba con su flexibilidad la severidad de Stefano. Era más abierta, más tolerante, más comprensiva. Quizás por ser mujer, era más capaz de entender a sus hijas, aunque su adolescencia fue muy distinta, en una aldea montañosa que no llegaba a los seiscientos habitantes, y en una época en que Italia era un país pobre. Muy pobre. Sus hijas no han tenido nunca que ordeñar vacas por obligación, o atender las faenas del campo o servir cafés en el bar de la familia. Ellas han sido fruto de la posguerra, hijas del Plan Marshall, de la expansión económica, del resurgir de Italia en Europa. Sólo han conocido la pobreza de refilón, cuando eran pequeñas, porque en los años de posguerra era imposible escapar al espectáculo de los lisiados y mendigos que buscaban el calor del sol y la caridad pública apoyados en los muros de la plaza del pueblo. Y ese contacto las marcó para siempre, sobre todo a Sonia. En Vicenza, la ciudad grande más próxima a la aldea donde vivían, la pobreza se veía antes de llegar al centro, en esos barrios de chabolas, donde los niños jugaban desnudos o andaban con ropa hecha jirones.

–¿Por qué sus mamás dejan que vayan así, en cueros? –preguntaba perpleja la pequeña Sonia.

–Esos niños van así porque no tienen ropa. No van así por to, sino porque no tienen más remedio. Porque son pobres.

a niña entendió por primera vez lo terrible que era la pobre-
emás, añadió su madre, algunas familias pasaban hambre.
ía todos los meses el párroco del pueblo a casa a hacer
leche en polvo, comida y ropa que luego repartía entre
esitados? Aquel párroco sabía que siempre podía
familia Maino que, aunque también pasaba estre-
lica devota y practicaba la caridad.
o dice que los pobres serán los primeros en

entrar en el Reino de los Cielos... ¿No te lo han enseñado en la catequesis?

Sonia asentía, mientras ayudaba a su madre a preparar un paquete de ropa usada. En casa de los Maino, no se tiraba nada, no se desperdiciaba nada. Las pequeñas heredaban de las mayores. Lo que no se usaba se daba a los pobres. El recuerdo de la guerra estaba demasiado próximo como para olvidar el valor de las cosas.

Los padres de Sonia eran oriundos de la región del Véneto, en concreto de la aldea de Lusiana, en los montes Asiago, en las estribaciones de los Alpes, una zona ganadera que da su nombre a uno de los quesos más apreciados de Italia y conocida también por sus canteras de mármol. La familia paterna, los Maino, eran de modales rudos, honrados, directos y muy trabajadores. Una cualidad que no se le escapó a la madre de Sonia, Paola Predebon, hija de un ex carabinero que llevaba el bar del abuelo en la aldea de Comarolo di Conco, en el fondo del valle. Stefano y Paola se casaron en la bonita iglesia de Lusiana, consagrada al apóstol San Giacomo, con su torre alargada como una flecha que apunta al cielo y que parece el minarete de una mezquita, influencia sin duda de los otomanos que anduvieron por allí hace siglos.

Sonia nació a las nueve y media de la fría noche del 9 de diciembre de 1946 en el hospital civil de Marostica, una muy antigua y pequeña ciudad amurallada a los pies de los montes Asiago. «É nata una bimbaaa!», la buena nueva alcanzó rápidamente la aldea de Lusiana, y el eco retumbó en los muros de piedra de las casas, en los establos, en las escarpaduras rocosas y las montañas de los alrededores hasta perderse a lo lejos, en cascada. Como homenaje a la recién llegada y siguiendo la tradición, los vecinos anudaron lazos de tela rosa en las verjas de las ventanas y las puertas de la aldea. A los pocos días fue bautizada por el párroco de Lusiana con el nombre de Edvige Antonia Albina Maino, en honor a la abuela materna. Pero Stefano quería otro nombre para su hija. A la mayor, bautizada como Ana, la llamaba Anushka, y a Antonia la llamó Sonia. Cumplía así la promesa que se había hecho a sí mismo después de escapar con vida del frente ruso. Como muchos italianos anclados en la pobreza, Stefano se había dejado seducir por las ideas fascistas y la propaganda de Mussolini y al principio de la guerra se había alistado en la división de infantería 116 de Vicenza, un regimiento que pertenecía al cuerpo de *bersaglieri*, de gran reputación en el ejército italiano y en el que también había servido el Duce. Los *bersaglieri*, que eran conocidos por su rápida cadencia al desfilar, más de ciento treinta pasos por minuto, y sobre todo por el casco de ala ancha del que pendía un penacho de plumas de gallo negras y brillantes que caían de lado, estaban rodeados de un aura de valor e invulnerabilidad que la campaña de Rusia barrió de un plumazo. La división perdió tres cuartas partes de sus hombres en el primer encontronazo con los soviéticos. Hubo miles de prisioneros, entre los que se encontraba Stefano, que logró escapar junto con otros supervivientes. Consiguieron refugiarse en una granja en la estepa rusa, donde vivieron semanas bajo la protección de una familia de campesinos. Las mujeres les curaron las heridas, los hombres les proporcionaron víveres, y la experiencia, aparte de salvarles la vida, les cambió por completo. Como miles de soldados italianos, regresaron desilusionados con el fascismo y agradecidos a los rusos por haberles salvado. A partir de entonces, Stefano dejó de hablar de política; para él, estaba hecha de mentiras. En homenaje a la familia que le salvó la vida decidió poner a sus hijas nombres rusos. Y por no discutir con su familia política ni con el cura para quien el nombre de Sonia no formaba parte del santoral –Sofía era aceptable; Sonia, no–, Stefano aceptó inscribirla en el registro con nombres plenamente católicos. Después del bautizo invitaron a vecinos y familia a un plato de bacalao a la Vicentina, el favorito de la región, con mucha polenta para mojar en la salsa. Fue un lujo conseguir bacalao porque en aquellos tiempos de posguerra había escasez de todo, hasta en Vicenza, la capital de la región situada a cincuenta kilómetros de distancia, abajo en la llanura.

La alegría de los Maino hubiera sido total de no ser por las dificultades que tenía Stefano para sacar adelante a su creciente prole. En esos años, era muy difícil escapar del zarpazo de la miseria. Tenían para comer, para vestirse, y poco más. Los Maino no tenían tierras, sólo unas vacas y una casa de piedra que él mismo levantó con sus manos, la última de la Rua Maino, la calle donde generaciones de parientes suyos, que originalmente habían llegado de Alemania, habían ido construyendo sus moradas. Eran espartanas, pero tenían unas magníficas vistas al valle. Muretes de piedra separaban los prados donde pacían las vacas, cuya cría era el recurso principal de la zona porque la tierra era mala para la agricultura, había demasiada piedra y demasiadas cuestas. Sonia y sus hermanas crecieron frente al espectáculo sublime del valle de Lusiana, que cambiaba de color según las estaciones. Todas las tonalidades y matices de verdes y pardos desfilaban ante sus ojos, del color esmeralda de los árboles en primavera al amarillo de los campos en verano, pasando por el cobrizo del otoño y el blanco del invierno. Para los niños, la primera nevada del año era como una gran fiesta que celebraban con júbilo; jugaban a hacer muñecos de nieve y a tirarse bolas por las calles blancas. Pero a Sonia la mezcla de ejercicio físico y frío le provocaba una fatiga en el pecho que la obligaba a volver pronto a casa. Le gustaba refugiarse al calor de la estufa de hierro fundido de la cocina, mientras el viento silbaba por las rendijas de las ventanas.

Los domingos por la mañana, el tintineo de los cencerros de las vacas se mezclaba con las campanadas de la iglesia, mientras la familia endomingada se dirigía a la misa que nunca se saltaban. Rezaban para que Stefano encontrara trabajo, para que el asma de Sonia remitiese, para que la situación general mejorase, para que las niñas tuvieran todo lo necesario y se criaran sanas y felices. A principios de los cincuenta, Stefano acabó encontrando trabajo, pero no en su pueblo, sino del otro lado de las montañas, en Suiza. Su experiencia como albañil y su seriedad le valieron ser contratado varias temporadas. Se iba un mínimo de dos meses y regresaba con los bolsillos llenos de liras que duraban menos de lo que hubiera esperado.

En 1956, Stefano tomó la decisión de emigrar, como lo estaban haciendo sus tres hermanos y tantos paisanos. El polo industrial turinés, que había crecido alrededor de la Fiat, actuaba de imán para millones de italianos que querían huir de la pobreza del campo. Los Maino cruzaron en tren todo el norte de

Italia y se instalaron en Orbassano, un pueblo industrial a las afueras de Turín. Así lo hicieron porque Giovanni, uno de los hermanos de Stefano, al que llamaban el Moro por el color cetrino de su piel, se había casado con una chica de un pueblo cercano y aseguraba que el boom de la construcción necesitaba muchos brazos. Además Stefano conocía la región porque en los años treinta había trabajado de obrero para el ejército en la rehabilitación de fuertes militares en la frontera con Francia, en los Alpes. Le gustaban los piamonteses, quizás porque también eran montañeses: gente directa, franca, que no pierde el tiempo en contemplaciones.

Trabajo, trabajo y trabajo, ésa era la receta de Stefano para prosperar rápidamente. No hacía otra cosa, no se le conocían *hobbies* ni era aficionado a los deportes, aunque le gustaba ir al bar de Pier Luigi a ver en la televisión las finales del Juventus. A ese mismo bar acudía asiduamente su hija Sonia, porque Pier Luigi vendía los mejores helados de la zona. «*Era molto vivace, molto biricchina*», diría de la niña.

Cuando llegó a Orbassano, Stefano ya era oficial y de allí pasó a montar su propia empresa de construcción inmobiliaria. Empezó con reformas, luego construyó chalets, pequeños *palazzi* y más adelante casas adosadas. «Era un hombre muy recto», decía de él su amigo Danilo Quadri, un mecánico que le reparaba las averías de sus hormigoneras y demás maquinaria y que acabó convirtiéndose en su gran amigo. Todos los días se veían a la hora del café en el Bar de Nino, en la plaza frente al Ayuntamiento, un edificio de dos plantas con soportales, un reloj en la fachada y una bandera italiana en el balcón. Al lado estaba la iglesia de San Juan Bautista, con su torreón característico y sus tejaditos picudos color turquesa, donde acudían a misa los domingos con sus respectivas familias. Stefano era un hombre de horarios fijos, amante de la rutina. Después de su cita diaria con su amigo Danilo, regresaba andando a casa por la Via Frejus, flanqueada de edificios sin gracia ni estilo donde un bloque de pisos surgía junto a una villa antigua en una mezcla muy característica del urbanismo popular de la posguerra. Su casa se encontraba en el número 14 de la Via Bellini, a una distancia de aproximadamente kilómetro y medio de la plaza del pueblo.

Aquella villa de tres pisos rodeada de un pequeño jardín había sido el sueño de su vida. Cuando hubo saldado las deudas contraídas al empezar su negocio, buscó un solar a buen precio que estuviera cerca de la estación del *trenino* y de la de autobuses y lo compró a toca teja. Stefano levantó su casa en tiempo récord, con la típica *tavernetta* que ocupaba toda la planta baja. No había una casa que se preciase que no tuviera su *tavernetta*, muy cuidada, con su barra, su bar, su chimenea, que los padres utilizaban para reunirse con amigos o para celebrar aniversarios, y los hijos para sus guateques. Hizo la casa grande con idea de repartirla entre sus hijas cuando fuesen mayores. Aparte del trabajo, la familia era un valor fundamental en la vida de Stefano Maino, como buen italiano. Y, por supuesto, la religión. Valores todos que compartía con su mujer Paola, y que se esforzaban en transmitir a las niñas.

Sonia tenía diez años cuando llegó a Orbassano. El cambio de una aldea de montaña a un suburbio de una gran ciudad como Turín fue impactante. Era una vida mucho más fácil, más entretenida, que ofrecía posibilidades infinitas. La única sombra en esa nueva vida tenía que ver con su origen. Eran unas *paesane*, como se llama despectivamente a los inmigrantes del campo en el norte de Italia. Un estigma que les hizo sentirse menos que los demás y que les creó un complejo que les duraría toda la vida. En la aldea nunca se habían sentido diferentes; aquí sí, sobre todo al principio, en el colegio, donde otras niñas las trataban de *paesane* por vestir a la antigua o con ropa «de pueblo». Orbassano no era ajena al ambiente clasista de Turín, una ciudad conservadora donde se almuerza a las doce, se toma el *capuccino* a las cinco en grandes pastelerías de estilo *art déco* y se cena a las siete de la tarde. Donde las señoras van siempre muy repeinadas, y los señores visten a la última. Donde el obrero quiere vivir como el patrón y lo imita, el patrón como los ricos burgueses de los que quiere formar parte, y los burgueses como los aristócratas a los que secretamente admiran. En aquella época, no existían veleidades de rebelión; nadie quería colgar al jefe, todos querían ser como él. La prosperidad parecía no tener fin y permitía que todos persiguiesen su sueño de movilidad social. Poco a poco y a medida que el padre prosperaba, el estatus social de la familia Maino fue elevándose. De hijas de «pastor de vacas y albañil», las niñas pasaron a ser hijas de un constructor que vivía desahogadamente. De hijas de campesino inmigrante a hijas de empresario. Paola, la madre, una mujer más sensible al entorno social que su marido, en seguida captó los gustos de la burguesía turinesa –el estilo de vestir, los ademanes, etc.–, y los transmitió a sus hijas, que rápidamente se hicieron unas «señoritas». Nunca hasta el punto de que ellas renegasen de sus orígenes, eran demasiado honradas para eso. Pero siempre supieron que nunca alcanzarían el estatus de los turineses de pura cepa porque no habían nacido allí.

Después de terminar la primaria en el colegio de chicas del pueblo de Sangano, Sonia hubiera querido continuar sus estudios en la escuela de Orbassano, pero su padre se opuso. «Nada de escuela pública para mis hijas. Para ellas, siempre lo mejor.» Lo mejor, según los Maino, era el colegio de las hermanas de María Auxiliadora en Giaveno, una bella ciudad medieval a unos veinte kilómetros de casa, conocido lugar de esparcimiento de muchos turineses. Allí tendrían la posibilidad de mezclarse con niñas de un «mejor ambiente» que en la escuela pública de Orbassano. Aparte de que valoraban mucho la educación religiosa, también querían quitarse el sambenito de *paesane*. De modo que dejaban a las niñas los lunes por la mañana y las recogían los viernes. No era un internado duro, al contrario, estaba lleno de monjas salesianas amables que en seguida tomaron afecto a Sonia. «La mayor tenía mucho genio y era difícil, pero Sonia era la bondad misma», diría de ella la hermana Domenica Rosso, quien fue asignada su tutora. «*Che bel carattere, sempre gioviale*», recuerda la hermana Giovanna Negri, antes de añadir: «Estudiaba para salir del paso, pero era risueña y siempre muy servicial». Sonia mostraba ya una cualidad que se revelaría de gran importancia en su edad adulta: era conciliadora. «Tenía un talento especial para que dos compañeras que se peleaban dejasen de hacerlo, o para poner de acuerdo a un grupo y hacer una actividad en común. Era una chica muy serena, desde pequeña, quizás a causa de su problema, que la hizo madurar antes de tiempo...» El problema al que se refería la hermana

Giovanna era el asma. Recuerda que los ataques de tos eran de tal intensidad que tuvieron que acomodarla en una habitación individual. Era la única interna que dormía sola, y lo hacía con las ventanas abiertas hasta en invierno, a pesar del viento glacial que soplaba de los Alpes. El internado, que contaba con doscientas alumnas, estaba en una loma que dominaba la ciudad: las torres de sus iglesias medievales emergían entre un mosaico de tejados antiguos, y del otro lado del río había un gran risco cuya cima solía estar cubierta de nieve. Cuando los ataques de tos cedían, Sonia, bajo su edredón de plumas, se quedaba mirando esa montaña, levemente iluminada por el reflejo de las luces de la ciudad y que le recordaba a su Lusiana natal.

Sonia aprendió a esquiar, como todos los piamonteses, para quienes el esquí es el rey de los deportes. Pero nunca fue una gran aficionada, como no lo fue a ningún deporte, porque temía que el ejercicio desencadenase un ataque de asma. Para compensar, a lo que sí se aficionó mucho fue a la lectura, una pasión que le duraría toda la vida. Al principio, como era de rigor en los colegios católicos, leía las vidas de los santos. Sobre todo le gustaban las historias de los misioneros que lo daban todo por los pobres en países lejanos. Ser misionera le parecía una vida heroica, llena de sentido, porque había que entregarse a los demás, y excitante, porque estaba llena de aventura. Las monjas del internado proyectaban regularmente películas que contaban las grandes gestas y mitos del cristianismo –como la vida de san Francisco de Asís, por ejemplo– y que dejaban a las niñas, sobre todo a Sonia, petrificadas de emoción. Pero el placer de los libros duraba más que el de las películas, y podía releerlos y recrearse al tiempo que aprendía de las experiencias y de los pensamientos de los personajes. La lectura le abría las puertas al mundo. Gracias a ella, y a su curiosidad innata, la adolescente Sonia desarrolló un sentimiento que las monjas llamaban *amor mundi*, amor del mundo según la exquisita descripción que había hecho de ello san Agustín.

En las clases tuvo que aprenderse la vida de los grandes héroes de la historia moderna de su país como el filósofo y político Mazzini, que contribuyó a que Italia fuese una república democrática; o las andanzas del peculiar Garibaldi, idealista y guerrero que peleó por la unificación del país. Aprendió sobre el *Risorgimento*, el movimiento nacionalista del siglo XIX, pero del resto del mundo las monjas enseñaban poco. Por ejemplo, de la India, de su lucha por la independencia y de su irrupción como un Estado moderno ni siquiera oyó hablar. La vaga figura de Gandhi le sonaba algo, pero tampoco hubiera podido decir de quién se trataba, como la gran mayoría de estudiantes no sólo italianos, sino europeos. Nehru, en cambio, le era más familiar. La silueta de ese hombre elegante, tocado con su característica gorra, la vislumbró alguna vez de camino a la cama, ya con el camisón puesto, en el noticiero nocturno que sus padres veían en la televisión.

De todas maneras, a Sonia la historia no le interesaba particularmente, como tampoco las materias científicas, o las que tuvieran que ver con la política. De siempre le gustaron los idiomas, para los cuales tenía una cierta facilidad. Su padre le había animado a aprender ruso y le había pagado un profesor particular. Sonia lo entendía y lo hablaba, aunque le costaba leerlo. También aprendió francés, en casa. Además los idiomas servían para viajar, para conocer otra gente, otras costumbres, otros mundos, para descubrir esos lugares que había podido avistar en las vidas de los misioneros.

Más tarde, cuando hubo dejado el internado de Giaveno y se matriculó en un instituto de Turín para hacer el preuniversitario, sus sueños infantiles se fueron transformando. Se fueron adaptando a la realidad. La idea de ser azafata de Alitalia, de ganarse la vida viajando por el mundo, llegó a seducirla. No requería un esfuerzo excesivo y, cuando hubiera terminado el bachillerato, cumpliría con casi todos los requisitos: era bien parecida, de buenos modales, medía lo que tenía que medir, sabía ruso y francés, lo tenía todo... Sólo le faltaba perfeccionar su inglés.

—Papá, quiero ir a Inglaterra a aprender bien inglés...

—Ni hablar.

A Stefano, la idea de que su hija viviese entre aviones y hoteles de acá para allá no le hacía la más mínima gracia, y tampoco le parecía algo serio. Si quería aprender inglés, ya le pagaba clases en una academia, no necesitaba marcharse de casa. ¿Acaso no había aprendido ruso con un profesor particular? ¿Acaso no había aprendido francés sin ir jamás a Francia? Sonia, que conocía bien la testarudez de su padre, evitaba enfrentarse a él, pero en el fondo era igual de cabezona cuando estaba convencida de lo que quería. De casta le viene al galgo...

Así que se granjeó el apoyo de su madre y mientras terminaba sus estudios, trabajaba esporádicamente en Fieratorino, la organización encargada de los congresos y las ferias industriales, como el famoso Salón del Automóvil. Sonia hizo sus pinitos de azafata, y hasta de intérprete de ruso en un campeonato de golf. Le gustaba el contacto con gente diversa. La misma curiosidad que sentía hacia los idiomas la sentía hacia la cultura y el espíritu de la gente que los hablaba. El mundo era definitivamente mayor que la pequeña Orbassano, y esos trabajitos le ensanchaban el horizonte. Poco a poco, su sueño de ser azafata se fue transformando en el de ser profesora de idiomas o, mejor aún, intérprete en algún organismo internacional como las Naciones Unidas.

Como buen montañés, Stefano era autoritario y rígido, pero no tan terco como para no darse cuenta de las necesidades de sus hijas. Estaba atrapado en un dilema común a la gente de su generación: por una parte sentía la necesidad de tenerlas bajo control y de educarlas a la manera tradicional (las chicas podían hacer ciertas cosas; los chicos, en cambio, podían hacer todo lo que quisieran) y por otra veía que los tiempos cambiaban y que ya no se trataba de esperar a que encontrasen marido. Y aun así, mejor que fuesen económicamente independientes para no tener que vivir bajo la férula de un hombre. De modo que ante la presión de su mujer que estaba empeñada en que sus hijas tuvieran una profesión, transigió, y aceptó hacerse cargo del viaje y de los estudios de Sonia en Inglaterra. Pero no estaban dispuestos a que su hija fuese de *au pair* a vivir con cualquier familia en una ciudad cualquiera. Eligieron Cambridge, cuna de una de las más prestigiosas universidades y *colleges*. En la edad en la que estaba Sonia, más valía rodearla del mejor ambiente posible... Ella se lo agradeció abrazándole y besándole como cuando era pequeña, buscando las cosquillas de su bigote.

El 7 de enero de 1965, se despidió de sus hermanas y dio un fuerte achuchón a *Stalin*, el viejo perro que había sido su compañero de juegos durante toda su infancia. Sus padres la acompañaron hasta el aeropuerto de Milán, a una *oretta* de distancia. La neblina de la mañana dio paso a un día soleado y frío. Sonia se debatía entre la excitación de viajar sola por primera vez y el miedo a lo desconocido. Tenía dieciocho años y la vida por delante. Una vida que ni en sus sueños más descabellados hubiera podido imaginar.

4

«Para ellas, siempre lo mejor...» Stefano nunca escatimó con sus hijas. La Lennox Cook School era una de las mejores y más caras escuelas de idiomas de Cambridge, situada en una bonita calle un poco apartada del centro. Presumía de haber tenido al famoso escritor E. M. Foster entre sus profesores de literatura, aunque en aquellos años era demasiado mayor y sólo iba esporádicamente a dar alguna charla. Por el precio de la matrícula, la escuela se encargaba también de buscar una familia inglesa a cada estudiante que lo solicitase, para que pudiese vivir como huésped de pago.

Comparado con el de Turín, el clima de Cambridge le pareció a Sonia deprimente: el frío congelaba los huesos a causa de la humedad, caía un chirimiri constante y se hacía de noche a las cuatro de la tarde. Además era un frío penetrante porque, para ahorrar, los radiadores de la casa se mantenían apagados la mayor parte del día. Para su sorpresa, el de su habitación funcionaba sólo con monedas. Había pensado que vivir en el seno de una familia inglesa sería como hacerlo con cualquier familia italiana, donde todo se compartía. Pero eso era desconocer las costumbres locales. Ser huésped de pago era un negocio más y, como tal, todo se contabilizaba. Descubrió horrorizada que tenía que pagar cada vez que quería darse un baño y que le iba a salir caro mantener el nivel de higiene diaria al que estaba acostumbrada. Pero lo peor eran las comidas. Nunca había comido col hervida ni carne con mermelada ni tortilla de patatas acompañada de... patatas. Levantarse por la mañana y encontrarse frente a una tostada con judías blancas en salsa de tomate le cortaba el apetito. Y la tostada con espaguetis blandos y pegajosos que le dieron un día le pareció una broma de mal gusto, aunque al ver que los demás le hincaban el diente con fruición, se dio cuenta de que así eran las cosas en ese país tan raro. A esto se sumaba la dificultad que tenía de expresarse: era incapaz de sostener una conversación fluida con la familia de acogida. En realidad, sabía menos inglés de lo que se había imaginado.

Al principio, pensó que nunca se acostumbraría. Su timidez constituía un obstáculo para relacionarse. Evitaba verse con otros italianos porque estaba allí para estudiar y no para divertirse. Los primeros días se dedicó a descubrir la ciudad. La iglesia gótica del King's College y el río lleno de bateas con turistas eran dos de sus lugares preferidos. Pero había muchos sitios interesantes como la capilla del Trinity College con sus estatuas y placas en honor a los grandes personajes que habían estudiado o investigado allí, como Isaac Newton, Lord Byron o el propio Nehru; el «puente matemático», el primer puente en el mundo diseñado según el análisis de las fuerzas matemáticas que actúan sobre su estructura... No le pareció extraño que Cambridge fuese considerada una de las ciudades más bellas de Inglaterra, pero eso no dejaba de ser un pobre consuelo a su soledad. A la salida de clase solía deambular por las calles del centro. De vez en cuando entraba en una de las numerosas librerías, sobre todo en las que tenían prensa extranjera, para hojear alguna revista o periódico italianos. Ese fugaz contacto con su país era como un bálsamo. Sentía tanta nostalgia, echaba tanto de menos a los suyos, que al regresar a su cuarto gélido se le caía el alma a los pies. Pero ¿por qué demonios se me habrá antojado venir a estudiar a un sitio así?, se preguntaba mientras daba una fuerte calada a su inhalador.

Por muy tímida que fuese, era imposible no hacer amigos a los dieciocho años en un lugar como Cambridge, donde uno de cada cinco habitantes era estudiante. Los había de todas las nacionalidades y todas las razas y se dedicaban a todo tipo de actividades durante su tiempo libre, desde el deporte al arte dramático, pasando por escuchar música en vivo o ir de *picnic* al Orchard Tea Garden, unos jardines en un paraje idílico que parecía sacado de una novela de Thomas Hardy y cuya cafetería servía una deliciosa tarta de queso. Son ellos los que habían impreso a la ciudad ese ambiente cosmopolita, divertido y a la vez interesante, por el que Cambridge era mundialmente conocida.

Y muchos eran como Sonia, es decir extranjeros sin familia ni amigos. Se necesitaban los unos a los otros.

Fue un chico alemán quien le habló por primera vez de un restaurante donde se comía decentemente. Christian von Stieglitz era un estudiante de Derecho Internacional en el Christ's College, un chico alto, bien parecido, con ojos de un azul intenso y mirada pícara. Medio inglés medio alemán, hablaba varios idiomas, aunque sentía predilección por el italiano y el francés. Y por las italianas y las francesas, de modo que... ¡qué mejor manera de unir lo útil a lo agradable que pululando por las escuelas de idiomas, llenas de guapas estudiantes! Así fue como conoció a Sonia, y la convenció para que probase el único lugar en Cambridge donde se comía decentemente. No era muy caro, y tampoco estaba lejos de la escuela. El Varsity era conocido por ser el restaurante más antiguo de la ciudad y se jactaba de haber tenido como ilustres comensales al príncipe Faisal y al duque de Edimburgo en su época de estudiantes. Diez años antes había sido comprado por una familia grecochipriota y desde entonces ofrecía platos mediterráneos a su numerosa clientela, que incluía tanto profesores como alumnos. Se encontraba en un edificio antiguo de fachada de ladrillo visto pintada de blanco con dos grandes ventanas a cuadritos en el piso superior. Estaba anunciado por un rótulo discreto de letras negras. Era un local estrecho y desde los ventanales que daban a la calle se podían ver los edificios del Emmanuel College, otra institución con mucha solera donde había estudiado el mismísimo señor Harvard, y que le sirvió de inspiración para fundar la universidad que lleva su nombre cerca de Boston.

Para Sonia fue una auténtica revelación, y un consuelo para su pobre estómago. Era lo más cercano a la comida casera que había probado desde que había llegado a la ciudad. Así que pronto se aficionó a los *mezze*, los aperitivos que incluían mojar pan en *tarama*, una crema hecha a base de huevas de pescado y limón, los pinchos de carne asados a la parrilla de carbón o la especialidad de la casa, el cordero al horno que se derretía en la boca como si fuese mantequilla. Además le gustaba el ambiente. Uno podía ir solo a comer al Varsity y no sentirse solo. Más de una vez debió de cruzarse con un personaje que cojeaba un poco por aquel entonces y siempre iba cargado de libros. Desarrollaba investigaciones sobre cosmología en la universidad y años más tarde su nombre daría la vuelta al mundo. Se llamaba Stephen Hawking y también era asiduo del Varsity. Otro personaje que acudía allí saltaría a la fama mundial, pero por otras razones. Sonia se había fijado en él varias veces porque ocupaba, junto a un grupo de estudiantes bullangueros, una mesa larga próxima a la suya. «Uno de aquellos chicos destacaba por su aspecto y por sus modales –contaría Sonia–. No era tan escandaloso como los demás, era más reservado, más amable. Tenía grandes ojos negros y una sonrisa maravillosa, inocente y desconcertante a la vez.»

Unos días más tarde, mientras Sonia estaba almorzando con una amiga suiza en una mesa en una esquina del piso de arriba, le vio acercarse, acompañado de Christian von Stieglitz, su amigo alemán. Después del habitual intercambio de saludos y bromas, el europeo le dijo:

–Mira, te presento a mi compañero de piso, es de la India, se llama Rajiv...

Se dieron la mano: «A medida que nuestras miradas se cruzaban por primera vez –diría Sonia– sentía latir mi corazón».

Rajiv la había estado observando durante todo el almuerzo, cautivado por su belleza serena.

–¿Te gusta? –le había preguntado Christian–. Es italiana, la conozco...

–Pues preséntamela.

El alemán estaba sorprendido porque Rajiv no era especialmente ligón ni mujeriego, sino más bien distante y apocado. «La primera vez que la vi –contaría Rajiv–, supe que era la mujer de mi vida.»

Esa misma tarde decidieron ir los cuatro a Ely, un pueblo a veinte kilómetros de Cambridge conocido por su soberbia catedral románica erigida dentro de los muros de un monasterio benedictino. Se desplazaron en el viejo Volkswagen azul de Christian, cuyo techo parecía picado de viruela. El responsable de ello había sido Rajiv, que había dado dos vueltas de campana un día en que había salido a dar una vuelta. Conducir era una de sus pasiones. Como no tenían dinero para llevarlo a un taller de chapa y pintura, para arreglarlo tuvieron que meterse dentro del vehículo y enderezar el techo a patadas. Por lo demás, el Escarabajo era el sueño de todo estudiante porque suponía tener un medio de transporte privado para salir de la rutina y descubrir el país a su antojo.

El paseo a Ely no tuvo nada de extraordinario, sin embargo fue el más especial de los que Rajiv y Sonia hicieron juntos en toda su vida. El que nunca olvidarían. Era una tarde sin lluvia, y parecía que los rayos de sol acariciaban el musgo de los muros e iluminaban los tejados de pizarra negros y brillantes por la humedad. Ely era un maravilloso pueblo conocido por albergar el mayor conjunto de edificios medievales todavía en uso en toda Inglaterra. Un lugar mágico, donde era fácil perderse entre las casas viejas y los jardines antiguos, donde disfrutaron de unas vistas espectaculares sobre la campiña inglesa desde lo alto de los torreones. Christian, que lo conocía bien, hacía de cicerone y les mostraba los rincones más bonitos y románticos, como un mago sacando prodigios de su chistera. Fue una tarde tranquila, en la que Rajiv y Sonia hablaron poco, dejándose mecer por un sentimiento de plenitud que parecía sobrepasarles. «El amor de Rajiv y Sonia empezó allí mismo, en los jardines de la catedral, y en ese preciso instante. Fue algo inmediato. Nunca vi a dos seres conectar de esa forma, y para siempre. Desde ese momento hasta el día de su muerte se hicieron inseparables», recordaría Christian más tarde.

¿Puede el amor surgir de una manera tan instantánea, insolente casi? Cuando Rajiv le cogió la mano mientras paseaban a la sombra de los muros vetustos de la catedral, Sonia no tuvo fuerzas para retirarla. Pensó en hacerlo, pero no lo hizo. Esa mano cálida y suave le transmitía una seguridad y, ¿por qué no decirlo?, un placer inmenso y profundo. Como si toda su vida hubiera estado esperando ese contacto envolvente. No pudo retirarla, aunque su conciencia le indicaba que debía hacerlo.

En los días siguientes, intentó luchar contra ese sentimiento que le ponía el corazón al galope y que le provocaba cierta ansiedad porque era incontrolable. Se empeñaba en dominarlo, en no dejarse consumir por ese fuego que la sonrisa de Rajiv había encendido en su interior. Las mujeres no ceden ante los intentos de seducción del primero que llega, eso le habían enseñado desde la más tierna infancia. Y ella había cedido, aunque sólo fuese dándole la mano, paseando como si fuesen novios de toda la vida. ¿No había que contenerse, disimular los sentimientos, poner los pretendientes a prueba? Pero todo lo que se suponía que debía hacer se estrellaba contra aquella sonrisa, esa mirada de ojos aterciopelados, esa voz tierna que se quebraba porque Rajiv era casi tan tímido como ella.

–¿Quieres venir esta tarde al Orchard?

–No, gracias, hoy no –respondió ella con un nudo en la garganta, sin poder apartar su mirada de los ojos de él.

–Es sólo un rato, y volveremos pronto...

Ella negó de nuevo, esta vez con la cabeza, y sonrió como para no desanimarle, porque en el fondo estaba deseando decir que sí. Rajiv no insistió, se quedó allí plantado, sin saber qué cara poner ni qué hacer con sus manos, como un niño vergonzoso que no sabe cómo encajar una negativa. No era el prototipo del pretendiente italiano, más bien al contrario. Era un poco patoso con las chicas, pero eso, en lugar de disminuirlo, aumentaba su encanto. Rajiv carecía de malicia y de vulgaridad; la verborrea no era lo suyo. Era un chico serio, y su sonrisa parecía franca. Pero para Sonia siempre existía la duda... ¿Y si quiere aprovecharse de mí?

Durante una temporada ella decidió no ir más al Varsity para no caer en la tentación de encontrárselo de nuevo. Mejor cortar por lo sano. Pero entonces su vida volvía a ser tan gris como antes, una vida sin sabor... ni color. ¿Esa atracción hacia ese chico, será por no estar sola?, se preguntaba en su gélida habitación mientras hincaba el diente a una manzana. ¿Cómo puede ser un sentimiento auténtico, si casi no hemos hablado? ¿Cómo se puede querer lo que no se conoce? Todas estas preguntas se agolpaban en su mente mientras intentaba convencerse de que no, no podía ser, su imaginación le estaba jugando una mala pasada, no sentía nada por aquel chico. Luego, en momentos de lucidez, se daba cuenta de que él debía de ser muy distinto de ella en todo. Era de otro país... ¡y de qué país! Ni de Europa ni de Estados Unidos, sino de un lugar distante y exótico del que ella no sabía casi nada... ¡Un indio, nada menos! De otra raza, con la piel un poco cetrina y que seguramente profesaba otra religión, que habría sido criado con otras costumbres, casi medievales... ¡Sería una locura enamorarme de alguien así!, se decía entonces. ¿No estaba el mundo lleno de historias de indios o africanos colados por europeas que, una vez las consiguen y las llevan a sus países, acaban de esclavas? Ella se veía de pronto como el capricho pasajero de un príncipe oriental, o algo por el estilo. Entonces por un momento se olvidaba de todo y volvía a ser ella misma, una estudiante italiana perdida en Cambridge, deseando que llegasen las vacaciones para volver a casa y acabar con el vértigo de la soledad y la incertidumbre que, sin saberlo, la estaba convirtiendo en adulta.

Pero el recuerdo de aquella sonrisa no desaparecía con la mera voluntad de borrarlo, como si bastase con apretar un botón para dar órdenes al corazón. La sonrisa de Rajiv se colaba por los entresijos de su mente y, en un despiste, volvía a ocupar un lugar central en su imaginación. Como era mucho más agradable dejarse llevar por la ensoñación que estar luchando contra el dictado del corazón, acababa por dar rienda suelta a sus divagaciones... ¿Qué tenía esa sonrisa que la seducía tanto? ¿Era el refinamiento de sus modales y su manera de expresarse lo que le llegaba al corazón? ¿Era su compostura de príncipe oriental? Rajiv hablaba con el mejor acento inglés, como si hubiera vivido toda su vida en Cambridge. Era cortés y galante, un poco a la antigua, cualidades que escaseaban entre los demás estudiantes. Christian, que le conocía desde hacía ya varios meses, acababa de enterarse de que era nieto del que fuera primer ministro de la India, y eso es algo que impresiona, o por lo menos azuza la curiosidad casi tanto como el hecho de que Rajiv no lo hubiese mencionado antes. A quien le preguntaba, Rajiv explicaba que su apellido no tenía relación alguna con el del Mahatma Gandhi, pero se abstenía de comunicar su parentesco con Nehru. Precisamente de lo que más disfrutaba en Inglaterra era de la tranquilidad que le proporcionaba vivir de manera anónima. Toda su vida en la India había sido el nieto del primer gobernante de la India independiente, un icono venerado por millones de personas. Ahora que podía ser él mismo, quería disfrutarlo al máximo.

A pesar de ser quien era, no tenía dinero para salir. Hubiera querido invitarla a uno de los escasos clubes nocturnos donde se podía escuchar música en vivo y que se llamaba Les Fleurs du Mal, pero el presupuesto no le alcanzaba para tanto. A Christian le sorprendía la diferencia abismal que había entre los dos grandes grupos de estudiantes asiáticos en Cambridge, los pakistaníes y los indios. Los primeros solían tener mucho dinero y lo derrochaban, pero los indios estaban todos en las últimas. La razón se debía a la restricción impuesta por el gobierno indio a sus ciudadanos para limitar la compra de divisas, no pudiendo cambiar más de 650 libras cada vez que salían de viaje. «La belleza de Cambridge —recordaría Christian— es que era un gran nivelador de clases sociales y económicas.»

La vida nocturna era prácticamente inexistente porque cerraban las puertas de los *colleges* a las once. Había que salir de día, y las distracciones eran muy sencillas: pasear, ir en batea por el río Cam, pasar la tarde en los *digs* de uno u otro... La segunda vez que Rajiv le propuso salir, ella aceptó, y estuvieron escuchando música en el minúsculo alojamiento de estudiantes que compartía con Christian y que estaba a rebosar de amigos y de discos. Sonia acabó esa tarde con la certeza de que Rajiv la quería de verdad. Daba hasta pena verlo tan enamorado y tan impotente para expresar sus sentimientos. Sonia percibió que él era presa de un torrente de sentimientos que le revolvían por dentro tanto como a ella. Ese día no habían cogido las bicicletas porque llovía, de modo que él la acompañó andando a su casa, un buen trecho, porque ella vivía más cerca del centro. Estaban tan ensimismados en su conversación que se perdieron por la ciudad desierta mientras él le abría su corazón. Confesó que le encantaba vivir en Inglaterra porque aquí se sentía libre por primera vez en su vida. Le contó que desde niño había vivido escoltado por guardias de seguridad en la casa del centro de Nueva Delhi donde su abuelo ejercía de primer ministro. Le contó lo mucho que le disgustaba ser reconocido como hijo de la familia a la que pertenecía, porque cercenaba sus movimientos y su libertad, porque nunca sabía quiénes eran de verdad sus amigos, ya que la gente se le acercaba con segundas intenciones por su proximidad al poder. Le habló de la sensación tan placentera que experimentó la primera vez que condujo el viejo Volkswagen de Christian y que le hizo sentirse libre como nunca antes. También le habló de la muerte de su padre, ocurrida cuatro años atrás. De la de su abuelo el año anterior, que le dolió aún más porque le quería como a otro padre. «Sí –dijo Sonia tímidamente–, de eso me acuerdo.» Sonia recordaba vagamente haber visto el año anterior en los noticieros de la televisión imágenes de los funerales de Nehru, grandiosos, solemnes y tristes.

Rajiv le hablaba de todo un poco, mezclándolo todo, volcando en desorden recuerdos con deseos, añoranzas con esperanzas, anhelos con pesares. Sonia entendió que, más allá de la diferencia de raza o de nacionalidad, ese chico pertenecía a un mundo al que ella nunca había tenido acceso, ni siquiera mero conocimiento. Más que el hecho de ser de la India, lo que más la separaba de él era la órbita en la que él giraba, tan lejos de la vida de clase media de una italiana de Orbassano como la Tierra de la luna. Todo les separaba, y sin embargo, y quizás por eso mismo, la atracción mutua era todavía más fuerte. Ella simbolizaba para él todo lo que ansiaba: tener una vida normal. No era india, no era inglesa, no era identificable en ningún peldaño de la jerarquía social. Ella representaba el anonimato de la clase media; en otras palabras, la libertad, que es lo que más podía desear un chico de veintiún años que había crecido en una jaula dorada.

Le contó su pasión por la fotografía, por músicos de jazz como Stan Getz, Zoot Sims y Jimmy Smith, aunque también apreciaba a los Beatles y a Beethoven. Pero su auténtica pasión era volar, y había surgido a los catorce años, el día en que su abuelo Nehru le llevó a dar una vuelta en planeador: «El sonido del viento, la sensación de total libertad, la impresión de que estás fuera de todo... es algo fantástico. Me enganché para siempre». Y la belleza de volar sobre las llanuras del norte de la India, con sus ríos sinuosos, sus pueblecitos rodeados de campos verdes y pardos donde el más mínimo pedazo de tierra está cultivado... A raíz de esa experiencia se hizo miembro del Aeroclub de Delhi y cada vez que volvía de vacaciones salía en planeador a darse una vuelta y a olvidarse del mundo. Ahora tenía ganas de probar el vuelo con motor y jugaba con la idea de hacerse piloto.

A Sonia, este chico le abría las puertas de un mundo desconocido y que brillaba como las estrellas en el firmamento. Era un chico cálido, práctico y a la vez un poco soñador, y sobre todo le inspiraba confianza. Hablaba con total naturalidad, y no presumía de nada porque no lo necesitaba. Era lo contrario de un fanfarrón, lo contrario del típico ligón italiano que tan bien conocía. Caminando junto a él, le parecía de pronto que esas calles no eran las de siempre, que estaba en otra ciudad mucho más bonita que la que había conocido hasta entonces. Rajiv la hacía soñar, la sacaba de su concha, le hacía olvidarse de sí misma y de la nostalgia que había sentido hasta entonces. Esa noche al dejarla en su casa él se le declaró a su manera un poco torpe, diciéndole que era la primera chica que le había gustado de verdad, y que esperaba que fuese la única. Lo dijo con tanto candor que era difícil no creerle.

Pero aun así, Sonia siguió luchando por quitárselo de la mente, porque era testaruda y porque su corazón oscilaba como un péndulo, desgarrado entre la razón y el deseo. Presa de un torbellino de sentimientos contradictorios, sentía vértigo como si se encontrase frente a un precipicio, titubeando, con miedo a caer. ¿Qué pinto yo en el mundo de ese chico? ¿Qué tengo yo que ver con un niño mimado al que su célebre abuelo paseaba en planeador? ¿Por qué me dejo deslumbrar? Sonia se jactaba de tener los pies en la tierra, y los tenía. Pero cuanto más se obsesionaba, más distante se mostraba con él, y esa aparente frialdad era para él un acicate aún mayor para seducirla. La realidad era que pensaba en él día y noche, como si se hubiera convertido en su propio aliento. Cuando no estaba con él, buscaba la compañía de las chicas de su clase con el solo fin de hablar de él y de su encanto arrebatador. El sentimiento que la embargaba le sirvió de estímulo para aprender inglés más rápidamente y mejor, tal era la necesidad de estar a la altura, de no perderse los matices de la conversación con Rajiv y sus amigos. ¡No hay como el amor para aprender bien un idioma!, se dijo sorprendida al notar que de repente entendía una conversación, un noticiero, un artículo en el periódico.

Pero era agotador vivir siempre a la contra, cuestionar esa atracción que la llenaba de esperanza y, un momento después, de dudas y temores. Cansada de ese vaivén que la llevaba de la euforia a la melancolía, un día dejó de luchar y se abandonó en sus brazos, cuando todavía retumbaba en sus oídos la música de Gerry Mulligan desde el interior de un bar de la concurrida Sydney Street.

5

Del brazo de Rajiv, la vida adquiría otro tono, otro sabor. Los paseos por el río en una batea que llevaba él como un auténtico gondolero por detrás de los *colleges*, las vistas desde lo alto de la iglesia de St. Mary que disfrutaban sentados en el césped y comiendo un sándwich, el olor de los parques después de la lluvia... Lo más anodino cobraba un relieve inesperado. Alguna noche acudieron a Les Fleurs du Mal a escuchar música en vivo y a bailar twist, el ritmo que hacía furor en la época y que Sonia bailaba muy bien. Cambridge era de pronto la ciudad más romántica del mundo, y ya no quería estar en ningún otro lugar para disfrutar del presente. Un presente que consistía en verse todos los días, ir en bicicleta de casa de uno a casa del otro, ir de *picnic*, hacer planes de fin de semana... Rajiv era muy aficionado a la fotografía y pronto él, su cámara Minox y Sonia formaron un trío inseparable: había encontrado a su musa perfecta y no paraba de retratarla. El romance alcanzó tal intensidad que el dueño del Varsity, Charles Antoni, dijo que nunca había visto «una pareja tan enamorada... parecía de novela».

El presente también era viajar en el Volkswagen Escarabajo que Rajiv terminó comprando a su amigo por un puñado de libras. Recorrieron la campiña inglesa, visitaron Londres y disfrutaron de una libertad que en ese momento parecía no tener fin. Cuando se les rompió el parabrisas, seguían usando el coche pero envueltos en mantas.

Rajiv vivía como cualquier estudiante inglés, trabajando en sus vacaciones para conseguir dinero extra. Había sido vendedor de helados, otro año había trabajado en la recolección de la fruta, cargando camiones o haciendo el turno de noche en una panadería. «Cambridge me dio una visión del mundo que no hubiera tenido nunca si me hubiera quedado en la India», recordaría

Rajiv más tarde. En Sonia encontró una perfecta aliada. Ella era enemiga de las estridencias y las extravagancias y aspiraba a lo que había conocido, a una vida tranquila y estable sin sobresaltos ni sustos. Si Sonia percibía la diferencia tan grande que le separaba de él, también vio los puntos que tenían en común. Ambos eran de naturaleza tímida y no buscaban protagonismo de ningún tipo. Ni las mieles del éxito ni la notoriedad les llamaban la atención, más bien al contrario, era algo de lo que más valía huir. «No les interesaba el mundo exterior ni la vida mundana... Valoraban ante todo la privacidad», diría Christian. Ambos tenían un concepto muy parecido de la vida familiar, quizás porque en sus respectivas culturas la familia es el valor supremo. Rajiv carecía de ambición política, le gustaban las cuestiones técnicas y las actividades manuales. Le confesó que si había hecho el esfuerzo de ingresar en el Trinity College había sido por complacer a su abuelo, que había estudiado allí y que albergaba la ilusión de que uno de sus nietos siguiese sus pasos. Pero ahora que había muerto Nehru, Rajiv estaba pensando seriamente en dejar el Trinity College y dedicarse a su verdadera vocación, ser piloto de avión. No sabía todavía cómo decírselo a su madre.

Lo que sí supo decirle por carta a Indira, en marzo de 1965, mes y medio después del encuentro en el Varsity, es que había conocido a Sonia: «... Siempre me preguntas sobre las chicas que conozco y si hay alguna que me atraiga especialmente. Pues ahora te digo que he conocido una chica muy especial. Todavía no se lo he pedido, pero es la chica con quien quiero casarme». En su respuesta, su madre le recordó que la primera chica que uno conoce no es necesariamente la más adecuada. Quería atemperar la pasión de su hijo. Al fin y al cabo, sólo tenía veinte años. Pero en su siguiente carta, Rajiv le confesó: «Estoy seguro de que estoy enamorado de ella. Ya sé que es la primera chica con la que salgo, pero ¿cómo saber si uno va a conocer otra que sea mejor?». A vuelta de correo, Indira le anunció que acababa de aceptar su primer puesto oficial, que lo había hecho un poco a regañadientes, pero que ya estaba: era ministra de Información del gobierno de la India. Como tal, tenía la intención de hacer un viaje oficial a Londres a finales de año y le gustaría aprovechar esa oportunidad para conocerla. A Sonia se le hizo un nudo en el estómago al enterarse de la noticia. En cuanto a contárselo a los suyos, era totalmente incapaz de armarse del valor necesario. No quería ni imaginar cuál sería la reacción de su padre...

Pero la noticia de la llegada de Indira le hizo olvidar por un momento el presente. De pronto presintió nubarrones en el horizonte de su felicidad. Volvieron los miedos y se preguntaba qué futuro había en aquel romance. Era demasiado bonito para durar. Ya no dudaba de sus sentimientos; al contrario, estaba loca por Rajiv, nunca había conocido un arrebato semejante, pero intuía que la diferencia tan enorme que había entre sus orígenes acabaría por hacer mella en la relación, y podría quizás arruinarla por completo. Lo poco que sabía de la India lo había aprendido de un amigo que lo había descrito como un país lejano e inmenso poblado de encantadores de serpientes y de elefantes y anquilosado por la pobreza y el atraso. Un país que carecía de las comodidades más básicas, un país castigado por un clima implacable, un país sucio donde las vacas campaban a sus anchas y eran más respetadas que los miembros de las castas más bajas, en definitiva un país difícil y apasionante... para un antropólogo o un yogui, pero no para una chica que aspiraba a trabajar en un organismo internacional y a tener una vida familiar sin problemas. ¿Dónde encajaba Rajiv en aquel cuadro? Los Nehru, le había explicado ese amigo que tampoco estaba demasiado al corriente, eran de origen aristocrático, de Cachemira. De alguna manera dominaban la sociedad de su país, y hasta cierto punto habían estado controlando la política mundial... A su lado, ¿qué eran los Maino?, pensaba Sonia. Unos *paesani*, se decía a sí misma. ¿Qué podía aportarle a Rajiv la hija de un pequeño constructor de provincias italiano? Estaba segura de que la madre de Rajiv se haría la misma pregunta, y eso le provocaba una gran desazón. Sonia era consciente de que sus familias «no podían ser más distintas», según sus propias palabras. Tampoco conseguía imaginarse diciéndole a su padre que se había enamorado de un hombre de piel cetrina, que encima era indio y que además profesaba, al menos oficialmente, la religión hindú. No, ésa era una píldora que el bueno de Stefano Maino no iba a tragarse con gusto, por muy primer ministro que hubiese sido el abuelo.

Su naturaleza introvertida le impedía compartir sus temores con Rajiv. No quería romper la felicidad, que podía ser tan frágil como el cristal más fino. Con él era de una dulzura llena de reserva y los ojos con los que le miraba estaban cargados de interrogantes. Era indio, pero en sus gestos y su manera de hablar veía a un inglés. Era distinguido y a la vez se comportaba con una sencillez pasmosa. Sonia, en realidad, experimentaba un cambio extraño y definitivo que abocaba a la aceptación ciega, total, de lo que podría, a causa de Rajiv o gracias a él, ocurrirle más adelante. Sentía que en la frontera lejana de su propio ser todo había sido fijado de antemano por el destino, antes siquiera de que hubiera nacido.

Un fin de semana Sonia conoció a Sanjay, el único hermano de Rajiv, dos años menor, que estaba haciendo un curso de aprendizaje en la casa Rolls-Royce en Crewe, a tres horas de camino, y que solía ir a Cambridge a divertirse de vez en cuando. Era muy guapo, como su hermano, pero con un atractivo diferente. Sanjay tenía un rostro oval, unos labios más gruesos y sensuales y unas incipientes entradas. Al igual que su hermano, exhibía unos modales impecables y hablaba con voz suave con un perfecto acento británico. Ambos eran frugales en sus hábitos. Sanjay comía poco, pero hablaba mucho de política y le encantaban los *parties*. A Rajiv no le gustaba ni fumar ni beber, no le interesaba nada la política, más bien renegaba de ese mundo y prefería una cena tranquila con amigos a una fiesta ruidosa. Sanjay era más frío que su hermano mayor, no desprendía esa sensación de tranquila calidez, de buena persona que tanta seguridad daba a Sonia. Y sus miradas eran distintas. Rajiv lo hacía como acariciándote con sus ojos almendrados. Su hermano, en cambio, tenía una mirada distante, algo insolente. Se le notaba muy orgulloso de ser quien era, al revés que su hermano.

Fue un año maravilloso, quizás el más feliz de sus vidas, si por felicidad se entiende la ausencia casi total de preocupaciones y problemas. Pero el curso llegaba a su fin, y las vacaciones de verano iban a interrumpir el idilio de Cambridge.

En julio de 1965, Rajiv y Sonia se separaron por primera vez. Sonia regresó a Italia. Había llegado unos meses atrás como una chiquilla, ahora regresaba como una mujer, con la idea firme de hacer su vida con Rajiv. No sabía cómo ni cuándo, pero estaba decidida. Fue una despedida feliz e inquietante al mismo tiempo porque, si bien estaban convencidos de que volverían a encontrarse, Sonia temía la reacción de sus padres. El futuro estaba sembrado de incógnitas.

Le llenó de satisfacción darse cuenta de lo mucho que había mejorado su inglés cuando le salieron unos trabajos de intérprete en las ferias de Turín. Qué diferencia, qué soltura... Al menos, el *signor* Maino no había tirado el dinero. Fue una buena noticia para sus padres. La otra, la importante, no conseguía verbalizarla. Por mucho que lo ensayara mentalmente, no le salía. «Quiero deciros que estoy enamorada de un chico... ¡No, así no, es ridículo! –se decía, antes de ensayar otra manera–: He conocido a alguien muy especial y me quiero casar con él... Pero ¿cómo les voy a decir eso?», volvía a decirse desesperada. Cuando llegaba el momento de enfrentarse a ello, se quedaba paralizada. «Aunque éramos una familia muy unida –escribiría Sonia más tarde–, ellos eran muy convencionales, especialmente mi padre, que era un patriarca a la vieja usanza. En aquel tipo de familias, el contacto entre chicos y chicas estaba estrictamente vigilado y controlado.»

Rajiv no entendía la reticencia de Sonia a hablar con sus padres. Ella intentaba explicarse: ¿Cómo contarles de sopetón que había estado viviendo una historia de amor apasionada todos estos meses sin haberles comunicado nada? No sabía cómo romper el hielo. «No parece que sea capaz de decírselo –escribió Rajiv a su madre–. No puedo entenderlo. Debe de ser algo muy peculiar. Sólo hace lo que dice el padre.» Claro que Rajiv no conocía a Stefano Maino, nunca había visto su rostro enrojecido, sus facciones rudas de montañés, nunca había oído su voz ronca ni su tono tajante cuando algo no le gustaba.

«Me llevó mucho tiempo hacerme con el valor suficiente para hablar a mis padres de mis sentimientos hacia un chico que para ellos no sólo era un extraño sino un extranjero también.» La ocasión se produjo después de la boda de Pier Luigi, el dueño del bar-estanco en Via Frejus. Pier Luigi, que la había visto crecer, había querido que fuese testigo de su boda. Fue el gran acontecimiento del verano en el barrio. Una fiesta con música y mucha bebida en el bar, que estaba a rebosar de gente, tanta como en la cita anual que reunía ritualmente a los vecinos para ver en la televisión el Festival de San Remo.

–Estoy enamorada, le quiero –les dijo después de explicarles quién era el chico y cómo se habían conocido.

–¿Qué edad dices que tiene?

–Veinte años...

–Es demasiado joven –terció su madre.

–¡Y encima es de por ahí! –añadió el padre.

Tal y como se lo había imaginado, no mostraron el más mínimo entusiasmo. Reaccionaron con un desdén total, como si su hija hubiera sido presa de un ataque de locura pasajero. No había nada en aquella relación que pudiera gustarles: el chico tenía apenas dos años más que Sonia, era extranjero, pero no era inglés ni francés sino de un país que sólo salía en las noticias por sus desastres, era un *terrone*, como los del norte de Italia llaman a los inmigrantes del sur, con el agravante de que ni siquiera era italiano. Y tenía otro defecto importante: no era católico. Para ellos, Sonia había ahogado la inquietud de sentirse sola por primera vez en un país extranjero cayendo en brazos del primero de turno.

–Ya se le pasará...

Pero no se le pasaba. Hasta el cartero bromeaba con la familia porque ahora traía cartas diarias, todas con membrete de Inglaterra, todas para Sonia. La «niña» se pasaba largas horas en su cuarto, respondiendo su voluminosa correspondencia, o esperando ansiosa una conferencia telefónica. Luego estaban las hermanas, que entendieron que Sonia estaba realmente enamorada. El «ya se le pasará» de los padres dio lugar al «¿y si va en serio?» de Anushka y Nadia. Lo único que dulcificó la postura de su madre fue enterarse de que por lo menos el chico era «de buena familia». ¡De algo había servido mandarla a la escuela más cara de Cambridge! Que fuese el nieto de Nehru, que su madre Indira estuviese en el gobierno a Stefano le dejaba indiferente, pero Paola sí era sensible a ello. Y las hermanas también. Ya se veían desfilando a lomos de elefante en los jardines de algún palacio indio. Para ellas, la historia tenía algo de cuento de hadas: un príncipe oriental se había enamorado de su hermana... Era excitante.

El caballo de batalla fue el regreso a Cambridge. Su padre no quería que ella volviese. Según él, ya sabía suficiente inglés. En realidad, quería cortar por lo sano el idilio de su hija. Pero Sonia estaba empeñada en conseguir su título, el Proficiency in English, y para ello necesitaba un año más. Como siempre, la influencia de Paola fue decisiva. Ella y su marido sabían perfectamente que su hija quería volver porque estaba enamorada, pero Paola insistió en la importancia de que obtuviese un título. Sonia se mantuvo firme. Les dijo que si no querían ayudarla, estaba dispuesta a hacer como muchas chicas que estudiaban inglés allí, se buscaría un trabajo y se haría independiente. A nadie le gusta enfrentarse a sus padres, a Sonia aún menos porque no iba con su carácter de chica dócil. Pero podía más el amor.

Sus padres acabaron por ceder, pensando que oponerse al romance de su hija no haría más que exacerbarlo. Mejor que regrese a Inglaterra, pensaron. Por lo menos volvería con un título. Estaban seguros de que aquella historia de amor, que ellos veían como una excentricidad, no aguantaría el paso del tiempo... Lo único que podían hacer era aconsejarle: ojo donde te metes, no te precipites.

Sonia era tan respetuosa con las tradiciones familiares, y tan poco amante de la confrontación, que les prometió tenerlos al corriente de todo. De modo que, de regreso a Cambridge y ante la próxima llegada de Indira, que había mostrado el deseo de conocerla, pensó que era mejor que sus padres lo supieran. Rajiv, que estaba deseando ponerse en contacto con los Maino, aprovechó la ocasión para mandarles una carta y pedirles permiso para que el encuentro entre su hija e Indira Gandhi tuviera lugar. Una carta archiformal y muy respetuosa que dejó a los Maino pasmados, pero ¿qué iban a hacer, negarse a ello? Stefano no lo hubiera dudado ni un segundo, pero su mujer le convenció para que diese su autorización.

6

Era invierno y la carretera brillaba por la lluvia. Estaban llegando a la City en el Volkswagen desvencijado de Rajiv cuando a Sonia le entró un ataque de pánico. De pronto, la perspectiva de acudir a una recepción en la embajada de la India y de encontrarse con la madre de su novio en un ambiente que desconocía la aterrorizó y la paralizó. ¿Qué voy a hacer yo allí?, se dijo súbitamente. Un torrente de preguntas, algunas serias, otras triviales, se atropellaban en su cabeza: ¿Cómo hay que tratarla? ¿Estaré vestida adecuadamente? ¿Qué tengo que decirle? ¿Y si me desprecia? ¿Y si se muestra agresiva conmigo?

–No digas tonterías –le repetía Rajiv.

De repente, a Sonia se le caía el mundo encima. Le parecía que los meses pasados en compañía de Rajiv habían sido un sueño que estaba a punto de hacerse añicos. Pensó que no estaba preparada para conocer a su madre. Además, ese encuentro significaría comprometerse aún más, ¿y cómo podía hacerlo si sus propios padres se habían mostrado tan reacios a su idilio?

–Pero si están al corriente, si tu padre te ha dado permiso... ¿Ahora te echas atrás?

Rajiv no entendía nada. Sonia estaba asustada. Pensaba que quizás su padre tuviera razón y había llegado el momento de pisar el freno, de serenarse, de dar marcha atrás...

–Sonia, hemos quedado, nos están esperando...

–Lo siento, no voy, no puedo.

Sonia perdió los estribos, era incapaz de controlarse. Los esfuerzos de Rajiv para calmarla no dieron resultado, de modo que tuvo que llamar a su madre e inventarse una excusa para cancelar la cita.

La pospusieron para unos días más tarde, cuando Sonia se hubo serenado. Esta vez se prometió a sí misma portarse bien, pero seguía siendo un trago difícil de pasar. Le temblaban las piernas cuando subía los peldaños de la residencia del embajador de la India, donde se hospedaban Indira y su amiga del alma, Pupul Jayakar, que le había ayudado a organizar el homenaje a Nehru. Las dos estaban todavía excitadas porque la víspera, después de un recital de poesía de Allen Ginsberg y otros poetas de la generación beat, habían terminado a la una de la madrugada en un restaurante español comiendo tapas y viendo bailar flamenco. A su regreso, se habían encontrado con el embajador preocupadísimo; estaba a punto de llamar a la policía porque pensaba que les había pasado algo.

Indira les recibió en su habitación, levemente perfumada de incienso. Sonia se encontró frente a una mujer de aspecto frágil envuelta en un elegante sari de seda. Reconoció en sus ojos negros y almendrados los de Rajiv. El cabello recogido en un moño dejaba ver en la frente un mechón de abundante pelo blanco a pesar de sus cuarenta y ocho años. Ese mechón, que se convertiría en su seña de identidad, le confería una innegable distinción. Tenía una sonrisa llena de encanto, maneras delicadas y una prominente nariz que procuraba disimular con maquillaje bajo los ojos para atenuar las sombras. En realidad y según le había confesado a su amiga Pupul, lo que le hubiera gustado de verdad hubiera sido operarse esa nariz.

«Me encontré frente a un ser humano perfectamente normal –diría Sonia–, frente a una mujer cálida y acogedora. Hizo todo lo posible para que me sintiese a gusto. Me habló en francés cuando notó que yo dominaba más esa lengua que el inglés. Quería saber de mí, de mis estudios.» Rajiv debió de haberle contado a su madre algo sobre el ataque de nervios, porque Indira le dijo que «ella también había sido joven, terriblemente tímida, y enamorada, y que me entendía perfectamente».

Sonia, relajada, disfrutó de ese primer encuentro, que terminó de la manera más familiar posible. En efecto, la pareja tenía que asistir a una fiesta de estudiantes y Sonia pidió cambiarse de ropa en un cuarto de la embajada. Pero nada más salir, tropezó y el tacón de su zapato rasgó el dobladillo de su traje de noche. «La madre de Rajiv –contaría Sonia– se hizo con una aguja e hilo negro y, fiel a su estilo pausado, que observaría de cerca más tarde, se puso a coser el dobladillo. ¿No era exactamente eso lo que hubiera hecho mi madre? Todas mis dudas desaparecieron, por lo menos de momento.»

Una corriente de simpatía pasó entre esas dos mujeres tan diferentes en todo, excepto en el amor por Rajiv. Indira no se lo había comunicado a su hijo, pero la idea de tener algún día una nuera extranjera la tenía un poco desconcertada. Ahora, después de conocerla, sus reservas se habían disipado: «Aparte de guapa –le escribió a su amiga norteamericana Dorothy Norman– es una chica sana y directa».

Dorothy se alegró de recibir esas noticias de su amiga. Por fin, parecía que Indira salía de la profunda crisis existencial en la que se debatía desde la muerte de su marido Firoz hacía cuatro años, y desde la más reciente de Nehru, su padre. Viuda primero, y después huérfana. Además, como sus hijos estaban en el extranjero, se había quedado sola. El día en que Rajiv se había marchado a Cambridge, Indira había escrito a Dorothy: «Me siento triste. Es un momento desgarrador para una mujer cuando su hijo se hace un hombre. Sabe que ya no depende de ella y que de ahora en adelante él va a hacer su propia vida. Y aunque a veces la dejen echar un vistazo a esa vida, siempre lo hará desde fuera, desde la distancia de otra generación. Mi corazón sufre».

A Indira le costó mucho reponerse de la muerte de Nehru, ocurrida en una calurosa tarde del 27 de mayo de 1964. En sus últimos días, ella no le había dejado ni un segundo, siempre pendiente de sus necesidades, administrándole las medicinas, supervisando su dieta, apartando las visitas. La última foto que les hicieron juntos, en la que se la ve en cuclillas a su lado, muestra una expresión de profunda tristeza y gran ternura en su rostro. Indira había pasado los últimos años pegada a él, organizándole la agenda, coordinando las visitas de dignatarios extranjeros como el Sha de Irán, el rey Saud, Ho Chi Minh o Krushchev. Había llegado hasta a hacer de canal de comunicación entre él y sus ministros. El propio Nehru, al ser nombrado máximo mandatario cuando la India se hizo independiente en 1947, le había pedido que asumiese el papel de «primera dama», ya que su esposa había fallecido tiempo atrás y él necesitaba a alguien de confianza que supiera llevarle la casa. Indira había aceptado con reticencia al principio, luego con auténtica devoción. Lo había hecho no sólo porque era una obediente hija india, sino porque su matrimonio se desmoronaba. Estaba harta de las infidelidades de Firoz, su marido. De hecho, vivían prácticamente separados desde hacía tiempo, de modo que ella y sus hijos se instalaron en Teen Murti House, la bonita residencia del primer ministro de la India en el centro de Nueva Delhi. Lo primero que hizo Indira fue descolgar la colección de retratos de héroes imperiales y mandarlos al Ministerio de Defensa. Luego, los reemplazó por artesanía india, y trocó las gruesas cortinas francesas por visillos de algodón crudo, el tejido que la rueca de Gandhi convirtió en símbolo de autarquía. Arregló el cuarto de su padre con una cama baja rodeada de sus libros y fotografías favoritos. Un día confesó que le hubiera gustado ser decoradora de interiores, pero el destino le tenía reservado otro papel.

Si la muerte de Nehru había privado al mundo de un gigante –había sido el líder indiscutible del movimiento de países no alineados que agrupaba a más de la mitad de la población mundial–; si había dejado a la India sin el símbolo de su lucha por la libertad y sin primer ministro, y al Partido del Congreso sin su máxima autoridad, a su hija Indira la había dejado en medio de un inmenso cráter, como si su muerte hubiera sido una bomba que hubiera arrasado todo a su alrededor. Nehru había sido la presencia y la fuerza dominante en su vida, el faro que había guiado sus pasos. Quizás esa pasión por su padre era consecuencia de lo mucho que le había echado de menos de niña, ya que él pasó casi más tiempo entre rejas que en casa debido a su activismo político. Pero cuando volvía, su presencia llenaba de alegría la mansión familiar de Anand Bhawan, en Allahabad. Ya entonces era una leyenda de carne y hueso, siempre relajado, por mucha tensión que hubiera a su alrededor, con un rostro que parecía esculpido por un cincel, un cuerpo bien proporcionado, una mirada tímida e inquisitiva al mismo tiempo, una risa franca y una elegancia natural que resaltaba llevando una rosa en el ojal del tercer botón de su *sherwani*. Su gran cultura, su afilado sentido del humor y sus dotes de orador le granjeaban la simpatía allí donde se encontrara. Se desenvolvía con la misma facilidad en los salones de la alta sociedad que en las cárceles de su graciosa majestad. Llegó a tener de interlocutores desde sus profesores de Cambridge a jefes de gobierno y virreyes, desde el mismísimo rey emperador de Inglaterra –y sus carceleros– a jefes tribales de Afganistán.

Después de que su padre, el gran Motilal, le dejase solo a los trece años en el internado de Inglaterra, Nehru se quedó siete años aprendiendo Ciencias Políticas e interesándose por los últimos avances tecnológicos. Volvió de Inglaterra en 1912, transformado en un caballero británico. Empezó a trabajar en el bufete de su padre, y éste se mostró muy satisfecho con los sustanciales ingresos que ahora le proporcionaba su hijo. El resto del tiempo lo repartía entre la biblioteca del Colegio de Abogados y la institución que no podía faltar en la India colonial, el club, donde pasaba largas y tediosas horas sentado en los sillones chester de los salones sobrecargados discutiendo temas legales con viejos miembros de la administración británica. Una vida aburrida, según el propio Nehru, que cambió a raíz de un hecho aparentemente insignificante, cuando recibió la visita de un grupo de campesinos que le pidieron ayuda contra unos terratenientes que usaban métodos crueles y expeditivos para expulsarlos de sus legítimas tierras. Nehru accedió a acompañarlos a su aldea para dilucidar el caso. Fue un viaje de tres días que le transformó de abogado tímido y engreído que, según sus palabras, desconocía las condiciones en las que la gran mayoría de indios vivían y trabajaban, a revolucionario. «Viéndoles con su miseria y desbordante gratitud, sentí una mezcla de vergüenza y dolor –escribió–, vergüenza de mi vida fácil y cómoda y del politiqueo de las ciudades que ignora a esta vasta multitud de hijos e hijas semidesnudos de la India, y dolor ante tanta degradación e insoportable pobreza[1].»

A esto se unió la noticia que le llegó de la ciudad santa de Benarés, a orillas del Ganges. Mohandas Gandhi, ese abogado

[1]. Nehru, Jawaharlal, *An Autobiography*, Nueva Delhi, Oxford University Press, 2002.

que todavía era un desconocido, había causado una auténtica conmoción al hacer un discurso incendiario contra la desigualdad y a favor de los pobres con motivo de la inauguración de la Universidad Hindú. «La exhibición de joyas que nos ofrecéis hoy es una fiesta espléndida para la vista –había dicho a un auditorio compuesto por autoridades coloniales y aristócratas indios–, pero cuando la comparo con el rostro de los millones de pobres, deduzco que no habrá salvación para la India hasta que os quitéis esas joyas y las depositéis en manos de esos pobres.» La audiencia reaccionó con indignación. Príncipes y dignatarios abandonaron el claustro de la universidad. Sólo los estudiantes aplaudieron las palabras de Gandhi. Pero el eco de esa intervención retumbó en la India entera, y Jawaharlal Nehru quiso conocerle.

«Era como una corriente potente de aire fresco –escribiría Nehru de Gandhi–; como un rayo de luz que atravesaba la oscuridad; como un torbellino que lo cuestionaba todo, pero sobre todo la manera en que funcionaba la mente de la gente. No venía de arriba, parecía emerger de entre los millones de indios, hablando su idioma e incesantemente desviando la atención hacia ellos y a sus acuciantes necesidades.» Su fuerza se resumía en un concepto que acuñó en 1907 cuyo nombre derivaba del sánscrito, *satyagraha*, que significa la fuerza de la *verdad*, y cuyo propósito implicaba la idea de una energía poderosa pero no-violenta para transformar la realidad. Para las masas indias, *satyagraha* representaba una alternativa al miedo. Fue el poeta bengalí y premio Nobel de literatura, Rabindranath Tagore, quien otorgó a Gandhi el título por el que sería conocido. Tagore le llamó Mahatma: «alma grande».

Pero la gran alma necesitaba a un gran lugarteniente. En eso se convirtió su discípulo y amigo Nehru, y a pesar de que no tenían nada en común, la combinación de fuerzas que surgió de aquella intensa amistad acabaría cambiando el mundo. Porque Gandhi era un hombre de fe, de religión; Nehru era un racionalista, un producto sofisticado de Harrow y Cambridge que apenas hablaba los idiomas autóctonos de la India. Sus años en Europa le hacían ver como ridículas muchas costumbres de sus compatriotas, como la de no salir de casa en días considerados poco propicios. En el país más religioso del mundo, era un ateo que despreciaba a los santones y a los yoguis, responsables según él del atraso, de las divisiones internas y del dominio de los colonizadores extranjeros. Gandhi le encontraba demasiado *gentleman* para su gusto e hizo con él lo que hizo con otros miembros de las clases altas. Los mandó a las aldeas a reclutar nuevos miembros para el Partido del Congreso y de paso a conocer el verdadero rostro de su patria. La mayoría no había visto nunca la pobreza de sus propios compatriotas. Pero ésa fue la belleza del movimiento de Gandhi: puso en contacto a las clases altas con las más bajas, que empezaron a existir a ojos del resto de la sociedad. Por primera vez, la India era presa de un amplio movimiento popular que rechazaba la manera de vivir impuesta desde la lejana Londres.

Durante treinta años, Nehru recorrió la India a pie, en carros de bueyes, en tren, galvanizando a la población. Pero si Gandhi soñaba con una India de aldeas que viviesen en autarquía, una India sin discriminación de castas pero profundamente religiosa, Nehru lo hacía con una India liberada de sus mitos y de la miseria por la industria, la ciencia y la tecnología. Para Gandhi, ésas eran precisamente las desgracias de la humanidad. Para Nehru, eran su salvación.

Sus diferencias de opinión y de visión nunca pusieron en jaque la amistad y el profundo respeto que ambos hombres se profesaban. Estaban de acuerdo en lo fundamental: conseguir una India unida e independiente sin derramamiento de sangre. Nehru estaba convencido de que Gandhi era, aparte de un santo, un genio. Valoraba su extraordinaria habilidad política, su arte de hablar con gestos que llegaban al alma del pueblo. Cuando ambos se reencontraban, charlaban largo rato, intercambiaban puntos de vista, evaluaban los últimos avances en la lucha, o los últimos reveses. Discutían sobre estrategias, se enfadaban, luego se reían o simplemente meditaban. Gandhi siempre dejó claro que la antorcha de su combate pasaría un día por las manos de Nehru, y le aupó a la presidencia del Partido del Congreso en tres ocasiones.

Indira se crió en ese ambiente donde la frontera entre la vida familiar y la vida política era inexistente. A Gandhi le contaba sus confidencias de chiquilla, le decía lo mucho que extrañaba a su padre, le hablaba de su soledad, de sus complejos por ser una niña feúcha. Nehru pasó un total de nueve años encerrado, interrumpidos por cortos periodos de libertad. La vida familiar se resentía tanto de ello que una vez Indira tuvo que decirle a un visitante: «Lo siento, pero mi abuelo, mi padre y mi madre están todos en la cárcel».

Desde la muerte de Nehru, a Indira le venían a la memoria recuerdos antiguos de su niñez, cuando se disfrazaba de Juana de Arco y emulaba a su padre diciendo: «Algún día conduciré mi pueblo hacia la libertad», mientras arengaba a una multitud imaginaria. O como cuando cometió su «primera acción política», como lo llamaría más tarde, que fue agredir a un policía inglés que irrumpió en la casa de Anand Bhawan para embargar objetos y muebles porque, por principio, su padre y su abuelo, así como los miembros del partido, se negaban a pagar fianza cada vez que eran arrestados. Quiso ingresar en el Congress a los doce años, pero como no era la edad reglamentaria, fue rechazada. Reaccionó a su manera, como lo haría más tarde en la vida, cogiendo el toro por los cuernos. Reunió en los jardines de aquella mansión a varios centenares de niños del barrio. Indira se dirigió a ellos como lo hubiera hecho su padre, conminándoles a luchar por la liberación de la patria a pesar de los peligros. Así creó el «ejército de los monos», que eran niños que hacían labores de espía, pegaban carteles, confeccionaban banderas y se infiltraban detrás de las líneas policiales para pasar mensajes a miembros del partido. Su ejército llegó a contar con varios miles de niños que prestaban un apoyo substancial a los que luchaban. ¡Qué feliz se sentía cuando su padre se mostraba orgulloso de ella...!

Sus relaciones estuvieron siempre marcadas por el sufrimiento de la distancia, que sólo las cartas conseguían mitigar: «Quiero que aprendas a escribir cartas y que vengas a verme a la cárcel. Te echo mucho de menos», le escribía Nehru cuando ella apenas tenía seis años. Para su decimotercer cumpleaños, Nehru le escribió: «¿Qué regalo puedo mandarte desde la cárcel de Naini? Mis regalos no pueden ser materiales ni sólidos. Sólo pueden estar hechos de aire, de la mente y del espíritu, como los que te concedería un hada, cosas que ni siquiera los altos muros de una prisión podrían retener».

Indira buceó en esas cartas –fueron cientos de cartas, una correspondencia emotiva e interesante, porque ambos escribían muy bien– para preparar la exposición conmemorativa, esa que venía a inaugurar a Londres. Quería resaltar la faceta compasiva de su padre así como su increíble valor y entereza con ayuda de fotos y objetos e ilustrarlos con leyendas extraídas de sus escritos y discursos. De todos los proyectos que había emprendido desde el Ministerio de Información que ahora dirigía, en éste se volcó con especial devoción. No sólo por la cuestión sentimental, sino porque pensaba que dar a conocer y exaltar la memoria de Nehru era importante para el mundo y para la India en particular, una nación nueva necesitada del ejemplo de líderes que forjasen su unidad.

Rajiv acompañó a Sonia a visitar la exposición sobre Nehru. Era una manera de introducir a la joven italiana en la compleja historia de su país, una manera de explicarle quiénes eran él y su familia. Sonia se detuvo largamente ante el traje de novia de la abuela de Rajiv, Kamala, y observó los utensilios rituales que se utilizan en las bodas de Cachemira. El pie de foto explicaba que la mujer también había estado en la cárcel y que murió de tuberculosis a los treinta y seis años... Sonia pensó en Indira: con un padre en la cárcel y una madre enferma... ¿Qué infancia había sido la suya?

–Triste –le dijo Rajiv–. Además mi madre también enfermó de tuberculosis. Estuvo largas temporadas encerrada en un sanatorio donde le aconsejaron que no se casase y no tuviera hijos...

–Menos mal que no hizo caso... –dijo ella con una sonrisa.

–Se salvó gracias al descubrimiento de los antibióticos. Tuvo más suerte que la abuela...

Había otro sari exhibido, rojo pálido, con un festón plateado.

–Ése es el sari que tejió mi abuelo en la cárcel para la boda de mi madre... Espero que algún día lo lleves tú... –le dijo con guasa.

Sonia se rió, poco convencida. No se imaginaba envuelta en esa tela, que había sido confeccionada en el interior de una celda reconstruida allí mismo para la ocasión a base de fotografías ampliadas: se veía el catre, el cuaderno en el que se podían leer frases de sus diarios de prisión, la rueca con la que Nehru había hilado ese sari en un gesto que aunaba el amor hacia la hija y el amor hacia el país... Gandhi había convertido la rueca en un símbolo de lucha por la independencia. Los ingleses habían arruinado la rica industria textil india poniendo tasas desmesuradas a los productos indios para, en cambio, vender ellos tejidos industriales fabricados en Inglaterra. La rueca era un símbolo de rebeldía, una manera de decir que no era necesario comprar productos textiles importados porque cada uno podía hilar sus propias telas. Había una carta que Sonia leyó. Estaba escrita por Nehru desde la cárcel y la dirigía a su hija, que se iba a casar: «Al principio, hilar es muy aburrido pero en cuanto te pones a ello, descubres que tiene algo de fascinante. Le dedico una media hora al día. Como no es mucho tiempo, produzco poco aunque soy bastante rápido. Desde que he empezado, hace siete semanas, he hilado casi diez mil metros. Tengo entendido que se necesitan treinta mil para un sari. Dentro de cuatro meses, ¡puede que tenga un sari para ti!»[1].

Ese sari no era sólo un traje de novia, era también una bandera. Para Sonia, un traje de novia debía ser blanco, con velo, como los que veía todos los domingos de primavera en las novias que se casaban en la iglesia de San Juan Bautista de Orbassano. A veces olvidaba que Rajiv era indio.

Se exhibían filmaciones de las celebraciones de la independencia, que mostraban el último desfile del virrey Lord Mountbatten y de su mujer Edwina a bordo de un carruaje literalmente asediado por la multitud. «¡Llueven niños!», decía asustada Pamela, la hija de los virreyes, porque las mujeres lanzaban sus bebés al aire para evitar que la multitud los aplastase. Rajiv le contó que su madre vio cómo una mujer decidió que su bebé estaría más seguro con Lady Mountbatten y se lo pasó. Edwina lo

---

1. Extraído de Gandhi, Sonia, *Two alone, Two together*, Nueva Delhi, Penguin, 2004, p. 404.

tuvo en sus brazos largo rato. Se veía a Nehru caminando literalmente por encima de la muchedumbre, gritando para que izasen la bandera azafrán, verde y blanca de la nueva nación que incorporaba en el centro un escudo singular: una rueca. Mountbatten luchaba para apartar a niños y jóvenes medio desmayados por el barullo y ponerlos a salvo. La bandera fue recibida con un alboroto tremendo de alegría. Se escuchó un cañonazo y luego, como por arte de magia, un arco iris surgió en el cielo, dando rienda a las más variopintas interpretaciones sobre el significado de ese «acto de Dios».

Pero también había fotos y filmaciones de la tragedia que acompañó a la independencia. Rajiv le contó a Sonia que Nehru hizo su famoso discurso de la independencia con el corazón destrozado. Una grabación reproducía su voz aquella noche del 15 de agosto de 1947: «Hace muchos años, dimos una cita al destino y ha llegado la hora de cumplir con nuestra promesa... Al filo de la medianoche, cuando los hombres duerman, la India se despertará a la vida y a la libertad...». Escuchar así la voz de Nehru hizo que Sonia se estremeciese. Rajiv le explicó que su abuelo sabía que mientras anunciaba la mayor noticia en la historia de la India, la ciudad de Lahore, antigua capital del imperio mogol y la ciudad más cosmopolita del subcontinente, que había pasado a pertenecer a Pakistán, ardía en una orgía de violencia. Era el principio de una tragedia de dimensiones gigantescas conocida como la Partición. La independencia de ambos países desencadenó un movimiento de limpieza étnica y religiosa sin parangón en la historia. Los hindúes, que vivían desde hacía generaciones en lo que ahora era Pakistán, se vieron forzados a huir. A la inversa, los musulmanes de la India huyeron en dirección opuesta. Las filmaciones de aquellas columnas de refugiados y el relato de las atrocidades cometidas –familias quemadas vivas en sus casas, mujeres lanzadas desde trenes en marcha por ser de la religión equivocada, hijas violadas frente a sus padres...– dejaron a Sonia sobrecogida.

–¿Y la no-violencia? –preguntó tímidamente Sonia, que veía que sus ideas preconcebidas sobre el carácter pacífico de los indios se venían abajo.

–Gandhi consiguió detener gran parte de la violencia con

sus ayunos... –le respondió Rajiv–, pero al final ni él mismo pudo escapar al fanatismo religioso.

Entonces le contó que a los cuatro años su madre le llevó un día a visitar al Mahatma en casa de los Birla, una acaudalada familia que le prestaba alojamiento y apoyo cada vez que venía a Delhi. Gandhi estaba muy deprimido por las declaraciones de extremistas hindúes que le acusaban de traición por haber defendido a los musulmanes perseguidos, y por toda la tensión que soportaba el país, aunque la violencia de la partición había cesado ya. «No puedo seguir viviendo en esta locura y en esta oscuridad», le había dicho Gandhi a la fotógrafa Margaret Bourke-White esa misma mañana. Gandhi, que era como de la familia, se mostró muy cariñoso con Rajiv. Mientras los adultos charlaban e intentaban relajar el ambiente con alguna broma, el pequeño Rajiv jugaba con unas flores de jazmín que su madre le había comprado al Mahatma. En una foto se veía cómo el niño las colocaba alrededor de los dedos del pie de Gandhi.

–Me detuvo con un gesto suave de su mano –contaba Rajiv–. «No hagas eso», me dijo, «sólo se ponen flores alrededor de los pies de los muertos.»

Siguió contándole que esa misma tarde, mientras se dirigía al centro del jardín para la oración, un hombre se acercó a Gandhi y juntando las manos le saludó «*Namasté!*», dijo, luego le miró fijamente a los ojos, sacó una pistola Beretta del bolsillo y le disparó tres tiros a bocajarro. Era un fundamentalista hindú.

La exposición mostraba imágenes del caos que siguió al atentado. Quizás la más dramática era la foto de Nehru subido en el techo de un coche y calmando a la población con un megáfono en la mano. Todos querían acercarse para dar un último saludo a la «gran alma». Un altavoz reproducía las palabras que Nehru dirigió a la nación por radio en esa noche terrible: «La luz se ha apagado sobre nuestras vidas y no hay más que tinieblas. Nuestro líder querido, el padre de la nación, nos ha dejado. He dicho que la luz se ha apagado, pero no es cierto. La luz que ha brillado sobre este país no era una luz ordinaria. Dentro de mil años, seguirá resplandeciendo. El mundo la verá porque seguirá dando consuelo a innumerables corazones». Sonia sintió escalofríos al escuchar esa voz que parecía surgir del más allá.

–Mi abuelo estaba siempre obsesionado con mantener la India unida y laica –le explicó Rajiv–. Decía que la nación sólo podía sobrevivir sobre esos dos valores... y creo que tenía razón. Otras fotos mostraban a Nehru con Gandhi, unas sonrientes y obviamente de acuerdo, otras serios y discrepando; a Nehru con líderes chinos, soviéticos, americanos; con científicos como Einstein, con escritores como Thomas Mann y Pearl S. Buck... Al final, Sonia se detuvo largamente ante las fotos de la familia reunida en Anand Bhawan, buscando parecidos. Rajiv era más fino que su padre Firoz; tenía la elegancia de su madre, pensó. El patriarca Motilal se parecía a su propio abuelo, el padre de Stefano, con su rostro ancho de mandíbula fuerte y cuadrada y el bigote igual de espeso. No reparó en el texto de la foto que hablaba del eterno dilema de los Nehru entre el deber político y la necesidad personal, y que, en ese conflicto, el deber siempre había triunfado. Aunque Sonia estaba visiblemente alterada por todo lo que acababa de ver, no podía medir el alcance de esas palabras ni imaginarse que algún día su significado la perseguiría.

7

La vida alegre de enamorados en Inglaterra se cobró una víctima: los estudios de Rajiv en el Trinity College. Suspendió todas las materias del curso. Nunca sería un científico. Ya había avisado a su madre de que los estudios eran demasiado arduos y de que los resultados serían catastróficos. Indira no se lo reprochó; al fin y al cabo, ella también había suspendido en Oxford, aunque sus circunstancias habían sido muy distintas: nunca había tenido una escolarización normal, y de joven estaba siempre enferma. De entre los miembros de la familia, sólo Nehru había demostrado una genuina habilidad académica. Su nieto Rajiv no era ni un gran estudioso, ni un gran lector ni un intelectual como su abuelo. Siempre le había gustado lo práctico, las cuestiones técnicas, entender cómo funciona una máquina, intentar arreglarla si se estropea. Era capaz de montar sus propios altavoces para escuchar música, o destripar una radio para arreglarla. Era un manitas, una cualidad que había heredado de su padre.

Rajiv tuvo que dejar Cambridge y replegarse en el Imperial College de Londres, cursando estudios más técnicos de ingeniería mecánica. Pero ya tenía una idea clara de lo que quería. Se había fijado en la publicidad de la escuela de aviación Wiltshire en Thruxton, una antigua base de la RAF cerca de Southampton reconvertida en escuela de pilotos. Quería aprovechar las vacaciones de verano para empezar a tomar clases de vuelo. Hacerse piloto tenía una ventaja añadida a la del puro placer de volar: era la manera más rápida de conseguir ganarse la vida, requisito indispensable para casarse con Sonia. Mucho más rápida que una carrera universitaria. Como no quiso pedirle dinero a su madre, decidió que trabajaría para pagarse las horas de vuelo y el instructor hasta aprobar los primeros exámenes.

En julio de 1966, Sonia volvió a Italia con el título de Proficiency in English de la Universidad de Cambridge bajo el brazo. El cartero volvió a ser la persona que más asiduamente visitaba la casa familiar de Via Bellini ante la exasperación del matrimonio Maino que, a pesar de haber autorizado el encuentro con Indira, seguían oponiéndose al idilio de su hija con Rajiv. Ella decía abiertamente que un día se casaría con él. Sus padres intentaban disuadirla. Stefano le propuso esperar a que tuviera la mayoría de edad antes de tomar cualquier decisión:

–Sólo es un año más –añadió su madre–. Una decisión así no se puede tomar a la ligera. Luego te podrías arrepentir toda la vida.

–Mientras estés bajo nuestra responsabilidad –prosiguió su padre–, no puedo permitir que te cases con ese chico. Estamos seguros de que es un chaval estupendo, no es eso... pero sería incumplir con mi deber de padre si te dijese: adelante, vete a la India, cásate con él. ¿No lo entiendes? Espera un poco más.

Era una propuesta razonable, pero el amor entiende poco de razones. A los veinte años, esperar es una tortura. Las huelgas de Correos, tan frecuentes en Italia, se convirtieron ese año en el mayor enemigo de Sonia. Rajiv seguía escribiendo todos los días, contándole la felicidad que sentía aprendiendo a volar sobre la campiña inglesa. Lo hacía en un biplano, un Tiger Moth, un modelo de los años treinta, un avión ágil y sensible que le proporcionaba horas de intenso placer. La meta era volar solo, y para conseguirlo debía acumular un mínimo de cuarenta horas con un instructor. Ése era el requisito indispensable para examinarse luego de piloto civil, y seguir escalando peldaños hasta conseguir ser piloto comercial.

Rajiv tenía pensado hacer un viaje a Orbassano. Quería convencer al padre de Sonia para que la dejase viajar a la India. «Quiero que vayas a la India –le escribió– y te quedes con mi madre, sin mí, para que puedas ver las cosas como realmente son, y en lo que a ti respecta, en su peor luz porque yo no estaré y no tendrás a nadie en quien confiar. Así conocerás el país y la gente... No quiero arrastrarte a nada sin que sepas todo lo que ello implica. Me sentiría responsable si, más tarde, algo sale mal y te sientes herida de alguna manera –en los sentimientos o en otra cosa. No quiero tener que pedirle cuentas a nadie salvo a mí mismo, por eso no quiero mentir ni engañarte.» La carta mostraba una cierta altura moral y Sonia se sintió conmovida, aunque pesimista en cuanto a la probabilidad de que su padre aprobase ese plan.

Para costearse el viaje a Italia, Rajiv se vio obligado a conseguir más dinero: «Siento mucho no haberte podido escribir antes, pero he conseguido trabajo de albañil en una obra –decía en otra de sus cartas–. He estado trabajando hasta diez horas al día, más hora y media de desplazamiento, de modo que al volver a casa estaba muerto. Tengo tantas agujetas que sólo puedo escribirte muy despacio». Eran cartas llenas de cariño, de ilusión por el futuro, aunque las últimas revelaban un gran temor. Rajiv estaba preocupado por las noticias que le llegaban de la India. El primer ministro había muerto de un ataque al corazón mientras estaba de visita oficial en la Unión Soviética para firmar un tratado de paz con Pakistán, después de una corta guerra. «India vive una situación muy convulsa, muy mala... –le escribió a Sonia–. Tengo el presentimiento de que mucha gente va a querer que mi madre sea primera ministra. Espero que no acepte, la acabará matando.»

Rajiv tenía razón. La camarilla que controlaba el Partido del Congreso quería a su madre de primera ministra: «Conoce a todos los líderes mundiales, ha recorrido el mundo con su padre, se ha criado junto a los héroes de la lucha por la independencia, tiene una mente racional y moderna y no se identifica con ninguna casta, estado o religión. Pero sobre todo, nos puede hacer ganar las elecciones de 1967», escribió un jefe del partido. Había otra razón, más poderosa aún: la querían en ese cargo porque la creían débil y pensaban que era maleable. Los viejos mandamases del partido estaban convencidos de que podrían seguir en los puestos clave, disfrutando del privilegio de tomar decisiones sin la responsabilidad de tomarlas. El mejor de los mundos. En realidad, no conocían a Indira Gandhi. A sus cuarenta y ocho años, ni ella misma se conocía aún.

La víspera de su elección como jefa del gobierno, la máxima

autoridad del segundo país más poblado del mundo, Indira había escrito a Rajiv una carta diciendo que no conseguía quitarse de la cabeza un poema de Robert Frost que resumía bien la encrucijada en la que se encontraba: «Qué difícil es no ser rey cuando está en ti y en la situación». También le contaba en la carta que al amanecer de ese día visitó el mausoleo del Mahatma Gandhi para impregnarse de la memoria de quien había sido su segundo padre. Luego fue a Teen Murti House, ahora museo nacional, y se quedó largo rato en la habitación donde Nehru había muerto. Necesitaba sentir su presencia. Recordó una de sus cartas cuando ella tenía quince años: «Sé valiente, y el resto vendrá solo». Bien, el resto había llegado. Iba a franquear el umbral de una nueva existencia, una vida para la que en el fondo siempre había estado preparándose, aunque no lo admitiese conscientemente.

Después de la muerte de su padre, había soñado con retirarse del mundo. Jugó con esa idea durante un tiempo, hasta pensó en alquilar un pisito en Londres y buscarse un trabajo allí de lo que fuese, quizás de secretaria en alguna institución cultural. Huir de sí misma, eso es lo que buscaba. Pero pronto la realidad la alcanzó, y no pudo seguir soñando con su propia libertad. Tenía que resolver problemas concretos. Se había quedado sin casa, y de su padre había heredado sus objetos personales y sus derechos de autor, poca cosa. Nehru había estado comiéndose su capital, porque su salario de primer ministro no le alcanzaba para sus gastos de representación, y no era de los que metían la mano en las arcas del Estado. Es cierto que Indira heredó la antigua mansión de Anand Bhawan en Allahabad, pero entrañaba tantos gastos que mantenerla suponía una carga importante. Además tenía dos hijos estudiando en Inglaterra. ¿Cómo costear todo eso? ¿Retirándose del mundo? Se dio cuenta de que era una quimera, un capricho. Su vida había estado demasiado dominada por la política como para poder retirarse tan joven. Todos los días venía gente a verla, gente de toda clase y condición, como lo hacían cuando vivía su padre. Las mismas multitudes que se congregaban en Teen Murti House ahora venían a verla a ella. Venían a saludarla, a exponer sus quejas, a que ella les escuchase, les dijera unas frases, mostrase interés por sus agravios. Eran los pobres de siempre, los pobres de la India eterna y antigua, los mismos pobres en nombre de los que Gandhi y su padre habían luchado. Indira no iba a dejarlos tirados, hubiera sido insultar la memoria de Nehru. Al contrario, los recibió y escuchó con atención lo que le querían decir. Fueron ellos quienes de verdad consolaron su corazón herido. De ellos fue sacando fuerzas para salir adelante, para encontrar un sentido a su vida. Aquellos pobres le hicieron darse cuenta de que lo que había heredado de verdad había sido el poder de su padre.

La presencia de Nehru la sentía también al entrar en el edificio del Parlamento, en el centro ajardinado de Nueva Delhi, un gigantesco edificio circular de arenisca roja y beige con una veranda llena de columnas. En su interior, bajo una cúpula de treinta metros de altura, los representantes del pueblo la eligieron por 355 votos contra 169. Su partido votó en masa por ella. En su breve discurso, les dio las gracias. «Espero no traicionar la confianza que habéis depositado en mí.» Estaba radiante, muy consciente de que su cita con el destino había llegado. Iba a tomar posesión de esa «ancha extensión de humanidad india» según la descripción de Nehru.

La residencia que le fue asignada se encontraba en el mismo barrio de Nueva Delhi que la antigua mansión palaciega. El número 1 de Safdarjung Road era una típica villa colonial con muros pintados de blanco, rodeada de un buen jardín y con cuatro habitaciones de las que convirtió dos en despacho y una en sala de recepción. Dejó claro que todos los días entre las ocho y las nueve de la mañana la casa estaría abierta a todos, sin importar la posición ni el estatus social. Era el mismo horario que Nehru había dedicado a la misma tarea.

Indira explicó a Rajiv las razones que la habían impulsado a aceptar la candidatura. En sus meses al frente del Ministerio de Información, se había visto arrastrada a enfrentarse a una crisis nacional grave que no dependía de la jurisdicción de su propio ministerio. La crisis la pilló de vacaciones en Cachemira, la bellísima región de donde los Nehru eran oriundos. Nada más llegar, se enteró de que tropas pakistaníes, disfrazadas de voluntarios civiles, se disponían a capturar la capital, Srinagar, para fomentar una revuelta propakistaní entre la población. Indira desobedeció la orden del primer ministro de regresar inmediatamente a Delhi. No sólo permaneció en Cachemira, sino que voló hacia el frente cuando estallaron las hostilidades. «No daremos un centímetro de nuestro territorio al agresor», proclamó en una gira por las ciudades del norte. La prensa alabó su gesto: «Indira es el único hombre en un gobierno de ancianas», rezó un titular. Los corresponsales que la seguían estaban asombrados de comprobar cómo Indira era recibida en todas partes por enormes multitudes que gritaban su entusiasmo. El ejército pakistaní fue derrotado. La India, e Indira, salieron victoriosos, dando lugar a la idea que más tarde se adueñaría de la imaginación popular: «India es Indira; Indira es la India».

Todo eso ocurría mientras a ocho mil kilómetros de allí Rajiv aprendía a controlar su Tiger Moth en el cielo de Inglaterra. «... Si mi madre no se presenta a primera ministra, todo lo que hemos conseguido desde la independencia se perderá», le dijo a Sonia en una carta que parecía contradecir a las anteriores. Y es que Rajiv vivía a su manera el conflicto de su madre, que era el de toda la familia, oscilando entre el deber hacia la nación, hacia la herencia de su padre y abuelo, y las exigencias de la vida personal. Cuando Rajiv supo que su madre había salido elegida primera ministra, la carta que le llegó a Sonia destilaba la angustia que esta nueva situación le creaba: «Si algo le ocurre a mi madre no sabré qué hacer. No puedes imaginarte lo mucho que dependo de ella, de su ayuda en cualquier situación, especialmente contigo. Lo vas a tener mucho más difícil que yo. Para ti, todo será nuevo y ella es la única que puede de verdad ayudarte. No sé lo que haría si llegase a perderla».

La foto de su madre estuvo en portada de la prensa mundial. En un quiosco de Thruxton, el pueblo cercano a la base aérea, Rajiv compró un ejemplar del periódico *The Guardian*: «Ninguna otra mujer en la historia ha asumido semejante responsabilidad y ningún país de la importancia de la India ha entregado el poder a una mujer en condiciones democráticas», decía el texto. La foto de su madre también ocupaba la portada de la revista *Time*: «La India agitada en manos de una mujer», rezaba el titular. Aunque ella reclamaba que no era feminista, el mundo entero tenía curiosidad por saber cómo una mujer con poca experiencia en asuntos administrativos iba a enfrentarse a la inmensidad de los problemas que la esperaban. Tan inmensos como la nación que debía gobernar, compuesta por un complejo mosaico de pueblos que compartían razas, religiones, idiomas y culturas de una enorme diversidad. Un país de mayoría hindú, pero con más de cien millones de musulmanes que lo convertían en el segundo país musulmán del planeta. Sin contar los diez millones de cristianos, siete millones de sijs, doscientos mil parsis y treinta y cinco mil judíos cuyos antepasados habían huido de Babilonia después de la destrucción del templo de Salomón. Un territorio donde convivían 4.635 comunidades distintas, cada cual arrastrando sus propias tradiciones, y lenguas tan antiguas como diversas, como el urdu de los musulmanes, que se escribía de derecha a izquierda, o el hindi que se escribía de izquierda a derecha como el alfabeto latino, o el tamil, que se leía a veces de arriba abajo, u otros alfabetos que se descifraban como jeroglíficos. En esta babel se usaban ochocientos cuarenta y cinco dialectos y diecisiete lenguas oficiales. Pero el inglés, la lengua de los colonizadores, seguía siendo el idioma común después de que la imposición del hindi fuese rechazada por los estados del sur. Un país que arrastraba unas desigualdades hirientes, con una corrupción bien incrustada en todos los niveles de la sociedad y una burocracia paralizante. Un país conocido por sus altas conquistas espirituales y a la vez por sus nefastos indicadores de bienestar material, un país donde el hombre era más fértil que la tierra que labraba, un país constantemente azotado por calamidades naturales, y sin embargo devoto de trescientos treinta millones de divinidades. Quizás el mayor logro de esa nación forjada por Nehru y Gandhi es que seguía siendo libre a pesar del rosario de maldiciones y de abrumadores problemas heredados de los colonizadores británicos. A pesar de lo que había profetizado un general inglés en el momento de la independencia: «Nadie puede forjar una nación de un continente de tantas naciones».

Pero ese país continente que su madre debía gobernar estaba peor de lo que había estado nunca bajo Nehru o su sucesor. Varios años de sequías habían provocado escasez de alimentos y desencadenaron hambrunas pertinaces. El estado de Kerala estaba sacudido por violentos disturbios relacionados con el reparto de comida. La economía era víctima de una inflación galopante. La región de Punjab estaba agitada porque reclamaba un estado de exclusiva habla punjabí; un líder sij amenazaba con inmolarse si su petición no era atendida. El pueblo Naga del nordeste luchaba por la secesión. Como colofón, los santones hindúes se manifestaban desnudos, con el cuerpo cubierto de ceniza, frente al Parlamento, en las propias narices de Indira, para exigir la prohibición de matar vacas en todo el territorio. Una reclamación que iba contra la Constitución aconfesional de la India, que se obligaba a respetar los derechos y la igualdad de todas las religiones. En un país tan pobre, la carne de vaca era una fuente esencial de proteínas para las minorías como los musulmanes o los cristianos. Las protestas degeneraron y hubo muertos cuando la policía disparó contra los alborotadores. «No voy a dejarme intimidar por los salvadores de vacas», declaró Indira desafiante. Decididamente, la India no se parecía a ningún otro país. En 1966 era una gigantesca olla a presión a punto de explotar, como si la independencia hubiera dado pie al estallido de millones de pequeñas rebeliones, fruto de siglos y siglos de explotación de unas minorías por otras, de unas castas por otras, de unas etnias por otras... Los jerifaltes del Congress no habían hecho a Indira ningún regalo al auparla a la cima.

Para Indira había una clara prioridad, la misma que su padre o Gandhi hubieran identificado: acabar con las hambrunas, evitar la muerte de los más pobres. Si para ello había que solicitar ayuda a los organismos internacionales y a los países más ricos, sería necesario tragarse el orgullo y poner la mano. Veinte años después de la independencia, la India, muy a su pesar, alcanzaba el poco envidiable estatus de mendigo internacional. Indira estaba avergonzada de tener que pedir, pero sabía que no existía otra opción. Sin embargo, estaba decidida a no suplicar nada: «Cuanto más débil sea nuestra posición, más fuertes debemos parecer».

Aceptó inmediatamente la invitación del presidente Johnson a Washington y preparó meticulosamente el viaje, de cuyo resultado dependería la vida de millones de compatriotas, y quizás su futuro político. Elaboró puntillosamente sus discursos y los corrigió consultando su librito de citas, que siempre la acompañaba. Buscaba ideas sencillas y huía de los conceptos complicados. Eligió su ropa con el mismo cuidado con el que preparaba sus alocuciones: un sari, un corpiño, un chal y unos zapatos para cada recepción. Para coronarlo todo, quiso ir acompañada de sus dos hijos. Rajiv tuvo que interrumpir sus clases de vuelo y viajar a París a reunirse con su madre. Allí, después de que el general De Gaulle ofreciese un almuerzo en su honor, embarcaron en un Boeing 707 que la Casa Blanca había puesto a su disposición. Cuando le preguntaron a De Gaulle qué le había parecido Indira, el viejo estadista dijo: «Esos hombres tan frágiles sobre los que descansa el gigantesco destino de la India... no parece que encojan de tanto peso. Esa mujer tiene algo dentro, y lo conseguirá».

En Washington, B. K. Nehru, primo de Indira y embajador en Estados Unidos, recibió una llamada telefónica a una hora temprana. Era del presidente Lyndon B. Johnson, un gigante oriundo de Texas:

–Acabo de leer en *The New York Times* que a Indira no le gusta que la llamen «Señora primera ministra»... ¿Cómo tengo que dirigirme a ella?

–Déjeme consultarlo, presidente. Le vuelvo a llamar en cuanto tenga instrucciones pertinentes.

Acto seguido, se precipitó a la suite de Indira.

–Que me llame como quiera... –dijo ella, y antes de que su primo se hubiera marchado, añadió–: También puedes decirle que algunos de mis ministros me llaman «*Sir*». Si le apetece, puede llamarme así.

El presidente Johnson sucumbió a los encantos de Indira. Desbloqueó la ayuda norteamericana, que había sido interrumpida a raíz de la rápida guerra con Pakistán, y emplazó al Banco Mundial a prestar dinero a la India. El único punto de desacuerdo durante la visita fue cuando Johnson quiso sacarla a bailar después del banquete oficial. Indira se negó, no quería ni pensar en la reacción de la prensa india ante una foto de la «socialista hija de Nehru bailando enjoyada con el presidente gringo». Le explicó a Johnson que podría hacerla muy impopular, y él lo entendió. «No quiero que nada malo le ocurra a esta chica», dijo a su jefe de gabinete con su fuerte acento tejano que le hacía parecer permanentemente acatarrado, antes de prometer a Indira tres millones de toneladas de alimentos y nueve millones de dólares de ayuda inmediata. Aquel viaje fue el primer gran éxito de la flamante primera ministra, aunque confesó a uno de sus hombres de confianza: «Espero no encontrarme nunca más en una situación semejante».

Sonia vivía todo esto desde la distancia, con cierta aprensión porque eran cambios espectaculares, y muy publicitados. Los medios italianos divulgaron ampliamente la noticia del acceso de Indira Gandhi al poder, y el matrimonio Maino pudo ver en su televisor, desde el salón de Via Bellini, el rostro de la madre del pretendiente de su hija con todo lujo de detalles. Pero el hecho de que fuese ahora primera ministra no parecía ablandarles. Al contrario, Stefano le vio las orejas al lobo. Para él, eso aumentaba el riesgo, hacía la empresa aún más descabellada. Todo lo que rodeaba a esa señora corría peligro, lo tenía muy claro. ¿No habían matado al propio Gandhi? Esos países eran demasiado impredecibles... Paola, sin embargo, no podía disimular una cierta satisfacción. Su hija no se había enamorado de un cualquiera. De alguna manera, Sonia les había quitado la pátina de *paesani*, les había «ennoblecido», aunque no por eso estaba dispuesta a que esa historia de amor prosperase. Tampoco ella quería perderla.

Rajiv volvió satisfecho de su viaje a Estados Unidos, aunque fue demasiado corto y estuvo demasiado saturado de actos oficiales como para disfrutarlo como le hubiera gustado. Desde niño, la política siempre había significado lo mismo para él: interminables sesiones de fotos con su madre, tener que escuchar durante largas cenas conversaciones aburridas, ser siempre muy educado, llevar corbata, decir sí a todo, etc. Estaba cada vez más convencido de que lo suyo era una vida alejada de todo ese trajín, una existencia discreta y tranquila junto a la mujer que le quitaba el sueño. También él quería huir de sí mismo, de sus raíces, del peso de la tradición familiar que, intuía, podía un día aplastarlo. Confiaba secretamente en que el destino que sus apellidos marcaban nunca le alcanzaría.

En octubre de 1966, pidió el coche prestado a su hermano para ir a ver a Sonia; el viejo Volkswagen se había deteriorado tanto que lo había vendido por cuatro libras. Además el coche de Sanjay era más apropiado para un viaje tan largo. Era un Jaguar antiguo, un modelo que su hermano había adquirido gracias a sus contactos en la Rolls-Royce a un precio excepcional porque no funcionaba. Sanjay lo había arreglado pacientemente hasta conseguir que arrancase de nuevo. Al contrario que su hermano, a Rajiv no le gustaba presumir, y entrar con ese coche en Orbassano le daba hasta vergüenza, pero por otro lado pensó que más valía presentarse así, como alguien pudiente y no como un mochilero. De esa guisa tendría más posibilidades de impresionar favorablemente a los padres de Sonia.

Ella estaba expectante ante su llegada; llevaba meses sin verlo y la espera se hacía eterna. Sus hermanas y amigas también estaban nerviosas. No todos los días llegaba a esa ciudad dormitorio del extrarradio de Turín un príncipe indio dispuesto a llevarse a su cenicienta... La curiosidad era enorme, incluida la de sus padres, que le habían invitado a cenar ese mismo día, aunque todos hacían como si nada.

La llegada de Rajiv en su Jaguar fue una auténtica conmoción en el vecindario. ¿Quién sería ese inglés rico que venía a ver a la hija Maino?, se preguntaban entre murmullos. El desconcierto era aún mayor porque su aspecto no cuadraba con su automóvil. «Parece siciliano», bromeaba un compañero de Sonia. «Con ese cochazo, podría ser un *terrone* de la camorra», comentó otro. Rajiv llegaba desaliñado y con barba de varios días porque había dormido en el coche para ahorrarse habitaciones de hotel. Sonia no supo si era el cansancio o la perspectiva de la cena, o los recientes acontecimientos que habían catapultado a su madre a la escena internacional, pero le notó preocupado cuando por fin pudo abrazarlo, en una calle desangelada de Orbassano donde se habían citado la mañana de su llegada.

–Voy a tener que volver a la India –le confesó en cuanto se hubo calmado la pasión del reencuentro.

–Entonces... ¿tu licencia de piloto?

–Me la sacaré allí. De todas maneras, no tengo dinero para sacármela en Inglaterra. Lo que me preocupa de todo esto es estar tan lejos de ti.

Había otra razón, y es que su madre le había pedido que volviese.

–Está muy sola. Tiene unos problemas enormes –le confesó a Sonia.

Le explicó que nada más volver de Estados Unidos, la oposición la atacó con saña, acusándola de haber caído bajo la influencia de los americanos y de abandonar la política de no-alineamiento de su padre... Pero no sólo la oposición, sino los que la habían elegido para el puesto de primera ministra, los jefes de su propio partido también. Estaban molestos por la manera en que Indira encaraba los problemas, directamente, saltándose la jerarquía del partido, como en el caso de la escaramuza pakistaní. Un viejo colega de Nehru había lanzado una dura diatriba contra Indira en el Parlamento cuestionando no tanto la ayuda como las condiciones que los americanos habían impuesto para entregarla. Entre ellas estaba la de devaluar la rupia, una medida muy impopular que Indira tomó a pesar de tener a todo el país en contra, demostrando así que no era una imitación de su padre, que era capaz de administrar una amarga medicina a la nación si creía de verdad en ello, y que no le debía nada a nadie. Pero el resultado es que estaba en su punto más bajo, mientras las predicciones sobre el futuro de la India se hacían cada vez más sombrías. Prevalecía la idea de que únicamente la personalidad y el ejemplo de Nehru habían conseguido mantener a la India unida y democrática, pero que ahora, con las sequías sucesivas, las innumerables y pequeñas rebeliones étnicas, la tensión con Pakistán y el liderazgo de Indira, el país estaba al borde de la desintegración.

–Y culpan a mi madre por ello –dijo Rajiv–. Como si fuera ella responsable de que haya habido tres años de sequías y la gente se muera de hambre... El caso es que tengo la impresión de que la estoy abandonando y no me gusta.

Escuchar a Rajiv hablar de su madre representaba para Sonia su peculiar iniciación a la política india. No era consciente de ello, pero entraba en contacto con conceptos e ideas que siempre le habían parecido muy lejanos e incomprensibles, y que pronto se convertirían en algo tan familiar como en su casa era comentar los resultados del Juventus o la pasarela de la moda de Milán. Empezaba a darse cuenta de que no se podía vivir cerca de alguien como la madre de Rajiv sin que ello afectase a la vida de todos los que la rodeaban, ella incluida. Pero era todavía algo demasiado nebuloso y lejano como para alterarla. Cada batalla a su tiempo. La de ahora era vencer la resistencia de sus padres.

Sonia acompañó a Rajiv a casa de un amigo que se ofreció a alojarlo, y luego le mostró su pueblo. Tomaron sendos *capuccini* en el bar de Nino, caminaron por las calles del centro, y se detuvieron en el bar de Pier Luigi. Aparte de llevar su establecimiento, Pier Luigi era un radioaficionado en sus horas libres, un *hobby* al que Rajiv también quería dedicarse. Lo había descubierto en sus estudios de vuelo y, aparte de la atracción por la magia de la electrónica, también veía en ello una manera de comunicarse con Sonia desde la distancia. La desesperación de encontrarse un día tan lejos de ella le hacía soñar con cualquier posibilidad de colmar ese vacío.

Sonia le dejó para que pudiera descansar y quedó en recogerle por la noche para llevarlo a cenar a casa de sus padres. Mientras tanto, iría a la cita anual de antiguos alumnos en su colegio de Giaveno. «Recuerdo ese día como si fuera ayer», diría la hermana Giovanna Negri. Sonia tenía veinte años. Después de la reunión de antiguas alumnas del colegio, Sonia anunció que se marchaba.

—¿Por qué no te quedas a cenar con nosotros? —le dije—. Has estado mucho tiempo en Inglaterra y casi no te hemos visto.

—No puedo quedarme —respondió Sonia—. Tengo un invitado que viene a cenar esta noche a casa.

—¿Y quién es...? —preguntó guasona sor Giovanna.

Sonia sonrió, dejando ver los hoyuelos de sus mejillas. Al final, lo soltó:

—Mi novio.

—¿Tu novio? ¡Vaya sorpresa! Cuéntame... ¿Quién es?

Sonia se mostraba reacia a responder, lo que azuzó aún más la curiosidad de la monja.

—Es indio... —dijo con reticencia.

—¿Indio? —repitió asombrada.

Sonia se puso un dedo en los labios, para que bajase la voz. Luego le dijo, casi como un suspiro:

—Es hijo de Indira Gandhi.

«Me quedé pasmada», recordaría la hermana Negri años más tarde.

Aquella cena fue un poco la versión italiana de la célebre película que protagonizarían Katharine Hepburn y Sidney Poitier. Sólo que no era ficción y no hubo final feliz, aunque las reacciones de Stefano Maino y de Spencer Tracy fuesen semejantes. Rajiv habló de sus estudios. Acababa de sacarse el título de piloto privado, y pensaba que en año y medio conseguiría el de piloto comercial. Quería colocarse lo antes posible. Tenía una poderosa razón para ello:

—He venido con un propósito muy serio —le dijo a Stefano Maino—. He venido a decirle que quiero casarme con su hija.

Sonia no sabía dónde meterse porque le tocaba traducir. Su madre, nerviosa, empezó a colocar bebidas encima de la mesita del tresillo. Le temblaban las manos. El patriarca se mantuvo cordial, pero firme:

—No me cabe la menor duda de su sinceridad y de su honradez —le respondió, mirando a Sonia para pedirle que continuara traduciendo—. No hay más que mirarle a los ojos para ver cómo es. No dudo de usted. Todas mis dudas tienen que ver con mi hija. Es demasiado joven para saber lo que quiere... —Sonia miraba al techo, exasperada—. No creo que pueda acostumbrarse a vivir en la India, francamente. Son costumbres demasiado distintas.

Rajiv sugirió que Sonia fuese allí a pasar unas cortas vacaciones. Le explicó su idea de que primero fuese sola, antes de que él llegase, para que así pudiese juzgar por sí misma. Pero Stefano se opuso categóricamente.

—Hasta que no cumpla la mayoría de edad, no puedo dejarla marchar.

Era un hueso duro de roer, Sonia lo sabía pero no podía permitir que el ambiente de la reunión se degradase. Los silencios de su padre podían cortarse con un cuchillo. Ese hombre era una roca, y sólo hizo una mínima concesión:

—Si para entonces seguís sintiendo lo mismo el uno hacia el otro, la dejaré ir a la India, pero eso será dentro de un año, cuando sea mayor de edad —dijo antes de girarse hacia su mujer y añadir—: Si el asunto sale mal, no me podrá reprochar que haya contribuido a fastidiarle la vida.

Pero Stefano seguía creyendo, y esperando de todo corazón, que las aguas volverían a su cauce y que Sonia, ante las dificultades que iría encontrando, acabaría por tirar la toalla. Le atormentaba la idea de separarse de su hija.

8

Cuando Rajiv le contó a su madre su encuentro con los Maino en Orbassano, Indira se mostró de acuerdo con la condición que había impuesto el patriarca italiano. Poner a prueba los sentimientos de los jóvenes era la única manera de saber si esa historia tenía futuro. Había que ganar tiempo; en el fondo, ella también hubiera preferido que Rajiv no escogiese una extranjera. Pero si el tiempo demostraba que ambos se querían, Indira no pensaba oponerse a la decisión de su hijo. Había sufrido demasiado con el rechazo de su propio padre a su boda como para infligir lo mismo a ninguno de sus vástagos.

«El matrimonio no lo es todo. La vida es algo mucho más grande», le había dicho Nehru cuando ella había ido a verlo a la cárcel de Dehra Dun para decirle que quería casarse con Firoz. Nehru le aconsejó que recobrase fuerzas antes de tomar cualquier decisión. Había estado muy enferma y su padre le recordó que los médicos le habían desaconsejado tener hijos. Además, el deseo de Indira le parecía una trivialidad, porque significaba tirar por la borda «la herencia y la tradición familiar» para casarse con un hombre de un entorno y de una educación muy distintos al suyo. Indira no estaba de acuerdo, por lo menos en ese momento. Le dijo que quería una vida anónima y libre de tensiones, lo que nunca había tenido. Quería casarse y tener hijos. Más de uno, recalcó, porque no quería que su hijo sufriese la soledad que ella había conocido. Quería ocuparse de ellos y de su marido en una casa llena de libros, de música y de amigos. Si para alcanzar ese sueño tenía que desafiar a los médicos y hasta su propia salud, estaba dispuesta a hacerlo.

Firoz era hijo de un parsi llamado Jehangir Ghandy, cuya biografía oficial le atribuye ser ingeniero naval pero otras fuentes aseguran que era un vendedor de licor, aunque sin relación alguna con Gandhi. A finales de los años treinta, cambió la ortografía de su nombre por el de Gandhi, el apellido de una casta de perfumistas, un apellido corriente en las castas Bania de los hindúes de Gujarat, de donde era oriundo el Mahatma[1]. No ha quedado registrada la razón de ese pequeño cambio que acabó siendo de inestimable valor para la futura carrera política de su mujer.

Seguidora de Zaratustra, la religión parsi es una de las más antiguas de la humanidad, pero Firoz nunca fue religioso, al contrario. Había entrado en contacto con los Nehru a raíz del movimiento de lucha contra los ingleses que lo llevó a hacerse miembro del Partido del Congreso. Militante muy activo y muy radical, conocía los textos de Marx y Engels mejor que el propio Nehru. Juntos habían participado en Francia en un mitin de protesta por los bombardeos contra las poblaciones civiles en la guerra de España. Firoz había intentado convencer a los organizadores anticomunistas del acto que dejasen hablar a La Pasionaria, pero no lo consiguió. Nehru, furioso, hizo un discurso encendido, defendiendo ardientemente el derecho a la libertad de expresión.

Nehru no cuestionaba a Firoz como militante, pero pensaba que era un mal partido para su hija. Ambos hombres eran opuestos en todo. Firoz era bajito y cuadrado, un poco fanfarrón, hablaba en voz muy alta y usaba palabrotas a destajo. Ni era refinado ni era un intelectual. Le gustaba la buena mesa y el alcohol y le interesaban los coches y los gadgets eléctricos y mecánicos, pasiones que Rajiv y Sanjay heredarían. Había sido un pésimo estudiante, aunque le gustaban la música clásica india y las flores, como a Indira. Pero sin título universitario ni profesión ni perspectiva de ganarse la vida, con una sólida reputación de mujeriego, era lógico que los Nehru viesen a ese don nadie que pretendía entrar en la primera familia de la India con gran recelo.

–Tú te has criado en Anand Bhawan rodeada de lujo y de criados –le dijo su abuela a Indira en un intento por presionarla–. Firoz carece de fortuna, es de otro ambiente y de otra religión.

1. Asaf, Ali Aruna, *Private Face of a Public Person*, Nueva Delhi, Radiant Publisher, 1989, p. 35, nota 11; citado en Von Tunzelmann, Alex, *Indian Summer*, Nueva York, Henry Holt, 2007, p. 86.

–No nos importa la religión porque ninguno de los dos somos religiosos –le respondió Indira–. Soy austera como mi madre, y aunque he vivido en Anand Bhawan, puedo ser igual de feliz en la choza de un campesino.

Más o menos lo mismo le decía Sonia a sus padres cuando éstos evocaban la dificultad de vivir tan lejos, en un país tan diferente. Para Sonia, la India era una abstracción. No le asustaba lo más mínimo, a pesar de todo lo que había oído. Si Rajiv hubiese sido un esquimal, le hubiera dado igual seguirle al Polo Norte. «Cuando estás enamorada –escribió–, el amor te da una fuerza muy poderosa. Armada de esa fuerza, nada te da miedo. Sólo quieres a la persona que amas. Sólo quería a Rajiv. Hubiera ido al fin del mundo con él. Él era mi mayor seguridad. No podía pensar en nada ni en nadie, sólo en él.»

Si Nehru acabó por dar su consentimiento a la boda de Indira con Firoz, Indira accedió a la petición de su hijo cuando éste le rogó que escribiese al padre de Sonia para que la dejase ir a la India. Había transcurrido un año, el plazo que había impuesto Stefano Maino, y la pasión de los jóvenes no mostraba signos de enfriarse. Ni Sonia ni Rajiv estaban dispuestos a vivir el uno sin el otro; la separación se hacía demasiado dolorosa. Indira entendió que la cosa iba en serio. En realidad hubiera preferido seguir la vía tradicional, elegir una hija de buena familia de Cachemira para casarla con su hijo, tal y como manda la tradición, tal y como hizo su abuelo Motilal eligiendo a Kamala, su madre. Los «matrimonios concertados» eran lo común, y los *love marriages*, las bodas por amor, las excepciones. Los primeros solían funcionar mejor; la tasa de divorcios entre este tipo de uniones es asombrosamente baja porque los padres buscan candidatos para sus retoños en medios sociales y culturales afines, lo que de por sí constituye una ventaja a la hora de la convivencia. Los segundos eran una lotería. Indira no había tenido suerte. Quizás Rajiv la tuviera, aunque arrastraba el handicap de que su novia era extranjera. En la sociedad tradicional, los extranjeros ni siquiera merecían un lugar en el escalafón, eran considerados «sin casta». Nueva Delhi no era la India profunda, pero aun así Indira era perfectamente consciente de lo difícil que podía resultarle a una chica occidental adaptarse a la vida en su país, aunque ella estaba dispuesta a hacérselo lo más agradable posible porque la chica le había gustado.

La carta de Indira Gandhi invitando a Sonia a pasar unas vacaciones a Nueva Delhi fue un disgusto para Stefano Maino, pero era un hombre de palabra y no tuvo más remedio que cumplir con su compromiso. Lo discutieron en familia y como no había escapatoria, quedaron en que Sonia iría a la India, pero un mes solamente, y después regresaría a casa definitivamente convencida de que no podría nunca vivir allí, pensaban sus padres. Aquí no sólo tenía a los suyos, sino también un futuro. Había estado trabajando todo el año en Fieratorino, y le salían cada vez más oportunidades de ganarse la vida con los idiomas que había aprendido. Si no le gustaba Orbassano porque le parecía pequeño y suburbial, siempre podría irse a vivir a Turín. Sus padres todavía soñaban que algún hombre de negocios la conocería en una de esas ferias y acabaría casándose con ella. Sonia hacía como si escuchara todas esas sugerencias con atención, pero su mente estaba ya muy lejos, a ocho mil kilómetros de distancia.

El 13 de enero de 1968, exactamente treinta y cuatro días después de haber cumplido la mayoría de edad, Sonia aterrizaba en el aeropuerto Palam de Nueva Delhi. Tenía un nudo en el estómago. Sus padres y hermanas habían ido a despedirla al aeropuerto de Milán y ni siquiera el duro de Stefano había podido contener las lágrimas.

–Si no te gusta, te vuelves en seguida, ¿eh? –le había dicho mientras su madre le metía en el bolso de mano más medicinas todavía, como si fuese a la selva.

Sonia no durmió durante el vuelo. Ahora que se enfrentaba sola a su destino, le entró una especie de angustia. La ilusión de ver a Rajiv se transformaba en un miedo impreciso. Llevaban un año sin verse. ¿Y si me decepciona? ¿O yo le decepciono a él? ¿Y si en su propio ambiente se comporta de otra manera? ¿Si no es el mismo que el que creo que es? Eran preguntas inevitables, la justa reacción de alguien que había apostado fuerte a una carta. Ahora tocaba poner la carta boca arriba.

Desde el aire, el entrelazado de avenidas y rotondas de Nueva Delhi sugería las figuras geométricas de mármol en forma de estrella que decoraban los palacios mogoles. El avión aterrizó por la mañana. El clima no podía ser más distinto al frío invierno que había dejado atrás. Hacía una temperatura exquisita, el cielo estaba azul, y nada más salir del avión su olfato quedó impregnado de un olor muy característico, que más tarde identificaría con el olor de la India: una mezcla de olor a madera quemada y a miel, a ceniza y a fruta pasada. Y un sonido, el graznido de las cornejas, esos cuervos siempre presentes, vestidos de gris o de negro, cacareando, insolentes, familiares, que le dieron la bienvenida desde la barandilla del vestíbulo de llegadas, desde los postes y los bordes de las ventanas. Allí la estaba esperando Rajiv: «Nada más verlo –contaría Sonia– me invadió una profunda sensación de alivio.» También estaban su hermano Sanjay y un amigo llamado Amitabh, hijo de un matrimonio, los Bachchan, que los Nehru conocían desde hacía mucho tiempo. El padre era un célebre poeta en hindi y diputado parlamentario e Indira le había pedido el favor de alojar a Sonia mientras durase su visita.

Los temores que había sentido durante el vuelo desaparecieron súbitamente, como si nunca hubieran existido. Al contrario, ahora tenía la certeza de que había hecho bien en seguir el dictado de su corazón a pesar de las dificultades. «Estaba de nuevo a su lado y nada ni nadie nos separaría de nuevo», escribió Sonia recordando su llegada.

Nueva Delhi no era la India tal y como se la había imaginado, por lo menos la parte donde vivía, con sus anchas avenidas bordeadas de grandes árboles siempre verdes, muchos de ellos en flor. La casa de los Bachchan estaba en Willingdon Crescent, la avenida de los banianos. Los urbanistas ingleses que hicieron de Nueva Delhi una agradable ciudad jardín quisieron que cada avenida tuviese su propia especie. Janpath, la antigua Queen's Way, era la de los nims, esos árboles sagrados conocidos por sus propiedades medicinales; Akbar Road la de los tamarindos; y en Safdarjung Road, donde se encontraba la residencia de Indira Gandhi, había profusión de flamboyanes con un follaje verde y brillante sembrado de flores anaranjadas. El escaso tráfico rodado se componía de ciclistas, carros tirados por burros o camellos, carricoches con el techo amarillo, motocicletas petardeantes, viejos Ambassador, réplica de los Morris Oxford III de 1956 que se fabricaban bajo licencia en Bengala, todos sorteando las vacas que campaban a sus anchas en medio de la calzada. No era raro toparse con un carro de bueyes y hasta con algún elefante que transportaba mercancías, detenido en un semáforo. Era una ciudad tranquila de tres millones de habitantes, sin grandes almacenes ni centros comerciales, con un solo hotel de lujo en el corazón del barrio diplomático.

Sonia fue recibida con toda la calidez que podía esperarse de una familia india, aunque Rajiv no podía atenderla como hubiera querido porque el 25 de enero iba a examinarse de piloto comercial y tenía que seguir acumulando horas de vuelo y estudiar. Pero sus primos y amigos, y hasta Indira Gandhi, se volcaron para que su estancia fuese lo más agradable posible. Aunque dormía en casa de los Bachchan, pasaba gran parte de la mañana en casa de su prometido. En aquella época, la primera ministra vivía sin apenas medidas de seguridad. Recibía a la gente todas las mañanas a las puertas de su casa con la simple presencia de un guardia. Sus hijos tampoco tenían escolta, excepto en ciertos eventos considerados arriesgados.

Amigos y familiares se turnaron para enseñarle a Sonia la ciudad, llena de parques y jardines, de monumentos antiguos y de edificios soberbios que habían sido levantados por los ingleses cuando en 1912 habían decidido cambiar la capital de Calcuta a Delhi. Trazaron una ciudad nueva en la que plantaron miles de árboles. Desde tiempos inmemoriales, la vegetación había sido la obsesión de los gobernantes de Delhi. Algunos jardines decoraban mausoleos y tumbas con la idea de que los muertos se sintiesen felices y en paz, otros habían sido concebidos como actos de caridad para el pueblo, y otros los habían hecho los reyes para uso y disfrute propio. A Rajiv le gustaba especialmente pasear por los jardines de Lodhi al atardecer, con sus estanques y sus hileras de palmeras gigantescas que rodean la tumba de Mohammed Shah, un precioso monumento de estilo indomogol que conservaba restos del alicatado turquesa y de la caligrafía original que lo ornamentaban. Era un lugar popular donde las parejas de enamorados podían disfrutar de un momento de tranquilidad y de cierta privacidad. En su moto Lambretta le mostró también la Nueva Delhi imperial, y las vistas espectaculares que los arquitectos británicos habían concebido para impresionar e intimidar a la población local. La que admiró Sonia desde el arco de triunfo de la Puerta de la India, donde arde una llama eterna en memoria de los soldados indios muertos en las dos guerras mundiales, era grandiosa. Como lo era el imponente edificio de South Block, mezcla de estilo mogol y neoclásico donde, del otro lado de la fachada decorada con bajorrelieves de flores de loto y elefantes, se encontraba la oficina de Indira Gandhi, y sobre todo el Palacio de la Presidencia de la República, otrora el palacio del virrey británico, un elegante edificio de arenisca beige y roja coronado por una vasta cúpula de cobre, de exquisitas proporciones y considerado por muchos como uno de los edificios más bellos del siglo xx.

¿Y dónde estaba la India de la que le habían hablado?, se preguntaba Sonia. ¿La India que aterrorizaba a sus padres? ¿La otra India? No era necesario desplazarse mucho. Bastaba seguir la ancha avenida Rajpath, la antigua King's Way, y llegar a la Vieja Delhi. Eso era otro mundo. Alrededor del Fuerte Rojo, otro espectacular monumento construido por el emperador Shah Jehan, el mismo que había levantado el Taj Mahal en honor a su mujer, bullía una muchedumbre colorida y ruidosa que parecía estar participando en un gigantesco carnaval de encantadores de serpientes, malabaristas, adivinos, músicos, tragadores de sables y faquires que traspasaban sus mejillas con puñales. Ésta era la India eterna, la misma que invadía las callejuelas alrededor de la Gran Mezquita, con sus puestos de ropa llenos de telas de colores, sus vendedores de fruta, de dulces, de linternas, de betún y pilas, sus limpiabotas, sus peluqueros en plena calle, sus talleres oscuros en los que niños trenzaban alfombras y otros fabricaban instrumentos de precisión... Una explosión de vida, un caos exótico y bullanguero que la dejaba ebria de colores, ruidos y olores. Y por doquier, detrás de una calle, al fondo de un jardín, se podía ver una antigua tumba o cenotafio, un monumento musulmán o hindú que se remontaba a la noche de los tiempos, como un recordatorio de lo antigua que es la India.

¿No había descrito Nehru su país como «un antiguo palimpsesto en el que capas sobre capas de pensamiento y ensoñación han quedado grabadas, sin que ninguna haya podido borrar u ocultar lo que previamente había sido inscrito»[1]?

Y luego el espectáculo de la pobreza, que veía sentada en la parte trasera de la moto cuando circulaban por ciertos barrios: niños desnudos corriendo por las calles, ancianos haciendo tintinear sus escudillas, gente que se lavaba y hacía sus necesidades en las aceras. A Sonia le recordaba un poco a los pobres de su Lusiana natal cuando era niña, en los años cincuenta, aquellos niños desnudos en invierno, aquellas familias que pasaban hambre y que su madre tanto compadecía, aquellos tullidos en las plazas, antiguos soldados que habían vuelto heridos del frente ruso... Pero lo que nunca había visto eran deformidades como las que exhibían algunos leprosos de Nueva Delhi que acechaban a los coches que se detenían en los semáforos. La India de 1968 contaba con tantos leprosos como habitantes tenía Portugal, tantos mendigos como para poblar un país como Holanda, once millones de santones, diez millones de niños menores de quince años casados o viudos. Cuarenta mil niños nacían cada día, una quinta parte de los cuales moría antes de cumplir los cinco años. Aun así, eran cifras mejores que cuando la independencia, veinte años antes. La mejoría, aunque leve, de las condiciones sanitarias estaba creando un problema aún mayor, y es que la edad reproductiva de los indios se alargaba. Como consecuencia de ello, la explosión de la natalidad se estaba convirtiendo en el mayor problema del país porque literalmente se «comía» el desarrollo económico. Cada año, la población de la India aumentaba en una cifra igual a la población de España entera.

Para Sonia, todo a su alrededor era nuevo y extraño: los colores, los sabores, las personas. «Pero lo más raro de todo eran los ojos de la gente, esa mirada de curiosidad que me seguía por todas partes.» Sonia estaba iniciándose en el mundo de la India, descubriendo lo curiosos e inquisitivos que podían ser sus habitantes, máxime en aquellos días cuando no había prácticamente

1. Nehru, Jawaharlal, *The Discovery of India*, Nueva Delhi, Penguin, 2004.

turistas. Si un extranjero ya de por sí llamaba la atención, una mujer aún más, y si era guapa y vestía con minifalda, que era la moda en Europa aquel año, entonces se convertía en un polo de atracción inmediato. O en objeto de oprobio. Sonia tuvo que aprender a controlar sus gestos, sus movimientos y su manera de vestir, pero no era siempre fácil: «La falta absoluta de privacidad, la obligación de reprimirme y de no dar rienda suelta a mis sentimientos era una experiencia exasperante». Las muestras públicas de afecto eran mal vistas, no sólo en la calle sino también en la vida cotidiana. No podía dar un beso a Rajiv si había alguien delante, ni siquiera ir de la mano con él sin que resultase escandaloso. Descubría que la India era el país más púdico del mundo, herencia de la Inglaterra victoriana. Luego había cosas difíciles para una italiana: la comida, por ejemplo. Sonia no se acostumbraba al picante, le parecía que anulaba el sabor de los alimentos. Ni a las salsas tan fuertes ni a los sabores agridulces de ciertos platos. O la costumbre de las cenas sociales, donde se hablaba y se bebía mucho durante un rato interminable, se cenaba de pronto y luego no existía la sobremesa, todos se iban en cinco minutos.

No tardó en darse cuenta de que las miradas que tan insistentemente se posaban sobre ella no se debían sólo a que fuese extranjera, o un bicho raro, o una chica muy guapa. Era vista como un nuevo miembro de una familia que durante años había vivido de cara al público. Todo lo que hacían y decían, o al contrario, lo que dejaban de hacer o decir, era minuciosamente escudriñado, analizado y juzgado. ¿Cómo se puede vivir así?, se preguntaba agobiada.

Pero, a pesar de todo, Sonia no se veía de regreso en Italia. Esto era un mundo muy diferente, y quedaba mucho camino por recorrer, mucho por explorar. De la mano de Rajiv, era una singladura fascinante a pesar de los escollos. Además estaba rodeada del afecto de los demás. Sanjay la trataba como a una hermana, entre protector y divertido por verla adaptarse. Amitabh y su familia también. Se sentía arropada y querida. Para ambos, la idea de separarse de nuevo era simplemente inconcebible. ¿Para qué perder más tiempo, para qué regresar a Italia y esperar de nuevo, como otra agonía, a reunirse aquí o allí? Rajiv no podía plantearse ir a vivir a Europa, pensaba ingresar en Indian Airlines en cuanto se hubiera sacado el «comercial». Luego podrían irse a vivir a un apartamento. Aquí en Delhi lo tenía más fácil; la vida en común estaba al alcance de la mano. Sonia era quien debía dar el paso, quien debía arriesgar porque debía dejar atrás su país y su familia por un tiempo indefinido. Había venido a conocer la India y sus costumbres, pero no necesitaba saber más porque, en el fondo, antes de embarcar en aquel avión ya había tomado la decisión de ser fiel a su propio corazón. Aunque eso significase hacer algo que iba muy en contra de sí misma. No quería ni imaginarse la cara de su padre cuando le dijera que no volvía, que se casaba.

Indira se sorprendió cuando supo que Sonia estaba dispuesta a quedarse, que querían casarse ya. Hacía exactamente tres años que se habían conocido en Cambridge. Habían cumplido todos los plazos, habían hecho todo lo que les habían dicho, y ahora llegaba el momento de tomar la decisión. Indira era consciente de que la llegada de Sonia había supuesto una pequeña revolución en el mundillo social de Nueva Delhi, aunque ni Sonia ni Rajiv lo hubieran buscado, al contrario. Su mera presencia, por ser la novia de quien era y porque era la primera vez que un Nehru iba a casarse con una extranjera de otro continente, había dado pie a toda clase de conjeturas. Aunque era la capital de un país de setecientos millones de habitantes, la sociedad era pequeña, convencional, y todas las familias relevantes se conocían entre ellas. En sus mentideros, los comentarios eran la mayoría elogiosos –¡qué guapa es!–. Pero otros aludían a su falta de «pedigrí» –no es nadie o, peor, «es de baja casta»–; otros a su manera de vestir –«quiere llamar la atención»–; otros a su mera presencia –«¿qué verá ese chico en ella?»–; otros a un sentimiento de ultraje nacionalista –«¿es que no ha podido encontrar una chica mejor aquí?»–. Sin comerlo ni beberlo, se había puesto en contra a muchísimas chicas guapas de la buena sociedad y a sus madres, que veían cómo una extranjera, y encima una intrusa, se llevaba a uno de los solteros de oro del país.

«Después de una semana –diría Usha Bhagat, la secretaria de Indira–, la señora Gandhi se dio cuenta de que los dos iban muy en serio y que no serviría de nada esperar más. El hecho de que estuviesen saliendo por Nueva Delhi fomentaba el cotilleo, y la mejor manera de cortarlo era dejarles que se casasen.» Pero cuando Rajiv le sugirió a su madre que se mudarían a un piso propio en cuanto tuviera trabajo, Indira le impuso su única condición: «Una cosa es casarse fuera de tu comunidad. Pero vivir aparte es totalmente contrario a la tradición india de la familia unida. Nos tildarían de occidentales, nos acusarían de abandonar todas nuestras tradiciones». Si Rajiv hubiera sido europeo u occidental, probablemente hubiera desobedecido a su madre y se hubiera ido a vivir con su mujer. Pero era indio, y en la India, los hijos acatan la tradición. Sobre todo cuando hay que dar ejemplo. La solución al conflicto en el que se encontraba pasaba porque Sonia aceptase una condición que la mayoría de mujeres occidentales hubieran considerado inadmisible. Pero a Sonia le tocaba adaptarse a la India, no podía ser al revés, y en la India el matrimonio es un asunto familiar, más que individual, donde la armonía entre sus miembros se valora más que la fascinación individual. Eso significaba pasar a formar parte de la familia del marido. Tendría que vivir en la casa familiar, al estilo indio, compartiendo el mismo techo con la suegra, el hermano y la familia del hermano si éste se casaba algún día. Todos en el número 1 de Safdarjung Road. Sonia aceptó porque estaba ciega de amor. Además, vivir en familia no era algo que asustase a una italiana que había vivido su infancia en un pueblo donde los Maino eran un clan. También se convenció de que no estando sola se encontraría más protegida y eso le permitiría adaptarse mejor. A todo le veía el lado positivo: es una de las ventajas del amor, que actúa como una droga.

Decidieron fijar la fecha del 25 de febrero para la boda. Todo muy rápido, pero más valía así. Indira quería evitar que la boda de su hijo se convirtiese en un asunto nacional, como había ocurrido con la suya. A Sonia y Rajiv les contó cómo se había puesto a todo el país en contra, como si cada uno de los habitantes de la nación se hubiera sentido con derecho a opinar. Miles de cartas y de telegramas habían inundado Anand Bhawan, unos insultantes, la mayoría hostiles, algunos de felicitación. Había una explicación, y es que Firoz e Indira habían transgredido dos tradiciones profundamente enraizadas: ni se habían sometido a una unión concertada por las familias, ni se casaban «dentro de su fe». Esto último había enfurecido a los hindúes ortodoxos. Y ahora la historia se repetía. Como si los hijos heredasen de sus padres no sólo las características físicas y las habilidades sino también sus conflictos, sus contradicciones y sus situaciones vitales.

«Queridos padres –les escribió Sonia–. Soy muy feliz. Os mando esta carta para anunciaros que Rajiv y yo nos casamos. Os espero a todos aquí el 25 de febrero...» Sonia no sospechaba que al llegar su carta, la noticia del anuncio de su boda ya había sido difundida por los medios de comunicación del mundo entero. Un periodista del diario turinés *La Stampa* fue a visitar a la familia al número 14 de Via Bellini. «Los padres y las hermanas viven momentos de extrema tensión –escribió–. El teléfono no para de sonar, periodistas y fotógrafos hacen cola delante de la puerta. El padre, de cincuenta y tres años, es hombre de pocas palabras: "Toda la vida trabajando para asegurar el porvenir de mis hijas... de la boda mejor hablar cuando haya ocurrido, o mejor sería no tener que hablar de ello nunca", declaró en un tono que deja intuir que está dolido. Su mujer, Paola, de cuarenta y cinco años, no consigue retener las lágrimas. "Me aterroriza la idea de que mi hija se vaya a vivir a un lugar tan lejano", declaró. Preguntados por el novio, añadieron: "Es un chico tranquilo, educado y serio", y a la pregunta de si acudirían a la celebración, el padre respondió: "Me temo que el deseo de Sonia no podrá ser realizado. Sólo irá mi mujer, yo tengo demasiado trabajo y no puedo perder tiempo. Estaré con mi hija en el pensamiento".»

Iba a ser una boda civil, no podía ser una boda religiosa. Una boda simple, no una estrafalaria boda «a lo indio» que dura varios días. Indira era contraria a la pompa y al despliegue derrochador de las bodas indias, hechas para presumir de relaciones, de poder y de dinero. Los Nehru no necesitaban presumir. Pero sí necesitaban espacio para vivir. La villa colonial que el gobierno había asignado a Indira al ser nombrada primera ministra era demasiado pequeña, tanto que las secretarias y los asistentes trabajaban bajo cobertizos en el jardín. Al dar a la nueva pareja un cuarto y un pequeño salón en la parte del fondo, con salida independiente al jardín, estarían todavía más apretados. De modo que Indira estaba en conversaciones con su gabinete para agrandar la casa. Pronto los operarios iniciaron las obras.

El alboroto de los preparativos absorbió de golpe a todos los miembros de la familia, especialmente a Sonia. No le gustaba nada tener que trocar sus pantalones ajustados por un sari, una prenda en la que se veía ridícula. No conseguía sentirse a gusto porque vivía con el temor de que en cualquier momento los seis metros de tela en las que estaba envuelta se viniesen abajo. Se veía como esas turistas de piel muy blanca que se pavoneaban luciendo saris chillones. Claro que para ellas era un juego, un disfraz para hacerse una foto y enseñarla de vuelta a su país; para Sonia, el sari era mucho más. Marcaba el primer paso en su proceso de indianización. Tarde o temprano, tendría que acostumbrarse.

Había que ocuparse de multitud de detalles: listas de invitados, diseñar las invitaciones, pruebas de peinado, de maquillaje, etc. Sonia estaba aturdida, porque además no entendía bien el inglés de los indios, impregnado de un fuerte acento. En el fondo, estaba deseando que todo acabase lo antes posible. Su proverbial timidez le impedía sentirse a gusto siendo el foco de atención, aunque no podía hacer nada por impedirlo. Fue literalmente asediada por fotógrafos el día de su primera salida en familia, como novia oficial de Rajiv, para asistir a un desfile de modelos de Pierre Cardin en el hotel Ashok de Nueva Delhi. Un extenso reportaje dio cuenta del evento en la revista *Femina*. Sonia aparecía muy guapa, con el pelo lacio cayendo sobre sus hombros, cubiertos por un sari de seda estampado, sentada entre Rajiv y Sanjay mientras hablaba con Indira. Una foto que dejaba augurar una perfecta armonía familiar. A la salida, Sonia contestó a una insidiosa pregunta de un periodista: «Me voy a casar con Rajiv la persona, no con el hijo de la primera ministra». Era inevitable que muchos la viesen como una aprovechada, una ambiciosa que había pescado un pez gordo. Y eso la sumía en un estado de profunda tristeza e indignación. Cuando otra periodista le preguntó qué pensaba sobre el hecho de quedarse a vivir en la India, tan lejos de su casa, Sonia alzó la vista hacia Rajiv y esgrimiendo una sonrisa tímida, dijo: «Con Rajiv iría al fin del mundo».

¿Y no era la India el fin del mundo en aquellos días? Para la familia Maino, lo era, y apenas tuvieron tiempo de organizarse. Al final, sólo fueron la madre de Sonia, su hermana Anushka y el tío Mario (hermano de su madre), quien oficiaría de padre entregando la mano de su joven sobrina. Llegaron la víspera de la boda cuando se celebraba, en el jardín de la casa de los amigos donde Sonia se alojaba, la ceremonia del *mehendi*, que equivalía a una despedida de soltera de la novia. Aunque tradicionalmente no deben asistir ni el novio ni sus padres, en esta ocasión se hizo una excepción y tanto Rajiv como su madre estaban presentes porque querían saludar a los familiares que habían llegado de Italia. Indira fue cálida y extremadamente atenta con Paola, que se sentía entre intimidada e impaciente por ver a su hija. La buscaba por todas partes con la mirada. Cuando le indicaron dónde estaba, se asustó:

–*Oh, mamma mia!*

Casi se le saltan las lágrimas. No la había reconocido porque Sonia llevaba la cabeza cubierta por un velo rojo y morado, iba vestida con una falda roja hasta los pies, típica de Cachemira, y un corpiño rojo bordado. Llevaba pulseras, collares y una tiara confeccionada con pétalos de nardos y jazmín engarzados –«joyería floral» lo llamaban–, y un *tilak* en la frente, el punto rojo que simboliza el tercer ojo, ese que es capaz de ver más allá de las apariencias. Sus manos, sus brazos y sus pies estaban totalmente cubiertos de curiosos tatuajes hechos a base de henna, una pasta extraída de las ramas molidas de un arbusto, tatuajes que dibujaban graciosos arabescos e intrincados diseños. Cuando se hubo repuesto del susto de ver a su hija de esa guisa, su madre la abrazó: «¡Mejor que tu padre no te haya visto así!», dijo conmovida. El pobre Stefano, a ocho mil kilómetros de distancia, estaba triste. A su amigo del alma, el mecánico Danilo, le confesó en el bar de Nino, a propósito de Sonia: «¡La echarán a los tigres!». Qué razón tenía el antiguo pastor de los montes Asiago.

En seguida unas chicas jóvenes rodearon a Anushka y a Paola y se ofrecieron para pintarles las manos. Mientras les aplicaban henna, les explicaron la tradición: cuanto más negros salían los dibujos en las manos de la novia, más amor habría en el matrimonio. Y cuanto más tardasen en borrarse, más tiempo duraría la pasión. Paola y Anushka miraron los arabescos de Sonia: eran negros como si los hubieran pintado con tinta china.

La boda propiamente dicha tuvo lugar al día siguiente, a las seis de la tarde, en el jardín del número 1 de Safdarjung Road. Indira había rebuscado en sus armarios el sari que quería que Sonia llevase, el mismo que había llevado ella, el que Nehru había hilado durante sus largas horas de encarcelamiento, una vez que hubo aceptado la voluntad de su hija de casarse con Firoz. Sonia lo reconoció, lo había visto en la exposición de Londres y le vinieron a la memoria las palabras de Rajiv: «¡Ojalá lo lleves tú algún día!». Entonces las había tomado a broma. Todavía soñaba con casarse de blanco. Ahora se lo tomaba como un honor y una señal de afecto, sin sospechar por un momento que al vestir ese sari rojo pálido entraba a formar parte, ella también, de la historia de la India.

Un pequeño incidente enfureció a Rajiv al descubrir que había dos periodistas entre los invitados. Ésa era su celebración, y no quería interferencias ni publicidad. Ese día quería ser sólo Rajiv, no el hijo de la máxima autoridad del país, lo que no dejaba de ser una ingenuidad. Se negó a salir de la casa hasta que los paparazzi no fuesen expulsados. Indira tuvo que calmarlo, con mucha paciencia. Cuando la marcha nupcial de Mendelsohn anunció la llegada de la novia, se tranquilizó. Rajiv salió a recibir a Sonia al jardín, donde había unos doscientos invitados, entre amigos y conocidos de la familia. Cuando la vio entrar, del brazo de su tío Mario, le cambió la cara. Sonia estaba espléndida. Era la imagen misma de la elegancia, el cabello recogido hacia atrás en un moño sujeto por un broche de pétalos de jazmín, la piel resplandeciente por la mascarilla de cúrcuma que le habían puesto unas horas antes, una simple pulsera de plata en la muñeca, los ojos pintados de khol y el rostro enmarcado por unos aretes de flores. Hacían buena pareja. Él llevaba pantalones estrechos blancos, una larga chaqueta color crema abotonada hasta el cuello, un turbante color salmón (al igual que sus amigos y primos), y unos zapatos tipo babucha, con la punta curva hacia arriba, como un príncipe de *Las mil y una noches*. Después del intercambio ritual de guirnaldas, se dirigieron hacia un rincón del jardín donde, alrededor de una mesa resguardada por un enorme biombo hecho también de flores engarzadas en cuerdas colgantes, se encontraban los familiares más próximos. Firmaron en el registro civil y se intercambiaron los anillos. Sonia luchaba por controlar sus emociones. Cada vez que se cruzaba con la mirada de su madre, le entraban ganas de llorar. Entonces prefería buscar la mirada de Rajiv para encontrar fuerzas. El tío Mario parecía perdido; miraba a su sobrina con cariño y algo de condescendencia. Paola mantuvo el tipo, aunque por dentro aquella boda sin sacerdote le daba una pena infinita. Las palabras de Rajiv, que leyó unos versos del Rigveda escogidos especialmente por su madre, pusieron el punto final a la ceremonia:

> Suave sopla el viento,
> suave fluye el río,
> que los días y las noches nos traigan felicidad,
> que el polvo de la tierra produzca felicidad,
> que los árboles nos hagan felices con sus frutos,
> que el Sol nos envuelva de felicidad...

Y eso fue todo. Los novios salieron del recinto para encontrarse con una lluvia de pétalos de flores y el estruendo de fuegos artificiales sabiamente orquestados por Sanjay. La ceremonia no había podido ser más sencilla. Así lo había querido Indira, sin el paripé de tener que contentar a los hindúes ortodoxos que reclamaban una ceremonia religiosa completa. Cuando se casó ella, Nehru le había pedido que aceptase hacerlo por el rito hindú, dando siete vueltas alrededor del fuego sagrado y escuchando mantras interminables, porque no quería enemistarse con ellos. Había accedido, pero ahora se tomaba la revancha. Indira era más dura que su padre. De hecho, no había llorado durante la ceremonia de su propia boda. Nehru sí, se le habían humedecido los ojos.

9

Por la tarde, Sonia había mudado sus enseres de la casa donde había estado alojada a su nueva residencia. Las obras habían servido para ampliar el salón principal que Indira había amueblado en tonos rosa pastel y verde musgo; una puerta corrediza daba a un paraje de árboles enormes y arbustos entre los que revoloteaban pájaros y mariposas.

Después de la fiesta, se dirigió a su nuevo hogar, una habitación grande y cómoda que había sido añadida al fondo de la casa y que todavía olía a yeso. Su madre le había traído ropa de Italia, unos cuantos libros y discos y los periódicos del avión porque temía que a su hija le entrase la nostalgia. Sentada en la cama, Sonia echó un vistazo a los titulares. «El viento hace temblar la Torre de Pisa», «Lucía Bosé ha pedido la custodia de sus hijos» y una entrevista al primer hombre que había vivido quince días con un corazón trasplantado, un sudafricano llamado Blaiberg. Le parecían noticias de otro planeta. Noticias de un mundo que ya no era el suyo. Mientras Rajiv se quitaba el aparatoso turbante frente al espejo del cuarto de baño y varios criados entraban y salían mirándola de reojo, Sonia sintió vértigo al pensar que ya no había vuelta atrás. La suerte estaba echada. ¿Cómo había llegado hasta aquí? Ella misma estaba sorprendida de la fuerza que había sacado para lograr su propósito. Ella, que siempre se había mostrado enemiga de la confrontación, había tenido que tensar la cuerda con su familia hasta un extremo del que se hubiera creído incapaz. A la dicha por haberlo conseguido, a la felicidad de sentir tan cerca la presencia de Rajiv, se mezclaba un profundo sentimiento de sorpresa, y también de pena. Pena por su padre. Pena de no poder compartir el momento más importante de su vida con todos los que quería, con sus amigas del barrio, con sus antiguas profesoras, con sus compañeros... Pena de tener que decir adiós a la niñez, a los padres, al pueblo, a su país. Pena por su madre, porque Sonia era capaz de adivinar en su mirada todo lo que podía atormentarla, desde las costumbres «exóticas» hasta el hecho de vivir así, en la casa familiar, con la suegra al fondo del pasillo, por muy primera ministra que fuese. Al haber forzado la situación, la armonía familiar de los Maino se había resquebrajado y Sonia se sentía culpable. Pero la vida la había colocado en esa tesitura, y desde el momento en que se había aferrado a la mano de Rajiv en respuesta a su tímido avance, allá en los jardines de la catedral de Ely, fue consecuente consigo misma. A nadie le extrañó esa melancolía porque la tradición india contemplaba la salida de una hija de la casa de su padre a la de la familia del novio como un momento de gran angustia. La mayoría de las novias indias lloran y sus amigos y parientes se muestran muy apesadumbrados. Sonia no iba a llorar, pero tenía el corazón henchido de pena, aunque los eventos se sucedían con demasiada rapidez como para apiadarse de sí misma.

Al día siguiente por la tarde tuvo lugar una recepción en Hyderabad House, un palacio de estilo anglomogol que el Nizam de Hyderabad mandó construir en 1928 para regalárselo a una amante suya, y que ahora, bajo control del gobierno, servía de residencia para dignatarios extranjeros. También se organizaban allí grandes eventos mediáticos o conferencias de prensa. Acudieron unas mil personas –amigos de la familia, compañeros del partido, políticos, diplomáticos, periodistas, artistas, etc.–, todos presentando a la entrada la invitación dorada que habían recibido de la oficina de la primera ministra y deseosos de conocer de cerca a la novia extranjera para juzgar por sí mismos si todo lo que habían oído, tan dispar y deformado por el cotilleo, era cierto. Sonia, ataviada con otro espléndido sari, se sentía como un animal en un zoo. Le parecía que las mujeres la atravesaban con sus miradas, intentando adivinar de qué pasta estaba hecha. La mayoría había viajado al extranjero, eran conscientes de lo diferente que era la India de Europa. Algunas la miraban con lástima, otras con envidia, otras con genuina simpatía. Llegó la hora de cenar, en el suelo, a la manera de Cachemira. Al son de una pequeña orquesta de música clásica india, los convidados degustaron suculentos platos típicos con aromas de canela, cardamomo, azafrán y clavo: cordero con nabo, pollo con espinacas, pescado con raíz de loto... También había patatas en salsa de yogur o queso fresco frito para los vegetarianos. Los familiares de Sonia pudieron cenar comida italiana, y los tíos de Rajiv, comida parsi. El delicioso té verde de Cachemira, el *Kavha*, se sirvió al final. Pero no fue una recepción ostentosa. «El presupuesto era pequeño», confesaría Usha, la secretaria de Indira.

Tampoco había presupuesto ni tiempo para un viaje de novios en condiciones. Pero Rajiv quería mostrar un poco de la India a los parientes de Sonia, así que salieron todos para Rajastán, la India romántica, tierra de antiguos señores feudales, la región más espectacular del subcontinente. Les parecía increíble que tan cerca de una ciudad como Delhi existieran aldeas medievales, sin luz ni agua corriente, pero de una deslumbrante belleza, donde en la plaza del mercado se codeaban todos los oficios de la India: vendedores de ropa usada, dentistas ambulantes, campesinos en cuclillas junto a sus puestos de verduras, sastres, herreros, carpinteros, joyeros... Cabras, vacas y camellos pululaban entre montones de esencias de todos los colores –polvo de azafrán ocre, de cúrcuma amarillo, de guindillas molidas rojas–. En camino al parque nacional de Ranthambore, veían por el campo manchas de color amarillo, rojo, malva, rosa, que eran los turbantes de labradores y pastores que caminaban entre el polvo ocre que levantaban sus rebaños. Sus mujeres iban vestidas en los mismos tonos; lucían joyas de plata vieja y piedras semipreciosas y parecían princesas en lugar de campesinas.

Ranthambore era un parque natural creado en 1955 en una zona semiselvática para proteger la supervivencia del tigre. Una inmensa fortaleza, que conservaba en su interior templos en ruinas, palacios y cenotafios aprisionados por raíces de ceibas gigantescas, dominaba el parque desde lo alto de un promontorio. Abajo, entre colinas cubiertas de vegetación y lagunas de aguas plateadas, se podían ver ciervos, antílopes, osos, chacales, cérvidos y jabalíes. Si había suerte, algún tigre al amanecer. A Rajiv le gustaba ese lugar porque aunaba dos pasiones suyas: el amor a los animales y su afición a la fotografía. Además pensó que la familia de su mujer se llevaría un buen recuerdo de la India porque en esa selva no se veía miseria humana. Rajiv les contó que él y su hermano habían vivido la infancia rodeados de animales, disfrutando de un auténtico zoológico en los jardines de Teen Murti House. Muchos de los animales eran regalos que jefes de Estado o políticos nacionales hacían a su abuelo. Habían tenido loros, palomas, ardillas, un cocodrilo y un panda del Himalaya llamado *Bhimsa*, un regalo del estado de Assam a su abuelo. También habían tenido tres cachorros de tigre. Rajiv los adoraba y uno de sus grandes disgustos de niño fue cuando su abuelo decidió desprenderse de uno para regalárselo al mariscal Tito.

De regreso a Delhi, se detuvieron en una aldea donde se celebraba una boda. Era una auténtica boda hindú, llena de colorido y de ruido. El novio, el rostro tapado por una cortinilla hecha de flores, apareció montado en una escuálida yegua blanca cubierta con una alfombra de terciopelo bordada en oro. Al son de tambores y panderetas, avanzaba caracoleando hacia su novia, que lo estaba esperando bajo una tienda. Las familias estaban muy orgullosas de que unos forasteros asistiesen a la ceremonia y en seguida les agasajaron con té y dulces, mientras el chico desmontaba. El sacerdote invitó entonces a los novios a conocerse oficialmente. Lenta y tímidamente, cada uno de ellos apartó el velo del otro con su mano libre. El rostro alegre del chico apareció frente a la mirada apocada de la novia, una niña que no debía de tener más de doce años, frágil y asustada como un pajarito. Su familia la observaba con una emoción mal contenida. Rajiv hacía de intérprete, no sólo con el idioma, sino con las costumbres. Esa simple boda, que parecía tan ingenua e inofensiva, escondía varios males de la India, auténticas enfermedades sociales. Los matrimonios infantiles como éste exponían a niñas a ser madres, con la consiguiente mortalidad y problemas de salud para la madre y el niño. Además los padres de la novia, que parecían campesinos pobres, seguramente se habían endeudado durante muchos años para pagar la dote, requisito indispensable para casar a una hija. Sí, todo eso era muy bonito y muy pintoresco, pero esas costumbres mantenían a los pobres hundidos en la miseria. Fue allí cuando Sonia oyó por primera vez hablar de la costumbre del *sati*, que todavía se practicaba esporádicamente en esta región. Los comensales comentaban un caso reciente, no muy lejos de donde se encontraban, que había sido un escándalo nacional. Una joven viuda se había lanzado a la pira funeraria del marido. La policía había investigado el caso sin conseguir averiguar la verdad. Las opiniones de los invitados a la boda estaban muy divididas: unos decían que la viuda era una santa por haber tenido el valor de convertirse en *sati*, otros que había sido drogada y forzada a saltar a la hoguera para que no pudiera heredar ninguno de los bienes del marido... Rajiv se inclinaba por esto último. ¿Cómo conseguir modernizar este país?, parecía preguntarse, pensando en la tarea ingente que le había tocado a su madre, mientras conducía el coche de regreso a Delhi.

A Sonia le llegó la hora de despedirse de su familia. Los acompañó al aeropuerto. Después de abrazar a su madre, y quizás porque adivinó el quebranto que sentía al dejar a su hija, Sonia se vino abajo y rompió a sollozar. Para su madre, ésa era la verdadera despedida: unos volvían a casa, al hogar de siempre; Sonia permanecía en esa tierra extraña, sola, sin ellos. Nunca como en ese momento se había mostrado la realidad con tanta crudeza, tanta que hacía daño. Ambas estaban hechas un mar de lágrimas, y no eran especialmente propensas al llanto, lo que hacía la escena todavía más desgarradora.

–Escribe mucho, llámame a menudo...

–Te lo prometo, *mamma*.

En el coche que la traía de vuelta a casa, Sonia se secaba el rostro mientras le venían a la memoria flashes de momentos felices de su infancia en Lusiana, cuando salía a ordeñar las vacas con su padre y su madre, o cuando venían amigas y primas a celebrar su cumpleaños llenas de regalos. ¡Qué lejos parecía esa vida! Quedándose en la India, se daba cuenta ahora de que empezaba de cero. Tanta tensión y tanto ajetreo la habían dejado agotada y deprimida. Necesitaba ver a Rajiv lo antes posible. Sólo él podía consolarla porque él era la justificación de toda su zozobra.

Pero Rajiv no estaba en casa, estaba en su curso, en el aeroclub. Sonia se dirigió a su cuarto. Si no estaba su marido, entonces prefería quedarse sola, tumbarse en la cama y llorar todas las lágrimas, conjurar la melancolía esperando su regreso. Pero nada más abrir la puerta, vio un sobre encima de la cama, con membrete de la oficina de la primera ministra. Lo abrió. Era una nota de Indira que decía: «Sonia, todos te queremos mucho». Entonces se le iluminó la cara. La melancolía se evaporó como por encanto, sonrió y salió de su habitación.

10

La vida cotidiana en casa de los Gandhi empezaba pronto, casi al alba. Cuando Sonia se despertaba, ya estaba Indira al fondo del jardín en su charla diaria rodeada de los pobres que venían a tener su *darshan*. Luego se metía en su coche oficial, que la llevaba a su despacho de South Block, donde pasaba toda la mañana. Por las tardes solía ir a trabajar a su despacho personal, que hacía de sede del Congress, y que se encontraba muy cerca de su casa, en el número 1 de Akbar Road, a unos cincuenta metros de distancia. Era una agradable caminata por el jardín, siempre verde y con arriates de flores y plantas odoríferas. El gobierno le acababa de ceder esta casa para que todos cupieran en la suya.

Rajiv también salía pronto para sus clases de vuelo. Aprobó sin dificultad el examen de piloto comercial y ahora hacía prácticas en la compañía nacional Indian Airlines. Pilotaba un DC-3, el famoso Dakota, el avión de sus sueños de infancia. Su hermano Sanjay estaba absorto en la tarea de diseñar un coche autóctono, adaptado a las carreteras de la India. Cada miembro de la familia llevaba una existencia independiente, pero Sonia pasaba mucho tiempo sola. Un tiempo que le permitía observar el ajetreo y el bullicio de una gran casa india y adaptarse al calor, que llegó de pronto. Un calor seco, intenso y abrasador que subía cada día, irremediablemente, y que seguiría haciéndolo hasta las lluvias de junio, si es que este año llegaban a tiempo. No le gustaba el aire acondicionado porque temía que le provocase crisis de asma; prefería colocarse bajo las aspas de los ventiladores colgados del techo. Entendió por qué el personal de servicio se movía con tanta lentitud. Al principio le parecían unos perezosos; ahora comprendía que el calor, parecido al *ferragosto* de Italia, sólo que estaban en marzo, aflojaba los músculos y ablandaba las voluntades. El personal de servicio era escaso para una casa de esas características. Lo normal es que hubiera un mínimo de diez o quince criados, cada uno encargado de una tarea específica a su casta. Aunque Nehru y Gandhi se habían encargado de suprimir oficialmente las castas en la Constitución de la nueva nación independiente, la realidad es que seguían influenciando las conductas, sobre todo en los estratos más bajos de la sociedad y en las zonas rurales. En ninguna casa de los Nehru habían podido combatir esa jerarquización de la vida doméstica, por más que lo habían intentado. No era fácil borrar de un plumazo miles de años de historia. De modo que la tradición seguía imperando, y quien servía la mesa no era el mismo que la recogía, el chófer conducía pero no lavaba el coche; la cocinera guisaba, pero no fregaba los platos; los que barrían el suelo no limpiaban los baños, etc. Los Nehru se contentaban con menos servicio que lo usual, pero aun así Sonia no estaba acostumbrada a la eterna presencia de los criados, que al deslizarse sin ruido por los pasillos le pegaban unos sustos de muerte. Quizás lo que más le molestaba es que le parecía que nunca estaba al abrigo de miradas indiscretas, ni siquiera en la privacidad de su casa. Más de una vez, después de haberse encerrado en su cuarto de baño, se había sobresaltado al descubrir al encargado de la limpieza, un hombre huesudo y de piel renegrida que, en cuclillas y con un trapo en la mano, estaba arrinconado en una esquina. Poco a poco aprendió lo mismo que tenían que aprender las esposas de los diplomáticos afincados en la India: a convivir con ese enjambre de gente, a saber mandarles, a tener paciencia con los *sweepers*, los barrenderos, que sólo desplazan el polvo de un lugar a otro, a dirigirse a cada cual según su rango o su religión de manera que en ningún momento sientan que «pierden casta», a llevarles al médico si se ponen enfermos porque no existe seguridad social, etc.

Ni siquiera la casa de la primera ministra escapaba al trajín de la vida cotidiana en las ciudades indias. A media mañana, Sonia oía a los pintorescos vendedores ambulantes anunciando desde la calle sus mercancías con voces cantarinas. Unos empujaban carritos repletos de verduras y fruta, otros cargaban cajones llenos de dulces, otros traían leche, o los periódicos... De vez en cuando un hombre con un mono danzarín y unos osos llamaba desde fuera para ofrecer su espectáculo. También acudían vendedores de telas con sus fardos de manteles y juegos de mesa, tejidos a mano, lisos o estampados, del más fino algodón o de seda cruda, multicolor o blancos. El sastre se sentaba en la veranda cosiendo toda la mañana, mientras Sonia miraba fascinada las pulseras de cristal pulido que le ofrecía un vendedor ambulante que el servicio había dejado entrar pensando que la distraería. Las puertas y ventanas abiertas al jardín dejaban entrar los aromas de las flores y del césped recién cortado y húmedo, pero que amarilleaba según pasaban los días.

A menudo Sonia aparecía en el despacho donde trabajaban las dos secretarias particulares de su suegra. Una de ellas, Usha, recordaría que venía a hacerle todo tipo de preguntas sobre cosas indias: ¿Cómo se ajusta un sari? ¿Cómo se celebran los cumpleaños? ¿Qué regalo se lleva a la fiesta del primer corte de pelo de un bebé? ¿Cómo se dice «cierra la puerta» en hindi?, etcétera. Ellas le tomaban el pelo diciéndole que no tenía una, sino tres suegras. A la verdadera apenas la veía de lo ocupada que estaba, aunque su presencia siempre se hacía notar. Era la persona central en la familia. Un día Sonia entró en el despacho de Usha muy alterada. Llevaba una nota que le había dejado Indira expresando sus puntos de vista sobre ciertos aspectos, la mayoría críticos, como el hecho de que Sonia se negase a aprender hindi o fuese tan paradita ante los que no conocía. «¿Por qué no me lo dice en persona en lugar de escribirme una nota?», preguntaba la italiana al borde de las lágrimas.

—A la señora Gandhi le cuesta comunicarse —le contestó Usha—, es una mujer bastante introvertida. Pero no te preocupes por lo de las cartas, también se comunicaba así con su marido y con su padre.

La timidez de Sonia y quizás un cierto complejo llegaban a paralizarla tanto que se convertía en un problema a la hora de atender unas visitas importantes, o simplemente a la hora de socializar. Fuera de los amigos de su marido y de su cuñado, con los que ya tenía confianza, le costaba mucho romper el hielo y abrirse a la gente. En el fondo, seguía siendo la pequeña campesina de los montes Asiago, la estudiante de una ciudad de provincias italiana trasplantada a otro planeta, la casa de una primera ministra, donde siempre entraba y salía gente de todo tipo y condición. «Durante mucho tiempo, Sonia fue muy retraída –contaría Usha–. Era una tarea complicada persuadirla de algo.» Indira, a pesar de lo ocupada que estaba, no perdía de vista los asuntos de casa y se esforzaba para que su nuera saliese de su caparazón: «Sería estupendo si pudieras convencer a Sonia para que venga esta noche. Pero no la fuerces si de verdad no le apetece», decía una nota suya a su secretaria. Tanto Rajiv como su madre eran caracteres más bien reservados, de modo que entendían que Sonia necesitara tomarse su tiempo para aclimatarse a esta nueva vida. Procuraban presionarla lo menos posible, porque veían que le costaba acostumbrarse. Aquí no podía hacer cosas sencillas, como salir con una amiga a pasear, por ejemplo. Las anchas avenidas de Nueva Delhi no estaban hechas para caminar, las distancias eran demasiado grandes para recorrerlas a pie. Además, aquella parte de la ciudad era puramente residencial, no había tiendas ni comercios. La restricción de movimientos, la comida, el calor y el alejamiento de los suyos le provocaban ataques de nostalgia que la revista italiana *Oggi* que le mandaba puntualmente su madre cada semana apenas conseguía mitigar. Estaba entre dos mundos sin hacer pie en ninguno de ellos. Se acordaba de su padre, y de sus advertencias, y había momentos en los que le hubiera gustado coger el teléfono y hablar con él, pero Sonia era fuerte y sabía que tenía que aguantar. La presencia de Rajiv, por la tarde, solía calmar sus angustias.

En mayo hacía tanto calor que Indira invitó a Sonia a acompañarla a un viaje oficial al reino de Bhután, un pequeño país en las estribaciones del Himalaya que vivía totalmente apartado del mundo, pensando que le sentaría bien cambiar de aires. Para acompañarla, también invitó a la hija del ministro de Asuntos Exteriores, Priti Kaul, que tenía la misma edad que Sonia. Fueron sólo dos días de viaje, pero se divirtieron mucho. Nada más bajar del helicóptero, les recibió el rey Dorje Wangchuk, hombre muy afable, devoto budista y monarca absoluto que mantenía su reino cerrado al exterior. Hacía una temperatura perfecta; daban ganas de beber el aire cristalino. ¡Qué alivio!, pensó la italiana al sentir la brisa fresca de la montaña acariciarle el rostro, como cuando iba de excursión a los Alpes. Aquí no había telesillas ni restaurantes, sino banderines de rezo que flotaban al viento, esparciendo las oraciones budistas hacia la cordillera del Himalaya, que mostraba sus picos acerados contra un cielo intensamente azul. No había nada que pudiese ser considerado «moderno». Prácticamente no existía el tráfico rodado, excepto algunas motocicletas, y la gente vestía a la manera tradicional con una especie de delantal de colores muy pintoresco. Iban a caballo o en carros tirados por bueyes parecidos a los yaks. La comitiva llegó al imponente monasterio de Tashichhodzong, que dominaba un paisaje luminoso de montañas de crestas blancas en cuyas faldas había bancales dorados de cebada que descendían hacia el valle como una gigantesca escalera. Era como un viaje a la Edad Media: no existía la televisión, no había cárcel ni delincuencia, la única concesión a la modernidad era la electricidad, pero sólo durante dos horas al día. El propio rey les acompañó a sus aposentos, tres habitaciones y un cuarto de baño, todo más bien modesto, explicándoles que eran los suyos propios. En la época no existía infraestructura hotelera en Thimpu, la capital, que parecía más bien un pueblecito, así que cedió a sus huéspedes lo mejor que tenía. Después del banquete, en el que Indira y el monarca hablaron de cómo democratizar el reino y al mismo tiempo preservarlo de las influencias nefastas de la modernidad, las chicas regresaron a su cuarto. Sonia descubrió una trampilla en el suelo, debajo de una alfombra. Muertas de curiosidad, las dos la levantaron y vieron una habitación con un camastro, sencilla, parecida a la habitación de un monje. De pronto se encendió una linterna y vislumbraron al rey, ligero de ropa, que se disponía a acostarse. Cerraron la trampa muertas de vergüenza. Se lo contaron a Usha, quien a su vez se lo dijo a Indira, temerosa de que aquel incidente pudiera desencadenar un conflicto diplomático. Indira se limitó a reírse.

Al día siguiente volaron en helicóptero desde Thimpu hasta el estado de Sikkim, fronterizo con el Tíbet. Fueron recibidos por el rey local y su mujer, una neoyorquina encantadora llamada Hope Cooke, en su palacio. Por la noche, cuando ya Indira se había acostado, llegó la americana al cuarto de las chicas con el manjar que más le gustaba a Sonia: salmón ahumado. Le recordaba a su época de Inglaterra, donde lo había descubierto. Fue un breve paréntesis de frescor en medio de la canícula que abrasaba el norte de la India. Cuando regresaron a Delhi, abajo en la llanura el mercurio marcaba 43 grados a las once de la mañana. El asfalto se derretía. Los árboles parecían tan cansados como los hombres. La gente caminaba con paraguas abiertos para protegerse del sol. Los conductores de *rickshaws* esperaban a sus clientes tumbados bajo cualquier sombra. En casa, las flores de los arriates del jardín se habían marchitado y el césped parecía paja seca. Los criados regaban la fachada. Sonia tuvo que aprender a restringir sus movimientos al mínimo para ahorrar energía. La temperatura nocturna se hacía tan intolerable que tuvo que claudicar ante el aire acondicionado. Le aconsejaron no salir de casa al mediodía porque el sol golpeaba con demasiada fuerza. Poco tenía que ver este calor con el *ferragosto*. El aire era tan denso que se podía cortar con un cuchillo y la temperatura subió hasta los 46 grados unos días más tarde. Era un clima cruel y despiadado. Sonia esperaba ansiosa el regreso de Rajiv, tumbada en la cama y soñando con el paisaje bucólico del Véneto, recordando el crujido que sus botas de goma producían en la nieve recién caída, el agua helada que de niña bebía directamente de los arroyos, el olor del campo después de la lluvia, los prados verdes salpicados de amapolas en primavera... Pero ya estaba aquí su marido, y esperaban al atardecer para salir a dar una vuelta en moto y tomarse un helado en uno de los escasos lugares que los servían en condiciones higiénicas saludables. Había que tener cuidado al comer fuera de casa, porque el calor alteraba la conservación de los alimentos.

La tensión en casa aumentaba proporcionalmente al calor, no por lo incómodo que pudiera resultar, sino por sus repercusiones políticas. Al fin y al cabo, aquélla era la casa de la primera ministra, y su labor y su futuro dependían en gran medida, ese año, de que las lluvias monzónicas llegasen a tiempo. La mayor preocupación de Indira seguía siendo luchar contra el hambre. Tenía claro que la escasez de alimentos se combatía introduciendo nuevos métodos agrícolas que habían probado su eficacia en otras partes del mundo, y fomentando la construcción de fábricas de fertilizantes. Conseguir una auténtica revolución verde, hacer que la India fuera autosuficiente, ésa era su principal prioridad y a ella se dedicaba con ahínco. Todo lo demás, que era mucho, podía venir después: sanidad, educación, mejorar el estatus de las mujeres, etc.

El problema es que ese ambicioso programa necesitaba tiempo para que diese sus frutos. Mientras, la gente tenía que comer. Y la mala suerte quiso que la India sufriese tres años de sequías consecutivas. Si aquel cuarto año no llegaban tampoco las lluvias, el desastre estaría servido. A esto había que añadir el fiasco de la ayuda americana. A pesar de todas las indicaciones de lo contrario, el presidente Johnson había querido utilizar la ayuda alimentaria como palanca para someter a la India a su política. Aunque Indira estuvo dispuesta a hacer algunas concesiones (enfrentándose a una tormenta de protestas en casa), nunca tuvo la intención de abandonar la política de no-alineamiento de su padre. Como represalia por una crítica que el ministro de Exteriores indio hizo a Israel por su actitud hacia los países árabes, Johnson empezó a retrasar los envíos de alimentos. Pidió que todos los informes de cargamentos de grano pasasen por su despacho antes de darles el visto bueno final. Indira tenía un mapa de la India en la pared de su oficina de South Block donde rastreaba el movimiento de cada carguero con alimentos. La lentitud era exasperante.

—¡Esos americanos no se dan cuenta de que cada día que pasa supone la muerte de mucha gente! —decía en casa, indignada, un día en que Sonia había preparado un plato de pasta—. No te lo tomes a mal, no es nada personal —siguió diciéndole a Sonia, apartando su plato—, pero he decidido, y así lo acabo de anunciar en el Parlamento, que dejo de comer trigo y arroz en señal de protesta.

La sesión parlamentaria la había dejado exhausta, y apenas cenó. Se quejaba de una fuerte jaqueca. Ninguna de la recetas del médico había conseguido quitarle los persistentes dolores de cabeza que llevaban varios días haciéndola sufrir. Los problemas de la India no eran para menos.

—Como no lleguen las lluvias, habrá otra hambruna.

–Te voy a preparar un remedio casero que mis padres me enseñaron para luchar contra el dolor de cabeza.

Sonia hizo una infusión de manzanilla y humedeció unas gasas que aplicó en la frente de su suegra. Indira seguía hablando. Temía que otra sequía dejase en evidencia su política agraria, pilar de la acción del gobierno, que tan buenas señales había comenzado a mostrar. «Empezó a tranquilizarse y a encontrarse mejor», recordaría Sonia, que no entendía los matices ni los detalles de los enormes problemas a los que se enfrentaba su suegra, pero que sí comprendía su importancia y su alcance. De pronto, Indira cambió de tema.

–¿Cómo vas con el hindi? –preguntó de sopetón.

–Mal –contestó Sonia.

Indira quería a toda costa que Sonia aprendiese hindi. Además de por razones políticas, porque siempre se había acusado a los Nehru de ser demasiado «británicos» u «occidentales», Indira creía que era genuinamente bueno que su nuera pudiese expresarse en el idioma del pueblo porque le abriría contactos y también las puertas de la India profunda. ¿No era el idioma el alma de una cultura? Pero Sonia no entendía por qué tenía que aprender un idioma que sólo hablaba el servicio, ya que el inglés era lo que amigos e invitados utilizaban siempre. Le habían puesto un profesor particular que se había empeñado en enseñarle el idioma desde el punto de vista académico, con mucha gramática.

–Las clases son aburridísimas –le confesó Sonia, satisfecha de haber conseguido aliviarle el dolor.

Indira no insistió, pero unos días más tarde dejó una nota a Usha, su secretaria: «Parece que los progresos de Sonia son inexistentes. El método del profesor no funciona. Por favor, cuanta más conversación en hindi practiques con ella, mejor».

Ciertos hábitos de esa casa hubieran sido difíciles de entender para cualquiera. Por ejemplo, desde siempre en casa de los Nehru se había hablado hindi en el almuerzo del mediodía e inglés en la cena, y cada día, una de las comidas era india y otra occidental. Sonia no entendía por qué cada uno no podía comer lo que quisiese y hablar en el idioma que quisiese. Pero como era dócil, no se obcecaba. Y era suficientemente inteligente como para saber que tenía que encontrar su lugar en esa familia aunque hubiera que plegarse a exigencias que no entendía bien. Aceptaba que eso formaba parte de su proceso de adaptación.

Junio se hizo eterno. Parecía que toda la ciudad estuviera mirando al cielo barruntando indicios de lluvia. La primera página de los periódicos mostraba en gruesos caracteres los récords de temperatura: 46 grados en la Puerta de la India de Rajpath, anunciaba el día 15, cuando ya el monzón tenía que haber llegado. Una foto mostraba grupos de niños bañándose en las fuentes públicas. El aire seco y abrasador resecaba la garganta. Los ojos picaban como si tuviesen arenilla. Una capa de polvo gris, que el viento había traído de los desiertos de Rajastán, cubría el jardín del número 1 de Safdarjung Road. Para Sonia, lo extremo del clima era algo novedoso. En Europa, el clima era regular, y las predicciones servían sobre todo para saber si habría nieve en la montaña o sol en la playa el fin de semana siguiente. Aquí el clima era algo mucho más dramático por su intensidad y su importancia en la vida del país, eminentemente agrícola. El fracaso de la cosecha de arroz podía significar la muerte de un millón de campesinos. Por eso estos días cruciales en la vida de la India eran seguidos con tanta atención por la gente y por los medios de comunicación.

Por fin, a finales de mes, un ruido atronador seguido de un torbellino de aire ardiente que levantó nubes de polvo y arrancó las hojas de los árboles anunció las primeras tormentas. Como si la noche cayese de pronto, gruesos nubarrones negros invadieron el cielo y el viento seco dejó paso a una lluvia de gruesas gotas que martilleaban el techo de la casa. Los empleados de servicio parecían revivir después de tanto amodorramiento. Salieron a la calle a dejarse empapar y las sonrisas volvieron a iluminar sus rostros. Parecía que las altas palmeras de la rotonda también temblaban de emoción. La televisión mostraba imágenes de la euforia que se estaba apoderando del país. Gentes de diferentes religiones y castas saltaban y bailaban juntos en las calles, como niños, chapoteando en el agua, duchándose bajo los caños de los tejados. Era como una gran fiesta en la que el monzón hubiera hecho desaparecer las diferencias entre los hombres.

Pero a la intensidad del calor, ahora le sucedía la intensidad de las precipitaciones. Caía el agua con tanta fuerza que el ruido, dentro de casa, era ensordecedor. La temperatura descendió de golpe unos grados, y una suave brisa aportó una caricia de frescor. En el jardín, las ranas cruzaban croando por el césped que reverdeció como por arte de magia, pero dos días más tarde el jardín estaba tan inundado que parecía un lago. Si muchos barrios de chabolas literalmente desaparecían con las lluvias para luego ser reconstruidos, los barrios de Nueva Delhi no eran inmunes a las consecuencias del diluvio. Las elegantes rotondas del vecindario de las embajadas estaban inundadas, así como los túneles, y muchos vehículos se quedaban como muertos, taxis y *rickshaws* con los motores ahogados que soltaban sus últimos estertores ajenos a los esfuerzos de sus dueños por arrancarlos de nuevo. Aunque el calor se hizo menos intenso, la sensación de bochorno era desagradable. Sonia tenía la sensación de tener las manos siempre húmedas; se cambiaba varias veces al día porque el sudor empapaba la ropa. Estaba asombrada de que durante días no parase de llover, como si los dioses del clima se vengasen del calor seco y ardiente de los meses anteriores. Ahora entendía por qué las fachadas de tantos edificios parecían sucias y con chorretones, por qué había tantos socavones, y es que el clima arrasaba con todo y convertía cualquier tarea de mantenimiento en una empresa demasiado cara para un país tan pobre.

La parte positiva es que las lluvias trajeron a la casa la alegría de fuera, como si la felicidad de todo un país gigantesco se colase por las ventanas e invadiese cada rincón. Un país que, al no morirse de hambre este año, quizás conseguiría salir adelante y no volver a conocer las atroces hambrunas del pasado. Indira, muy en sintonía con el sentimiento del pueblo, parecía contagiada de esa alegría. A pesar de tantos otros problemas, volvía a ser una mujer radiante.

I I

Quizás porque no percibía el comportamiento retraído de Sonia como una amenaza, en un periodo de tiempo sorprendentemente corto, Indira, que era más bien de naturaleza desconfiada, llegó a tomarle verdadero cariño. La italiana era una mujer discreta y directa, dos cualidades que en un principio le habían granjeado su inmediata simpatía. Pero también era hogareña y le gustaba «hacer familia». No empujaba a Rajiv a vivir en pareja separada del resto, como hubiera podido pensar al principio. Al contrario, insistía para que siguiesen respetándose las costumbres de siempre, como juntarse a la hora de las comidas, una tradición que se remontaba a los tiempos de Teen Murti House. Independientemente de dónde se encontrase cada miembro de la familia, todos se esforzaban en volver a casa a comer, a menos que hubiera algún acto oficial. Desde que eran niños, Rajiv y Sanjay se habían acostumbrado a dejar lo que estuvieran haciendo para almorzar en familia. A Sonia esto le parecía muy bien porque las conversaciones en la mesa eran siempre muy animadas, salvo cuando Sanjay se enredaba a hablar de política con su madre. Lo habitual era intercambiar puntos de vista, chistes y experiencias personales. Si Rajiv y Sonia salían de noche con sus amigos, esperaban a que Indira terminase de cenar haciéndole compañía. Indira tenía un gran talento para la conversación; era rápida en sus observaciones, clara en sus descripciones y tenía un fino sentido del humor. Sus intereses no se limitaban a la política, sino también a las artes, a las innovaciones científicas, al comportamiento de la gente, a los libros, a la naturaleza... Había cosas sorprendentes en ella, que sólo con el tiempo se descubrían. Por ejemplo, solía reconocer un pájaro por su canto, y es que en los cincuenta había sido miembro de una sociedad ornitológica y había aprendido mucho de pájaros. También contaba multitud de anécdotas de sus viajes al extranjero. En Santiago de Chile la mujer de un político la recibió diciendo: «Uy, qué fina y delicada parece. Esperaba ver a una especie de Golda Meir...». Sonia se desternillaba con aquellas historias. Como la del Kremlin, cuando después de un banquete que Brezhnev y Kosiguin dieron en su honor, a la hora del café se observó la costumbre rusa de segregar a los hombres de las mujeres, e Indira, para su gran sorpresa, se encontró en el grupo de los hombres... O cuando Indira fue a ver a Gandhi para hablarle de su boda con Firoz, y el viejo santón, en lugar de animarla a tener familia, le sugirió que ella y Firoz se hicieran adeptos de su ideal matrimonial de mantenerse célibes después de casados. ¿Entonces para qué casarse?, le había espetado Indira, irritada. A Sonia, que tenía la risa fácil, todas esas anécdotas le encantaban.

Cuando la italiana hubo comprendido el funcionamiento básico de una casa india, fue reemplazando a Usha en los asuntos domésticos. El sentirse útil y estar ocupada resultaba la mejor arma para luchar contra la nostalgia. «Sonia era una persona organizada, era fuerte, aunque mantenía un perfil bajo, pero sabía lo que quería», diría la secretaria de Indira. La italiana se comportaba como realmente era: afectuosa, siempre pendiente de complacer, huyendo de la confrontación, hasta un poco sumisa ante la tremenda autoridad que emanaba de su suegra. «Entendí que había que dar tiempo a mi suegra para que ella también se hiciese a la nueva situación familiar, aunque no era especialmente posesiva con Rajiv. En esos días, yo estaba siempre a su lado, dispuesta a apoyarla», afirmó en una entrevista publicada en el *Weekend Telegraph* años más tarde.

En esa casa de costumbres indias, pero también cachemiríes e inglesas, Sonia aportó su contribución de manera sutil. Y lo hizo con un arma poderosa, que manejaba con brío. Sonia había aprendido de su madre los secretos de la cocina italiana, y pronto la casa de la primera ministra exhalaba aromas de *lasagna al forno*, de salsa al pesto con albahaca cogida del jardín y hasta de ossobuco a la milanesa. Era imposible en aquellos años conseguir queso en Nueva Delhi, pero siempre un amigo que venía de Europa le traía mozzarella o gruyer rayado envasado al vacío. No faltaba algún bromista que decía que en lugar de indianizar a Sonia, ella estaba italianizando a la familia... La broma era de puertas adentro, porque si un comentario así llegaba a la prensa, sabían que la oposición lo utilizaría con saña. Lo cierto es que en el hogar de los Nehru-Gandhi cabía de todo, a imagen y semejanza de la India, crisol de culturas y tradiciones siempre dispuesto a integrar lo extranjero y a hacerlo suyo. Si Sonia se adaptaba a la cultura imperante, también ella libraba su peculiar y silenciosa batalla para dejar su huella, cacerola en mano, en ese hogar cosmopolita.

Más tarde, fue aprendiendo a adivinar los gustos y las preferencias de Indira, como su afición por las flores, por ejemplo, y siempre velaba para que hubiera espléndidos ramos en las mesas. A ambas les gustaba especialmente el olor de los nardos, bálsamo que invadía cada rincón de esa casa decorada con una sencillez casi espartana, pero con gusto. Las cortinas eran de algodón crudo, las alfombras provenían de varios lugares del norte; había objetos tribales, cuadros de pintores indios, algunas antigüedades como un precioso biombo, y muebles de estilo colonial inglés. Sonia entendió que la sencillez y la economía eran las claves de la personalidad de su suegra. A Indira no le gustaba tirar nada; al contrario, guardaba las bolsas de plástico bien dobladas para utilizarlas de nuevo. Sonia aprendió a hacer las maletas como le gustaba a Indira, aprovechando el más mínimo hueco, sin desperdiciar espacio. Si Indira necesitaba algo para la casa, Sonia se encargaba de conseguírselo. La vendedora de la tienda The Shoppe en Connaught Place recordaría que la vio llegar un día, vestida con pantalones de cuero y con su bonita melena cayendo sobre los hombros. Venía a comprar una mantelería de hilo para regalársela a su suegra en su cumpleaños. Lo único que Sonia no compartía con Indira eran los entresijos de la política india, que ni le interesaba ni hacía esfuerzos por entender.

Pero en aquella cocina que Sonia transformó en punto neurálgico del hogar, donde todos acababan por encontrarse aunque sólo fuese para preguntar qué sorpresa les tenía preparada para comer, se hablaba inevitablemente de todo.

–La familia del maharajá de Jaipur nos ha retirado el saludo –llegó diciendo un día Sanjay, socarrón–. Los de Kota y los de Travancore también. No contéis con que nos inviten a ninguna de sus fiestas.

Así se enteró Sonia de que su suegra había abolido los últimos privilegios de los maharajás. Le explicó Rajiv que cuando sus estados integraron la Unión India, los maharajás recibieron la garantía constitucional de que podrían conservar sus títulos, sus joyas y sus palacios; de que el Estado les pagaría una suma anual proporcional al tamaño de sus reinos; y de que se les eximiría de pagar impuestos y tasas de importación.

–Pero con tantos indios y tan pobres, a mi madre y a su gobierno les parece que esos privilegios son anacrónicos y están fuera de lugar –le siguió diciendo–. El caso es que los maharajás se han puesto en pie de guerra. La maharaní de Jaipur, que es la líder local de un partido derechista, ha dado instrucciones a sus simpatizantes para reventar un mitin de mamá. Pero ella se les ha encarado. ¿Sabes lo que les ha dicho? «¡Id y preguntad a los maharajás cuántos pozos han cavado para el pueblo cuando gobernaban sus estados, cuántas carreteras construyeron, lo que hicieron para luchar contra la esclavitud a la que nos sometían los ingleses!» El resultado es que mamá ha acabado arrasando, como siempre.

Indira lo había hecho porque había tenido que dar un giro a la izquierda en su política, al ver que los americanos la habían dejado en la estacada. Para no seguir perdiendo apoyos en su partido, había firmado en la Unión Soviética un tratado pidiendo el final incondicional de los bombardeos americanos sobre Vietnam. Johnson, furioso, había retrasado aún más los envíos de alimentos. Los pobres se morían de hambre sin sospechar que eran el precio que pagaba su país para mantener su independencia frente a la potencia más poderosa del mundo, que quería utilizarlos como moneda de cambio. Los maharajás no habían sido las únicas víctimas de ese giro de orientación política. El programa de Indira dio escalofríos a los más liberales, a los patronos de la industria, a los hombres de negocios, a los aristócratas y en definitiva a las elites del país porque anunció también la nacionalización de la banca y de las compañías de seguros. Sonia fue testigo de la euforia del pueblo llano ante esas medidas. Empleados y funcionarios, taxistas, conductores de *rickshaws*, parados y los que nunca habían estado en el interior de una sucursal bancaria bailaban en la calle, a las puertas de casa. Fueron medidas populistas y atrevidas que granjearon a Indira un enorme éxito político porque el gobierno quitaba los recursos financieros a los capitalistas para entregárselos al pueblo. Los campesinos, los pequeños comerciantes y negociantes también estaban contentos porque iban a beneficiarse de créditos en mejores condiciones en los bancos nacionalizados, y todos los partidos de izquierda se alinearon firmemente con Indira.

En los primeros meses de 1969, Sonia empezó a encontrarse mal. Al principio lo achacó a una intoxicación alimentaria, a algún virus local, pero el médico la sacó de dudas inmediatamente. Estaba embarazada. La noticia llenó de alegría a la familia. Indira se sintió muy feliz y redobló los cuidados a su nuera. Estaba eufórica con la idea de ser abuela. Los niños siempre habían sido su debilidad. Ahora dejaba notas del tipo: «Mañana es *navroz* (año nuevo parsi), pero me voy de gira pronto por la mañana. ¿Puedo ir a darte un beso ya mismo?». Indira le estaba profundamente agradecida a Sonia por la estabilidad que aportaba a su vida. Ya no volvía de sus giras extenuantes o de largas sesiones en el Parlamento a la soledad de una casa vacía, sino a un hogar con vida. Y esa felicidad se veía alentada por una noticia que, más que ninguna otra, provocaba en Indira una íntima y profunda satisfacción. Su nueva política agrícola empezaba a dar resultados. La cosecha de grano del año en curso estaba siendo el doble de lo habitual gracias a las abundantes lluvias de los últimos monzones. La mayor producción se registraba en los estados del Punjab, al norte, el país de los sijs, una comunidad bien organizada y trabajadora cuyos campesinos habían plantado nuevas variedades de trigo enano desarrolladas por científicos indios a partir de modalidades mexicanas. Las nuevas variedades de arroz, algodón y cacahuete también habían mostrado un resultado espectacular. El aumento de la producción era tan esperanzador que auguraba que la escasez endémica podía convertirse pronto en cosa del pasado. Qué ganas tenía Indira de quitarse la espina de Lyndon Johnson...

Sin embargo, Sonia no participaba de esa euforia. Su felicidad se veía teñida por un sentimiento nuevo, que no había experimentado con anterioridad, y que surgía de lo más profundo de su ser. Era un miedo atávico, difuso e intenso. Miedo a dar a luz tan lejos de su familia, miedo a coger una enfermedad rara, una infección tropical, miedo a que el niño naciese con algún problema... Volvía a sentir nostalgia de los suyos y hasta pensó en ir a Italia a tener el niño, pero no, aquello era imposible porque ¿cómo estar lejos de Rajiv en un momento así?, ¿qué dirían los políticos de aquí? ¿Que la nuera de Indira no se fiaba de la medicina india (lo cual era perfectamente lógico en aquella época)? ¿Que lo que era bueno para el pueblo no lo era para la *bahu* de Indira? Lo quisiese o no, la política interfería en la vida privada. Pero Sonia era suficientemente lúcida para aceptarlo y para entender que las transformaciones hormonales de su cuerpo estaban jugándole una mala pasada, y que su estado de ánimo mejoraría con el tiempo.

Pero a los cinco meses de embarazo seguía con mareos constantes. Como se encontraba mal físicamente, la moral se resentía también. Sanjay se volcó en atenciones con su cuñada. Cuando sabía que su hermano estaba volando, no salía de casa sin cerciorarse de que Sonia no quisiese acompañarle a dar una vuelta, a tomarse un helado en Nirula's, uno de los escasos establecimientos parecidos a una cafetería occidental, o a visitar a un amigo. Pero Sonia no tenía ganas de salir. Prefería quedarse en casa, acariciando durante horas a los perros *Putli* y *Pepita*, dos golden retrievers, los preferidos de los Nehru desde los tiempos de Anand Bhawan, y un chucho llamado *Sona* que Rajiv recogió en una callejuela de la Vieja Delhi cuando era niño. Cuando volvía su marido, pasaban horas escuchando música. Rajiv atesoraba en casa una importante colección de discos que había reunido a lo largo de los años y que trataba con sumo cuidado. No quería que nadie tocase el equipo o los discos sin asegurarse antes de que lo haría de manera tan escrupulosa como él. De vez en cuando asistían a conciertos de música clásica india, donde Sonia aprendió sobre *ragas* (melodía clásica) y *ghazals* (poemas cantados en urdu) y a distinguir instrumentos como el sarangi o la tabla, precursores de las guitarras y los tambores de Occidente. Muchas veces Rajiv grababa los recitales de grandes maestros como Ustad Ali Khan o Ravi Shankar y luego los añadía a su colección, que clasificaba metódicamente. Pero si solían salir poco y no eran aficionados a las fiestas, ahora que Sonia se encontraba frágil de salud, todavía menos. Nunca quisieron formar parte de la jet de Nueva Delhi ni pertenecer a ningún grupo o pandilla. Rajiv se encontraba a gusto con amigos de extracción social muy dispar, desde un mecánico del aeroclub a sus antiguos colegas de Cambridge que venían a Delhi con cierta frecuencia. Sonia, mareada y con náuseas, sólo accedía a dar una vuelta los domingos por la mañana por Khan Market, donde estaban las tiendas de discos y las librerías mejor surtidas de la ciudad. Era una vuelta corta, que la italiana aprovechaba para comprar fruta y también algún producto europeo en uno de sus comercios, frecuentados por diplomáticos. A los cinco meses, la suave curvatura de su vientre, que veía con orgullo reflejada en los escaparates, era objeto de la comidilla de los conocidos con los que solía cruzarse, porque en cierto sentido Nueva Delhi era como un gran pueblo.

Cinco meses es un intervalo de tiempo en el que se considera que un embarazo ha pasado su momento más crítico. En el caso de Sonia, no fue así. En mitad de una noche de calor, fue presa de unos dolores punzantes en el vientre, y sintió que perdía sangre a borbotones. Eran tan agudos los dolores y tan fuerte la sensación de estar vaciándose por dentro que pensó que se moría en ese mismo instante. Rajiv organizó el transporte al hospital en el coche de su madre. Veía a Sonia tan pálida y tan ida que tuvo miedo a perderla. Después de la transfusión, cuando se hubo recuperado, le dijeron a Sonia que había perdido mucha sangre, pero que ahora, una vez efectuada una pequeña intervención, iba a encontrarse mejor. «¿Y el niño?», preguntó ella, aterrada porque en el fondo sabía lo que había ocurrido. La mirada de Rajiv, que bajó los ojos al suelo, lo decía todo.

Fue el momento más duro hasta ese instante en la vida de la italiana. A los cinco meses de embarazo, no consideraba que había tenido un aborto, sino que había perdido a su hijo. A esa pena profunda se unía un sentimiento aciago de fracaso personal. Le parecía que había fallado a su marido, a Indira, a su propia familia y al mundo entero. Le parecía que estaba pagando por toda la felicidad que la vida le había regalado, como si tuviera que expiar el pecado de su extraordinaria historia de amor. Las explicaciones médicas, que le aseguraban que lo suyo era relativamente corriente en un primer embarazo y que no significaba que al próximo intento fuera a pasar lo mismo, no conseguían sacarla de una profunda melancolía. Además, no faltaba algún comentario del personal de servicio sobre el mal augurio que presagiaba semejante percance, o el rumor de la calle que achacaba la responsabilidad de lo ocurrido a Indira «porque empujaba a su nuera a moverse y a caminar, obsesionada con que se mantuviese en forma y no engordase demasiado durante el embarazo». En ciertos mentideros de la ciudad, después de todo lo que había pasado con las nacionalizaciones y la abolición de los privilegios de los maharajás, se había puesto de moda tildar a Indira de monstruo. Como era de esperar, la familia reaccionó como una piña y todos rodearon a Sonia de atenciones y afecto. Indira estaba muy afectada. Esto le había recordado un percance similar, al nacer su segundo hijo, el 14 de diciembre de 1946. Los dolores de parto habían surgido de noche, de manera totalmente imprevista. Fue llevada de urgencia a un hospital donde los médicos ingleses llegaron a temer por su vida porque se estaba desangrando. Desde el principio, aquel niño había sido un problema. Nehru llegó cuando por fin la hemorragia estaba controlada. En la madrugada nació un varón, al que Nehru nombró Sanjay, en homenaje a un sacerdote visionario que en el *Mahabharata*, la gran epopeya del hinduismo, describe la gran batalla con el rey ciego. Firoz, su marido, no acudió hasta unos días más tarde. Trabajaba en la ciudad de Lucknow, e Indira acababa de enterarse de que mantenía una relación amorosa con una mujer musulmana, hija de una prominente familia de la ciudad. Por eso, la llegada del pequeño no había sido un acontecimiento tan feliz como la del primero, Rajiv. E Indira, en su subconsciente, se sintió culpable por ello. Debió de pensar que era injusto y que debía repararlo. Toda su vida, le pareció que debía algo a Sanjay.

Poco a poco, la italiana fue saliendo del océano de tristeza en el que estaba sumida, aunque no volvió a sonreír hasta que no quedó de nuevo embarazada, unos meses más tarde. Esta vez, su ginecóloga fue tajante: nada de caminatas ni de esfuerzos. Cuanto más tiempo pasase tumbada, menos riesgo de otro aborto correría. Decidida esta vez a llevar el embarazo a buen puerto, Sonia se dispuso a pasar nueve meses en cama. Su inspiración le venía de otra italiana conocida mundialmente, Sofía Loren, que acababa de pasar por el mismo trance, con un final feliz. Era una experiencia dura, pero Sonia se lo tomó como una prueba que debía superar. Contaba con el apoyo de Rajiv, que la mimaba y cuidaba con gran devoción. Afortunadamente, no había salido a Firoz, su padre: era hogareño, afectuoso y de una fidelidad a toda prueba. Seguía tan enamorado de Sonia como el primer día. O más, porque ahora se engarzaba un sentimiento más profundo, ese que nace de la compenetración, de mirarlo todo con los ojos del otro, de una vida en común plenamente asumida y realizada.

Indira estaba de nuevo entusiasmada y se ocupó de la canastilla del niño con todo lujo de detalles. «Siempre estás jactándote de las alegrías y del "estatus superior" de ser abuela –le escribió a su amiga norteamericana Dorothy Norman desde un avión que la transportaba al sur de la India para celebrar el cuarto centenario de la sinagoga de la comunidad judía de Kerala–, por eso te revelo un secreto: también yo estoy compitiendo por ese estatus. Sonia espera un niño para finales de mayo. ¿No es emocionante? Aunque cuando una nuera es de otro continente, hay muchas complejidades también.» Se refería al temor de Sonia a dar a luz en Delhi, y a exigencias nuevas de su nuera, que surgían como una reacción a la presión del entorno. De pronto Sonia declaró que no quería ni nodriza ni criada para ocuparse del niño, y que lo haría ella misma. Decir eso era un poco una chiquillada, una manera de afirmarse dando a entender: «Soy europea y en mi esfera privada haré las cosas a mi manera». Indira y Rajiv así lo entendieron, así que no insistieron, convencidos de que esa intransigencia se le pasaría cuando naciera el niño. Ya se ocuparía la realidad de poner las cosas en su sitio. Le iba a ser muy difícil a Sonia prescindir de ayuda teniendo en cuenta que tendría que estar disponible para acompañar a su marido o a Indira en las salidas oficiales. Pero, en general, la alegría de recibir a un nuevo miembro de la familia compensaba esas leves fricciones domésticas. Cuando Rajiv estaba trabajando, su madre o su hermano procuraban turnarse para acompañar a Sonia durante las comidas. No querían que se sintiese sola en ningún momento ni que su ánimo decayese. Rajiv ahora volaba de copiloto en los turbohélices Fokker Friendship de Indian Airlines, aviones de ala alta con capacidad para unos cuarenta pasajeros, dignos sucesores de los DC-3.

Sonia pasaba mucho tiempo con ambos hermanos, que compartían amigos e intereses comunes, aunque a Sanjay se le veía cada vez menos. Estaba obsesionado con su proyecto de construir un «Volkswagen indio». Con un amigo había abierto un taller en la periferia de la ciudad y allí, rodeado de depósitos de basura y alcantarillas a cielo abierto, perseguía su sueño de convertirse en un «Henry Ford» local entre piezas de metal y hierros oxidados. El proyecto de construir un coche popular producido para las masas llevaba más de diez años siendo discutido en las oficinas del gobierno, y finalmente se tomó la decisión de encargar su producción al sector privado. Hasta entonces, sólo se fabricaban en la India bajo licencia dos modelos, los famosos Ambassador, réplicas del Morris Oxford que servían de taxis en la posguerra londinense y que aún hoy siguen fabricándose en las instalaciones de Hindustan Motors en el estado de Bengala, y los Fiat Padmini, que se convertirían en el modelo único de los taxis de Bombay (en Europa era conocido como Fiat 1.100). El coche que quería fabricar Sanjay tenía que ser totalmente autóctono, sería barato, alcanzaría la velocidad de ochenta kilómetros por hora y consumiría cinco litros a los cien kilómetros. El nombre que había elegido era Maruti, en alusión al hijo del dios del viento en la mitología hindú.

En aquel entonces, Indira no miraba más allá de su propia carrera. No imaginaba una dinastía familiar, como tampoco la había imaginado su padre. En numerosas entrevistas repetía que sus hijos no tenían interés en política y que haría lo que estuviera en su poder para apartarles de ese mundo. No mostraba deseos de traspasarles la «carga» familiar. A Indira no le gustaba nada mezclar lo político y lo personal.

Pero su hijo Sanjay, empeñado por todos los medios en sacar adelante su proyecto, iba a trastocar esa frontera que su madre tenía tanto interés en preservar. ¿Por qué no tenía él derecho a fabricar un coche genuinamente indio?, se preguntaba. No le parecía justo que por el hecho de ser hijo de la primera ministra, semejante empresa le fuese vetada. Indira estaba en un aprieto, desgarrada entre su sentimiento de madre y su deber de gobernante. Le había pedido a Sanjay que no presentase su proyecto al Ministerio de Desarrollo Industrial, pero éste había hecho oídos sordos y había solicitado formalmente la licencia, a pesar de que ni siquiera había terminado su aprendizaje en la Rolls-Royce y no era ni un hombre de negocios ni un fabricante de coches. De hecho, su historia de amor con los coches había sido una fuente constante de dolor de cabeza para su madre. Siendo adolescente, más de una vez la policía le había traído a casa después de haberle descubierto, junto con un amigo, abandonando coches que habían hurtado previamente de un aparcamiento para darse una vuelta. Esas gamberradas de niño mimado fueron adoptando formas distintas al crecer. En Inglaterra, Sanjay había provocado varios accidentes sin daños físicos, y varias veces había sido arrestado por sobrepasar el límite de velocidad al volante de su viejo Jaguar o por no llevar un permiso de conducir válido.

Al contrario que Rajiv, Sanjay era agresivo en su manera de luchar por lo que creía y ejerció una presión considerable sobre su madre para que le fuese concedida la licencia. Indira presidió la reunión del gabinete en la que el ministro de Industria concedió a Sanjay un permiso para producir cincuenta mil automóviles al año, enteramente con materiales autóctonos. Y eso a pesar de que Sanjay carecía de experiencia y no podía presentar resultados de anteriores proyectos. Estaba claro que si no hubiera sido el hijo de la primera ministra, nunca se lo hubieran concedido. Por una vez, Indira faltó a su sacrosanto principio de anteponer el deber a su deseo personal, una excepción que acabaría costándole muy caro. Un escándalo y una protesta general acompañaron el nacimiento del proyecto de coche nacional. Indira fue acusada en la prensa de practicar el peor tipo de nepotismo. Un diputado de la oposición tildó la concesión de «una desgracia para la democracia y el socialismo». Otros hablaron de «corrupción sin límite». Sus propios aliados, los comunistas de Bengala, se unieron al aluvión de críticas. Indira respondió de manera poco convincente: «Mi hijo ha demostrado tener espíritu emprendedor... Si no se les anima, ¿cómo pedir a otros jóvenes que asuman riesgos?». En el fondo, Indira creía ciegamente en su hijo y seguramente pensó que el Maruti era una oportunidad de oro para que Sanjay saliese adelante y probase su valía. Sabía que era joven, inmaduro, impetuoso, pero lo creía hábil y fuerte. Pensaba que aprendería y que podría controlarlo. También sabía que eso equivaldría a exponerle a la vida pública. A años vista, significaba que Indira, a pesar de seguir repitiendo que no quería que sus hijos entrasen en política, ya veía a su hijo menor como digno sucesor del linaje de los Nehru-Gandhi. Era quizás una manera de sentirse un poco menos sola en el ejercicio del poder.

En esa lucha contra el sentimiento de soledad que la embargaba desde la más tierna infancia, el nacimiento de su nieto, el 19 de junio de 1970, la llenó de júbilo. Como en todos los hogares de la India, el nacimiento de un hijo era un acontecimiento de gran relevancia. Rajiv asistió al parto, lo cual era insólito para un hombre en la India de entonces, y lo hizo con su cámara en la mano para grabar el primer llanto de su hijo, que había nacido un poco prematuro. Sonia estaba exhausta, pero su marido la ayudaba mucho, cambiaba al niño y le dormía entre las tomas. Se comportaban como unos padres modernos, aunque la India eterna ya acechaba a las puertas de casa cuando volvieron del hospital y un santón esperaba al bebé para hacerle la carta astral. El nombre escogido fue el de Rahul, propuesto por Indira. Le explicó a Sonia que era el nombre en el que había pensado originalmente para su hijo primogénito, aunque al final le puso Rajiv para complacer a su padre. Nehru había estado recibiendo sugerencias de nombres en la cárcel, y había escogido Rajiv porque en sánscrito significaba «loto», el mismo significado que Kamala, el nombre de su mujer fallecida ocho años antes. De la misma manera que Indira cedió al deseo de su padre, Sonia cedía al de Indira y, al hacerlo, se hacía un poco más india cada vez. Rahul era el nombre de un hijo de Gautama Buda y en sánscrito significaba «el que es capaz». Aunque la familia no fuese religiosa, la fuerza de la costumbre hizo que el niño fuese recibido con los ritos hindúes correspondientes. La ceremonia del primer corte de pelo tuvo lugar tres semanas después de su nacimiento, y se juntaron en casa todos los amigos de la pareja. Afeitaron el cráneo del bebé, dejando sólo un mechón de pelo que, según la tradición, protegería su memoria. Raparle tenía el significado simbólico de liberarle de los restos de sus vidas pasadas y prepararle para encarar el futuro.

Indira estaba absolutamente cautivada por el bebé. Procuraba volver por casa entre sesiones del Parlamento sólo para verlo y estrecharlo en sus brazos. La mujer que estaba persiguiendo con dureza a los aristócratas de la India, que acababa de plantarse ante el partido para quedarse con el poder, que expulsaba a los compañeros que no habían votado por ella, era una abuela que se derretía frente a su nieto. «¡Cómo se parece a Rajiv!», decía, sin que nadie le encontrase parecido alguno todavía. Además, eso no era ningún cumplido porque había contado mil veces lo feo que había sido Rajiv al nacer. Pero esa criatura le tocaba la fibra más íntima y le recordaba los tiempos de su propia maternidad. Indira había dado luz a Rajiv el 20 de agosto de 1944, no en un hospital sino en casa de su tía más joven, en Bombay, en condiciones precarias. Se había quedado embarazada a pesar de su historial de tuberculosis, de las advertencias de los médicos y de la oposición de su padre a su boda, de modo que ese nacimiento fue vivido como un auténtico triunfo sobre la adversidad. Indira quería a toda costa que Nehru conociese a su nieto. Todavía faltaban tres años para la independencia y estaba encerrado en una cárcel británica en lo que sería su noveno y último encarcelamiento. Cuando se enteró de que iban a trasladarlo, Indira se presentó a las puertas de la prisión de Naini en Allahabad, y en el intervalo que había entre la puerta de la cárcel y el furgón celular, sostuvo al pequeño Rajiv en brazos. «Bajo la luz tenue de una farola, mi padre descubrió a su nieto por primera vez, y lo estuvo mirando el escaso tiempo en que se lo permitieron», contaba Indira.

Cuando Sonia se hubo repuesto, viajaron a Italia con el niño. Sonia había soñado con ese momento en numerosas ocasiones durante su larga convalecencia. El aroma del delicioso café nada más llegar al aeropuerto, el silencio en los grandes lugares públicos, el frío lacerante, el confort y la rapidez de los automóviles, el agua que se podía beber del grifo, los supermercados que ofrecían de todo... esas cosas sencillas de las que carecía en la India la maravillaban. Parecía que era la primera vez que pisaba su tierra. Fue un momento de intensa alegría encontrarse con los suyos, en su pueblo. Se fundió en un abrazo con su padre, no se dijeron nada, no era necesario. Stefano Maino se encontró de pronto con el pequeño Rahul en brazos y ya sólo importaba el bienestar del niño. ¿No valía ese momento todas las penurias del pasado?, parecía preguntarse Sonia. Por fin, estaba reunida bajo el mismo techo con todos los que poblaban su corazón.

12

Regresaron pronto a Nueva Delhi, a seguir con su vida familiar tranquila, aunque era una calma ficticia porque estaba siempre amenazada por los altibajos de la política. A pesar de lo mucho que Indira quería a su nieto, casi no lo veía de lo ocupada que estaba. Pasaba largas horas en su despacho de South Block, y cuando volvía a casa, siempre estaba cansada y con el semblante preocupado.

—¿Qué es lo que pasa? —preguntó Rajiv nada más regresar.

—Dicen que va a haber un golpe de Estado —le comentó Sanjay.

—¿Quién lo dice?

—Todo el mundo. En las fiestas, en los cócteles, en las cenas no se habla de otra cosa... Mamá lo sabe, y se teme lo peor.

Indira se había hecho muchos enemigos con sus ataques contra la clase pudiente, que la acusaba de querer hacer de la India un país comunista. Se había puesto a toda la derecha en contra, a la patronal, los propietarios de los medios de comunicación, a los maharajás y sus descendientes, etc., y temía, como buena parte del país, una reacción violenta. Pero no quería hacer de la India un país comunista como los que había conocido en sus viajes tras el telón de acero. Al contrario, hacía grandes esfuerzos para asegurar a las clases pudientes que sus intereses no estaban en peligro. Había compensado a las grandes familias financieras con generosas indemnizaciones por la nacionalización de sus bancos. La libertad —individual, colectiva, nacional— era un valor supremo que no estaba dispuesta a sacrificar en el altar del socialismo.

Pero el rumor de que los militares preparaban un golpe se había propagado como la pólvora en las grandes ciudades, Bombay, Delhi y Calcuta. La idea de que la India no podría sobrevivir ni como democracia ni como país unido se estaba afianzando en los sectores más elitistas de la sociedad. Las figuras de Nehru y Gandhi empezaban a contemplarse como reliquias de un pasado idealista que ya poco tenía que ver con la realidad. Indira, cada vez más aislada en la cima del poder, empezó a sentirse paranoica. Y no era para menos. Al general Sam Manekshaw, un parsi que era comandante en jefe del ejército indio, le hacían la misma pregunta allá donde iba: ¿Cuándo va a hacerse con el poder? Él se abstenía de responder. Lo que más le chocaba es que entre los que le hacían la pregunta, había ministros del gabinete de Indira.

Harta de tanto rumor, que se había infiltrado hasta en su propia casa, Indira convocó a su despacho de South Block al general Manekshaw. Eran viejos amigos; Indira había estado casada con un parsi y eso siempre añadía familiaridad a la relación. Sam se la encontró sentada del otro lado de su mesa de despacho en forma de riñón, los codos apoyados sobre la mesa y la cabeza entre las manos. Después de saludarse, ella le dijo con voz cansina:

—Todos dicen que vas a sustituirme... ¿Es cierto eso, Sam?

El militar se quedó de piedra, pero a los pocos segundos reaccionó: «Di unos pasos hacia donde estaba sentada. Tenía una nariz larga, y la mía también era prominente, de modo que acerqué mi nariz a la suya y le pregunté, mirándola fijamente a los ojos:

» "¿Y tú qué piensas, primera ministra?"

» "No puedes hacerlo", contestó.

» "¿Piensas que soy tan incompetente?"

» "No, Sam, no quería decir eso. Quiero decir que no lo harás."

» "Tienes toda la razón, primera ministra. No interfiero en asuntos políticos. Mi trabajo consiste en mandar sobre el ejército y velar por que se mantenga como un instrumento de primer orden. El tuyo es velar por el país."

» "Mis ministros dicen que se está tramando un golpe militar. Hasta mis hijos lo han oído."»

» "Esos ministros, tú los nombraste. Líbrate de ellos. Tienes que confiar en mí."

Nunca el general la había visto tan preocupada y con el áni-

mo tan abatido como ese día. «Tenía muchos enemigos políticos
–recordaría Manekshaw–. Constantemente tramaban complots
contra ella. Pero era una chica lista... Me vino a decir: "Sam, si estás pensando en hacer algo, que sepas que lo sé todo".»

Fueron unas navidades turbulentas. Aunque de puertas
adentro Indira hiciese lo posible por no dejar traslucir su inquietud, era imposible ser inmune a la tensión de la calle. Sanjay era
quien más a menudo le preguntaba sobre lo que iba a hacer, pero
Indira respondía con uno de sus famosos silencios y cogía al pequeño Rahul en brazos, como si en ese gesto simple buscase la
respuesta a cuestiones complicadas. ¿Qué hubiera hecho su padre en esas mismas circunstancias?, se preguntaba ella. En 1951,
Nehru se había encontrado en una situación parecida, aunque
no tan extrema. Y había decidido consultar al pueblo. Eso mismo iba a hacer Indira. Sentía que su gobierno, dependiente únicamente del apoyo de los partidos de izquierda, no sobreviviría
a los ataques de las poderosas fuerzas que se habían unido contra ella. Tenía la intuición de que el pueblo, si era consultado, la
apoyaría. Pero esta vez separaría las elecciones generales de las
estatales. Hasta entonces, siempre se habían realizado conjunta-
mente, con el resultado de que consideraciones locales de casta y
etnia se mezclaban con grandes cuestiones nacionales. Ahora
quería asegurarse de que estarían disociadas. Quería presentar
un auténtico programa nacional ante el electorado.

El 27 de diciembre de 1970, a las ocho de la mañana, después de su reunión diaria en el jardín, Indira se tomó un té con
Sonia.

–Hoy no vendré a comer –le dijo–. Voy a ir a ver al presidente de la República y le voy a solicitar que disuelva el Parlamento. Va a ser un día muy cargado. Dile a Rajiv que hablaré
esta noche por la radio.

En efecto, esa misma noche se dirigió a la nación para anunciar que adelantaba las elecciones generales un año. Sonia la escuchó desde la cocina de casa: «El tiempo no nos va a esperar
–decía Indira con cierto tono apocalíptico–. Los millones de personas que piden comida, alojamiento y trabajo tienen prisa por

que hagamos algo. El poder en una democracia lo tiene el pueblo. Por eso nos dirigimos a él para pedirle un nuevo mandato». Poco tiempo después del anuncio, un periodista de *Newsweek* preguntó a Indira cuál sería el gran tema de la campaña. Sin dudarlo, Indira respondió: «El tema soy yo».

Durante las diez semanas siguientes, apenas apareció por casa, y si lo hacía era para cambiarse de ropa y volver a salir. A veces eso ocurría a la una de la madrugada, y al oírla, Sonia se despertaba, dispuesta a ayudarla a buscar un sari o hacerle un té. Le daba noticias del niño, e Indira le hablaba de la campaña. Estaba animada: «Me gusta estar con la gente, con el pueblo. Se me va el cansancio cuando estoy con ellos –decía mientras ambas despedían el día–. ¿Sabes, Sonia? No les veo como masa, los veo como muchos individuos juntos...». Estaba contenta porque la gran alianza que aglutinaba partidos opuestos –desde partidos de derecha a socialistas– y que eran sus adversarios, había cometido el error de escoger un eslogan que reflejaba su deseo más profundo: «Acabemos con Indira».

–Yo he propuesto otro eslogan: «¡Acabemos con la pobreza!». ¿No crees que tiene más sentido?

Sonia asintió. Indira prosiguió, en voz baja para no despertar al niño.

–Esa frase da a nuestro partido la razón moral y una imagen de progreso frente a una alianza reaccionaria. Al fin y al cabo, los pobres son la gran mayoría del electorado...

–Te verán como su salvadora...

–Ojalá.

La campaña que realizó durante los meses de enero y febrero de 1970 fue muy intensa. El tener hábitos frugales –apenas comía y dormía muy poco– le ayudó en su esfuerzo. Más de trece millones de personas asistieron a sus mítines y otros siete millones la recibieron a ambos lados de las carreteras, según estadísticas oficiales. «En los cuarenta y tres días que tuve a mi disposición –escribió a su amiga Dorothy Norman– recorrí más de sesenta mil kilómetros y hablé en unos trescientos mítines. Era maravilloso ver la luz en los ojos de la gente.» Aún más maravilloso fue comprobar que, excepto en ciertas áreas pobladas por intocables y comunidades tribales, el tipo de pobreza que existía hacía veinte años ya no se daba. No se veían deformaciones atroces como antaño, ni niños con barrigas hinchadas por la desnutrición. «Quizás no tengan todos un techo y un trabajo, pero la gente parece sana. A los niños les brillan los ojos», le contaba a Dorothy.

Ése era su gran orgullo, refrendado por las estadísticas. En cinco años, la producción anual de trigo y de arroz se había duplicado. «Por primera vez, no tengo la impresión de que la economía dependa exclusivamente del éxito o del fracaso de los monzones», había escrito un periodista británico que viajaba regularmente a la India. Los medios de comunicación indios, la mayoría en manos de la oposición, no hablaban de esto, pero el pueblo sí se pronunció, en la mayor convocatoria electoral hasta la fecha en el mundo.

La noche de los resultados, la familia entera estaba reunida en casa. Sonia se había encargado de que hubiese dulces y flores en todos los rincones. La casa estaba iluminada por fuera, y en el interior la atmósfera era de entusiasmo contenido. A medida que la Comisión Electoral desgranaba cifras y resultados, la euforia se fue desatando. Doscientos setenta y cinco millones habían votado en esta quinta convocatoria desde la independencia. Ningún individuo había tenido que caminar más de dos kilómetros para depositar su papeleta. Casi dos millones de voluntarios habían actuado de agentes electorales. Sesenta y seis intentos de fraude habían sido contabilizados, un número insignificante en un país tan enorme. La tendencia de los resultados era clara: el partido de Indira ganaba en todas las circunscripciones. Empezaban a llegar a casa coches sin parar. Una victoria semejante venía acompañada de una ineludible corte de aduladores. Gente que no dudaba en agacharse y tocarle los pies, una manera tradicional de saludar que los Nehru siempre vieron como una muestra de servilismo cuando los que lo hacían eran de clase pudiente. Sus ministros, los mismos que hablaban a sus espaldas sobre un golpe militar, fueron los primeros en llegar y en postrarse. Sonia aprendió a reconocer a estos melifluos cobistas que cambiaban de chaqueta según la temperatura política. En esa época nació su obsesión por identificarlos y mantenerlos a raya, una obsesión que no la abandonaría nunca. También venían amigos sinceros a felicitar a Indira, que entraba y salía de su estudio atiborrado de colegas del partido sentados en el suelo con las piernas cruzadas. Otra habitación, cerca de la entrada, se vio pronto invadida de gente. Los teléfonos sonaban sin tregua. Los perros también participaban en la excitación general y se colaban entre las piernas de los visitantes a los que Sonia atendía con el pequeño Rahul en brazos. Indira procuraba disimular su regocijo, pero en verdad había conseguido para su nuevo mandato una holgada mayoría de dos tercios. Una victoria que la convertía en la primera ministra más poderosa desde la independencia. En la persona más venerada, más temida, más querida y en ciertos ambientes, la más odiada.

Pero también fue una victoria para la India. Las elecciones demostraban ser una genuina fuerza unificadora de la nación, por encima de las diferencias y la diversidad. La democracia se confirmaba como la nueva religión de este país tan antiguo y tan poblado de dioses, una religión que ayudaba a despejar el camino hacia el futuro.

No tuvo mucho tiempo Indira de saborear su triunfo. Quince días después del anuncio de su fenomenal victoria, el ejército pakistaní lanzó un ataque feroz contra los ciudadanos bengalíes de Pakistán oriental. Las imágenes en la televisión mostraban una marea humana, compuesta por millones de refugiados, en su mayoría mujeres, niños y ancianos, que cruzaban la frontera buscando refugio en la provincia india de Bengala occidental, ya de por sí muy poblada, y cuya capital era Calcuta. Ni Sonia, ni Rajiv ni Sanjay se perdían un informativo. Aquella marea de refugiados recordaba los trágicos acontecimientos de la Partición. Sabían que Indira estaba frente a una crisis de enormes proporciones. ¿Cómo un país pobre como la India podrá acoger tantos refugiados?, se preguntaban angustiados. ¿Habrá que intervenir en Pakistán oriental para detener el flujo de los que llegan? ¿Qué hará mamá?

–¿Es una guerra civil? –preguntó Sonia.

Le explicaron que lo parecía porque ocurría dentro de un

mismo país, Pakistán, pero era un país compuesto por dos entidades separadas por más de tres mil kilómetros de territorio indio, producto de la partición del subcontinente según dudosos criterios religiosos y comunales cuando la independencia de los ingleses. En realidad, no había unidad real entre esas dos naciones, cuya parte occidental acababa de declarar la guerra a la oriental. Los habitantes de Pakistán occidental hablaban urdu y eran más bien altos y de piel clara. Los de Pakistán oriental eran bajos, de piel oscura y hablaban bengalí. Lo único que compartían era el islam, pero esto no era suficiente base para cimentar una nación. Sobre todo porque, a pesar de ser la parte oriental la más poblada, la mayoría de los recursos –sanidad, educación, electricidad– era sistemáticamente desviada a la parte occidental. Los del oeste explotaban descaradamente a los del este, que reclamaban la autonomía.

En contraste con la India, donde la democracia había sobrevivido a disturbios políticos, hambrunas y guerra, Pakistán llevaba trece años de régimen militar. Su presidente, el general Yahya Khan, conocido por su afición al alcohol, había prometido celebrar el primer plebiscito libre en la historia del país en diciembre de 1970. No pudo prever las consecuencias de esas elecciones que destaparon las contradicciones y la fragilidad de la entidad política conocida como Pakistán. En el oeste ganó Zulfikar Ali Bhutto, un abogado educado en Inglaterra que se había metido en política al regresar a su país y que era líder del PPP (Partido del Pueblo de Pakistán). En el este arrasó un partido liderado por un personaje carismático, Sheikh Mujibur Rahman, amigo y aliado de Indira, que había hecho campaña denunciando el colonialismo ejercido por Pakistán occidental sobre la parte oriental. Obtuvo una victoria tan aplastante que consiguió la mayoría en la Asamblea Nacional de Pakistán. Según la lógica de los resultados tenía que haber sido nombrado primer ministro. Pero el general en el poder no tenía intención de que la parte oriental asumiese el poder político. Ante el movimiento de desobediencia civil que lanzó Sheikh Mujibur Rahman en todo Pakistán oriental, convocando una huelga general indefinida, el dictador Yahya Khan decidió reprimir la rebelión por la fuerza. De pronto y sin previo aviso, mandó cuarenta mil soldados de Pakistán occidental a invadir la parte oriental. Los informativos de prensa hablaban de un ataque despiadado y brutal. Muchos de los oficiales, jactándose de que iban a dedicarse a mejorar los genes de los niños bengalíes, violaron a miles de mujeres, saquearon y quemaron viviendas y negocios y asesinaron a miles de inocentes. Cualquier sospechoso de disidencia era perseguido y eliminado, especialmente si eran hindúes: estudiantes, profesores de universidad, escritores, periodistas, profesionales e intelectuales, nadie escapaba al terror de aquellos soldados altos, fuertes y bien pertrechados que degollaban sin piedad. Ni siquiera los niños escapaban a la brutalidad: los que tenían suerte eran asesinados junto a sus padres, pero otros miles tendrían que pasar el resto de sus vidas sin ojos o con miembros horriblemente amputados. Sheikh Mujibur Rahman fue arrestado y trasladado a Pakistán occidental, donde fue encarcelado.

—¿Vas a declarar la guerra, mamá? —le preguntaba Sanjay a la hora de la cena, como quien pregunta si se iba a ir de viaje o de compras.

—Si no encuentro otra manera de arreglar el problema, no me quedará más remedio. De todas maneras, mañana hablaré con el general Manekshaw.

Indira sabía que si el dictador pakistaní había actuado con tanta seguridad, era porque contaba con el respaldo de su principal aliado, Estados Unidos. El otro aliado era China, que había declarado la guerra a la India en 1962, y que en un ataque relámpago había anexionado territorios fronterizos en el Himalaya. Aquello había sido una humillación para la India, y un golpe mortal a la vieja idea de Nehru de la solidaridad de las naciones no alineadas. También había marcado el principio del fin de Nehru. Su salud empezó a decaer, y más de un observador achacó su muerte a la aflicción que le produjo el ataque de los vecinos del norte.

—¿Sabes lo que está pasando en Pakistán oriental? —le preguntó Indira a su viejo amigo Sam Manekshaw, comandante en jefe del ejército, nada más llegar a una reunión de su gobierno.

—Sí, hay matanzas —respondió el militar.

–Nos llueven telegramas de los estados fronterizos –prosiguió Indira–. Dicen que los refugiados no paran de llegar. Sam, hay que detener el flujo como sea, no tenemos recursos para atender a más gente. Si es necesario entrar en Pakistán oriental, hazlo. Haz lo que sea, pero detenlos.

–Sabes que eso significa la guerra.

–No me importa que haya guerra –zanjó la primera ministra.

El general pasó a explicarle los peligros de una invasión. Las lluvias monzónicas estaban a punto de descargar, el transporte de tropas tendría que hacerse usando las carreteras porque los campos estarían inundados. La Fuerza Aérea no podría actuar en esas circunstancias. Le dijo francamente que en esa situación no podrían ganar una guerra.

–La cosecha ha empezado en Punjab y Haryana –añadió el prudente general–. Si el país va a la guerra en temporada de cosecha, necesitaré todas las carreteras disponibles, y eso va a provocar problemas en la distribución de alimentos, y quizás hambrunas. Luego está el problema de China. Los pasos del Himalaya se abrirán dentro de pocos días... ¿Se quedarán con los brazos cruzados, ellos que son aliados de Pakistán? ¿Qué hacemos si nos dan un ultimátum?

–No lo harán –dijo Indira–. Le informo que estamos a punto de firmar un pacto de colaboración y defensa mutua con la Unión Soviética. Un pacto para los próximos veinte años.

Tanta era la rabia de Indira –recordaba el militar– que su rostro se fue enrojeciendo. Decidió interrumpir la reunión y reanudarla por la tarde. Los ministros abandonaron la sala, pero Indira pidió a Sam que se quedase. Cuando estuvieron solos, el militar se sintió en la obligación de decirle:

–Mi deber es contarle la verdad, señora. Pero a la luz de todo lo que he expuesto, si quiere que presente mi dimisión, estoy dispuesto a hacerlo.

–No, Sam. Adelante. Tengo plena confianza en ti[1].

A partir de ese momento, la primera ministra y el comandante en jefe trabajaron en perfecta sintonía. Indira nunca per-

---

1. Escena entre Sam Manekshaw e Indira Gandhi, extraída de Jayakar, Pupul, *Indira Gandhi: A Biography*, Nueva Delhi, Penguin, 1995.

mitió que nada ni nadie interfiriese entre ellos. Sam la había convencido de que la opción militar debería ser la última, y solamente si se veían forzados a ello. La estrategia ahora era la de ganar tiempo, por lo menos hasta que el invierno volviese al Himalaya y congelase los pasos de montaña, requisito indispensable para que los chinos no tuvieran la tentación de meterse en el conflicto.

La marea de refugiados era imparable. Hasta ciento cincuenta mil cruzaban la frontera cada día. Llegaban en camiones, en carros de bueyes, en *rickshaws* y a pie. Sonia vio a Indira muy afectada al regreso de un viaje que había hecho a Calcuta.

–He visitado los campamentos bajo una lluvia torrencial –contó en casa, sentada a la mesa pero sin probar bocado porque se le había cortado el apetito–. Pensaba que después de la experiencia de los campos de refugiados durante la Partición, estaría preparada para lo que iba a ver. Pero no. He visto hombres y mujeres como palillos, niños esqueléticos, ancianos transportados en las espaldas de sus hijos que caminaban a través de campos inundados... Se quedaban de pie durante horas en el barro porque no había ningún lugar seco donde sentarse. Mis acompañantes esperaban unas palabras mías, pero estaba tan conmovida que no pude hablar.

En ocho semanas, tres millones y medio de refugiados habían entrado en la India. Aunque la mayoría eran hindúes, también había musulmanes, budistas, cristianos... Gente de todo el espectro social y de todas las edades. Costase lo que costase –repetía Indira–, no les abandonaría a su suerte. Ella y sus consejeros se dedicaron a planear meticulosamente la organización de los campos de refugiados. Quiso que su gobierno se volcase en alojarlos, alimentarlos y protegerlos de las epidemias. Si de nuevo tenía que ir a pedir dinero por el mundo para asumir ese coste, estaba dispuesta a hacerlo.

A Sonia le asustaba un poco el cariz que tomaban los acontecimientos, pero no lo dejaba ver. Tenía una fe ciega en su suegra. La prensa insistía en que no cesaban las atrocidades y que el flujo de refugiados tampoco disminuía. ¿Adónde abocará todo esto?, se preguntaban en casa, pegados frente al televisor a la hora de las noticias. Por todas partes, se oía un mismo clamor para que el gobierno enviase al ejército. Pero a pesar de los frenéticos llamamientos, Indira mantenía la sangre fría. Como siempre en tiempo de crisis, permaneció en total control de la situación. La atmósfera familiar en su casa de Nueva Delhi la ayudaba a relajarse. Ver crecer a su nieto Rahul era para ella un bálsamo. La toma de decisiones, sobre todo cuando afectaba a una sexta parte de la humanidad, podía fácilmente convertirse en una tortura mental. Mantenerse lúcida y serena era fundamental, para ella, para el país y para el mundo. En eso, encontró en Sonia una valiosa ayuda. «Su hija es una joya», le escribió a Paola. En público, no paraba de hacerle cumplidos. A un veterano periodista le dijo: «Es sencillamente una maravillosa mujer, una esposa perfecta, una nuera perfecta, una madre estupenda y una fabulosa ama de casa. ¡Y lo increíble de todo esto es que es más india que cualquier chica india!». Un día, toda la familia asistió a la proyección de un documental que una amiga de Indira, la periodista Gita Mehta, había realizado sobre los refugiados y que iba a ser difundido en Estados Unidos. Sonia quedó profundamente conmovida por las imágenes. El documental mostraba y entrevistaba a mujeres que los soldados pakistaníes habían mantenido cautivas en las trincheras. Una de ellas, de unos quince años, debía de haber sido violada unas doscientas veces. No le salían lágrimas, estaba en estado de *shock* catatónico. También se veían imágenes de ancianos y jóvenes regresando a sus hogares destruidos, imágenes de campos quemados y devastados. Al terminar la proyección, Sonia se dio cuenta de que Indira lloraba.

13

Indira se disponía a quemar todos los cartuchos para evitar una guerra, o por lo menos retrasarla. Pensaba que sólo la intervención del resto del mundo podría conseguir un acuerdo pacífico para detener la sangría. La prensa mundial se hacía eco de las atrocidades cometidas en lo que empezaban a llamar Bangladesh. Los comentarios editoriales eran críticos con el apoyo que el presidente Nixon daba a los pakistaníes. La elite norteamericana parecía unida en su fuerte condena al general Yahya Khan. En Francia, André Malraux propuso entregar armas a la resistencia de Bangladesh. El ex Beatle George Harrison y el maestro indio de sitar Ravi Shankar organizaron un gigantesco concierto para recaudar fondos para los refugiados. Allen Ginsberg, el poeta al que Indira había escuchado en Londres cuando fue a inaugurar la exposición sobre su padre, cantó el sufrimiento de los campos.

No le quedaba a Indira otro recurso que salir de gira por Estados Unidos y Europa, intentando galvanizar a la opinión pública mundial.

–Si en Occidente la gente viese las imágenes del documental que vimos el otro día –le dijo a Sonia– estoy segura de que se movilizarían.

Tenía la intención de pasarse varios meses viajando por el mundo. Se iba con la certeza de que el frente doméstico estaba bien atendido, lo que le proporcionaba una muy necesitada tranquilidad de espíritu. Así lo confesó a un periodista árabe en una de sus escalas: «No tengo ninguna ansiedad por la familia cuando Sonia está en casa». Antes de partir, su nuera le había comunicado otra noticia feliz: estaba de nuevo embarazada, y esta vez no parecía que tuviera que quedarse otros nueve meses en cama.

La gira empezó mal; su encuentro con Nixon fue un sonado fiasco. Decididamente, Indira acumulaba malas experiencias con los presidentes norteamericanos que la consideraban demasiado izquierdosa, aunque Nixon le parecía cien veces peor que el bruto de Johnson. Las discusiones estuvieron teñidas de desconfianza mutua y antipatía. Indira y Nixon se encontraron sentados en sillones con orejeras a cada lado de la chimenea del despacho oval de la Casa Blanca mientras su consejero y Kissinger, como sendos ayudantes en un duelo, escuchaban sentados al borde de unos sofás el diálogo de sus jefes. Nixon se negó a reconocer las dimensiones de la tragedia humana que estaba asolando Pakistán oriental. Se negó también a aceptar la sugerencia de Indira de convencer al general Yahya Khan para que liberase a Sheikh Mujibur Rahman y estableciese negociaciones directas con él y su partido, la única posibilidad seria de detener el conflicto. Nixon no se apiadó de la suerte de los refugiados ni de la de Sheikh. Las palabras de Indira parecían resbalarle. «Fue un diálogo de sordos», declaró Kissinger a la salida. Luego hizo el comentario de que Nixon había dicho cosas «que no eran reproducibles». Años más tarde, cuando los documentos de aquella época fueron desclasificados, se supo que Nixon basó toda su política en ese rincón de Asia en su simpatía personal por el dictador Yahya Khan –«un hombre decente y razonable»– cuya lealtad a Estados Unidos debía ser recompensada ayudándole a reprimir la rebelión de Pakistán oriental, y su aversión hacia los indios –«esos bastardos»– como los llamaba. Ambos estaban seguros de que no irían a la guerra. Eran pobres hasta para eso, pensaban.

Al día siguiente, Nixon hizo esperar a Indira cuarenta y cinco minutos en la antesala del despacho oval. La primera ministra estaba llena de ira contenida cuando se sentaron a hablar. Era la cabeza de un país de gente pobre, pero de una gran nación democrática con una enorme población y con una civilización milenaria, y no se merecía un trato semejante. Enfrente tenía un personaje que no parecía humano, un hombre que, según su consejero, «carecía de principios morales». Y un Kissinger que era «unególatra que se creía Metternich». ¿Para qué perder más tiempo con ese tipo de interlocutores? La suerte de los refugiados y la carga financiera que debía soportar la India les había dejado fríos. «Hubiera sido un error babear sobre lo que nos contaba la vieja bruja», había dicho Nixon en privado a su consejero. Eran claros aliados de Pakistán, e Indira se dio cuenta de que eso no lo iba a cambiar ella en esa visita. De modo que en este segundo encuentro, Indira le devolvió su grosería con sutileza. No hizo ninguna referencia al problema con Pakistán, como si el sur de Asia fuese la región más pacífica del mundo y, en su lugar, preguntó sobre Vietnam y sobre política exterior americana en otras partes del planeta. Nixon se lo tomó como un insulto. «Esa vieja zorra», así la llamaba en privado.

A pesar de lo apretado de su agenda, Indira consiguió un par de tardes libres para sus actividades privadas. Su amiga Dorothy Norman la encontró agotada. La tensión de las reuniones con Nixon y de los viajes continuos, el esfuerzo de tener que dominarse siempre y mantenerse razonable frente a la provocación empezaban a dejar su huella en el rostro de Indira. Dorothy había comprado billetes para asistir a una representación del New York City Ballet de una obra de Stravinsky coreografiada por Balanchine, lo que más podía gustarle a su amiga. En el último momento, Indira le dijo que no podía ir. «Parecía triste y nerviosa», recordaría Dorothy, que no entendía lo que le pasaba. Indira intentó explicarse:

–No puedo, Dorothy. Será demasiado bonito. No podré soportarlo.

Estaba a punto de echarse a llorar. Dorothy se quedó preocupada, pero al día siguiente notó aliviada que Indira «había recuperado su equilibrio».

En los demás países, Indira se topó con el mismo mensaje. Le pedían que tuviera paciencia, que aceptase la presencia de observadores de la ONU y que encontrase una solución pacífica. «El mayor problema con el que me encuentro –dijo a la prensa– no es la confrontación en la frontera, sino el esfuerzo constante de la gente de otros países en desviar la atención sobre lo que es la cuestión básica.» En la televisión inglesa, se mostró como una primera ministra a la altura de las circunstancias. Había perdido peso y en sus facciones aparecían rasgos de su padre, el mismo aire imperioso, de gran dignidad, y una mirada de fuego. Cuando el periodista le habló de la necesidad de la India de ser paciente, Indira estalló: «¿Paciencia? ¿Paciencia para que siga la masacre? ¿Para que continúen las violaciones? Cuando Hitler estaba agrediendo a todo el mundo... ¿os quedasteis sin hacer nada? ¿Dejasteis que matase a todos los judíos? ¿Cómo se controla un éxodo semejante? Si la comunidad internacional hubiera reconocido la situación, ya se habría solucionado el problema». No era sólo al periodista a quien se dirigió, sino a todos los líderes mundiales que la ignoraban.

Cuando regresó a la India, se enteró de que el número de refugiados había ascendido a diez millones. Ahora estaba convencida de que la guerra era inevitable, pero no dijo nada en casa. Omitiendo las tensiones de los viajes y de lo que se avecinaba, les contó que había conseguido arañar tiempo para asistir a la ópera *Fidelio* en Viena donde también había visto un espectáculo que le había gustado mucho, la escuela de equitación española. En París, había cenado en casa de unos amigos donde había conocido a Joan Miró y a un político llamado François Mitterrand que le había causado muy buena impresión. Parecía que regresaba de un viaje de placer en lugar de una agotadora y frustrante gira internacional. Pero Rajiv y Sonia no se dejaban engañar. Sabían perfectamente el nivel de tensión que estaba soportando y al final Indira no pudo esconderles la verdad: habría guerra. A Sanjay no pareció afectarle la noticia, pero Rajiv y Sonia se inquietaron. El pequeño Rahul gemía en su cuna.

—Tendréis que acostumbraros a salir menos y a vivir rodeados de mayor protección, por lo menos mientras dure todo esto —dijo Indira—. El país entero reclama una acción rápida y eficaz. El tiempo se acaba.

Esa noche, vino su amigo el general Sam Manekshaw, y Sonia y Rajiv pudieron oír fragmentos de la conversación en la que el general hablaba de los preparativos del ejército, de las bases de operaciones que había montado en el interior de Bangladesh y de cómo había protegido la frontera de Pakistán occidental con unidades de defensa.

—Me temo que hay que ir a la guerra, Sam —oyeron decir a Indira.

—Si vamos, tiene que ser ya, aprovechando la luna llena del 4 de diciembre. Ese día, podemos atacar Dacca.

Indira se quedó un momento pensativa. Nunca pensó que le tocaría algún día iniciar una guerra. Pero si el mundo se abstraía del problema y la situación se hacía insostenible, no tenía más remedio que tomar el asunto en sus propias manos. Se acordó de unas palabras que le dijo un día su padre: «Sé la dueña de tu propia vida, de tu presente y de tu futuro, consúltame si lo necesitas, pero decide tú». No podía consultarle, pero sí podía decidir. Volvió la cabeza hacia su viejo amigo y le dijo:
–Adelante, Sam.

En casa, procuraba no dejar traslucir su preocupación. En realidad, todos hacían el mismo esfuerzo. Temían por Sonia, que estaba en avanzado estado de gestación. Los Nehru estaban acostumbrados a disimular sus sentimientos cuando la cosa se torcía. En eso, eran muy británicos. ¿Y si se iban a Italia una temporada? La sugerencia había venido de una amiga, pero Sonia la desestimó. No tenía intención de dejar a Indira sola en ese trance. Eso no se correspondía con su concepto de lealtad. Sonia conocía suficientemente bien a su suegra para adivinar que ahora más que nunca necesitaba el calor y la cercanía de los suyos. Además, tanto ella como Rajiv tenían confianza en la vida, en el futuro, en Indira y en la India, y nunca se les ocurrió pensar en las consecuencias en caso de derrota. Esa eventualidad simplemente no se contemplaba.

Lo que hicieron fue rodear a Indira de afecto, sin hacer demasiadas preguntas y procurando no agobiarla más de lo que estaba. Eran muy cariñosos con ella y cuando la veían especialmente preocupada, Rajiv le daba un largo abrazo.

Indira viajó a Calcuta el 3 de diciembre de 1971, un día antes del previsto ataque. En la gran explanada en el centro de lo que fue la capital del Imperio británico, se dirigió a una multitud de medio millón de personas: «India quiere la paz, pero si estalla la guerra estamos preparados para luchar, porque es tanto cuestión de nuestros ideales como de nuestra seguridad...».
Justo cuando pronunciaba estas palabras, un ayudante subió al podio y le pasó una nota: «Cazas pakistaníes han bombardeado nueve bases aéreas nuestras en el noroeste, el norte y el oeste, in-

cluyendo las de Amritsar, Agra y Srinagar en Cachemira». Indira terminó su discurso apresuradamente, sin anunciar lo que acababa de leer. Nada más salir del mitin le dijo a su ayudante: «¡Gracias a Dios, han atacado ellos!». La tercera guerra indopakistaní había estallado. Y Pakistán era el agresor.

Esa noche, Indira voló de regreso a Nueva Delhi, y su avión estaba escoltado por cazas indios. Existía el peligro de que la Fuerza Aérea pakistaní localizase el avión y lo derribase. Pero Indira no parecía afectada por la aceleración de los acontecimientos. Al contrario, cogió de su bolso un libro de Thor Heyerdal sobre la expedición del Ra y estuvo leyendo durante todo el vuelo. De nada servía ya ponerse nerviosa: la suerte estaba echada. Cuando aterrizó, la capital estaba sumida en la oscuridad más completa, fruto del apagón que habían ordenado las autoridades militares. Indira se fue directamente a su oficina de South Block donde, en la sala de mapas, fue informada de los daños infligidos por la aviación pakistaní. Después se reunió con miembros de la oposición para informarles de que había dado órdenes para que el ejército indio invadiese Bangladesh. La describieron «tranquila, serena y confiada». Era más de medianoche cuando se dirigió a la nación por radio para anunciar la agresión pakistaní y advertir sobre los grandes peligros que amenazaban a esa región del mundo. Ese día no durmió en casa. Se quedó toda la noche monitorizando la escalada de la situación militar. A la mañana siguiente, en el Parlamento, anunció a los representantes del pueblo que debían prepararse para una larga lucha.

Sonia, a punto de dar a luz cuando estalló el conflicto, estaba más preocupada por el parto que por una guerra que percibía lejana, a pesar de haber tenido que pasar las últimas noches a oscuras por el apagón. Si sintió angustia, en ningún momento lo demostró. Aparte de un retén suplementario del ejército protegiendo la casa y de que ahora el general Sam Manekshaw venía a desayunar todas las mañanas para informar a la primera ministra sobre el desarrollo del conflicto, la vida discurría con normalidad. A Sonia le gustaba servir el té al general, un hombre simpático y muy cortés, conocido por su afición a las tradiciones militares británicas. Todos los días, nada más levantarse a las cinco y media, le gustaba tomarse un trago de whisky, escuchar las noticias en la BBC y cuidar un poco el jardín antes de ir a trabajar. El mismo comportamiento sereno y seguro de Indira, que inspiraba tranquilidad a todos los que la rodeaban –colegas, militares, soldados– también repercutía en casa.

El sexto día, Sam llegó con el semblante grave. Sonia le oyó decir que varias unidades de su ejército se habían estancado en ciénagas cercanas a Dacca, la capital de Bangladesh. Estaban perdiendo unas horas cruciales. El general informó a Indira del número preciso de bajas y de aviones derribados. Parecía muy afectado. Ella hacía preguntas, siempre sosegada y positiva. «Sam, no puedes ganar todos los días», le dijo a modo de consuelo. Sonia les vio salir al porche. No había el más mínimo resquicio de ansiedad en el rostro de Indira mientras daba la mano al comandante en jefe. El general Manekshaw decía que el coraje de Indira era una inspiración para todos. Sonia pudo comprobarlo cuando escuchó, del otro lado de la verja, a la gente lanzar gritos de victoria.

Ni siquiera ese día dejó Indira de interesarse por los asuntos de la familia. Cuando regresó a casa después de una jornada agotadora en el Parlamento y en su despacho de South Block, se encerró con Usha para dirimir cuestiones que le merecían la misma importancia que las que había discutido durante el día: cómo organizar la fiesta nacional del Día de la República sin conocer el resultado de la guerra, por ejemplo, o qué regalar a Sonia el 9 de diciembre, día de su cumpleaños, y elaborar una lista de regalos para las próximas navidades.

Quizás la procesión iba por dentro e Indira no estaba tan segura de sí misma como quería aparentar porque en esa época empezó a solicitar los servicios de astrólogos y quirománticos. Aquella noche llegó su profesor de yoga, un gurú llamado Dhirendra Brahmachari, bien parecido, con barba y cabellos largos, siempre vestido con una *kurta* naranja y calzado con sandalias. Se encerró largo rato en una habitación con ella. A las nueve, mientras Usha, Rajiv y Sonia veían las noticias en la televisión sobre las tropas indias empantanadas, Indira entró en el salón, con el semblante un poco inquieto. Acababa de despedir al visitante. «Piensa que vamos a pasarlo mal hasta febrero», dijo algo perturbada.

El 6 de diciembre, mientras el ejército indio salía de la ciénaga y se acercaba a Dacca, Indira anunció en el Parlamento el reconocimiento oficial de la nueva nación de Bangladesh. Una sonora ovación recibió sus palabras. De todas partes recibió un apoyo incondicional. La oposición y todos los sectores de la sociedad se mostraron unidos como una piña bajo su liderazgo. El pueblo empezaba a identificarla con Durga, la diosa de la guerra que cabalga sobre un tigre y que venció a los demonios después de que éstos hubieran expulsado a los dioses del cielo.

Sonia no estaría dispuesta a olvidar aquel 9 de diciembre en el que cumplía veinticinco años con una barriga de ocho meses. Indira llamó a media mañana para decir que no asistiría a la comida familiar de celebración porque había surgido un tema grave. Muy grave tenía que ser para que Indira no estuviera presente en el cumpleaños de su nuera, pensaron los que la conocían. La noticia, que venía de Estados Unidos, hizo que el mundo se estremeciera. Nixon había decidido despachar a la Séptima Flota a la bahía de Bengala, encabezada por el portaaviones nuclear *Enterprise*. Toda una provocación que podía desencadenar una conflagración mundial.

Mientras unos amigos festejaban el cumpleaños de Sonia en la intimidad de su casa, Indira, excitada, hacía un discurso incendiario en la explanada de Lila Ram en Nueva Delhi, frente a una multitud de cientos de miles de personas. Unos cazas indios sobrevolaban el lugar para prevenir cualquier ataque sorpresa de la Fuerza Aérea pakistaní. Indira había desoído el consejo de sus asesores de seguridad de hablar por la radio en lugar de hacerlo en público. Era valiente; parecía que nada le daba miedo.

Por la noche, se reunió con el general Manekshaw y su consejero. Sin amedrentarse por la provocación estadounidense, Indira confirmó su decisión de seguir con la guerra. Pensaba que el gesto de Nixon era un farol porque los americanos no estarían tan locos como para abrir otro frente en Asia después del de

Vietnam. Pero también era cierto que de un tipo como Nixon podía esperarse todo. Se giró hacia el general Manekshaw:

–Sam, ahora es imperativo capturar Dacca antes de la llegada de la Séptima Flota a aguas indias –le dijo–. ¿Lo crees factible?

–Sí –respondió el militar sin dudarlo–, a menos que los chinos intervengan.

El consejero de Indira tomó la palabra:

–Están molestos con la situación, pero no han lanzado ninguna amenaza directa –dijo.

–Entonces –continuó Indira– mandaré mañana mismo al ministro de Asuntos Exteriores a Moscú para activar el tratado que tenemos con los soviéticos y asegurarnos su apoyo en caso de un ataque americano o chino. Mi opinión, lo repito, es que tenemos que seguir con la guerra. ¿Estáis de acuerdo?

Ambos respondieron con un gesto afirmativo.

La visita del ministro de Asuntos Exteriores indio sirvió para que los rusos despacharan una flota a la bahía de Bengala que en pocos días seguía la estela de los barcos americanos. La situación había alcanzado un punto crítico. Desde la Casa Blanca, Nixon lanzaba furibundos ataques contra la «agresión india». Su administración anunció la supresión de la ayuda económica y militar a la India, pero seguía enviando material bélico a Pakistán, algo que fue denunciado por la propia prensa norteamericana. Indira le escribió una carta tajante: «Esta guerra se hubiera podido evitar si las naciones, especialmente Estados Unidos, hubiera usado su influencia, su poder y su autoridad para encontrar una solución política. Usted, como presidente de Estados Unidos y representante de la voluntad, las aspiraciones y el idealismo del gran pueblo norteamericano, por lo menos hágame saber dónde exactamente nos hemos equivocado para que sus representantes y su portavoz nos traten con un lenguaje tan duro». Indira pasó el día dudando sobre si debía mandar la carta o no. Por la noche, decidió enviarla. El norteamericano tendría una razón suplementaria para aborrecerla aún más.

El 13 de diciembre, cuando su ejército se encontraba a las puertas de Dacca, el general Manekshaw mandó un ultimátum a su homólogo pakistaní en el que le daba tres días para rendirse. A las cinco de la tarde del día 16, Indira estaba siendo entrevistada por un reportero de la televisión sueca más interesado en saber qué ropa le gustaba ponerse y cómo había sido su infancia que en el desarrollo de la guerra, cuando de pronto sonó el teléfono. Era Manekshaw: «Señora, les hemos vencido. Acaban de rendirse. Dacca ha caído». Indira cerró los ojos y apretó los puños.

–Gracias, Sam –le dijo.

Terminó su entrevista apresuradamente y se fue al Parlamento. Ante la asamblea de diputados expectantes, empezó diciendo: «Dacca es hoy la capital libre de un país libre...». Pero una intensa ovación mezclada con gritos de júbilo ahogó el resto de su discurso. «¡Hemos ganado!», vociferaban hasta los diputados de la oposición. «¡Aplastemos al enemigo para siempre!», decían otros. «¡Larga vida a Indira Gandhi!», clamaba el pueblo.

Más tarde se reunió con la cúpula del ejército. El balance para los indios era de cuarenta y dos aviones y ochenta y un tanques destruidos; los pakistaníes habían perdido ochenta y seis aviones y doscientos veintiséis tanques. La mayor disparidad residía en el número de prisioneros. Los pakistaníes habían conseguido un puñado de prisioneros en los combates en el oeste. La India se encontraba con noventa y cuatro mil prisioneros pakistaníes. Indira se dedicó a calmar los ánimos de sus generales, que no estaban de acuerdo con el alto el fuego unilateral que ella reclamaba. El alto mando se hacía eco de una gran parte de la opinión pública, que quería seguir coleccionando victorias bélicas «hasta la derrota total del enemigo». Pero Indira era pragmática: «Tenemos que detenernos una vez alcanzados nuestros objetivos, no demos ni a China ni a Estados Unidos excusas para intervenir. Hay que devolver los prisioneros y zanjar el conflicto ya». Los militares carraspeaban, excepto Sam, que escuchaba impertérrito, su larga nariz apuntando a los interlocutores según iban hablando. Indira explicó que su posición estaba basada en una apreciación política de la situación y que hablaba con la autoridad que le daba el respaldo de un gabinete unánime. Una vez hubo terminado, los militares se levantaron, saludaron y dijeron que llevarían a cabo las instrucciones del gobierno. «Esto es algo que no hubiera podido ocurrir en muchos países, y no sólo del Tercer Mundo», recordaría Indira.

La estrategia de Indira de ganar tiempo, su exquisito sentido de la oportunidad y del momento, la compenetración que mantuvo con el general Manekshaw, su manera casi maternal de arengar a las tropas fueron cualidades unánimemente reconocidas por todos los sectores de la sociedad. La prensa internacional hablaba de ella en términos grandiosos. La diosa Durga se había convertido en la «Emperatriz de la India».

Indira había destapado el farol de Nixon. Efectivamente, los norteamericanos no pudieron correr a salvar a su aliado el dictador pakistaní porque no podían permitirse abrir un nuevo frente en Asia. Nixon estaba furibundo con el desenlace de la guerra. «Hemos sido demasiado blandos con esa maldita mujer –le dijo a Kissinger–. Mira que hacerles eso a los pakistaníes cuando le habíamos advertido a esa vieja zorra que no se metiese[1].» Kissinger estaba irritado consigo mismo por haber subestimado el poder militar de los indios. «Los indios son tan malos pilotos que ni siquiera saben hacer despegar sus aviones», había comentado a su jefe cuando la visita de Indira. Un comentario que a Rajiv no le hubiera hecho ninguna gracia. Pero la opinión del pueblo norteamericano, y la de su prensa, discrepaba de la de sus líderes. En una encuesta de opinión, Indira Gandhi fue clasificada como la persona más admirada del mundo.

La decisiva acción de Indira salvó la vida a Sheikh Mujibur Rahman, que había sido condenado a muerte en Pakistán. Una de las condiciones del acuerdo de armisticio fue la liberación inmediata del líder del nuevo Bangladesh. El 11 de enero de 1972, Rahman hizo escala en el aeropuerto Palam de Nueva Delhi, de paso hacia Dacca. Venía a dar las gracias a Indira y ambos pronunciaron sendos discursos llenos de emoción: «Su cuerpo estaba encerrado, pero nadie pudo encerrar su espíritu, que siguió

1. Citado en Guha, Ramachandra, *India after Gandhi*, Nueva York, Harper-Collins, 2007, p. 460 (de documentos en Smith, Louis, *Foreign Relations of the United States, South Asia Crisis: 1971*, Washington, D.C., Department of State, 2005).

inspirando al pueblo de Bangladesh...», dijo ella. «Indira Gandhi no es sólo una líder de un país, es una líder de la humanidad», declaró Sheikh Mujibur. Fue un momento de intensa euforia después de la tensión acumulada de los últimos meses.

En los días y las semanas siguientes, a miles de niñas nacidas en la India sus padres les pusieron el nombre de Indira. Una de ellas, sin embargo, nacida un día después de la visita triunfal de Sheikh Mujibur Rahman a Nueva Delhi, no fue llamada así. Sus padres, Sonia y Rajiv Gandhi, le pusieron el nombre de Priyanka, que en sánscrito significa «agradable a la vista».

Acto II

El ángel exterminador

¿Qué puede el río contra el fuego,
la noche contra el sol, las tinieblas contra la luna?

Aforismo sánscrito

14

Usha llamó por teléfono a Indira, que estaba de gira en el estado de Bihar, para anunciarle la buena nueva. Año y medio después del nacimiento de Rahul, la familia se enorgullecía con este nuevo miembro. La primera ministra estaba radiante. ¿Qué más podía pedir? Era la líder indiscutible del país, su posición era inatacable, y encima la vida le hacía el regalo de una nieta, como una coronación. Dispuesta a mimarla mucho, se mantenía siempre al tanto de sus necesidades y, fiel a su estilo, mandaba mensajes a Sonia desde los lugares más insospechados con preguntas del tipo: ¿cómo ha pasado la noche la niña? o ¿sigue teniendo Rahul muchos mocos? Ese momento de regocijo le recordaba otro igual de intenso, cuando había decidido casarse con Firoz. «Siento una serena felicidad muy dentro de mí que nada ni nadie puede robarme», le había escrito a su padre. Nehru le había respondido desde la cárcel, templando el entusiasmo de su hija desde la altura de sus años y su experiencia: «La felicidad es algo más bien fugaz, sentirse realizado es quizás un sentimiento más duradero». Nehru sabía, e Indira ya lo había aprendido, que la felicidad es tan frágil como la más fina de las porcelanas. Más vale preservarla y disfrutarla mientras dure, porque se puede romper –o la pueden robar.

Indira se sentía ciertamente realizada, y en plena posesión de sus facultades. Se había acostumbrado al poder, no por lo que derivaba de él en términos materiales, porque sus escasas necesidades estaban ampliamente cubiertas y carecía de ambición en ese sentido, sino por el sentimiento de plenitud que le proporcionaba. El sentimiento de que era fiel a su destino por el hecho de pertenecer a la familia en la que nació. El convencimiento íntimo de que cumplía con su deber, que no brotaba de una elección personal, sino de la herencia moral que había recibido de su padre, y éste del suyo. El sentido mesiánico que le había instilado Nehru había terminado por calar en lo más hondo de su espíritu.

Pero también había aprendido Indira que el poder, la fama y la popularidad no duran eternamente. ¿Cómo seguir ascendiendo cuando se ha llegado a la cima? ¿O es que, una vez en lo alto, sólo se puede bajar? Eran consideraciones que la asaltaban en momentos difíciles, cada vez más numerosos. «Me siento prisionera –le escribió a su amiga Dorothy Norman en junio de 1973– por el equipo de seguridad, que piensa que puede disimular su incompetencia a base de rodearme de más y más gente, pero sobre todo porque me doy cuenta de que he llegado a un final, de que ya no se puede crecer más en esta dirección.» En realidad, se habría concentrado exclusivamente en los temas de política internacional si hubiera podido, porque eran los que de verdad le gustaban. Se sentía con alma de estadista: las grandes cuestiones y los grandes desafíos la inspiraban. Había firmado un acuerdo con Bhutto que garantizaba una larga paz con Pakistán; quería resolver el contencioso de Cachemira, el país de sus antepasados; buscaba normalizar las relaciones con los chinos. En cambio, la política interna, los rifirrafes entre partidos, las traiciones, las alianzas forzadas, el ruido de la vida pública india la abrumaban. «No hay días normales para una primera ministra de la India –le oía decir Sonia, mientras servía el té a Indira y a su amiga Pupul–. En un día bueno, a lo mejor hay dos o tres problemas muy urgentes. En un día malo, quizás haya una docena. Después de un tiempo, consigues vivir con ello, aunque nunca te acostumbras del todo. Si lo haces, entonces es mejor que dejes el cargo. Un primer ministro debe estar siempre un poco a disgusto, siempre buscando un equilibrio.»

A nivel personal, la diosa Durga seguía viviendo a su manera austera. Apenas llevaba joyas, reflejo de su personalidad frugal. Sus saris más preciados eran los que había tejido su padre en la cárcel. Tenía sin embargo una bonita colección que utilizaba de manera «política», en el sentido de que se los ponía según el lugar y la población que pensaba visitar. Los había de todas partes del subcontinente. También había en su ropero trajes regionales que lucía cuando iba de gira por los territorios del noreste, para dejar claro que el sari no era la única prenda que llevaban las mujeres en la India.

Sonia aprendió a reconocer toda esa ropa y la ayudaba a escogerla antes de cada viaje. Durante el conflicto de Bangladesh, Indira se había inclinado por el rojo, como si la guerra hubiera realzado su sensibilidad a ese color, que tradicionalmente estaba vetado a las viudas. Indira había confesado durante esa época que lo veía todo como si fuera a través de un filtro rojo y que ese color la había acompañado a lo largo de toda la guerra. Pero después volvió a sus gustos de siempre, es decir, todos los colores excepto el malva y el violeta. Prefería los tonos luminosos a los tonos pastel, muy especialmente el verde. Como era difícil para ella ir de tiendas, Sonia y Usha le acercaban los saris a casa. Rápidamente Indira escogía los que le gustaban. Sabía llevarlos con estilo, y lucía tan elegante en un simple sari de algodón tejido a mano como en uno recargado, hecho con seda de Benarés.

Sonia se había convertido en la presencia indispensable en esa casa. Indira la quería como la hija que no había tenido. Ahora que había más recepciones y cenas de dignatarios extranjeros, Sonia asumió con su suegra el papel que Indira tenía cuando vivía en Teen Murti House con su padre. Era muy concienzuda a la hora de elegir los menús, en los que no se incluía nunca carne de vaca ni de cerdo. Los hindúes vegetarianos no comían huevos pero sí lácteos, y los más estrictos, los veganos, no admitían nada animal. También preparaba comida halal para los musulmanes y kosher para los judíos. Cuidar de que todo estuviera en perfecto orden no era tarea fácil, sobre todo cuando venían extranjeros. Era difícil obtener productos indispensables para un buen menú occidental, incluso en el economato de la embajada norteamericana. Sonia aprendió a planificar las comidas con mucho tiento, mezclando platos indios y europeos según la disponibilidad de los ingredientes. Lo grave es que de nuevo había escasez de alimentos básicos. Después de seis años de abundantes monzones, las lluvias habían vuelto a fallar. La nube de polvo que asfixiaba Nueva Delhi era tan densa que Sonia no se desplazaba sin su inhalador. Veía el desorden en las calles desde el interior de su Ambassador blanco con cristales negros. Por doquier había manifestaciones, vías cortadas, gente que protestaba. «¡Indira no acaba con la pobreza! –decía un hombre armado de un megáfono frente a una pequeña multitud en un cruce de Nueva Delhi, haciendo alusión al eslogan electoral de Indira–, ¡sino que está acabando con los pobres matándonos de hambre!» La victoria no había perdonado al vencedor, y la India estaba herida. La atención a los refugiados había vaciado los graneros del país. Las arcas del Estado estaban a cero. La crisis petrolera mundial había disparado el precio del crudo y la inflación estaba desbocada. Si antes Sonia tardaba veinte minutos en llegar a Connaught Place, ahora tenía que prever más del doble por las vueltas que había que dar, tal era el desorden en las calles. Era paradójico tener que recorrer la ciudad haciendo la compra para banquetes de lujo mientras los pobres pasaban hambre en las calles. Ésa era una realidad a la que Sonia no se acostumbraba. De vuelta a casa, controlaba que cada bombilla funcionase, y que los grifos de los cuartos de baño no goteasen. Se aseguraba de que los invitados altos tendrían sillas apropiadas y que los muy bajitos podrían contar con reposapiés.

Cuando estaba en casa, siempre que podía Indira seguía utilizando su pequeño estudio en la veranda adjunta a su dormitorio, a pesar de que dispusiese de un despacho grande en Akbar Road, a unos cincuenta metros de distancia. Pero dentro de casa, sentía cercana la presencia de los suyos, podía escuchar el trajín doméstico, veía pasar a Sonia con el bebé en brazos y eso le hacía la vida más dulce. Para ella, el trabajo, el ocio y los deberes familiares no eran actividades compartimentadas, sino que fluían las unas en las otras. Rendía más cuando se dedicaba a varias cosas al mismo tiempo. «Cuanto más haces, más puedes hacer» era su máxima favorita. Sus facultades funcionaban simultáneamente, y eso quizás era el secreto de que pudiera despachar mucho más trabajo que la gente normal. Sonia observó que para su suegra el trabajo y el descanso no eran periodos separados. De lo que se trataba era de hacer algo distinto, aunque fuese por poco tiempo, como leer, arreglar ramos de flores, ordenar libros o ropa, o hablar con la familia. Durante el almuerzo, Indira a veces se dedicaba a completar un crucigrama, lo que parecía extraño con la cantidad de problemas que la acechaban. «Me ayuda a relajarme y a organizar las ideas», decía. En casa seguía con la costumbre de dejar notas: «Hoy te has perdido una foto bonita –le dejó escrito a Rajiv un día–. Esta mañana en Akbar Road, dos periquitos posaron largo tiempo en la rama de un árbol. También había un par de pájaros carpinteros aleteando sin descanso».

Sonia aprendió mucho de ella, por la relación afectuosa que ambas habían tejido y que se consolidaba con el tiempo. Los problemas de Indira, que en gran parte eran los problemas de la India, acababan siendo discutidos en casa. No se hablaba tanto del día a día de la vida política como de los grandes temas: la severa crisis económica que había empezado en 1972 y que amenazaba con convertirse en la más seria de todas, la sobrepoblación que asfixiaba el desarrollo del país, las eternas tensiones entre comunidades religiosas, la ocupación por chabolistas de terrenos públicos en todas las ciudades o los efectos de los desastres naturales, eternos compañeros de la existencia del hombre en Asia. El amor que Indira sentía por el pueblo llano se lo contagió también a Sonia, a quien conmovía el papel de su suegra como adalid de los pobres, un eco de sus sueños adolescentes con heroicos misioneros. Además, la admiraba, no tanto por sus éxitos en la vida política, sino porque era espontánea e informal, totalmente carente de soberbia. La italiana apreciaba «su capacidad de querer y de dar». «Para nosotros, era alguien que compartía generosamente sus amplios conocimientos, su calidez y su presencia. Cuando iba de viaje, nos escribía sobre sus encuentros y sus experiencias. Cuando estaba aquí, velaba por todos y cada uno de nosotros.» Indira se tomaba muy en serio los pequeños acontecimientos del día a día de sus nietos, como el primer diente o los primeros pasos. Le maravillaba el fenómeno extraordinario, tan viejo como la humanidad y sin embargo siempre nuevo, de cómo un niño desarrolla su conocimiento del mundo exterior, con ese inacabable sentido de la aventura, esa pasión por la investigación de todo lo que le rodea... «Verás que muy rápidamente el niño pasa a través de milenios de historia humana, e inconscientemente, y en parte conscientemente también, vivirá dentro de sí la historia de su raza», le había escrito una vez su padre[1], y había querido mostrarle la carta a Sonia. A la italiana le conmovía que a pesar de toda la presión del mundo exterior que recibía Indira, ésta siguiese sensible al espectáculo, pequeño y grandioso a la vez, de ver crecer a sus nietos.

A pesar de que estaba muy pendiente del bienestar de su suegra, Sonia mantenía su vida privada con Rajiv. Que hubiera una cena en el comedor principal no significaba que tuvieran que asistir ellos también. A veces lo hacían, otras no. Ellos tenían su vida familiar muy organizada, tan estable como lo era su relación. «Siempre se quisieron mucho; nunca he visto una pareja igual de unida desde el día en que se conocieron», diría Christian, el amigo que les había presentado en Cambridge. «Nuestro matrimonio funcionó siempre muy bien, desde el primer momento. Sonia fue siempre muy comprensiva», confesó Rajiv, que había ascendido a piloto y ahora volaba un avión inglés, el Avro HS-748, otro digno sucesor del famoso DC-3 Dakota. Entre sus colegas de la aerolínea, se le tenía por un buen profesional, aunque a veces le tomaban el pelo por ser demasiado meticuloso con los planes de vuelo, con los problemas técnicos y con los horarios. No soportaba la chapuza, pero siempre estaba dispuesto a hacerse cargo de un vuelo si por alguna razón un colega le pedía el favor de reemplazarle. Era buen camarada, campechano e indiferente con la jerarquía.

1. Citado en Gandhi, Sonia, *Two alone, Two together*, *op. cit.*, p. 476.

15

Por quien estaba preocupada Indira era por su otro hijo, Sanjay. «Rajiv tiene un trabajo, pero Sanjay no lo tiene y está metido en una empresa costosa. Se parece mucho a mí cuando tenía la misma edad –con sus asperezas también–, tanto que me da pena el sufrimiento que debe soportar[1].» Dos años después de haber conseguido la licencia del gobierno para fabricar un coche autóctono, la empresa de Sanjay no había producido un solo vehículo que se pudiera comercializar. No le había faltado ayuda, desde la posición privilegiada que el auge de su madre le proporcionaba. Había conseguido que algunos políticos y hombres de negocios, deseando congraciarse con Indira, invirtiesen grandes sumas de dinero en su empresa. Sabían que en caso de perder la inversión podrían reclamar favores políticos. Del jefe del gobierno del estado de Haryana, un individuo regordete con gafas llamado Bansi Lal, que buscaba acercarse a la cúpula del poder como fuese, había obtenido cincuenta hectáreas de tierra agrícola a las afueras de Delhi. «Cuando cazas al ternero, es seguro que la madre le seguirá», había declarado con una lógica primaria Bansi Lal a un amigo. Cuando la prensa destapó que fue necesario «realojar» a más de un millar de campesinos para levantar la Fábrica Maruti, el Parlamento reaccionó con virulencia a lo que llamó un nuevo acto de «flagrante nepotismo». El precio conseguido era sospechoso, y la ubicación de los terrenos, próximos a un antiguo polvorín del ejército, violaba las leyes del gobierno que prohibían levantar una fábrica industrial a menos de un kilómetro de una instalación de defensa. Pero nunca se pudo probar que hubiera cohecho. Indira se mantuvo callada, como si no fuese con

1. Correspondencia de Indira Gandhi. Papeles de P. N. Haksar (citado en Guha, Ramachandra, *India after Gandhi, op. cit.*).

ella, a pesar de que su principal consejero y hombre de confianza le advirtiese sobre la ingenuidad de los planes de su hijo y su inexperiencia con proyectos industriales.

—El fracaso de Sanjay en producir un automóvil podría afectar seriamente tu posición política —le dijo—. El Maruti puede ser la grieta que los partidos de la oposición están buscando en tu coraza.

Indira alzó la vista hacia su consejero, le miró unos segundos y no contestó. Sentía una mezcla de fe y compasión por su hijo que le impedía ver la realidad tal y como era.

Pero había otro potente factor que contribuía a la ceguera en Indira: su inmenso poder. Los hombres que Indira elegía para puestos relevantes adquirían, por el mero hecho de haber sido designados por ella, un poder enorme para dispensar favores y patrocinio. Contaban con una gigantesca fuente de corrupción, que eran las medidas que el propio partido había puesto en marcha para controlar la actividad económica como parte de su programa socialista. Para hacer cualquier negocio, para abrir cualquier empresa, para importar bienes de equipo o piezas de recambio se requería un sinfín de licencias, permisos y autorizaciones. Un sistema que llamaron *License Raj*, algo así como el «Imperio del Permiso». Burócratas y políticos tenían allí la posibilidad de enriquecerse intercambiando favores por dinero o por otros favores. El *License Raj* abonaba el terreno a cotas aún más altas de corrupción. Y Sanjay se dedicó a pescar en esas aguas.

Indira era consciente de la influencia que el dinero y el poder ejercían sobre los que estaban a su alrededor, pero pensaba que cierto grado de corrupción había existido siempre y era parte integrante del sistema. Lo importante era que no se descontrolase. Además, cerrar los ojos sobre las corruptelas de su gente era también una manera de tenerlos atados. Ciertamente, Indira no era el único caso —en la India o en el mundo— de líder político personalmente intachable pero que hacía la vista gorda ante la corrupción de los demás. Le parecía que eran asuntos que revestían poca importancia comparados, por ejemplo, con las cifras que acababan de publicarse de que menos del 20 por ciento de las mujeres de la India sabían leer y escribir, y en el estado de Bihar sólo un 4 por ciento... O que la población del país iba a pasar el umbral de los setecientos millones, es decir más del doble de la población que existía en el momento de la independencia... A ese ritmo, en pocos años, la población india sobrepasaría a la de China. Ésos sí eran problemas que exigían la máxima atención. Como lo eran la oleada de huelgas, el descontento popular y el espectro de las hambrunas. Hasta Rajiv y Sonia, que salían poco, empezaron a notar la corrupción por la manera de vestir de las mujeres y las hijas de los miembros del Partido del Congreso, que ahora llevaban saris de seda importada, joyas de diamantes y zapatos italianos cuando acudían a las recepciones oficiales.

Muy a pesar del apoyo tácito de su madre, el proyecto de Sanjay no despegaba. Todos los prototipos tenían defectos en la dirección, la caja de cambios, la suspensión y el circuito de refrigeración. Un día invitó a Sonia a probar un prototipo en el circuito alrededor del perímetro de la fábrica. Sanjay se afanaba en demostrar que su vehículo era capaz de alcanzar los cien kilómetros por hora, pero el terreno estaba tan lleno de baches y matorrales que Sonia, muerta de miedo, le rogó que redujese la velocidad. Aunque era nuevo, el coche parecía viejo. Las puertas no cerraban bien, la suspensión era durísima y el ruido del motor, ensordecedor. Pero Sanjay no veía esos defectos. Tanto era así que, en mayo de 1973, pensó que por fin podía presentar un modelo a la prensa e invitó a una periodista de la revista *Surge* a probarlo. El coche se calentó y perdió aceite. En los talleres, la periodista notó que había sólo cinco coches sin pintar y otros quince en proceso de fabricación. Los motores se ensamblaban manualmente y no había signos de una cadena de montaje. Se dio cuenta de que el Maruti, en lugar de ser el coche barato producido en masa que quería el gobierno, era un producto artesanal de muy baja calidad.

El problema es que Sanjay había recaudado mucho dinero y estaba entrampado. Al principio, como tampoco podía llamar directamente a los que podían ayudarle financieramente, utilizaba los servicios de uno de los secretarios de su madre, un hombre con el pelo engominado peinado hacia atrás y una ancha sonrisa mecánica llamado R. K. Dhawan (había sido el taquígrafo de Nehru) que vio una buena oportunidad, cultivando el contacto con Sanjay, de mejorar su posición con respecto a su jefa. Él se encargaba de llamar a empresarios y hombres de negocio desde el número 1 de Safdarjung Road y éstos acudían corriendo porque no querían perder la oportunidad de hacer un favor a la primera ministra, vía su hijo. Es posible que pensasen que la propia Indira se interesaba por estos negocios, pero en realidad ella lo ignoraba absolutamente todo de los tejemanejes de su vástago.

Más adelante, Sanjay pidió un depósito de medio millón de rupias a cada uno de los setenta y cinco concesionarios que había designado a cambio de la promesa de entregar los primeros coches para la venta en los seis meses siguientes. También había acudido a los bancos, nacionalizados recientemente por su madre, y había conseguido créditos sin garantía por valor de ocho millones de rupias. Pero el coche seguía sin materializarse, y la ineptitud de Sanjay salió a relucir. Para defenderse de los ataques, cada vez más numerosos, él achacaba su fracaso a la burocracia y a la cantidad de cortapisas administrativas que tenía que sortear. Algo de razón tenía, pero si alguien estaba en disposición de lidiar con las dificultades y los obstáculos del *License Raj*, era él. Aun así, optó por echar la culpa a los demás. Pero la protesta de los diputados se hacía muy estridente y los periódicos empezaron a hablar del asunto Maruti relacionando a Indira con su viejo enemigo Nixon. El asunto Maruti, según la prensa, era el Watergate de Indira.

A finales de 1973, angustiada ante la proporción que tomaba el asunto, Indira pidió a su ministro de Economía que echase un vistazo a los papeles del Maruti. Sonia la veía muy preocupada. Su suegra estaba convencida de que la oposición utilizaba el asunto de Sanjay para destruirla, y no le parecía justo. Seguía pensando que su hijo merecía una oportunidad. Un día le contó que en su juventud había conocido a un cura católico que había construido un avión en dos garajes en Bombay y que solía pasear a sus amigos sobrevolando la bahía. «Si ese hombre pudo construir un avión... ¿Por qué no puede Sanjay construir un coche?», preguntaba.

Las razones de la incapacidad de su hijo en emular al cura católico salieron a relucir en la entrevista que tuvo lugar entre

Indira, Sanjay y el ministro de Economía, Subramanian, que había sido el arquitecto de la «revolución verde». El ministro pidió a Sanjay el informe del proyecto.

–No puede haber informe del proyecto antes de realizarse el proyecto –contestó Sanjay.

El ministro pasó a explicarle que aunque posiblemente pudiese diseñar un coche, debía tener un informe con la especificación de cada componente, la manera en que se producirían y el coste por pieza.

–Eso ya no es necesario –contestó Sanjay con su punto de arrogancia–. Ésas son viejas maneras de operar.

El ministro dijo a Indira que su hijo, por muy dinámico que fuese, carecía de los conocimientos necesarios para triunfar en semejante empresa. Le prometió conseguir la ayuda de profesionales para aconsejarle, pero Sanjay se opuso a ello con vehemencia. No quería que nadie le hiciese sombra ni perder el control de su negocio. Todo hacía presagiar que Indira escucharía a su ministro, pero no lo hizo. Presa entre su deber de gobernante y la fe ciega que tenía en su hijo, no sólo hizo caso omiso de los consejos de Subramanian, sino que apartó a los consejeros más críticos con Sanjay. El poder absoluto del que ahora disponía Indira exigía gente sin carácter y maleable alrededor. No admitía sombras, ni discrepancias, ni crítica, aunque fuese amistosa. El poder, que estaba envenenando al hijo y cegaba a la madre, sólo admitía sumisión.

A Rajiv nunca le había gustado el proyecto de su hermano, que veía como el sueño de un megalómano que podía dañar la reputación de su madre, y por extensión la del resto de la familia. Ambos hermanos tuvieron su primer gran desencuentro de adultos cuando Rajiv, al regresar de un viaje, se enteró de que Sanjay había convencido a Sonia para que firmase varios documentos que la hacían socia de una nueva empresa, Maruti Technical Services, con sueldo, bonificaciones y gastos de viaje incluidos. También aparecían como socios los pequeños Rahul y Priyanka.

–¿Cómo has podido hacer eso? –le dijo enfurecido a su hermano–. No quiero acabar pringado en tus tejemanejes, ni que metas a Sonia y a los niños en líos...

–Líos ninguno...

–¿Cómo que no? ¿Cuánto tiempo crees que va a tardar la oposición en enterarse de esto?

–No es nada ilegal.

–Sí lo es. Te has olvidado de que Sonia, por ley, no tiene derecho a poseer acciones de una empresa india por ser extranjera.

Sanjay alzó los hombros, como si aquello no tuviera la más mínima importancia. Rajiv estaba también enfadado con Sonia.

–He aceptado por hacerle un favor a tu hermano –le dijo ella–. Siempre ha sido muy cariñoso conmigo, y si me pide un favor, no iba a decirle que no.

–Pero has firmado que vas a cobrar un sueldo, ¿te das cuenta?

–He firmado a ciegas, no sabía lo del sueldo, ni he tenido nunca intención de cobrar nada, eso lo sabes tú...

–Vas a ver cómo tarde o temprano, el lío del Maruti va a acabar por salpicarnos.

Rajiv estaba furioso, como pocas veces le había visto Sonia. Bajo la denominación de empresa de consultoría, era en realidad una tapadera creada para desviar dinero de la empresa matriz Maruti Limited a manos de Sanjay y de los que habían invertido grandes sumas en la fábrica de coches que no acababan de existir. Ahora Rajiv sólo quería una cosa: alejarse completamente de todo lo que tuviera que ver con el Maruti.

Ambos hermanos se habían criado en la misma casa, pero desde la más tierna infancia habían mostrado marcadas diferencias. La maestra de escuela infantil que les dio clase describía a Rajiv como un niño cortés, dócil, un estudiante correcto. En cambio Sanjay era rebelde, destructivo, porfiado, sin interés alguno por las actividades de la escuela, soberbio con sus profesores y muy difícil de tratar. Creció como un adolescente turbulento y caprichoso, trasteando con coches y atrayendo a dudosas amistades. Ambos ingresaron en el Doon School, el colegio más elitista de la India, creado a imagen y semejanza de las grandes instituciones educativas británicas como Eton o Harrow. Pero Sanjay no aguantó la disciplina ni el ritmo de estudios. Tenía tan poco interés por la lectura que en una entrevista que le hicieron de adulto no pudo nombrar un solo libro que le hubiera influenciado o inspirado, ni siquiera los escritos por su abuelo. Sólo le gustaban las actividades del taller mecánico. Vivía obsesionado con los coches y los aviones. A pesar de ser quien era, fue expulsado del colegio. Fue entonces cuando Indira, desesperada, lo mandó a hacer un curso de aprendizaje a la Rolls-Royce en Inglaterra. «Lo que más le gustaba era hablar de política india y burlarse de la política inglesa», diría su supervisor antes de añadir: «Una vez, cuando le llamé la atención por un error que había cometido, me dijo: "Mira, los británicos han jodido a la India durante siglos, y ahora yo he venido a joder a Inglaterra"».

Criado entre primeros ministros que la gente adulaba como a dioses, Sanjay acabó pensando que la India era su dominio personal. Nunca conoció privaciones, al contrario que su madre y su abuelo. Nehru, después de una vida de lucha, daba rienda suelta a sus ganas de mimar a sus nietos, como si haciéndolo compensase los sufrimientos que había padecido. A veces les hacía regalos excéntricos, como un cocodrilo que se convirtió en la mascota preferida de Sanjay hasta que Indira terminó por mandarlo al zoo cuando casi le mordió los dedos. Tampoco Sanjay heredó de ellos su inmenso amor hacia la gente de la India ni su genuina compasión por los pobres. Nunca le tocó ver los rostros esqueléticos de ancianas llorando a sus muertos, nunca le tocó mirar a los ojos de los campesinos que contemplaban sus campos resquebrajados por la sequía, nunca sintió el silencioso clamor de un pueblo que desde hacía siglos pedía protección. A Sanjay parecía molestarle el atraso de su país y no entendía su complejidad. Era un rebelde contra la tradición, impaciente con las leyes y los reglamentos. Pasaba de ser cariñoso y atento a franco y brutal en un santiamén, pero esa brusquedad era chocante en un país donde las relaciones entre la gente están impregnadas de una antigua cortesía, como una pátina, producto de miles de años de ininterrumpida civilización. Para él, la vida era un juego en el que había que ganar y los problemas de la vida eran obstáculos que había que franquear para conseguir llegar a la meta. Y tenía prisa. Prisa por cambiar las cosas, por llegar antes, por acumular un poder que no le correspondía. Tenía tanta prisa que no le importaban los medios para llegar al fin.

Su hermano había crecido en una dirección opuesta. Desde pequeño había sido siempre más sensible al sufrimiento de los demás. Había heredado la sensibilidad de su madre hacia los más desfavorecidos y su amor a la India, y eso se manifestaba en las fotos que hacía. De joven, visitaba a los amigos de sus padres que estaban enfermos, de forma espontánea, sin que nadie le empujase a ello. Un día, cuando tenía diecisiete años, Indira se lo encontró cuando fue a dar el pésame a la familia de un amigo y veterano líder del Congress que acababa de morir. Así se enteró de que su hijo le había estado visitando los últimos días. Rajiv era el tipo de persona que no dudaba en detenerse y ofrecer su ayuda si veía un accidente en la carretera; y si fuese necesario, llevaba a la víctima al hospital y luego se preocupaba por su evolución. En el jardín de casa, vigilaba un nido de petirrojos y si se encontraba con una cría herida, la llevaba al hospital de pájaros de Chandni Chowk, arriesgándose a llegar tarde a su trabajo. Rajiv era feliz con lo que tenía, con Sonia, sus hijos, sus perros y el lujo de poder dedicarse a sus aficiones. No pedía más a la vida, y precisamente en eso consistía su sabiduría. Pero su madre no parecía apreciarla; más que sabiduría, ella veía en ello falta de ambición, lo que no suscitaba su admiración.

Sin embargo, Indira pensaba que una existencia privilegiada no significaba que no hubieran sufrido en su niñez. Habían vivido en una casa siempre llena de adultos, cuyo ambiente estaba impregnado de la gravedad de las discusiones y de la solemnidad de lo que se dirimía en los despachos, los salones y los estudios de Teen Murti House. Que no se hubieran aficionado a la lectura quizás era una reacción contra ese mundo oficial y protocolario en el que les tocó ser niños, pensaba ella, siempre buscándoles una disculpa. Cuando se lo pasaban bien de verdad era cuando iban a visitar a su padre, los fines de semana y en vacaciones. Firoz era extrovertido, charlatán, afectuoso y les daba su atención total. Sabía jugar con sus hijos y entretenerlos. Les enseñaba a montar y desmontar juguetes, a plantar y a cuidar rosas, porque era muy aficionado a su cultivo. Lejos de la adusta formalidad del palacete del primer ministro donde vivían, Rajiv y Sanjay encontraban en su padre a una persona con una capacidad de diversión desbordante. Además supo instigarles el sentimiento de que eran muy importantes para él, lo que les causó un profundo impacto. Como en todos los matrimonios separados, al final son los hijos quienes soportan las tensiones de los padres, aunque no las entiendan. ¿Pero acaso podía Indira explicárselas? ¿Podía contarles que no vivía con Firoz porque éste le había sido reiteradamente infiel? ¿Porque no se entendían y estaba harta de pelearse? Su propia dignidad se lo impedía. Los hijos veían que el abuelo Nehru no albergaba simpatía alguna por su yerno, y ellos lo acusaban. Quizás, inconscientemente, culpasen a su madre de que Firoz fuese apartado y no formase parte del hogar del primer ministro. Después de la cremación, Sanjay, devastado, echó en cara a su madre haber descuidado a su padre. La acusó directamente del infarto que le había matado.

Indira encajó el golpe. Debía de sentirse culpable de que su matrimonio no hubiera funcionado. Y por lo tanto culpable de que sus hijos hubieran sufrido por ello. Su debilidad con Sanjay quizás escondía su voluntad de enmendar esa culpa. A Sonia le chocaba que ella, la mujer más fuerte de la India, fuese de una debilidad tan asombrosa con su hijo pequeño. Sus numerosos enemigos no tardarían en darse cuenta de que Sanjay era su talón de Aquiles.

Indira, que tenía una confianza total con Sonia, charlaba a menudo con ella. Era quizás la única de la casa con quien compartía confidencias. Un día le confesó que su matrimonio había conocido muchos altibajos, pero que no hubiera podido casarse con ningún hombre salvo Firoz. Fue el único al que de verdad amó. Le hablaba de él a menudo, y con cariño porque decía que Rajiv le recordaba a su marido. Ambos tenían los pies en la tierra, eran sensibles a la belleza de la naturaleza y a la música, hábiles con sus manos y prácticos en su manera de encarar los problemas. Nunca pensó que Firoz moriría tan pronto, tan joven. Es cierto, reconocía que lo había desatendido en los últimos tiempos, pero lo había hecho pensando que ambos tenían la vida por delante y que recuperarían el tiempo perdido. Se habían reconciliado en 1958, después de un primer infarto. Para que se recuperase, Indira organizó unas vacaciones en familia en una casa-barco sobre el lago de la ciudad de Srinagar, la Venecia de Oriente, como se conoce a la capital de Cachemira. Firoz y los chicos se lo pasaron en grande, nadando, montando en barca y haciendo fotos. Indira aprovechó para empezar a aprender castellano, un idioma que siempre la atrajo.

El espectáculo de la naturaleza de Cachemira, la tierra de sus antepasados, la llenaba siempre de emoción. Las puestas de sol sobre las aguas centelleantes del lago Dal eran sublimes. Había magia en el aire. Parecía que los martines pescadores estuvieran amaestrados. Uno de ellos entró en la casa-barco y se posó sobre el hombro de Rajiv. Luego hicieron una excursión de varios días a Daksun, un lugar paradisíaco donde pescaron truchas silvestres en caudalosos ríos que bajaban entre prados cubiertos de flores y bosques de pinos y abetos enmarcados por cumbres de nieves eternas. Firoz le contó que acababa de comprar un terreno en Mehrauli, cerca de Delhi, y hablaron de construirse una casa algún día. Sería su propia casa, para no tener que vivir más en las del gobierno (Firoz, como diputado del estado de Uttar Pradesh, también vivía en una vivienda oficial). Fue un hermoso reencuentro para Indira, después de un matrimonio tan tormentoso, con tantas peleas, traiciones y humillaciones, aún más dolorosas porque la mayoría habían acabado expuestas a la luz pública. Ahora la sombra de los picos del Himalaya actuaba de bálsamo que curaba las heridas del pasado. Durante ese tiempo en el que pudieron disfrutar de la paz de las montañas, volvieron a hablar de un futuro juntos. Fue entonces, en ese intervalo de felicidad, tan fugaz como intenso, cuando Indira decidió, una vez que su padre hubiera muerto, consagrarse totalmente a Firoz[1]. Pero el 8 de septiembre de 1960 vino el infarto a romperle el ensueño.

1. Según Vasudev, Uma, *Indira Gandhi: Revolution in Restraint*, Nueva Delhi, Vikas, 1973.

16

Sanjay ya no tenía la reputación de mujeriego que se había granjeado en Inglaterra. Obsesionado con el Maruti, llevaba una vida de puro trabajo. Salía de casa antes del amanecer y regresaba a las siete u ocho de la noche para ver cenar a sus sobrinos o para compartir un tentempié con Sonia. Rara vez con su hermano o con su madre, porque estaban tan absorbidos por el trabajo que en aquella época se dejaban ver poco en casa.

Desde su regreso de Inglaterra, Sanjay había tenido dos relaciones, una con una mujer musulmana, que duró poco, y otra, más seria y más larga, con una alemana, Sabine von Stieglitz, la hermana de Christian, el amigo que había presentado Sonia a Rajiv, y que trabajaba en Nueva Delhi como profesora de idiomas. Sabine, alta, rubia, guapa y cosmopolita, era culturalmente más inglesa que alemana porque casi toda su vida había vivido en Inglaterra. Era muy amiga de Sonia. Pasaban muchas tardes juntas, ocupándose de los niños, jugando con ellos o leyéndoles cuentos. Uno de ellos, «Los animales de mi ciudad», era especialmente gracioso porque describía al elefante, al mono, la boa, el cuervo, el buitre, la corneja... como los animales familiares. Y era cierto, estaban en todas partes. El graznido de las cornejas era la banda sonora de la vida en la India.

Sonia era muy madraza, y muy meticulosa con la educación de los pequeños. No toleraba caprichos con la comida, y sabía ponerles límites en su comportamiento, sin llegar a ser severa como lo había sido Stefano con ella y sus hermanas. Les hablaba en italiano cuando estaban a solas, y en inglés si estaban todos juntos o en presencia de Sabine. En realidad, Sonia era meticulosa en todo, de ahí que quisiese hacer un curso de restauración de pinturas antiguas. Esa afición cuadraba con su personalidad discreta, hacendosa, detallista y concienzuda. Pensaba dedicarse a ello en cuanto los niños creciesen un poco y la necesitasen menos.

Sonia albergaba la esperanza de que la relación entre Sanjay y Sabine se estabilizaría algún día y acabaran casándose. Pero Sabine se cansaba de esperar.

—Sanjay está más enamorado del Maruti que de mí —le confesó un día a Sonia—. Ya no me creo que acabe comprometiéndose conmigo. Sólo piensa en su proyecto de negocio, no cabe nada más en su vida.

—¿Qué vas a hacer?

—Me vuelvo a Europa.

—¡Qué pena!... Hubiera sido formidable tenerte de cuñada.

—También a mí me hubiera gustado —le dijo a Sonia, mientras Priyanka y Rahul se peleaban por una galleta.

Sonia la acompañó al aeropuerto a despedirla. Lo que no sabía es que la volvería a ver dos días más tarde.

—¿Pero qué ha pasado? ¿No estabas en Londres?

Sabine le contó que en la escala de Teherán, el piloto del avión de Indian Airlines la mandó llamar por megafonía. Sabine, sorprendida, acudió a la cabina del Boeing.

—Alguien quiere hablar con usted por la radio —le dijeron.

Era Sanjay. Allí, frente a una tripulación que no salía de su asombro, vivieron su penúltima escena de amor. Sanjay le rogó que regresase a Nueva Delhi: «Démonos una última oportunidad», le suplicó. Sabine no pudo resistirse al hombre que amaba y por eso había vuelto. Le daba un poco de vergüenza haber cedido. Sonia estaba encantada, y volvió a soñar con que su amiga podía convertirse en su cuñada.

Pero unas semanas después rompían de nuevo, y esta vez para siempre. El sueño de Sonia de tener a su amiga cerca se esfumó, pero sólo durante una temporada. Sabine no se instaló en Inglaterra. Se había acostumbrado a vivir en la India. En Europa, echaba de menos el calor de la gente, la cortesía asiática, el ritmo de vida. «A mí me pasa lo mismo», le confesó Sonia. Además, Sabine tenía un trabajo que le permitía vivir mejor que si se hubiera marchado a Londres. De modo que, para gran alegría de Sonia, volvieron a pasar tardes juntas, y fines de semana en los alrededores, como aquel que terminó en una pequeña tragedia cuando se acercaron a un nido de avispas y acabaron cubiertas de picotazos.

Sabine acabó conociendo a uno de los profesores del Instituto Goethe de Nueva Delhi y se casó con él. Vivieron seis años en la capital india. No tuvieron hijos hasta más tarde, cuando se hubieron mudado a México, pero tenían perros que juntaban con los de Sonia cuando se iban al campo, para delicia de los niños. Sabine guardó de Sanjay el recuerdo de un chico serio, con empuje, pero demasiado egocéntrico.

Para Indira, fue mejor así, porque el hecho de que sus dos hijos se casaran con dos europeas no hubiera sido políticamente lo más correcto. Habría sido como confirmar públicamente que los Nehru se hacían del todo occidentales y se alejaban para siempre de sus raíces indias, y para entonces Sanjay ya se había metido en política, no tanto por vocación como para defenderse de las críticas que le llovían por doquier a consecuencia de su nefasta gestión del asunto Maruti.

Fue en un cóctel para celebrar la próxima boda de un antiguo amigo del colegio donde Sanjay conocería a su futura esposa. Era el 14 de diciembre de 1973, y la fecha coincidía con su cumpleaños. Ese día Sanjay estaba muy animado, y no era por el alcohol porque no bebía nunca. Pero era consciente de ser el soltero más codiciado de la India. Guapo aunque a sus veintisiete años ya tenía una calvicie avanzada, procuraba tener cuidado de no liarse con mujeres que sospechaba podían estar interesadas únicamente en convertirse en miembros de la primera familia de la India. El amigo que se iba a casar le presentó a una prima suya llamada Maneka Anand, una chica larguirucha, con facciones regulares y bien proporcionadas, pecosa, suficientemente atractiva como para haber ganado un concurso de belleza y que trabajaba esporádicamente de modelo para una marca de toallas. Era guapetona y fotogénica, con un carácter vivaracho y enérgico. A Sanjay le atrajo inmediatamente y pasó la velada hablando con ella. Maneka le contó que había abandonado sus estudios de Ciencias Políticas en el Sri Ram College de Nueva Delhi y que quería convertirse en periodista. Era hija de un coronel del ejército, un sij, y de su esposa llamada Amteshwar, hija de un terrateniente y ganadero del Punjab.

A partir de ese día, Sanjay dedicó todo su tiempo libre a Maneka. Se veían a diario. Como a él dejó de gustarle salir a restaurantes o al cine, prefería verla por las tardes en casa de una de las dos familias. A Sonia esta nueva novia no le causó una gran impresión. Comparada con Sabine, era una chiquilla inmadura que duraría con Sanjay lo que éste tardase en darse cuenta de lo ambiciosa que debía de ser. Porque ahora Sonia se había contagiado de la desconfianza que viene con el poder o la cercanía al poder. Como su suegra, pensaba que todo el que se acercaba a la familia lo hacía por interés. La mayoría de las veces no le faltaba razón. Pensó que Maneka, una más de las que cortejaban al soltero de oro de la India, sería flor de un día.

Pero a principios de 1974, Sanjay la invitó a comer a casa, signo de que el chico estaba tomándose su relación más en serio de lo habitual. La chica estaba muy nerviosa porque tenía que pasar por el trance de conocer a la primera ministra. Sonia la entendía perfectamente, ella que había tenido un ataque de nervios el día que Rajiv debía presentársela. La diferencia era que entonces ella y su novio llevaban un año juntos, y no un mes, como Sanjay y Maneka. Pero conocía a su cuñado, sabía lo impulsivo y lo impaciente que era. También, en la época de Inglaterra, Indira era otra mujer, más pausada, sin el agobio ni la tensión del poder. Maneka, visiblemente intimidada, miraba todo como un pajarito asustado: los muebles, los cuadros, las fotos. Cuando de pronto se encontró frente a Indira, no supo qué decir. Se puso roja y empezó a balbucear. Indira rompió el hielo:

—Como Sanjay no nos ha presentado, dime cómo te llamas y a qué te dedicas —le dijo.

Maneka siguió balbuceando como pudo, omitiendo que hacía de modelo para una marca de toallas, lo que no le pareció digno de mención.

Indira charló un rato con ella y, como estaba acostumbrada a ver desfilar a chicas que Sanjay seducía, no pensó nada en especial, excepto que era un poco joven. Aunque le hubiera gustado encontrar una nuera entre las buenas familias de Cachemira, no se metía en los asuntos sentimentales de su hijo, como tampoco lo había hecho con Rajiv. Hacía tiempo que había abandonado la idea de organizarle un «matrimonio concertado» a lo indio. Eso lo dejaría para otra vida en la que tuviera más tiempo y más sosiego...

Pasaron los meses y parecía que Maneka estaba allí para quedarse. No era una más en la vida de Sanjay. Éste se había enamorado y, fiel a su carácter impulsivo, quería casarse ya. Indira no tuvo reparo, al principio, en admitirla. Que fuese de una familia sij no suponía un problema para los Nehru, que habían pregonado siempre la igualdad entre las comunidades religiosas del país. Presionada por las prisas de su hijo, no tuvo tiempo de informarse sobre la familia de su futura nuera y fijaron la fecha del 29 de julio para la pedida. Ambas familias se reunieron en el número 1 de Safdarjung Road donde después de una breve ceremonia, se sentaron todos a celebrarlo comiendo. Indira se dio cuenta en seguida de que no eran gente educada, ni cosmopolita, ni culta y en la madre fue capaz de adivinar la satisfacción profunda de haber colocado a su hija en la familia más codiciada del país. Hubiera podido decir algo parecido de la familia de Sonia, pero la diferencia es que aquéllos eran sencillos, no presumían de nada y carecían de ambición. Éstos eran ruidosos y ostentosos, con un gusto hortera en la manera de vestir y de exhibir sus joyas. De todas maneras, Indira estuvo a la altura de las circunstancias. Nobleza obliga. El anillo de pedida que lucía su nuera se lo había regalado ella. Y era un regalo muy especial. Había pertenecido a Kamala, su madre, y había sido diseñado por su abuelo Motilal. Confiaba secretamente que algún día esa chiquilla llegaría a entender el profundo significado de tan preciado presente. También le ofreció un conjunto oro y turquesa, así como un sari de una seda muy fina y bordada al estilo Tanchoi, mezcla de estilos indio y chino. Un mes después, le regaló un sari de seda italiana por su cumpleaños.

Los temores sobre la familia de Maneka se vieron confirmados por la información que empezó a fluir después de la pedida. Indira se enteró de que Amteshwar, su futura consuegra, había estado diez años litigando con su hermano por la herencia del padre, que era una mujer con una educación muy elemental y, según los que la conocían, intrigante y codiciosa. Le llegaban rumores de que los demás miembros de la familia eran rudos y descarados. Otras fuentes les tildaban de arribistas. Se había colado en la vida de Sanjay justo el tipo de persona que siempre habían intentado evitar. Aunque rara vez los padres están contentos con la elección de las parejas de sus hijos, ahora Indira iba a beber la misma copa que dio a beber a su padre cuando le informó de su decisión de casarse con Firoz. Como en aquel caso, también ahora se trataba de familias que venían de mundos opuestos, que no compartían los mismos valores. ¿Pero serviría de algo enfrentarse con su hijo, como Nehru se había enfrentado con ella? Pocas veces en la vida lo había pasado tan mal como entonces, de modo que no estuvo dispuesta a hacer lo mismo. No podía abrir un frente más. La cantidad de problemas con los que tenía que lidiar la habían deprimido. No veía cómo sacar a la India de la pobreza, y eso la desesperaba. Su fiel secretaria Usha recordaría que, al regresar de un funeral a finales de julio por el eterno descanso de un viejo amigo de la familia, Indira le confesó que estaba cansada de vivir. Le dio instrucciones sobre la manera de disponer de su cuerpo cuando hubiera muerto.

–No quiero un funeral, Usha. Apunta... Quiero que pongan mi cuerpo en un ataúd y que lo dejen caer desde un avión sobre las nieves eternas del Himalaya. Quizás así consiga disfrutar de una paz que no he disfrutado en vida.

–Madam, lo importante es tener paz en esta vida, ¿no cree? En la otra está garantizada...

–Sí, lo sé, pero no está en mis manos y no creo que ya sea posible.

–Tiene que serlo, señora. Además, déjeme decirle que nadie estará de acuerdo en disponer de su cuerpo de esa manera. Si fuesen cenizas todavía... pero ¿cómo quiere que tiren un ataúd desde un avión y que se estrelle contra el suelo?

–Pues no quiero ni ser enterrada ni que me quemen –zanjó Indira.

En ese estado de ánimo, la perspectiva de casar a su hijo con una chica de diecisiete años de una familia que consideraba «ordinaria» no era algo que le levantase la moral. Lo único que pudo hacer fue retrasar la boda. Cuando se enteró de que en la fecha fijada Maneka no habría cumplido la mayoría de edad, le dijo a su hijo:

–Tendrás que esperar a que cumpla los dieciocho. No puedo permitir que incumplas la ley.

El problema de los casamientos infantiles seguía siendo un tema espinoso en la India que había sido denunciado por Gandhi, Nehru y por todos los que querían modernizar el país. Miles de niñas acababan siendo «negociadas» por sus padres, casadas y convertidas en criadas de la familia del marido, sin poder alguno para decidir sobre el número de hijos que tendrían. El caso de Maneka distaba mucho de esto, pero Indira no estaba dispuesta a que Sanjay no predicase con el ejemplo. Además, ganando tiempo, quizás su hijo acabaría recapacitando.

Pero no ocurrió. Ese verano, Sanjay tuvo que someterse a una pequeña operación de hernia. Después de sus clases matutinas, Maneka pasaba la tarde y parte de la noche en la sala privada del All India Institute of Medical Sciences, el hospital más puntero de Nueva Delhi. Unas semanas después de su convalecencia, el 23 de septiembre de 1974, se casaron en una ceremonia civil en casa de un viejo amigo de la familia, Mohammed Yunus. La boda fue una demostración de la India aconfesional que siempre habían defendido los Nehru: el hijo de un parsi y una hindú se casaba con una chica sij en casa de un amigo musulmán frente a una nuera católica. Indira fue generosa con Maneka: le regaló veintiún saris de las telas más finas, algunas joyas de oro y, lo más valioso, uno de los saris de algodón que Nehru había hilado en la cárcel con su rueca. Cumplió al pie de la letra con su deber de suegra. Para recibir a su nuera, asignó a la nueva pareja un dormitorio que daba al salón principal, cerca de la puerta de entrada, en la parte de la casa opuesta al cuarto de Rajiv y Sonia. Lo decoró y lo arregló con mimo, colocó objetos y frascos sobre la mesa del tocador y eligió unas pulseras que, por tradición, Maneka debía ponerse en su noche de bodas y que dejó en la mesilla.

Justo después de la celebración, Maneka ingresaba en el hogar de los Gandhi-Nehru igual que Sonia lo había hecho con Rajiv seis años antes. «La boda ha transcurrido tranquilamente

–escribió Indira a Dorothy Norman esa misma noche–, Maneka es tan joven que tenía mis dudas sobre el asunto y no acertaba a adivinar si sabía lo que estaba haciendo. Pero parece que ha encajado, y es jovial y alegre.»

Pero Maneka no era Sonia y, aunque venía de una familia que vivía a un kilómetro de distancia, su adaptación resultó mucho más ardua que la de su cuñada que venía de la otra punta del mundo. A pesar del deseo de Indira, a la chica le costaba encajar en esa casa. Para empezar, fumaba, un hábito que era muy mal visto. Sanjay odiaba el tabaco; Indira, que había sido tuberculosa, lo detestaba; y Sonia, asmática, era alérgica al humo. Mal comienzo. Además, era locuaz y hablaba en un tono de voz alto. «En mi propia casa éramos informales y a veces deslenguados –diría Maneka–. Los Gandhi mantienen el decoro entre ellos en toda circunstancia.» Sanjay y ella tenían temperamentos diametralmente opuestos y sumaban muchos ingredientes para un fracaso matrimonial. Es cierto que no siempre debía ser fácil comunicarse con Indira, una presencia imponente. A veces durante las comidas Maneka se ponía a hablar de libros que había leído o que estaba leyendo como si quisiera impresionarla con su capacidad intelectual. Indira levantaba la vista, le lanzaba una mirada de reojo y seguía comiendo. «Era fogosa e inteligente –diría Usha, la fiel secretaria de Indira– pero al mismo tiempo era ambiciosa y muy inmadura.» Varias veces mencionaba que Sanjay sería un día primer ministro, lo que provocaba vergüenza ajena en los demás. Otras veces hablaba de la felicidad con cara mustia: «Sabía que no se refería a una búsqueda filosófica –recordaría Usha– sino a su propia infelicidad causada por la ausencia de Sanjay». Lo que le gustaba de verdad era salir y ser vista, precisamente lo que su marido no podía ahora permitirse, ocupado como estaba en dejar su huella en la sociedad india.

Consecuentemente, Maneka se aburría mucho en una casa donde nadie fumaba, ni bebía ni decía palabrotas. Pasaba las horas muertas en la oficina de Usha preguntando por el programa de su marido, que estaba siempre muy cargado, e intentando descubrir las claves de ese mundo nuevo en el que estaba metida. El mundo tradicional, a ése no quería ni acercarse. Cuando Sonia le propuso enseñarla a cocinar, aunque sólo fuese para que se distrajera, porque nadie mejor que ella sabía por lo que estaba pasando su cuñada, Maneka le contestó que no le interesaban ni la cocina ni las cosas de casa.

Todos se dieron cuenta rápidamente de que Maneka era una nota discordante. A Rajiv le ponía nervioso encontrársela tumbada en un sofá del salón fumando mientras Sonia estaba atareada con la casa.

—¡No pega ni golpe! —decía en voz baja a Sonia—. ¿Quién se cree?

Sonia alzaba los hombros, como diciendo: es lo que hay. Tampoco les gustaba su manera de tratar al servicio, a gritos y sin respeto, muy típico de la clase pudiente india. A Indira también le disgustaba su comportamiento vulgar y chillón. El problema es que el único lugar donde encontraba protección contra la dureza de la vida política era su casa, que ahora se veía perturbada. El número 1 de Safdarjung Road dejó de ser un remanso de paz.

17

El humor de Indira reflejaba el de la India, que no levantaba cabeza después de la guerra de Bangladesh. El paro subía, y con ello el descontento popular. La cadencia de huelgas y manifestaciones era infernal, y muchas acababan en violentos choques con la policía. Para Sonia, la tarea de hacer la compra podía convertirse en un auténtico vía crucis: calles cortadas, desvíos arbitrarios, reyertas a pedradas, tiendas cerradas por falta de avituallamiento debido a una huelga de transportes, etc. No había un día normal, era como si el país hubiera perdido el norte y abrazase la anarquía. En toda la geografía nacional no se hablaba de otra cosa que no fuese corrupción, disturbios, encierros, sentadas y huelgas. A Sonia le impresionó mucho el escándalo del «azúcar» como se dio a conocer, que causó la muerte de mucha gente, especialmente niños. Unos comerciantes sin escrúpulos habían puesto a la venta una mezcla de azúcar con cristal molido, que resultó letal y que sacaba a relucir la falta de control y la desidia completa de la administración. Sonia, que siempre tenía presente a sus hijos, se preguntaba horrorizada: ¿y si ese azúcar hubiera acabado en la guardería de Rahul?

Ante el espectáculo desolador que ofrecía el país, un héroe del movimiento de liberación y antiguo amigo de la familia Nehru, un hombre frágil de setenta y dos años llamado J. P. Narayan, fue capaz de unificar distintos grupos opuestos a Indira. Su programa abogaba por una federación de aldeas y pretendía lanzar una «revolución total», una democracia sin partidos. Era una locura, la idea vaga de un idealista mesiánico, pero sirvió para galvanizar a las multitudes contra el partido de Indira, acusado de corrupción. En realidad, la semilla de la caída de Indira estaba ya plantada y yacía en el inmenso poder que había conseguido acumular y que actuaba como un veneno que lo infectaba todo, hasta su propia casa a través de Sanjay. Como no existía un sistema legal de financiación de partidos, el Congress dependía de substanciosas donaciones privadas. Demasiados miembros de su partido, conscientes del poder que les otorgaba el hecho de contar con una abrumadora mayoría en el Parlamento nacional y en la mayoría de parlamentos estatales, se hicieron codiciosos y expertos en intercambiar ayuda económica por favores políticos.

El movimiento de J. P. consiguió organizar varias huelgas importantes, que acabaron en enfrentamientos con la policía. La protesta degeneró en una revuelta general cuando salió a relucir que un líder del Partido del Congreso había permitido una subida del precio del aceite de cocina a cambio de una importante donación de los productores. Fue la chispa que hizo estallar la furia popular. Hubo pillaje de viviendas y tiendas, incendios de autobuses y destrucción de bienes del gobierno. Rajiv estuvo varios días sin volver a casa porque su avión no había podido despegar al cerrarse los aeropuertos. Indira, incapaz de controlar todas las chapuzas y los tejemanejes de los miembros de su partido, se sintió amenazada. Su miedo se sumaba a la paranoia que sentía desde el año anterior, cuando tuvo lugar el golpe, apoyado por la CIA, que derrocó en Chile al presidente democráticamente elegido Salvador Allende, otro socialista. Conocía bien a los que lo habían orquestado, y temía que intentasen aprovecharse de la situación caótica de la India para intentar lo mismo con ella. Sobre todo, porque Nixon acababa de ser reelegido, y Kissinger estaba de nuevo a su lado.

¿Qué hacer? No se planteaba dimitir, por lo menos sin luchar. Achacaba los disturbios a la pérfida manipulación de la oposición, empeñada en expulsarla del poder, y a una oscura conjura internacional. Le costaba creer que el pueblo estuviese perdiendo su fe en ella. Pero no podía dejar por más tiempo que la anarquía se extendiese como una mancha de aceite, nunca mejor dicho. Así que se armó de coraje para enfrentarse al mayor desafío de su carrera, una huelga nacional de ferrocarriles que amenazaba con paralizar el país. Ganar ese pulso era decisivo para ella y para la India. Se enfrentaba a millón y medio de trabajadores ferroviarios que exigían, entre otras reivindicaciones, horarios de trabajo de ocho horas y un aumento de sueldo del 75 por ciento, concesión ésta que era imposible otorgar. «En un país donde hay millones de desempleados y muchos millones más con empleos precarios –explicó con audacia en una conferencia sindical–, lo que se necesita es una justa distribución de oportunidades. En este sentido los trabajadores deberían reconocer que en nuestro país ser empleado es en sí mismo un privilegio.» Palabras que inflamaron aún más los ánimos, de modo que la huelga fue convocada. Un millón de ferroviarios la secundaron. De pronto subieron el listón de sus exigencias: «Lo que queremos es cambiar la historia de la India y derrocar el gobierno de Indira Gandhi».

Como siempre en estos conflictos, estaba en juego la vida de los más pobres. La paralización de los trenes, al alterar el transporte de mercancías, era susceptible de provocar hambrunas, algo que Indira no estaba dispuesta a consentir. Así que aplicó una reciente ley (MISA, Maintenance of Security Act) que permitía realizar detenciones preventivas. Un despliegue nunca visto de policías invadió las *railway colonies*, los antiguos barrios creados por los ingleses para alojar a los ferroviarios y que se encontraban cerca de las estaciones de tren. «Parecía un país ocupado», diría un líder sindical que no salía de su asombro. Al alba, la policía entraba en las viviendas de los ferroviarios y detenía a todo el que se negaba a ir a trabajar. Algunas familias fueron expulsadas de sus casas –eran propiedad del gobierno– y obligadas a vivir a la intemperie. Los arrestos eran a veces violentos –hubo un caso en que la policía prendió fuego a la casucha de un ferroviario– y algunos huelguistas acabaron heridos. En total, sesenta mil trabajadores fueron arrestados. Indira actuaba como un general en el fragor de la batalla. Mandó al ejército y a la marina a proteger las instalaciones ferroviarias contra eventuales sabotajes. Los militares hicieron funcionar las señalizaciones y las telecomunicaciones, y manejaron los trenes bajo la protección de guardias armados. Estaba convencida de que si aplastaba esta huelga, no habría otra en cincuenta años.

Indira estaba muy lúcida, con pleno dominio de sus facultades, como era habitual en momentos de alta tensión. Confiaba en sí misma. Procuraba hacer varias cosas al mismo tiempo, era su receta infalible para relajarse y encontrar soluciones a problemas difíciles. Una tarde, mientras atendía una rueda de prensa en el jardín de su casa y veía a su nieto Rahul entretenido en el césped jugando a la guerra con armas de plástico, se le ocurrió una idea. Pensó que había llegado el momento de dar la autorización que los científicos llevaban esperando desde hacía años para detonar una bomba nuclear. Había sido precisamente la decisión de Nixon de mandar un portaaviones nuclear a la bahía de Bengala lo que había provocado la aceleración del programa atómico indio. No era precisamente una idea de abuelita, pero sí la de una brillante estratega. La mantuvo en secreto hasta el momento de la explosión, que tuvo lugar en Pokhran, en el desierto de Rajastán, próximo a la frontera con Pakistán, unos días más tarde.

Tal y como había previsto, la noticia provocó el entusiasmo de ciertas capas de la población que la vivieron con auténtico fervor patriótico. Los diputados que se levantaron en la gran sala del Parlamento para felicitarse los unos a los otros parecían haber olvidado los acuciantes problemas económicos y la huelga de trenes. Indira había conseguido su propósito, que era desviar la atención del país. La India, superpoblada y casi paralizada, cuya renta per cápita la situaba en el puesto 102.º del ranking mundial, se convertía, en gran parte por necesidades de política interna, en la sexta potencia nuclear mundial. Las críticas arreciaron en el extranjero. Indira se defendió: «... India no acepta el principio del *apartheid* en ningún ámbito, y la tecnología no es ninguna excepción».

Tardó veintidós días en aplastar la huelga con mano de hierro. A pesar de que la prensa condenó la brutalidad de la represión, la clase media, la gente que siempre había apreciado la puntualidad de los trenes, alabó la firmeza de la primera ministra. Las cámaras de comercio también, aunque eso no significaba muchos votos. Para Indira, fue una victoria agridulce. Mientras que la de Bangladesh la había elevado a la categoría de diosa, ésta dejaba un amargo sabor de boca. La primera ministra había demostrado que podía ser dura y hasta despiadada. Su manera de reprimir la huelga dejó una estela profunda de miedo en amplios sectores de la sociedad. El efecto contraproducente de tanta severidad fue que la oposición se unió aún más contra ella. Hasta los observadores políticos más afines tuvieron que admitir que su popularidad caía en picado. En las elecciones previstas para 1976, una derrota del Congress aparecía ahora como una posibilidad real.

El 12 de junio de 1975 amaneció con gruesos nubarrones negros en el cielo, que anunciaban las ansiadas lluvias, o quizás predecían tiempos aciagos. El calor, a esas horas de la mañana, ya era intenso, pero Indira siguió con su rutina diaria de hacer veinte minutos de ejercicios de yoga en su habitación. El llanto de su nieta Priyanka le provocó la tentación de interrumpir el ejercicio, pero como en seguida remitió, pensó que Sonia se había levantado ya y estaba ocupándose de la pequeña. Luego se duchó y se vistió en cinco minutos, «algo que pocos hombres pueden hacer», le gustaba presumir. En su mesilla de noche los libros se amontonaban. Con jornadas que duraban dieciséis horas, no tenía tiempo de nada, ni de estar con la familia ni de recibir a amigos, ni por supuesto de leer, y lo echaba de menos.

Estaba desayunando en su habitación frente a una bandeja con té, fruta y tostadas cuando su secretario R. K. Dhawan, ese que se mostraba tan solícito con Sanjay, llamó a la puerta. Traía una mala noticia. D. P. Dhar, viejo amigo y consejero de Indira, el hombre que había enviado a Moscú cuando la crisis de Bangladesh para asegurarse el apoyo de los soviéticos y que desde entonces oficiaba de embajador en la URSS, había muerto minutos antes de ser operado para instalarle un marcapasos. Otro pilar de confianza y amistad desaparecía de su vida. Indira fue rápidamente al hospital a consolar a la familia y a ayudar en la organización de los ritos funerarios.

Volvió a casa hacia mediodía, donde le esperaba otra mala noticia. Su secretario le comunicó que en las elecciones de la víspera en el estado de Gujarat, el Frente Janata, una coalición de cinco partidos que incluía a los simpatizantes de J. P. Narayan, el idealista que quería derrocarla, habían vencido al Congress. No le sorprendió demasiado. Lo malo era que esos resultados auguraban derrotas en otros estados. ¿Era quizás el principio del fin?, se preguntaba. ¿No seguían todas las empresas humanas el mismo modelo de evolución que el de la naturaleza, es decir una fase de crecimiento, otra de desarrollo, y un final? Había intentado hacer las paces con J. P., pero su idea utópica de establecer un gobierno sin partidos era inaceptable porque significaba la muerte del funcionamiento democrático. Así se lo había expresado, pero J. P. era un revolucionario que seguía creyendo en grandes ideas abstractas. No cejaba en su empeño ni se mostraba flexible en sus demandas.

–¿Estarás de acuerdo conmigo en que el gobierno de Bihar es muy corrupto? –le preguntó J. P. con su voz temblorosa.

–Sí, eso lo sabemos todos –replicó Indira.

–Pues insisto en que tienes que destituirlo y convocar nuevas elecciones.

–No puedo hacer eso, J. P. Es un gobierno elegido democráticamente y carezco de autoridad para destituirlo.

No hubo reconciliación, al contrario. Indira acabó acusándolo de contar con el apoyo de la CIA y Estados Unidos para derrocarla, y él le reprochó querer hacer de la India un satélite soviético.

Sin embargo, al terminar la reunión, J. P. pidió verla a solas, sin sus consejeros. Pasaron al salón y allí, ante la sorpresa de Indira, el hombre tuvo un gesto de amabilidad personal, a pesar de lo enconado de su enfrentamiento político. Le entregó una vieja carpeta que había pertenecido a su esposa y que contenía cartas que la madre de Indira, Kamala, le había escrito cincuenta años antes en el fragor de la lucha por la independencia.

–Las tenía guardadas desde que murió mi mujer –le dijo J. P.– con la esperanza de dártelas cuando tuviera la oportunidad de verte.

A Indira le conmovió el gesto de ese hombre que sin embargo estaba empeñado en destruirla. Qué rara es la política –debió de pensar– que permite el odio y el afecto al mismo tiempo y en la misma persona. Sintió un pellizco en el corazón cuando leyó esas cartas, que resucitaban a su madre, tan frágil, tan enferma siempre, y que ahora revelaban su infelicidad por sentir el desprecio de las hermanas de Nehru que la encontraban demasiado tradicional y religiosa. Le dio las gracias a J. P. de todo corazón, aun a sabiendas de que éste cumpliría su amenaza de intensificar su cruzada contra ella.

La tercera mala noticia del día llegó a las tres de tarde. Rajiv, vestido con su uniforme de piloto, irrumpió en el dormitorio de Indira. Al volver del aeropuerto, se había cruzado con uno de los secretarios de su madre que le había puesto al corriente de una noticia que acababa de llegar por el teletipo.

—Ha salido el veredicto del juez de Allahabad... —dijo Rajiv.

—¿Y...? —preguntó Indira, girando un poco la cabeza, como si esperase el golpe que iba a recibir.

Rajiv le leyó el texto de la sentencia que le había entregado el secretario. Decía que la primera ministra había sido declarada culpable de negligencia en los procedimientos electorales del sufragio de 1971. En consecuencia, el resultado de esas elecciones quedaba invalidado. El tribunal daba veinte días al Congress para tomar las medidas necesarias de cara a que el Gobierno siguiese funcionando. Además, se le prohibía asumir un cargo público en los siguientes seis años.

Indira suspiró y se mantuvo serena. Miró al jardín. Sus nietos jugaban en la hierba. Todo parecía tan normal y tranquilo, excepto por los nubarrones que seguían amenazando con descargar lluvia. Qué curiosa era la vida, debió de pensar. El mayor mazazo de su carrera se lo daban en su ciudad natal, en los mismos tribunales donde su abuelo Motilal Nehru hizo sus más brillantes alegatos. Se volvió hacia su hijo:

—Creo que no queda otra solución que la de dimitir. Ha llegado el momento —dijo sin el menor atisbo de emoción.

Esperaba una sentencia condenatoria, pero no tan desproporcionada. La oposición había utilizado una triquiñuela legal para acorralarla. La sentencia correspondía a la denuncia que un rival político llamado Raj Narain, que había perdido por cien mil votos de diferencia, había presentado cuatro años antes en el juzgado de Allahabad. Las acusaciones eran triviales y se referían al uso indebido de personal y transporte propiedad del gobierno durante la anterior campaña electoral. En privado, todo el mundo, incluidos sus adversarios, reconocía que los cargos contra ella eran ridículos y que los jueces se habían excedido. Según el diario *Times* de Londres, era equivalente a «destituir un primer ministro por una multa de tráfico». Pero en la India de 1975, la gente se echó a la calle a celebrarlo.

Su amigo Siddharta Shankar Ray, jefe del gobierno de Bengala, llegó a casa poco tiempo después. Era un hombre de confianza, íntegro, la vieja guardia de los amigos incondicionales. El partido estaba conmocionado, le dijo. Luego prosiguió:

–... Lo que la oposición no ha conseguido en las urnas, intenta manipularlo a través de una sentencia jurídica.

–Tengo que dimitir –soltó Indira, impasible.

El hombre tomó asiento. Miró a Indira: su rostro dejaba traslucir un cansancio infinito.

–No tomes esa decisión a la ligera. Vamos a pensarlo.

Indira alzó los hombros:

–¿Hay otra solución?

–Siempre se puede apelar.

–Tardará meses... Sabemos cómo funciona la justicia.

La conversación fue interrumpida por la llegada de dos ministros, seguidos poco tiempo después por la del presidente del partido y varios colegas más. La casa se fue llenando de gente. Sonia les ofrecía dulces y bebidas. Con sus propios ojos, veía cómo unos estaban preocupados por perder el puesto, otros al contrario, excitados porque el sillón de Indira estaba al alcance. Los rumores, la incertidumbre y el calor hacían que el aire fuera irrespirable. Unos hablaban con Indira, intentando disuadirla de que presentase su dimisión; otros hacían corrillos, midiendo las fuerzas de distintos líderes que podrían reemplazarla. La todavía primera ministra escuchaba a todos, callada. «Creo que debería dimitir inmediatamente», repetía.

Por la tarde, Sanjay llegó de la «fábrica». Se había enterado de la noticia por la radio. Entrando en casa, se encontró con su hermano:

–¿Qué va a hacer? –le preguntó.

–Dimitir. No le queda otra.

–No –dijo Sanjay–, eso no puede ser.

En un segundo Sanjay vio su sueño de ser un gran empresario hecho añicos. Si su madre cedía ante sus enemigos, podía despedirse para siempre de Maruti Ltd. Entró en el salón abarrotado de gente y, sin apenas saludar a nadie como era costumbre suya, cogió a su madre del brazo y le pidió hablar a solas unos minutos. Se retiraron al estudio contiguo.

—Me ha dicho Rajiv que piensas dimitir.

—Lo estamos sopesando. No tengo muchas opciones.

—No debes hacerlo, mamá. Si cedes ahora y dimites por esos cargos tan nimios, cuando no tengas inmunidad parlamentaria conseguirán meterte en la cárcel por cualquier cosa que se inventen.

—Tengo la conciencia tranquila. Estamos pensando en cambiar los papeles. Que el presidente del partido asuma el cargo de primer ministro hasta que mi recurso sea tramitado en el Tribunal Supremo. Mientras, yo me encargaría de la presidencia del partido.

—¡Eso es una locura, mamá! —dijo Sanjay, y el grito se oyó en el salón contiguo—. ¿Te crees que el presidente del partido, una vez esté en tu sillón, te lo devolverá después? Nunca lo hará. Parecen todos muy leales y muy amigos, pero sabes mejor que yo que sus sonrisas esconden sus ambiciones personales. Todos quieren tu sitio. Todos buscan el poder. No debes dimitir bajo ningún concepto.

Aceptar la derrota no era algo fácil para Indira. ¿Podía retirarse con el rabo entre las piernas por algo tan trivial, ella que había dedicado su vida a la política y que había ejercido de primera ministra durante casi una década? No se correspondía con su concepto de dignidad. ¿Podía dejar en la estacada a sus compañeros de partido, a todos los que dependían de ella? ¿Al país entero? ¿No decían que India es Indira e Indira es la India? ¿Iba a permitir que J. P. Narayan acabase con la democracia hundiendo el país en la anarquía? Es cierto, estaba cansada, a veces hasta deprimida por no encontrar soluciones a los males del país. Si sólo tuviera que escuchar su voz interior, esa que le pedía sosiego, quizás optaría por la dimisión. Por ella, lo haría. Pero no estaba sola. Pensó en Sanjay... ¿Qué sería de él, si ella perdía el puesto? Se lanzarían como sabuesos a devorarlo por haberse atrevido a ser emprendedor, o simplemente por ser quien era. ¿Qué sería del resto de la familia? El poder se revelaba como una defensa necesaria contra todos los enemigos que ese mismo poder había creado al filo de los años. El poder protegía a la familia. Sin ese escudo, estaban en peligro.

Indira volvió al salón. «Estoy decidida a luchar para mantenerme en el cargo», le dijo a su abogado. Quedaron en que éste solicitaría a la Corte Suprema el aplazamiento de la sentencia hasta que el tribunal decidiese sobre su recurso. La maniobra permitiría ganar tiempo y mantenerse como primera ministra hasta conseguir reunir fuerzas y apoyos. Nada más anunciar su decisión, la tensión en casa se relajó. Para disimular su decepción, los que ya se habían atrevido a soñar con relevarla se fundieron en los más serviles elogios. Sonia estaba desconcertada. En el fondo, le hubiera gustado que su suegra dimitiese, porque echaba de menos una vida más sosegada.

18

En los días siguientes, Sanjay y su compinche el secretario Dhawan organizaron manifestaciones y marchas de apoyo a Indira. No tuvieron reparo en requisar los autobuses de la empresa municipal de transportes de Delhi para transportar a miles de manifestantes. Todo el aparato del partido se movilizó para que se oyese alto y fuerte la voz a favor de Indira. Llegaron a la capital trenes fletados especialmente para los mítines llenos de simpatizantes.

Ahora Sonia y Maneka no podían entrar y salir tan fácilmente de casa porque permanentemente había una multitud a las puertas reclamando la presencia de Indira, que salía una vez al día a saludarlos. Ni a Sonia ni a Rajiv les gustaba el cariz que tomaban los acontecimientos. Ella estaba asustada porque el coche que la llevó una mañana a Khan Market había recibido una pedrada. Sólo había causado un rasguño en la carrocería, pero había bastado para meterle el miedo en el cuerpo. Además, la convivencia con Maneka se le hacía muy difícil. Y Sanjay parecía otro. Apenas le veía, pero cuando lo hacía ya no era tan cariñoso como antes. Se daba cuenta de que la presencia de Maneka estaba envenenando las relaciones entre los hermanos, y entre ella y Sanjay también.

—¿Por qué no nos vamos a Italia una temporada —le pidió a su marido— hasta que las aguas vuelvan a su cauce?

A Rajiv le apetecía la idea, y reconocía que sería bueno para los niños. Pero se mostraba preocupado.

—¿Cómo se lo decimos a mi madre? ¿Podemos abandonarla en un momento así?

Sonia se quedó ensimismada, sin respuesta. Por primera vez tenía miedo, por ella y por los niños. Nunca había estado el ambiente tan caldeado.

El 20 de junio de 1975, Sanjay tuvo la idea de que la familia entera asistiese a un mitin de solidaridad que había organizado en el Boat Club de Nueva Delhi.

—Es bueno que nos vean a todos juntos —había dicho.

—Prefiero que no decidas por nosotros —le espetó Rajiv.

—Es por mamá —le contestó su hermano.

Puestos en un compromiso, Rajiv y Sonia accedieron a regañadientes. Fue quizás el primer acto político de Sonia. Le impresionó encontrarse frente a una multitud de más de cien mil personas. Vestida con un sari color caqui, estaba junto a Rajiv, Maneka y Sanjay detrás de Indira. Desde allí, daba vértigo imaginar la desmesura de su país de adopción. Tanta gente, tantas creencias, tantas religiones... Cuando su suegra se giró hacia ellos, Sonia le sonrió. De pronto la veía en contacto con el pueblo del que siempre hablaba, ese contacto privilegiado que justificaba todos sus sinsabores y que ahora no era algo abstracto, sino bien real. Estaba allí, rendido a sus pies. Sonia pudo comprobar el enorme apoyo popular del que todavía disfrutaba Indira, que excedía en mucho la mera presencia de los simpatizantes pagados por Sanjay. Se le puso la piel de gallina cuando escuchó a su suegra decir a la muchedumbre que servir al país era la tradición de la familia Nehru-Gandhi, y que se comprometía a seguir sirviéndole hasta su último suspiro. Era la primera vez que Indira se mostraba flanqueada por su familia y el mitin fue un gran éxito. Sonia se dio cuenta de lo mucho que Indira necesitaba tener a la familia a su lado. No, no era momento de abandonarla.

Los seguidores de J. P. organizaron contramanifestaciones frente al palacio del presidente de la República y en varias ciudades del inmenso país. La periodista Oriana Fallaci fue la primera en enterarse de boca de un líder de la oposición que planeaban bloquear la entrada del número 1 de Safdarjung Road con hordas de gente para convertir a Indira en prisionera en su propia casa. «Acamparemos allí día y noche —dijo el líder—. La forzaremos a dimitir. Para siempre. La señora no sobrevivirá a nuestro movimiento.»

En la mañana del 25 de junio, Indira convocó a su despacho de casa a Siddarta Shankar Ray, el jefe de gobierno de Bengala, que se encontraba casualmente en Nueva Delhi, y que al hacerse pública la sentencia le había aconsejado no dimitir. La encontró muy tensa. Su mesa estaba cubierta de informes del Servicio de Inteligencia.

–No podemos permitirlo –le dijo Indira–. Tengo información de que J. P. Narayan, en un mitin esta misma noche, va a pedir a la policía y al ejército que se amotinen. Es posible que la CIA esté implicada. Sabes que estoy en los primeros puestos en la lista de personas odiadas por Richard Nixon... ¿Qué podemos hacer?

Ray era un experto en asuntos legales, con fama de honesto y de duro. Seguía pensando que Indira debía mantenerse en su puesto. Ella continuó describiendo cómo el país estaba sumido en el caos.

–Hay que poder detener esta locura. Siento que la democracia india es como un niño y, de la misma manera que a veces hay que sacudir a un niño, pienso que hay que sacudir al país para despertarlo.

–¿Estás pensando en el estado de excepción?

Indira asintió con la cabeza. En realidad, no buscaba consejo sobre qué decisión tomar, porque ya la había tomado el día anterior. Su hijo Sanjay se lo había mencionado, pero la idea no venía de él sino de su protector Bansi Lal, el regordete jefe de gobierno de Haryana que le había proporcionado los terrenos para erigir la fábrica. Según Bansi Lal y Sanjay, había por lo menos cincuenta políticos en el país que era necesario eliminar de la vida pública. El primero, por supuesto, era J. P. Narayan.

Declarar el estado de excepción era una huida hacia delante... Pero ¿qué opción le quedaba a Indira? Entre una salida deshonrosa y el estado de excepción, prefirió lo último.

–Quiero hacerlo todo de una manera impecable desde el punto de vista legal –precisó la primera ministra.

–Déjame estudiar el aspecto constitucional. Dame unas horas y te diré algo.

–Por favor, que sea rápido –le rogó ella.

Ray se fue y regresó a las tres de la tarde. Había pasado varias horas revisando el texto de la Constitución india, y de la norteamericana también.

–Bajo el artículo 352 de la Constitución –le dijo a Indira–, el gobierno puede imponer el estado de excepción si hay riesgo de agresión externa o de disturbios internos.

–¿La llamada de J. P. Narayan a que el ejército y la policía se amotinen no es una amenaza interna suficientemente grave?

–Sí, lo es.

–Entonces, al hacerlo, han caído en su propia trampa.

–En efecto. Te han entregado en bandeja de plata la justificación que necesitas para suspender la actividad parlamentaria e imponer el estado de excepción.

Hubo un silencio. Los ojos de Indira brillaban en la oscuridad. Faltaba un requisito, la firma del presidente de la República, pero éste era un aliado e Indira no dudaba de su lealtad.

–¿Me acompañas al palacio del presidente? –le pidió a Ray.

–Vamos.

Con el documento de cuatro líneas que el presidente firmó esa misma noche en el espléndido salón Ashoka en el antiguo palacio del virrey, y que ratificaba la proclamación del estado de excepción, la mayor democracia del mundo se convertía en una dictadura virtual. El gobierno de la India estaba ahora autorizado a arrestar a gente sin orden previa, a suspender los derechos civiles y las libertades, a limitar el derecho de interferencia de los tribunales y a imponer la censura.

Rajiv llevaba dos días fuera de casa, volando, y en una de las escalas de su ruta, se llevó una gran sorpresa al enterarse por la prensa de que la víspera su madre había declarado el estado de excepción. Nadie le había dicho nada. La medida chocaba con su carácter pacífico y, aunque no era un hombre político, le parecía que iba contra los principios democráticos de la tradición familiar. Sobre todo, lo que le preocupaba era que su madre había claudicado ante su hermano. Conocía el ascendente que Sanjay tenía sobre su madre. Por alguna oscura razón, su madre era incapaz de resistir el chantaje emocional al que su hermano la tenía sometida. Y nadie mejor que él conocía a Sanjay, sus puntos fuertes, sus limitaciones y el peligro que podía representar. Por eso estaba entre turbado y alarmado, y la idea de Sonia de ir a Italia una temporada volvió a rondarle por la cabeza.

–No sé qué es lo que deberíamos hacer –le dijo Sonia–. Me preocupa mucho el comportamiento de tu hermano. Está cada vez más metido en política.

Le contó que Maneka estaba en Cachemira, donde la había enviado Sanjay por indicación de Indira, ya que temía que la chica, tan locuaz, pudiese revelar sus intenciones respecto a la declaración del estado de excepción, que mantuvieron en un secreto total hasta su promulgación. Le siguió contando que la víspera Sanjay había estado reunido en el despacho de Indira hasta muy tarde con el secretario Dhawan y con el segundo del ministro del Interior.

–¿Sabes qué hacían? Se estaban poniendo en contacto con jefes de gobierno locales y les mandaban órdenes de detención. Tenían una lista negra de «enemigos». Lo peor no es eso, lo peor es que lo hacían en nombre de tu madre.

–Sé que detuvieron a J. P. Narayan de madrugada, me enteré en el aeropuerto –dijo Rajiv, suspirando–. Una patrulla de la policía se lo llevó esposado al calabozo. Parece ser que Narayan no podía creérselo; le parecía inconcebible que mamá hubiera tomado una medida tan drástica.

Sonia le siguió contando que a las tres de la madrugada, Siddharta Shankar Ray, después de haber ayudado a Indira a terminar el borrador del discurso que iba a anunciar el estado de excepción a la población, se disponía a marcharse cuando se cruzó en el pasillo con el secretario Dhawan, que le dijo: «Ya están tomadas las medidas para cortar el suministro eléctrico a los principales periódicos del país y para cerrar los tribunales».

–Ray se quedó de piedra –prosiguió Sonia–, y se puso furioso. Pidió que despertasen a tu madre, que estaba agotada después de un día tan largo. En ese momento, salió Sanjay, que empezó a discutir con Ray. ¿Sabes lo que le dijo? Le dijo: ¡Vosotros no sabéis llevar un país!

–¡Como si él supiera! –dijo Rajiv alzando la vista al cielo.

–El caso es que no se marchó hasta que apareció tu madre, que estaba asombrada porque ella no sabía nada de esas órdenes de detención. Las había dado tu hermano. Le pidió que le esperase unos minutos, y se fue a hablar con Sanjay.

–Lo que Sanjay busca con esas medidas es protegerse a sí mismo y a su negocio, haciendo ver que también protege a mamá de las acciones legales emprendidas contra ella.

–Tu madre puede tener tentaciones autoritarias, pero tiene principios. Cuando salió de la habitación en la que se había encerrado con Sanjay, tenía los ojos rojos de haber llorado. Le dijo a Ray que los periódicos tendrían electricidad y no se cerraría ningún tribunal.

–Pero es mentira –dijo Rajiv–. Hoy no hay periódicos en la calle porque les han cortado la luz. De nuevo, Sanjay se ha salido con la suya.

Hubiera sido un gran éxito de Indira si el estado de excepción hubiera durado poco tiempo, y sobre todo si Sanjay no hubiera crecido como un poder en la sombra. El primer día, cuando el ministro de Información, I. K. Gujral, un hombre respetado, culto y suave en sus modales, llegó al despacho de Akbar Road, Sanjay le ordenó que todos los boletines de noticias le fuesen sometidos antes de su difusión. Usha, sentada en su despacho, fue testigo de la escena.

–Eso no es posible –le dijo el hombre–, los boletines son confidenciales.

–Pues de ahora en adelante, tendrá que ser posible.

Indira estaba en el quicio de la puerta y escuchó la conversación:

–¿Qué ocurre? –preguntó.

El ministro repitió su explicación.

–Entiendo –le dijo Indira–, si no quieres dárselos a Sanjay, te sugiero que un empleado de tu ministerio me los traiga a mí todas las mañanas para que los pueda ver.

El ministro se marchó con la firme intención de presentar su dimisión, pero fue convocado de nuevo por la tarde a lo que ya llamaban «el palacio», que no era sino la residencia de Indira Gandhi. Sanjay le pidió que expulsase del país al corresponsal de la BBC, un periodista muy conocido y muy querido llamado Mark Tully, por haber enviado una crónica que «distorsionaba» los hechos.

–No es tarea del ministro de Información arrestar a corresponsales extranjeros –le contestó Gujral.

Cuando acto seguido Sanjay le reprochó que el discurso de su madre no había sido difundido en su integridad por la televisión, el ministro perdió la paciencia:

–Si quieres hablar conmigo, tendrás que aprender a hacerlo con cortesía –le dijo–. Eres más joven que mi hijo y a ti no te debo explicaciones.

No le dio tiempo a presentar su dimisión. Indira le llamó esa misma noche para relevarlo de su puesto «porque el Ministerio de Información necesitaba a alguien que pudiera llevar los asuntos con mayor firmeza dadas las circunstancias».

El nuevo ministro promulgó durísimas leyes de censura, incluyendo la prohibición de citar a Nehru y a Gandhi en sus declaraciones a favor de la libertad de prensa, lo que no dejaba de ser una cruel ironía de la historia. Uno a uno, los representantes de la prensa internacional fueron invitados a marcharse.

El único de sus ministros que cuestionó la necesidad de imponer el estado de excepción fue relevado del cargo y reemplazado por Bansi Lal, el jefe de Gobierno de Haryana y el primero en sugerir la necesidad de imponer el estado de excepción... A los veintinueve años, Sanjay, por el mero hecho de ser el hijo de su madre, estaba en camino de convertirse en el hombre más poderoso de la India.

La censura de prensa fue más dura que la que los británicos habían impuesto durante la lucha por la independencia. Al menos, en aquel entonces, los periódicos estaban autorizados a anunciar los nombres de los que habían sido arrestados y las cárceles donde se les había encerrado. Ahora la gente se enteraba por rumores de dónde se encontraban sus seres queridos, casi todos miembros de la oposición. Aproximadamente unas cien mil personas fueron arrestadas sin cargo alguno ni juicio. Las condiciones de detención de la gran mayoría eran tan insalubres que veintidós detenidos murieron en sus celdas sucias y abarrotadas. Si los ferroviarios guardaban el mal recuerdo de la manera en que la huelga había sido aplastada, ahora ninguna capa de la población estaba a salvo. Los arrestos más sonados fueron quizás los de las maharaníes de Jaipur y de Gwalior, antiguas princesas que lideraban en sus respectivos estados partidos opuestos a Indira, y que fueron encerradas en la infame cárcel de Tihar, en Delhi, junto a criminales y prostitutas. Gayatri Devi, la elegante maharaní de Jaipur, no se quejó de la mugre, ni de la promiscuidad ni del hedor. Únicamente se quejó del barullo que hacían las otras presas y le pidió a una amiga que le enviase tapones de cera para los oídos.

Por otra parte, el Parlamento otorgó a Indira la misma inmunidad de la que gozaban el presidente de la República y los gobernadores de los estados. De manera retroactiva, la primera ministra fue absuelta de los cargos de fraude electoral que pesaban sobre ella, y que habían sido el desencadenante del actual estado de excepción.

De nuevo Indira, guiada por su instinto de supervivencia, se encontraba con el control absoluto del país, ahora más que nunca, aunque la manipulación de los mecanismos democráticos le estaba granjeando un número creciente de enemigos, dentro y fuera de la India. Pero en los primeros tiempos, el estado de excepción fue visto con alivio por una parte de la población, sobre todo la clase media urbana. Hasta la propia Sonia, cuando iba a llevar al niño al colegio, tenía la impresión de encontrarse en otra ciudad, no en la Nueva Delhi de los últimos tiempos. El ambiente era de una tranquilidad pasmosa. No había cortes de tráfico, ni manifestaciones, ni sentadas, ni arrebatos de violencia contra su suegra. Hasta los taxis y los conductores de *rickshaws* conducían en el lado correcto de la carretera. Como ella, una gran parte de la población estaba contenta de que las huelgas y los disturbios hubieran cesado, y poder disfrutar de una cierta paz. En las ciudades, la gente celebraba que se pudiese de nuevo caminar sin miedo, ya que el índice de criminalidad descendió en picado debido a la mayor presencia policial y al endurecimiento de la ley. Los funcionarios, conscientes del nuevo ambiente de seriedad, hacían sus jornadas completas y trabajaban con mayor eficacia. Los trenes y los aviones eran puntuales, para alivio de los usuarios, y también de Rajiv, que ahora podía disfrutar de una vida familiar más estable, sin los retrasos de los últimos tiempos, que le hacían volver a casa a horas imposibles. Carteles enormes con la foto de Indira decoraban rotondas y plazas: «La diferencia entre el caos y el orden», rezaba un eslogan junto a su foto.

La idea de que Indira había restaurado la paz y el orden en el territorio caló también en el extranjero. Usha, su secretaria particular, era la encargada de traer y leer o apuntar los artículos de la prensa internacional que tenían que ver con la actualidad india. Muchas veces leía los titulares o las cartas que aparecían publicadas sentada a la mesa del comedor. «El gobierno autoritario gana amplia aceptación en la India», rezaba un titular de *The New York Times*. Pero había otros titulares abiertamente hostiles que provocaban inquietantes cruces de miradas entre Sanjay y su madre. Un día, Usha estaba sola en su despacho cuando entró Sonia. Las dos mujeres se apreciaban mucho.

–Usha, creo que es mejor que no leas nada de las críticas que salen en la prensa extranjera delante de todos, no lo digo por mami –como ahora llamaba a Indira– sino porque no quiero que te miren mal.

–Gracias por avisarme –le dijo Usha, que también había notado que el ambiente había cambiado y recelaba de la influencia de Sanjay sobre su madre.

En la India podían silenciar las voces críticas, pero no en el extranjero. Dorothy Norman, la vieja amiga del alma de Indira, se mostró abiertamente hostil con ella. Reunió firmas de personalidades norteamericanas –el escritor Noam Chomsky, el tenista Arthur Ashe, el Premio Nobel Linus Pauling, el pediatra Benjamin Spock, etc.– para publicar un texto en la prensa deplorando las duras medidas del estado de excepción y reclamando su levantamiento. Entre los firmantes, y para mayor humillación de Indira, figuraba Allen Ginsberg, el poeta que había conocido en Londres cuando había ido a inaugurar el homenaje a Nehru y que años después había cantado la tristeza de los refugiados de Bangladesh. Eso le dolió. La correspondencia entre ambas cesó, y no se reanudaría hasta cuatro años más tarde. Su otra amiga, Pupul Jayakar, se enfrentó a Indira cuando regresó de viaje: «¿Cómo es posible que tú, la hija de Jawaharlal Nehru, permitas esto?». Indira no se lo esperaba y se quedó petrificada. Nadie se atrevía a desafiarla abiertamente.

–No sabes la gravedad de lo que está pasando –le respondió–. No conoces los complots que existen contra mí. A J. P.

nunca le ha gustado que sea primera ministra. Él no ha descubierto todavía su verdadero papel... ¿Qué quiere ser? ¿Un mártir? ¿Un santo? ¿Por qué no acepta que no es más que un político y que quiere ser primer ministro? –le contestó.

Indira le comunicó que su intención era mantener el estado de excepción durante dos meses solamente, y que de todas maneras ese tiempo lo iba a aprovechar para lanzar un programa de veinte puntos para sacar al país del subdesarrollo. Entre esas medidas, había dos que eran revolucionarias: la ilegalización del trabajo esclavo y la cancelación de las deudas que los pobres mantenían con los prestamistas de las aldeas.

Pupul se dio cuenta de que era inútil discutir con Indira. Lo único que podía hacer era escucharla para que su amiga se sintiese libre de vaciar su corazón con alguien de confianza. Pupul la conocía bien y sabía lo sola que se sentía. Aunque estaba en profundo desacuerdo con ella, decidió mantenerse cerca.

19

Indira tenía la intención de anunciar el fin de la *Emergency*, como se conocía el estado de excepción, el 15 de agosto de 1975, el mismo día y en el mismo lugar en el que su padre, veintiocho años antes, había hecho el famoso discurso de la independencia: «Llega el instante, raramente ofrecido por la historia, cuando un pueblo sale del pasado para entrar en el futuro, cuando una época termina, cuando el alma de una nación, largamente asfixiada, vuelve a encontrar su expresión...». En aquel momento histórico, esas palabras la habían dejado como paralizada de emoción. Había declarado al corresponsal de la BBC: «Ya sabe, cuando se va de un extremo de dolor a otro de placer, se queda uno como entumecido. La libertad es algo tan grande que cuesta asimilarlo».

Ahora, mientras su coche circulaba por las anchas avenidas de Nueva Delhi, de donde los mendigos y las vacas errantes habían misteriosamente desaparecido –fue uno de los efectos milagrosos del orden impuesto por el estado de excepción–, y se dirigía al Fuerte Rojo para devolver la libertad al pueblo, esa libertad que se había visto obligada a secuestrar, su jefe de protocolo le dio una noticia que la conmocionó profundamente. Sheikh Mujibur Rahman, su amigo, el héroe que ella había restituido en la presidencia de Bangladesh, había sido derrocado en un golpe militar. Pero eso no era lo peor: Sheikh, su mujer, tres hijos, dos nueras y dos sobrinos habían sido pasados a cuchillo. Los golpistas se habían asegurado de que no sobreviviera una dinastía Rahman.

Indira estaba devastada. «Noté que había algo raro en el momento en que empezó su discurso –contaría su amiga Pupul que estaba entre la multitud del Fuerte Rojo–. El timbre de su voz estaba forzado como si estuviera intentando suprimir emociones poderosas. Esa voz había desterrado la capacidad de conmover a la gente.» Pupul estuvo escuchando atentamente el discurso, en el que Indira habló de libertad, de la necesidad de tomar decisiones duras, de las nociones de sacrificio y de servicio, del coraje, de la fe, de la democracia... pero ni una palabra sobre el final del estado de excepción.

Pupul fue a verla por la noche y la encontró en estado de *shock*. Indira estaba convencida de que la CIA estaba implicada en esas muertes (lo que resultó ser cierto). Y no quería acabar como Allende, se lo había repetido recientemente al líder laborista británico Michael Foot. Pensaba que lo de Bangladesh había sido el primer eslabón en una cadena de complots para desestabilizar el sur de Asia y cambiar el color ideológico de sus gobiernos. Estaba convencida de que ella sería la próxima víctima. El jefe del Servicio de Inteligencia le había confirmado que habían descubierto varias conspiraciones para eliminarla. Según Pupul, estaba paranoica, sospechaba de todos, cada sombra escondía un enemigo.

–¿En quién puedo confiar? –le preguntó Indira–. Mi nieto Rahul tiene la misma edad que la del hijo de Sheikh Rahman. Mañana podría tocarle el turno a él. Quieren destrozarme como sea, a mí y a mi familia.

Fue la primera vez que Indira se dio cuenta de que no era sólo ella quien estaba en peligro por el hecho de ser primera ministra. Toda su familia, incluidos sus nietos, estaban en el centro de la diana, pensaba. Se encontraba prisionera en un círculo vicioso que ya no sabía cómo romper. En esas condiciones, pensó que no era el momento de suspender el estado de excepción. Al contrario, había que tomar medidas para protegerse intensificando las detenciones sin juicio y la actividad del Servicio de Inteligencia.

Indira se sentía segura entre las multitudes, pero en el interior de su casa, ahora fuertemente custodiada, empezó a sentirse en peligro. La verdad es que estaba enferma de miedo, cansada por el ejercicio del poder, desgastada por tanta lucha, desanimada por la falta de resultados. Era una mujer intensamente patriótica y tenía una fe absoluta en el destino de la India. Pero se daba cuenta de que su política izquierdista había sido incapaz de sacar al país de su atraso. ¿Cómo hacer de la India un país moderno, próspero y fuerte? No sabía ya qué fórmula utilizar, excepto la mano dura, que iba en contra de su propia tradición. Había metido a la India, a su familia y a sí misma en un callejón del que no sabía salir. Instintivamente se volvió hacia sus hijos. El mayor, Rajiv, no podía serle de gran ayuda. Había expresado varias veces su desacuerdo con la *Emergency,* y lo había hecho también en público, y siempre que podía frente a sus amigos. El contacto entre ambos se redujo tanto que él, que trabajaba mucho y estaba poco en casa, se enteraba de los viajes y de las decisiones de su madre por los periódicos. Además, Indira sabía que él no estaba por la labor de apiadarse de ella. Hasta Sonia se había compadecido de un antiguo rival político que había dado con sus huesos en la cárcel en la primera oleada de detenciones. «Debe de ser terrible para ti que tu padre esté en la cárcel. De verdad que lo siento mucho», le había dicho en una recepción al hijo de este político[1], y la frase llegó a oídos de los demás, que no tardaron en hacerla circular por los mentideros de Nueva Delhi. Indira no les guardaba rencor por ello; siempre había pensado que Rajiv no servía para la política y que ni él ni Sonia eran capaces de entender las profundas razones que la habían llevado a tomar esa decisión. Por otra parte, sabía que Sonia insistía en ir a Italia una temporada con los niños hasta que la situación se normalizara de nuevo. Nada se contagia tanto como el miedo...

Quedaba el pequeño, Sanjay, su favorito. Lo veía lleno de energía, fuerte, fiel. Arrogante, cierto, capaz de meter la pata como nadie, pero un hijo en el que podía confiar, que estaba junto a ella y que asumía sus problemas. Y que, pensaba ella, siempre podría controlar. Además, había otra razón, que nada tenía que ver con el sentimentalismo de una madre. Sanjay era ferozmente anticomunista y defendía una política liberal, que fomentase la iniciativa privada y el espíritu emprendedor de los indios. Su experiencia con el Maruti le había convencido aún más de la necesidad de librar al país de tanta cortapisa burocrática. Indira pensó que podía utilizar a su hijo para abrir la economía y dar un giro a la derecha. Y no sólo por pura convicción, sino por nece-

---

1. Citado en Kidwai, Rasheed, *Sonia*, Nueva Delhi, Penguin, 2003, p. 34.

sidad política. En efecto, se habían infiltrado radicales comunistas en su partido que abogaban por «eliminar la propiedad privada como derecho fundamental» en la Constitución, entre otras medidas de corte estalinista que querían imponer. Indira les había parado los pies alegando que cualquier atajo que no respetase el procedimiento democrático era peligroso. Pero constituían una amenaza susceptible de provocar una escisión en el Congress. Apoyándose en su *darling boy* Sanjay, pensó que podría contrarrestarles.

Indira tenía tanto miedo de que le ocurriese algo a su hijo que le pidió cambiarse de cuarto. «No quiero que sigáis aquí, tan cerca de la entrada principal y de la calle, no es un lugar seguro», le dijo. «Mejor os mudáis al cuarto del fondo del pasillo, a la habitación contigua a la mía.» A una amiga que le preguntó la razón de ese cambio, le respondió: «No me encuentro muy bien, duermo en mi habitación y Sanjay en la de al lado. Si me ocurre algo de noche, puedo avisarle en seguida». La realidad era que Indira se envolvía con Sanjay como con uno de esos chales de pashmina de Cachemira que tanto le gustaban y lo hacía para protegerse del frío que sentía en el alma, sin darse cuenta de que ese hijo era su mayor problema y, en cierto sentido, su mayor amenaza.

Sanjay se había quedado sin dinero y, convencido de que ya no saldría ningún vehículo Maruti de la fábrica, estaba vendiendo la estructura como chatarra. Había dejado en la estacada a los concesionarios que se habían endeudado con los bancos para construir llamativas tiendas y que ahora se veían forzados a vender sus propiedades para pagar esos préstamos. Por si fuera poco, Sanjay mandó arrestar a los dos únicos concesionarios que tuvieron la osadía de reclamar el adelanto que habían pagado.

Con el desastre del Maruti, los coches habían dejado de interesarle. Ahora le daba por volar, como su hermano. Antes de la *Emergency*, se había sacado el título de piloto privado y como le gustaba la velocidad, en seguida se aficionó al vuelo acrobático. Su debilidad por aparatos cada vez más rápidos y el exceso de confianza que tenía en sus propias habilidades asustaban a la mayoría de sus conocidos y amigos, que tenían miedo de volar con él. Maneka acabó siendo su única pasajera.

Sanjay necesitaba una excusa para operar de manera paralela a su madre. Para justificar su poder extraconstitucional, Indira decidió ponerle al frente de una organización moribunda, el Youth Congress (el ala juvenil del Partido del Congreso) y en una ceremonia en Chandigarh, la ultramoderna capital del Punjab diseñada por Le Corbusier, fue nombrado miembro del Comité Ejecutivo. Pero todos interpretaron el mensaje subliminal: Sanjay era oficialmente el heredero de Indira. La primera ministra, que había sido despiadada con los príncipes porque anteponían el nacimiento al talento, sucumbía ahora a la misma tentación e instauraba la dinastía.

Rajiv y Sonia asistían asombrados y disgustados al auge de Sanjay, confundidos y muchas veces con vergüenza ajena. La prensa le tildaba de «Mesías», «el Sol» o «la voz de los jóvenes y de la razón». Le veían siempre rodeado de aduladores que llamaban *chamchas*, lo que en hindi significa cuchara, aludiendo al movimiento curvo que exige la manipulación de ese cubierto. Eran individuos correosos bajo un aspecto dócil, hábiles en la manipulación, sin conocimiento real de los desafíos del gobierno, con escasa educación y formación, al igual que Sanjay. Una mezcla de políticos, amiguetes y matones. Lo único que les interesaba era sacar partido a su relación con el poder. Empezaron encargándose de revitalizar las arcas del Youth Congress organizándose en brigadas que exigían donaciones, casi siempre de manera intimidatoria. Los comerciantes de Delhi se quejaban a Rajiv o a Sonia de que los chicos del Youth Congress les extorsionaban. Pero las protestas de Rajiv caían en saco roto.

–No te creas las mentiras que dice la gente –le respondía invariablemente su hermano.

El caso es que nadie parecía responsabilizarse de lo malo, sólo de lo bueno.

Porque también había algo bueno en las intenciones de Sanjay, que, inmediatamente después de ser nombrado en ese cargo, añadió cuatro puntos más al programa de su madre, que él mismo se encargó de llevar a cabo. Los cuatro puntos eran: luchar contra el chabolismo ilegal en una campaña para embellecer las ciudades; erradicar el analfabetismo y el sistema de la dote y fomentar la planificación familiar.

En teoría, nadie estaba en desacuerdo con esas medidas, sobre todo la lucha contra la superpoblación, causada en parte por el éxito de los programas de salud que habían logrado reducir mucho la mortalidad infantil y que había hecho aumentar la esperanza de vida de veintisiete a cuarenta y cinco años en un par de décadas. En suma, había más gente viviendo más años reproductivos. Los progresos en la agricultura, la industria y la educación no podían seguir el ritmo de la demografía. Había más riqueza, pero también más pobreza. Más educación, pero también más analfabetos. «Hoy, si se crea un millón de puestos de trabajo, ya tenemos a diez millones buscando esos puestos –había dicho Sanjay–. De nada sirven el desarrollo industrial y el aumento de la producción agrícola si la población continúa creciendo al ritmo actual.» Tenía razón, así no había manera de salir de la pobreza. No fue en la idea, que era obvia, sino en su puesta en práctica donde Sanjay fue por mal camino, consiguiendo desacreditar completamente el estado de excepción, y de paso a su madre.

Al final fueron los pobres, a los que se suponía que el estado de excepción debía ayudar, los que más sufrieron. Los hombres de Sanjay eligieron la esterilización como método más apropiado para reducir la población de la India. Los demás métodos de planificación familiar habían dado pobres resultados. La píldora no estaba disponible todavía y el diafragma era imposible de usar para campesinas que vivían sin privacidad alguna. Durante una temporada los condones cristalizaron la esperanza de controlar la natalidad. A las aldeas llegaban elefantes con cargamentos de condones que debían ser distribuidos gratuitamente a la gente, pero los niños descubrieron que era muy divertido inflarlos y atarlos a unos palitos para jugar, de modo que los interceptaban ellos. A nadie se le escapaba la ironía del eslogan del gobierno que decía que la planificación familiar producía niños felices... La esterilización masculina resultaba el método más barato, eficaz y seguro. Además, había dinero de Occidente para llevar a cabo esos programas.

Sanjay empezó a recorrer el país, animando a los jefes de gobierno locales a ir más allá de lo que hacían los demás. «El jefe de Haryana ha conseguido sesenta mil operaciones en tres semanas, ¡a ver cuántas conseguís vosotros!», les decía. Los objetivos a alcanzar se anunciaban a los distintos jefes de distrito, que eran recompensados si los sobrepasaban, o al revés, eran trasladados o degradados si no los conseguían. Un sistema así fomentaba el abuso de poder. Modestos funcionarios del gobierno tuvieron que someterse al bisturí del cirujano para cobrar pagos atrasados. A los camioneros y a los conductores de *rickshaws* no se les renovaba el permiso de circulación a menos de que mostrasen un certificado de esterilización. La misma condición era aplicable a los chabolistas que solicitaban una escritura de propiedad de sus chozas para regularizar su situación. Un antropólogo llamado Lee Schlesinger fue testigo de cómo, después de una visita relámpago de Sanjay Gandhi a la aldea donde realizaba sus investigaciones, empezó la campaña[1]. Funcionarios locales prepararon listas de «candidatos», es decir los que tenían ya tres o cuatro hijos, y unos días más tarde aparecieron camionetas de la policía para llevárselos al centro de salud más próximo donde, a cambio de 120 rupias, una lata de aceite de cocina o un transistor, salían esterilizados. Más tarde, algunos hombres, cuando se enteraban de que la camioneta estaba en camino, corrían huyendo a las montañas. Otros sin embargo se hacían operar dos veces para conseguir más de un premio.

En las ciudades, el miedo se apoderó de la gente. Delhi se quedó sin obreros, lo que era insólito en una ciudad donde la gente acudía del campo a buscar trabajo. Los inmigrantes regresaron a sus pueblos para evitar la fatal incisión de sus genitales. En noviembre de 1975, la celebración del cumpleaños de Nehru, que incluía meriendas gratis para cientos de niños, tuvo que cancelarse porque las madres se negaron a enviar a sus hijos varones por miedo a que los «médicos de Sanjay Gandhi» los esterilizasen. Pronto, el certificado oficial de esterilización se convirtió en un requisito indispensable para sortear las necesidades de la vida cotidiana.

---

1. «The Emergency in an Indian Village», *Asian Survey*, vol. 17, n.º 7 (julio de 1977), citado en Guha, Ramachandra, *India after Gandhi*, *op. cit.*

Era inevitable que una campaña así se topase en seguida con una fuerte resistencia, sobre todo al extenderse el falso rumor de que la esterilización abocaba a la impotencia. Para luchar contra esa resistencia, el gobierno estableció un sistema de cuotas por el cual los sueldos de policías, profesores, médicos y enfermeras les eran abonados sólo después de que motivasen a cierto número de personas para someterse a una vasectomía. Como no podía ser de otra manera, las víctimas de esta despiadada política fueron los más débiles, los más pobres, los grupos sociales más marginados como los intocables o ciertas comunidades musulmanas y tribales que en principio eran los que siempre habían apoyado incondicionalmente a Indira. No entendían cómo su diosa, a la que siempre habían votado, podía castigarles así. ¿Era ése el premio que recibían por su lealtad?

Los indios no estaban acostumbrados a que el Estado les dictase el tamaño de sus familias. La India no era una dictadura como China, donde las decisiones tomadas desde la cúspide podían ser ejecutadas a la fuerza. Esa tradición dictatorial no existía. Aquí, los hijos eran un recurso muy valioso, algo así como «la seguridad social de los padres», porque desde pequeños trabajaban en los campos, en los talleres, en las fábricas textiles, o mendigando en las calles. Las familias eran grandes porque a más hijos más brazos y, como consecuencia, más recursos. Para los pobres campesinos, obreros y mendigos sin hogar, la posibilidad de tener niños representaba casi el único acto de libertad individual del que podrían disfrutar en la vida. Quitarles a los pobres el placer de hacer y de tener niños era quitarles lo único que tenían. Pero claro, eso no podía verlo Sanjay, cuyo corazón estaba cegado al sufrimiento de los pobres. Tampoco tenía experiencia en gobernar, en el arte de manipular a funcionarios y burócratas. Al intentar sacudir la estratificada jerarquía administrativa para hacerla eficaz, utilizando métodos como la amenaza de traslado, los dudosos incentivos a la esterilización o la amenaza de ser investigado por las autoridades fiscales, lo que consiguió fue que esa tácita hermandad de burócratas, que se mantenía unida por lazos invisibles desde hacía siglos, se uniese todavía más para defenderse de los ataques. Por un lado le adulaban, por otro le boicoteaban. Y él era demasiado ingenuo para darse cuenta de ello.

En cuanto a su madre, optó por no creer lo que le contaban. Completamente alejada de la realidad por la misma corte de aduladores de su hijo que le aseguraban que los informes de abusos estaban basados en rumores no comprobados, Indira veía las críticas como ataques personales, y las descartaba de un plumazo.

–La gente exagera mucho –le decía a Rajiv cuando se cruzaban en casa, haciéndose eco de las palabras de Sanjay–. No hay que creerse lo que dicen.

–Acabo de regresar de Bhopal –insistía Rajiv–, y allí los musulmanes están aterrados. Dicen que los hindúes manipulan la campaña en su contra... Hay que tranquilizar a esa gente antes de que lo conviertan en un conflicto entre comunidades.

–Lo que hay que hacer es limitar la población como sea. No hay salida para la India si no lo conseguimos.

Rajiv también se daba cuenta de que hablar con su madre era imposible. No admitía que nadie la contradijese. Todo lo interpretaba en clave de *vendetta* política, o en clave sobrenatural, lo que era especialmente preocupante. La influencia de su profesor de yoga, el gurú Dhirendra Brahmachari, era mayor que nunca. El hombre se aprovechaba de la soledad de la primera ministra. Llegó a tener un acceso más fácil a Indira que su propio hijo Rajiv. Esa proximidad al poder, la supo aprovechar a su favor, porque durante el estado de excepción fue amasando una pequeña fortuna, tanto que le permitió comprarse una avioneta. En la ciudad era conocido como «el santo volador». Rajiv y Sonia lo detestaban porque se daban cuenta de lo mucho que estaba aprovechándose de Indira. Le habían estado observando: primero la asustaba hablándole de complots sobrenaturales contra ella y Sanjay, y a continuación la convencía para que aceptase recitar ciertos mantras y protegerse así de los que buscaban su destrucción. De esa manera, mantenía una notable influencia de la que Indira no conseguía librarse. Cuando Sonia y Rajiv intentaban ponerla en guardia, se encerraba en uno de sus famosos silencios. Sonia no podía soportar la presencia del gurú en casa, que exigía comida y bebida a su antojo. Estaba cada vez más gordo, fruto de su voraz apetito, y carecía de modales.

–¡Es un guarro! –decían asqueados al verlo comer.

–No sé cómo mi madre le aguanta... –decía Rajiv–. Vive encerrada en una torre de marfil, y si su único contacto con el mundo son Sanjay y el gurú, ¡estamos aviados!

–Vayámonos a Italia, de verdad, Rajiv, demos a los niños un poco de vida normal.

Cuando se lo comunicaron, la expresión del rostro de Indira mudó por completo, tanto que inmediatamente se arrepintieron de haberlo siquiera mencionado. Comprendieron, aun antes de que Indira hubiera pronunciado una palabra, que aquello iba a ser difícil, por no decir imposible.

–Te entiendo, Sonia, entiendo que estés harta de vivir en este ambiente –le dijo Indira–, que tengas que escuchar todas esas críticas infundadas que se vierten sobre mí, entiendo que tengas ganas de marcharte a Italia... ¿Pero os imagináis lo que dirían aquí si ahora os vais? Lo interpretarían como una deserción, como una oscura maniobra mía... «Manda a los hijos a Europa, luego seguirá ella, está preparando su huida», puedo oír lo que dirán...

–Es que hemos pensado que eso es algo que podemos hacer ahora que los niños son pequeños –dijo Sonia–. Luego será imposible...

–¿No podéis esperar un poco?

Sonia miró a Rajiv y agachó la cabeza. Él estaba pensativo. Sonia adivinó el desgarro que debía de sentir por dentro. Indira prosiguió:

–Es que es tan mal momento...

–Lo entiendo, y lo último que querríamos sería perjudicarte –le dijo la italiana incorporándose, antes siquiera de que Rajiv tomase la palabra.

–En momentos difíciles, la familia tiene que mostrarse unida. Es importante que la gente, que el pueblo lo perciba.

Sonia hizo un gesto de aprobación con la cabeza.

–No te preocupes, mami, nos quedamos –le dijo con una sonrisa de comprensión.

Lo que no se mencionó en la conversación era igual de importante. Aparte del miedo a que ocurriese algo, Sonia quería irse una temporada porque estaba muy harta del comportamiento de su cuñada Maneka, que la tildaba despectivamente de «italiana» y que actuaba con una insolencia digna de una reina consorte al abrigo de su marido, *deus ex machina* del estado de excepción. Por su parte, Indira tampoco mencionó la aversión que le producía separarse de sus nietos, a los que adoraba. Jugaba con ellos, a veces les llevaba a su despacho, se enorgullecía de presentarlos a la gente. Eran su gran pasión. La verdad es que Indira se había convertido en una matriarca tan posesiva y protectora como lo había sido su abuelo Motilal Nehru, el antiguo patriarca del clan.

20

Fue un pobre individuo, con las suelas de sus sandalias gastadas por los cinco días de caminata que había tardado en llegar hasta el despacho de Akbar Road, quien abrió los ojos de Indira sobre la realidad de los abusos cometidos en nombre de la *Emergency*. Era un joven maestro de una escuela que venía de una aldea perdida. Un hombre cándido, idealista y luchador, que vino a contar a Indira cómo le habían esterilizado a la fuerza, a pesar de sólo tener una hija. La policía le había reducido a golpes y le había llevado a un dispensario junto a otros vecinos de la aldea. Contó la desesperación de su esposa y toda la familia por no poder ya tener más progenitura, sobre todo un hijo varón. Habló de pueblos enteros que la policía rodeaba de noche para perseguir a los varones y esterilizarlos. Por primera vez, Indira escuchó de viva voz el testimonio de una víctima de su política y salió conmovida del encuentro. «Sí —admitió—, quizás Rajiv y tantos otros tengan algo de razón, después de todo.» Estaba horrorizada por lo que contaba el maestro sobre otros profesores que habían sido golpeados por no poder conseguir cumplir con su cuota de voluntarios para la vasectomía. De pronto, la verdad la asaltaba con toda su crudeza por boca de aquel hombrecillo valiente y huesudo. No cabían más excusas: «Hay que mandar un mensaje urgente y tajante a todos los jefes de gobierno regionales —ordenó a su secretario— diciendo que cualquier individuo sorprendido en acto de hostigamiento mientras lleva a cabo el programa de planificación familiar será castigado». Por fin Indira reaccionaba.

Sonia creyó entonces que adoptaría alguna medida para parar los pies a Sanjay, pero se equivocó. No hizo nada. «¿Cómo puede el amor por su hijo cegarla tanto? —se preguntaba—. ¿Me pasará lo mismo a mí con Rahul?»

–Espero que no, que nunca pierdas la objetividad –le decía Rajiv, que soportaba cada vez más difícilmente la situación.

Ya prácticamente no se hablaba ni con su hermano ni con Maneka. Aborrecía los métodos y el estilo de Sanjay y se sentía impotente para cambiar las cosas. Impotente ante su madre: «Lo bueno de Sanjay es que consigue resultados», la oyó decir Rajiv, aludiendo a los casi cuatro millones de indios que habían sido esterilizados en los primeros cinco meses del estado de excepción. A ese ritmo, la meta de alcanzar veintitrés millones en tres años estaba en visos de cumplirse, por eso Indira estaba, en el fondo, satisfecha. El propio Rajiv, gracias a las relaciones que tenía con sus colegas y en la empresa, se daba cuenta antes que su propia madre, del desastre que se avecinaba. Sabía que los contadores de historias, los sabios mendicantes y los adivinos narraban en las cuatro esquinas de este país continente, a veces distorsionando y exagerando los hechos para darles una dimensión épica, los abusos y sufrimientos que había desatado la campaña de esterilización. El terror que invocaban esas historias y la inseguridad que generaban rompían la confianza que la gente tenía depositada en sus gobernantes. El estado de excepción empezaba a volverse contra el poder, contra Indira. Pero la primera ministra no se daba cuenta de ello.

–Mi hermano y mi madre están traicionando el legado de la familia –repetía Rajiv a Sonia, con un tono de voz desesperado.

Se encontraba atrapado en una situación sin salida. No podía irse, y quedarse le repugnaba. No le gustaba que le identificasen con todo lo que estaba ocurriendo. A pesar de tener una de las profesiones más asépticas del mundo, era inevitable que los colegas y la gente en general le metiesen en el mismo saco que su hermano. No le importaba enfrentarse a Sanjay...

–¡Estáis traicionando al abuelo! –le soltó varias veces a la cara.

–¡Estamos modernizando este país! –replicaba Sanjay.

–¡Os estáis echando a la gente en contra!... El fin no justifica los medios.

Pero decirle lo mismo a su madre le resultaba imposible a Rajiv. Un hijo indio no se enfrenta a sus progenitores. Una cierta sumisión a la figura de los padres es un rasgo que forma parte del acervo cultural más profundo de la India. Sonia lo sabía, por eso procuraba no echar más leña al fuego. Confiaba que el paso del tiempo terminaría por arreglar las cosas. Huyendo de la tensión latente, se refugiaron en sus habitaciones del fondo de la casa, participando lo mínimo en la vida común. Ya no sentían que ese hogar les perteneciera, como ocurría antes. El escritor Kushwant Singh, un asiduo visitante de la casa, llegó un día para ver a Maneka mientras Rajiv y Sonia celebraban el cumpleaños de uno de sus hijos: «Me di cuenta de que los niños y cada una de las mujeres ocupaban lugares alejados de la casa y que tenían poco que ver unos con otros». Las peleas de los perros reflejaban la tensión de sus moradores. Sanjay y Maneka tenían dos lebreles irlandeses «grandes como burros», según contaba el escritor, que estuvo varios minutos paralizado de terror en el salón cuando le dejaron con una taza de té en la mano junto a los canes. Fue Indira quien le salvó de aquella situación llevándoselos al jardín. En contraste, Sonia tenía una perra salchicha llamada *Reshma*, y *Zabul*, un afgano manso. Cuando los perros se enzarzaban, Sonia, horrorizada, intervenía para separarlos, mientras Maneka contemplaba la escena, imperturbable, porque sabía que sus perros eran más fuertes.

A pesar de la agresividad latente, en el interior del hogar de los Gandhi intentaban huir de la confrontación directa. La comunicación se reducía a notas escritas, siempre con cortesía, para expresar quejas y discrepancias: «Ayer dejaste el perro suelto dentro de casa, por favor, no lo vuelvas a hacer, que se asustan los niños». Maneka leía la nota, pero no hacía caso.

Rajiv y Sonia encontraron apoyo en sus amigos, entre los que se encontraba Sabine y su marido, así como un matrimonio italiano recién llegado, Ottavio y Maria Quattrochi, muy dicharacheros y simpáticos y con quienes salían a menudo a cenar. También formaban parte de ese grupo un piloto de Indian Airlines, un matrimonio indio compuesto por un hombre de negocios y una decoradora muy amiga de Sonia, un periodista y su mujer editora y algún matrimonio más. Sonia se reía mucho con su paisano Ottavio Quattrochi, un avezado hombre de negocios, representante de grandes empresas italianas, y que estaba dotado de un fino sentido del humor. Los amigos ayudaban a soportar la desagradable situación familiar.

Sonia se enteró de lo que estaba ocurriendo en la Vieja Delhi por una amiga india que la avisó por teléfono. Le dijo que su chófer y su cocinero, ambos musulmanes, le habían pedido ayuda, a sabiendas de que se relacionaba con la familia de Indira. Ambos estaban horrorizados porque, según decían, «los hombres de Sanjay estaban arrasando el barrio». Querían que su «señora» intercediera para salvar sus casas. Sonia no sabía nada.

—Siempre somos los últimos en enterarnos. Ya sabes cómo está la situación en casa, no sé si podremos hacer algo.

Cuando indagó, se enteró de que Sanjay había ordenado la demolición del barrio, un laberinto de callejuelas, antiguos edificios en ruinas y chabolas insalubres. Un barrio sucio, congestionado y contaminado, pero con alma de ciudad vieja. Formaba parte de su programa de «embellecimiento de ciudades». Los vecinos se habían rebelado, lanzando piedras, ladrillos y hasta cócteles molotov contra las excavadoras. Una turba de mujeres había rodeado la clínica de planificación familiar coreando eslóganes y amenazando a los obreros con esterilizarlos. La policía no tardó en llegar y dispersó a la multitud con gases lacrimógenos. Se desató una batalla campal que se saldó con cientos de heridos y una decena de muertos, entre los que se encontraba un niño musulmán de trece años que miraba los disturbios como si se tratase de una película. Al final la policía impuso el toque de queda para que los derribos pudieran continuar. Cuando Sonia le contó todo esto, Rajiv puso el grito en el cielo.

—¿Cómo es posible que mi madre permita que destruyan esa zona, una de las áreas que ella misma protegió cuando los disturbios de la Partición?

Esta vez, Rajiv se atrevió a decírselo a su madre:

—El programa de embellecimiento de ciudades está causando un enorme malestar entre la población, los pobres se ven forzados a desalojar sus chabolas sin tiempo de recoger sus cosas... Se han arrasado cientos de miles de chabolas, nos llaman hasta los empleados de nuestros amigos para que hagamos algo...

Indira le escuchó sin apenas decir nada. Rajiv prosiguió:

—El abuelo convenció a esos vecinos, en su mayoría musulmanes, para que se quedasen y no huyesen a Pakistán. Eso, tú lo sabes, mamá. Les prometió protección. ¡Y ahora su nieto los está expulsando a palos!

Indira mandó llamar a Sanjay, que inmediatamente desmintió las acusaciones de su hermano.

—¡Estupideces! —terció el joven—. A todos los desalojados se les proporciona alojamiento alternativo.

Indira le creyó.

—En este país, hay una gran resistencia a la modernización —musitó.

Siempre creía a Sanjay en temas de política, o de calle. Creía a Rajiv cuando algo se estropeaba en casa; sólo entonces su palabra valía oro.

Lo que había dicho Sanjay era una verdad a medias. En la Vieja Delhi, más de setenta mil personas, entre las que se encontraban el cocinero y el chófer de la amiga de Sonia, habían sido obligadas a punta de fusil a entrar en camiones para ser conducidas a sus nuevas «residencias», un eufemismo para designar ínfimas parcelas de tierra rodeadas de una alambrada al otro lado del río Yamuna, a unos veinte kilómetros de la ciudad. Cada familia tenía derecho a un lote de ladrillos para construirse su nuevo refugio y a tarjetas de racionamiento para comprar materiales y comida. Pero mientras, no tenían techo para guarecerse.

Al final, quien hizo ver a Indira la verdad sobre las barbaridades que estaban ocurriendo fue su amiga Pupul. Regresó escandalizada de Benarés, la ciudad sagrada a orillas del Ganges. Lo asombroso, lo maravilloso de Benarés, es que la vida seguía prácticamente igual desde el siglo VI a.C. Sin embargo, Pupul había visto con sus propios ojos cómo unas excavadoras destruían edificios antiguos para ensanchar Vishwanath Gali, una callejuela estrecha, serpenteante, pavimentada con viejas piedras de río que brillaban de una pátina producida por los pies de innumerables generaciones de peregrinos y que atravesaba el corazón de la ciudad. Una calle donde las vacas tenían preferencia desde el alba de los tiempos, y que recorrían santones con el cuerpo cubierto de ceniza y el cabello enmarañado, campesinos recién casados con sus mujeres del brazo, abuelas con sus nietos y ancianos que venían de muy lejos para llegar al templo de Vishwanath, el señor del Universo. Considerado el más sagrado del mundo por los fieles hindúes, ese templo albergaba una piedra de granito pulido, la reliquia más preciada de Benarés, el *lingam* original, un emblema fálico que simboliza la potencia vital del dios Shiva, representante de la fuerza y del poder regenerador de la naturaleza. Al prosternarse y al ofrecerle agua del Ganges, los fieles hindúes expresaban así una de las formas más antiguas del fervor religioso hindú. Benarés, y el templo de Vishwanath en particular, eran el centro de ese culto. Había *lingams* y *yonis* (el equivalente femenino) en todas partes, en los templos, en los pequeños altares empotrados en las fachadas de los edificios, en los peldaños de los *ghats*, esas escaleras monumentales de piedra que se hunden en las orillas como raíces gigantescas, sellando así la unión de Benarés con el más sagrado de los ríos. Todas las mañanas desde que el hombre tenía memoria, miles de hindúes untaban con devoción la superficie pulida de los *lingams* con pasta de sándalo o con aceite. Trenzaban coronas de jazmín y de claveles de la India que colocaban con esmero alrededor de la piedra erecta junto a pétalos de rosa y hojas amargas de *bilva*, el árbol preferido de Shiva.

—Queremos ensanchar la callejuela para que puedan circular coches —le dijo a Pupul el delegado de la corporación municipal que la acompañaba. Pupul se quedó helada.

—¿Y qué vais a hacer con los templos, con los dioses, con todos estos altarcitos?

—Los cambiaremos de sitio, está prevista una estructura de hormigón para meterlos todos dentro.

—Pero no podéis, son los guardianes de la ciudad, no podéis cambiarlos así como así...

Pupul estaba tan indignada que no encontraba las palabras. El hombre se hacía el loco. Luego añadió, explicándose:

—Es que Sanjay quiere embellecer la ciudad.

—Pero no se puede jugar con Benarés, es la más sagrada de las ciudades sagradas... No se puede jugar con la fe de la gente.

Pupul entendió que era inútil intentar convencer al delegado, que se limitaba a cumplir instrucciones. Conmovida y nerviosa, le pidió que suspendiese toda actividad de demolición hasta que regresase a Delhi y hablase con la primera ministra. El hombre accedió.

Cuando Indira vio las fotos de Pupul y escuchó su relato, «saltó al techo» según su amiga. «Nunca la había visto tan enfurecida. Descolgó el teléfono y pidió a su secretario que le pusiese al habla con el jefe de gobierno del estado de Uttar Pradesh. Estalló cuando habló con él: "¿Es que no sabes lo que está ocurriendo en Benarés?", le preguntó, antes de ordenarle que acudiese inmediatamente a verla a Nueva Delhi. Luego colgó el aparato y se tapó la cara con las manos: "¿Qué está ocurriendo en este país?... Dios mío, nadie me cuenta nada".»

Cuando el jefe del gobierno de Uttar Pradesh se enteró de lo que intentaban hacer con Vishwanath Gali, se quedó mudo de estupefacción. Tampoco él estaba al corriente de lo que estaba pasando. ¿Quién había dado las órdenes? Todo el mundo sabía que venían de Sanjay, pero su autoridad era difusa y difícil de rastrear. Era imposible conseguir explicaciones suyas. Rara vez hablaba en público, apenas daba entrevistas y cuando lo hacía eran penosas. Su firma nunca aparecía en papeles oficiales. Era la sombra que reinaba en la oscuridad del estado de excepción. Los funcionarios subalternos, encargados de cumplir sus órdenes, redoblaban de celo para congraciarse con él e interpretaban las órdenes a su manera, siendo aún más intransigentes de lo que se les exigía. A muchos se les subía el poder a la cabeza y se convertían en seres tiránicos, bruscos e incontrolables.

21

En la época de la *Emergency*, Rajiv pasó del Avro a copiloto del Boeing 737, que de ahora en adelante compondría el grueso de la flota de Indian Airlines. Después de uno de sus vuelos a Bombay, mientras iba al hotel en la camioneta de la compañía para pasar la noche, una larga caravana de motos y coches de policía, con las sirenas ululando y las luces giratorias iluminando el aire brumoso, obligó a su vehículo a detenerse. El despliegue era impresionante. «¡VIP!», le dijo el chófer, aludiendo al paso de una personalidad importante. Cuando quiso proseguir su camino, un policía le desvió hacia una bocacalle adyacente. «¿Quién es?», preguntó el chófer al policía.

–¡VVIP! –le respondió–. ¡Shri Sanjay Gandhi[1]!

Rajiv, sentado en la parte trasera, alzó los ojos al cielo. Así circulaba su hermano, como si fuese el hombre más poderoso de la India, aunque no tuviera autoridad formal ni en el Partido ni en el gobierno. El chófer no perdió la ocasión de chinchar a su pasajero:

–Hermano pequeño pasa, hermano mayor desviado a las callejuelas... ¿Qué le parece?

–¡Así es la política! –respondió Rajiv con humor, satisfecho en el fondo de no tener que formar parte de ese circo.

Inasequibles al desaliento provocado por las críticas de la oposición, Sanjay y Maneka hacían giras por el país como si de una pareja real se tratase, supervisándolo todo, dando órdenes e instrucciones y siendo adulados por obsequiosos funcionarios,

---

1. Si un VIP es una *Very Important Person* (término inglés para designar a dignatarios o a personas relevantes), un VVIP es una *Very Very Important Person*, o sea el súmmum. La palabra *Shri* significa algo así como «Excelencia».

ministros y jefes de gobierno regionales. La prensa se hacía eco de aquellos viajes al detalle. «Su imagen brilla con luz propia», declaraba un semanario. «Sanjay está firmemente establecido en los corazones de la gente», rezaba otro titular. La realidad era bien diferente: en aquel entonces, Sanjay era quizás el hombre más odiado de la India.

Prueba de su inmenso poder era por ejemplo que Bansi Lal, el regordete jefe de gobierno de Haryana y compinche suyo, que había sido nombrado ministro de Defensa, antes de decidir a quién promovería a almirante, llevaba a sus dos candidatos ante Sanjay para que éste los entrevistase. O cuando Sanjay visitó Rajastán y tuvo que inspeccionar quinientos un arcos erigidos en su honor. Un recibimiento similar le esperaba en Lucknow, y allí ocurrió un incidente muy revelador del aura que emanaba de su poder. Cuando perdió una sandalia en la pista del aeropuerto, fue el mismísimo jefe de gobierno de Uttar Pradesh quien se agachó, la recogió y se la entregó reverencialmente[1].

La familia de Maneka, especialmente la madre, se vio catapultada al estrellato. «De no ser nadie se convirtió en la principal dama de honor de la emperatriz de la India, Indira Gandhi –recuerda el escritor Kushwant Singh–. Se hizo arrogante más allá de lo imaginable.» La conoció un domingo cuando, acompañada de su hija, fueron a visitarle. Ambas querían fundar una revista semanal de información y entretenimiento y Sanjay había sugerido que fuesen a verlo para pedirle consejo e involucrarlo en el proyecto. Kushwant Singh aceptó el encargo, halagado de encontrarse tan próximo a Indira y a su hijo. «Sentí que Maneka exigía demasiado a Sanjay y que éste quería involucrarla en cualquier actividad que redujese la presión que ella ejercía sobre él», diría el escritor[2]. La revista, prácticamente escrita, corregida y editada por Singh, fue un éxito, lo que dio a Maneka un poder que no había tenido antes y una relevancia social que la hacía feliz. ¿No confirmaba el éxito de *Surya*, como se llamaba su revista, que era la digna esposa del hombre más influyente del país?

1. Citado en Guha, Ramachandra, *India after Gandhi, op. cit.*, p. 508.
2. Citado en Singh, Kushwant, *Truth, Love & A Little Malice*, Nueva Delhi, Penguin, 2002, p. 286.

En casa, ese éxito se tradujo en un comportamiento aún más soberbio. Comparada con ella, ¿quién era esa italiana a quien sólo le gustaba cocinar o quedarse en casa? Ahora más que nunca, a sus cuñados les hacía sentir su desdén. Ni siquiera los niños se libraban. Un joven miembro del Congress fue testigo de una escena reveladora del carácter de «la primera dama», como algunos la llamaban. Sonó el teléfono y este chico descolgó, pero en seguida Maneka se lo quitó de las manos. Era una llamada para su sobrino Rahul. «¡Aquí no vive ningún Rahul!», exclamó, sencillamente porque en ese momento no deseaba ser interrumpida.

–¿Cómo podéis vivir así? –preguntó a Rajiv y Sonia una amiga íntima–. ¿Por qué no os mudáis a otra casa?

–No puedo hacerle eso a mi madre –contestó Rajiv.

Era cierto, en ese momento al menos no podían. Veían que Indira estaba cambiando y a punto de reaccionar. Suficiente información se había filtrado hasta ella para que por fin admitiese la veracidad de los abusos cometidos en nombre de las campañas de su hijo. Empezó a dudar de sus consejeros y a escuchar a gente de fuera. Afectada por la creciente ira que sentía bullir entre el pueblo, ya no encontraba justificación para seguir con las medidas represivas. También le afectaban las continuas peticiones de distintas personalidades dentro y fuera de la India para levantar el estado de excepción. Su tío B. K. Nehru, embajador en Inglaterra, le habló francamente y sin rodeos de la mala imagen que tenía ahora la India, que ya no era considerada un faro de civismo brillando entre las dictaduras de Asia.

Indira ya había pospuesto las elecciones en dos ocasiones, a petición de Sanjay, aunque la segunda vez lo había hecho a regañadientes. Pensaba que posponerlas era mandar una señal equivocada a la sociedad, como si estuviera asustada de enfrentarse a la gente. Había proclamado el estado de excepción como medida transitoria, pero no quería convertir a la India en una dictadura. La imagen de «dictadora benévola» que le llegaba del extranjero la perturbaba mucho. ¡Qué diría su padre! A veces le parecía escuchar la voz de Nehru desde lo más profundo de su ser, empujándola a tomar una decisión conforme a su concien-

cia. Además, Indira notaba que había perdido la conexión íntima con esa «extensa masa de humanidad india», y quería recuperarla. Sentía nostalgia de las multitudes, necesitaba volver a
vibrar con el clamor y el amor del pueblo. Echaba de menos sus
éxitos electorales anteriores... ¡Qué lejos quedaba el triunfo
apoteósico de 1971!

Sanjay, como era de esperar, se opuso terminantemente a
los designios de su madre.

–Estás cometiendo un error garrafal –sentenció–. Puedes
perder las elecciones, ¿y qué pasará entonces? El informe que
has recibido del Servicio de Inteligencia asegura que el Congress
perderá...

–No me fío de esos informes –contestó Indira–. El Servicio
de Inteligencia está infiltrado por extremistas hindúes. Dicen lo
que les viene en gana...

–¿No puedes esperar antes de levantar el estado de excepción?

–¿Esperar a qué?

–A que salgan algunos prisioneros políticos, a que se calmen
los ánimos. No es que estemos en contra de las elecciones...
–Sanjay hablaba también en nombre de sus protectores y compinches Bansi Lal y el secretario Dhawan, que ahora tenían miedo de ser víctimas de eventuales represalias–. Pero sería mejor
soltar a la oposición primero y esperar un año a que se olviden
los problemas y se acaben los rumores.

Indira se lo quedó mirando, en uno de sus largos silencios,
un silencio espeso que hablaba de su determinación con más
contundencia que si le hubiera contestado.

Pero esta vez Indira no le escuchó. Al día siguiente, 18 de
enero de 1977, sorprendió a toda la nación anunciando elecciones generales al cabo de dos meses. «Será una oportunidad para
limpiar la vida pública de tanta confusión», declaró. Sanjay estaba deshecho. Era la primera vez que su madre le desautoriza-
ba. Lo hizo de nuevo ordenando la liberación inmediata de todos los líderes políticos y levantando la censura de prensa. La
oposición recibió esas medidas con recelo. A estas alturas, no se
fiaban de Indira, nutrían sospechas sobre su motivación profunda y estaban seguros de que se trataba de alguna trampa. Pero

su antiguo enemigo J. P. Narayan, que había sido detenido y encerrado en una celda en los primeros tiempos de la *Emergency* y que luego, por razones de salud, había sido autorizado a volver a casa, confesó a un amigo de los Nehru: «Indira ha sido muy valiente. Es un gran paso el que ha dado»[1]. Como él, muchos no se lo esperaban.

La decisión de actuar con tanta rapidez, que dejó atónito a Sanjay, fue en el fondo una maniobra astuta de una política experta. Se trataba de pillar por sorpresa a toda la oposición, débil y fragmentada, y no darles la oportunidad de organizarse. Era su mejor baza para ganar esas elecciones, porque no las tenía todas consigo. Quería pensar que la magia que había actuado en otras ocasiones también actuaría en esta contienda. Pasaba de la duda al convencimiento de que el pueblo seguía queriéndola, a pesar de todo.

Como siempre, se lanzó a hacer campaña con vigor, haciendo giras por todo el país, durmiendo poco, viajando en cualquier medio de transporte. Como en otras ocasiones, pudo contar con Sonia, siempre presente, siempre dispuesta a ayudarla a organizarse y a hacerle la vida más fácil. Sonia se compadecía de su suegra. La veía agotada persiguiendo una quimera: el afecto y la veneración del pueblo. Esta vez la seducción no funcionaba. Indira regresaba cabizbaja de los mítines. Le contaba a Sonia que había escuchado gritos contra ella, voces que reclamaban su derrota, a veces insultos. Había visto a gente abandonar las concentraciones, dejándola sola frente a un grupo cada vez más reducido de fieles seguidores. Le tocó escuchar muchas historias sobre los excesos del programa de esterilización, sobre las torturas, los arrestos arbitrarios... No sabía si creerse todo lo que decían, pero acabó dándose cuenta de que ese contacto privilegiado del que había disfrutado con el pueblo ya no existía. «No puedo soportarlo –confesó un día–. Me han tenido encerrada entre estas cuatro paredes.» Sonia no se atrevía a decirle que no había querido escuchar.

Nadar contra corriente debilitó a Indira y cayó varias veces enferma, sin conseguir recuperarse de una especie de gripe que le

---

1. Citado en Jayakar, Pupul, *Indira Gandhi: A Biography, op. cit.*, p. 314.

producía fiebres recurrentes. Los golpes que empezó a recibir de sus propios compañeros de partido la hundían aún más en la zozobra. De pronto, su ministro de Agricultura, un conocido líder de la comunidad de los intocables, desertó de sus filas para unirse a la oposición. La vida política del país pareció electrificarse. Una ola de pánico recorrió las filas del Congress. Indira se mantuvo impasible de cara a la galería, pero Sonia adivinaba lo dolida que se sentía. Aquel líder había sido un amigo personal, un compañero de ruta, un bastión del partido. Se llamaba Jagjivan Ram y había reclamado el levantamiento inmediato del estado de excepción. Más tarde, Indira descubriría que la verdadera razón por la que Ram le había dado la espalda era su oposición al límite de edad que Sanjay quería imponer para presentarse a las elecciones. A sus sesenta y ocho años, Ram –y muchos otros– quedaban así fuera de juego. Cuando Indira quiso enmendar el problema, ya era demasiado tarde. Inmediatamente después, una plétora de antiguos camaradas tomaron el mismo camino y luego siguieron los tránsfugas. «Qué extraño que os hayáis callado todos estos meses...», les dijo Indira, que entendía que las ratas empezaban a abandonar el barco... ¿Pero no sabía ya que la política estaba hecha de traiciones? ¿No decía Churchill que había tres clases de enemigos: los enemigos, sin más; los enemigos a muerte, y los compañeros de partido? Lo que más le dolió fue que su propia tía, Viyaja Lakshmi Pandit, hermana de Nehru, abandonase su retiro político y se lanzase al ruedo denunciando que Indira y el estado de excepción habían «destruido» las instituciones democráticas. Después de hacer esas declaraciones incendiarias, ingresó en una coalición de partidos opositores que se había formado bajo las siglas de Janata Party. Para Indira, más que una traición, aquello fue una humillación. Fue entonces cuando le salió un herpes en la boca que la obligó a hacer sus discursos con medio rostro cubierto por el faldón de su sari. «Lo que me preocupa es que luego me queden cicatrices en la cara», le decía a Sonia mientras ésta le aplicaba un ungüento.

–Estoy cansada de la política –le confesó de sopetón, sin drama, sin exageración, casi sin emoción.

Ver a Indira herida en el alma hizo que Sonia se diese cuenta de que la alta política y las bajas pasiones eran las dos caras de un mismo mundo. Nunca le había atraído, pero ahora, al ver a su suegra traicionada y sufriendo, sentía un rechazo total. A su amiga Pupul, Indira le confesó: «Pelearé estas elecciones y luego dimitiré. Estoy harta. No puedo fiarme de nadie».

Ante el fortalecimiento de la oposición, Sanjay rogó de nuevo a su madre que cancelase o por lo menos pospusiera la convocatoria. Pero ella siguió en sus trece. Su hijo entonces decidió presentarse como candidato a diputado al Parlamento por la circunscripción electoral de Amethi, vecina de la circunscripción de su madre, Rae Bareilly, en el estado de Uttar Pradesh. Era territorio de los Nehru y los Gandhi, donde la victoria estaba asegurada. De ganar un escaño, Sanjay estaría protegido de la venganza de sus innumerables enemigos por la inmunidad parlamentaria. Maneka y él eran tan ingenuos que en su primer discurso alabaron los resultados de la campaña de esterilización. Fueron abucheados por un grupo de mujeres enfurecidas:

—¡Nos habéis convertido en viudas! —gritaron—. ¡Nuestros maridos ya no son hombres!

Indira se encontró con reacciones parecidas a lo largo y ancho del país. Un discurso suyo fue interrumpido por una campesina que la increpó: «Todo lo que nos cuenta de su preocupación sobre el bienestar de las mujeres está muy bien, pero ¿qué pasa con las vasectomías? Nuestros hombres se han hecho débiles, y nosotras sus mujeres también». En un lugar cercano a Delhi, otra campesina a quien pedían el voto sacó a relucir el tema de la esterilización, y lo hizo en un lenguaje sugerente: «¿Señora, de qué sirve un río sin peces?»[1]. Por fin Indira se daba cuenta de que en un país de mayoría hindú, que venera el *lingam* (la piedra fálica) como deidad primigenia y fuente de toda vida, la campaña de esterilización masiva había sido un error monumental. Y sabía que, en política, los errores se pagan.

Después de aquellos viajes extenuantes, Indira volvía a casa con lágrimas en los ojos.

El 20 de marzo de 1977, día de la convocatoria, Pupul fue a verla a su casa. Eran las ocho de la noche y las calles de Nue-

---

1. Jayakar, Pupul, *Indira Gandhi: A Biography, op. cit.*, p. 318.

va Delhi desbordaban de una alegría nunca vista desde las celebraciones de la independencia de los ingleses treinta años antes. Grupos de gente tocaban el tambor, payasos caminando sobre zancos repartían caramelos a los niños, los vecinos bailaban en las calles, olía a la pólvora de los petardos y de los fuegos artificiales... El pueblo soberano había votado y celebraba la caída de la «Emperatriz de la India».

La casa, sin embargo, estaba envuelta en un silencio inquietante. No había ajetreo ni luces ni coches aparcados fuera como en anteriores veladas de citas electorales. No se veían niños ni perros. Un secretario con cara patibular condujo a Pupul al salón decorado en tonos beige y verde claro. Indira estaba sola, y se levantó para saludarla. Había envejecido diez años. «Pupul, he perdido», dijo simplemente. Ambas tomaron asiento, y se quedaron en silencio, uno de los clamorosos silencios de Indira que hacían que las palabras sobrasen.

Sanjay y Maneka estaban en Amethi, su circunscripción. Rajiv y Sonia en su cuarto, muy preocupados. Sabían mejor que nadie en esa casa la animadversión que había producido la *Emergency* en la sociedad y tenían miedo de las represalias contra su madre, contra su hermano, y contra ellos también. Temían por su seguridad, ahora que Indira tenía que desalojar el poder. A esto se añadían un montón de incógnitas derivadas de la nueva situación: ¿dónde vivir?, por ejemplo, porque era necesario devolver la casa al gobierno. Pero, sobre todo, tenían mucho miedo por los niños. Sonia estaba muy afectada. Ahora sentía el zarpazo de la política en carne propia. Lo había visto venir, pero ¿qué hubiera podido hacer ella para impedir un desenlace semejante? Un sirviente les interrumpió llamando a la puerta:

—La cena está lista.

La mesa del comedor estaba puesta como cualquier día normal. Sonia no podía contener las lágrimas. Rajiv estaba serio, lúgubre, callado. Sólo comieron un poco de fruta, mientras Indira cenaba copiosamente chuletas vegetarianas con verdura y ensalada, como si la derrota no la afectase tanto. Más bien parecía que se había quitado un peso de encima. Nadie abrió la boca. Se oía el ruido de los cubiertos sobre la loza, y el tímido lloriqueo de Sonia. Sólo hubo una interrupción del secretario

Dhawan, el compinche de Sanjay, que vino a anunciar unos últimos resultados catastróficos. Sanjay había perdido en Amethi, e Indira en su circunscripción. Lo nunca visto: la derrota era absoluta y total, hasta en su feudo tradicional. Indira no se inmutó y se sirvió fruta de postre.

Pasaron al salón, y siguieron sin abrir la boca, excepto para intercambiar banalidades con un amigo de la familia que vino a acompañarles. Estuvieron así un rato, hasta que Pupul anunció que se iba. Rajiv la acompañó a la puerta.

—Nunca perdonaré a Sanjay el haber empujado a mi madre a esta situación —le confesó—. Él es el responsable de todo.

Pupul le escuchó en silencio. Rajiv prosiguió:

—Le dije a mamá varias veces la verdad sobre lo que estaba ocurriendo, pero no me creyó...

—Circulaban rumores de que si hubiera ganado el Congress, Sanjay habría sido nombrado ministro del Interior y la gente estaba aterrada con eso —le dijo Pupul.

—Me lo creo. Estoy seguro de que lo hubiera intentado.

Pupul notó, en la penumbra del recibidor, que los ojos de Rajiv estaban empañados de lágrimas.

A medianoche, Indira salió de casa para reunirse por última vez con sus ministros y levantar el estado de excepción de manera formal después de dieciocho meses, aunque casi todas las medidas ya habían sido anuladas en la práctica. Fue una reunión breve, en la que casi nadie habló. Todos habían perdido sus escaños. Se encontraban frente a la mayor debacle que jamás había ocurrido en el partido. Por primera vez desde la independencia, el Congress no estaba en el poder. De allí, Indira se dirigió al Palacio de la Presidencia de la República. Envuelto en la neblina, los fogonazos de los fuegos artificiales iluminaban fugazmente el antiguo palacio del virrey británico. Una vez dentro, presentó oficialmente su dimisión ante el presidente.

De camino a casa, vio a la gente celebrar su derrota con júbilo —niños y mayores seguían en las calles a esas horas de la noche—, y de pronto sintió miedo. Le pareció que su casa estaba pobremente custodiada. Al llegar, se dirigió a la habitación de Rajiv y Sonia. Seguían despiertos.

—Sería prudente que os fueseis con los niños a casa de unos amigos... —les propuso Indira— esta misma noche.

—No te vamos a dejar sola.

—Sólo unos días, hasta que el ambiente en la ciudad se haya calmado. Ahora hay mucho alboroto. Estaré más tranquila si os vais a otra casa.

—Vámonos todos entonces, tú también.

—No puedo. Tengo que quedarme aquí. Además Sanjay vuelve esta noche, así que no estaré sola. Marchaos, no me lo perdonaría si le ocurriese algo a los niños.

A las dos de la madrugada, Rajiv y Sonia, con Rahul y Priyanka medio dormidos y envueltos en mantas, salieron de casa como si fuesen refugiados en un país en guerra. Indira se había abstenido de decirles que unos días antes había rechazado el ofrecimiento del jefe de seguridad de traer tropas a Nueva Delhi para protegerla en caso de perder las elecciones y de que la oposición decidiese organizar una marcha contra su casa.

—La muchedumbre podría descontrolarse y asaltar su residencia... —le había dicho el jefe de seguridad.

—No se preocupe por mí —le respondió Indira—. Lo que le pido es que vele por mis hijos.

Quizás Indira no se creyó nunca que perdería, a pesar de los abrumadores indicios. Quizás se sintiese protegida por el aura de sus apellidos, casi de manera sobrenatural, para no darse cuenta de lo que se le venía encima. Quizás estaba cegada por la idea que tenía de sí misma. A la pregunta del periodista y amigo Dom Moraes de: «Señora, ¿volverá a la política?», Indira respondió: «No. Siento que me he quitado un peso de encima. Nunca volveré a la política». Quizás el alivio que ahora sentía era porque la vida la había puesto de nuevo en contacto con la realidad. Pero era una realidad dura de encajar: a los cincuenta y nueve años, se encontraba sin trabajo, sin ingresos económicos y sin un techo sobre su cabeza. Por primera vez en su vida se daba cuenta de que no tenía nada. La casa familiar de Anand Bhawan la había donado al Estado y ahora era un museo. Aunque se la hubiera quedado, no hubiera podido mantenerla.

Eran las cuatro de la mañana cuando llegaron Sanjay y Maneka. No parecían especialmente deprimidos o afectados por la derrota. No parecían conscientes de lo que significaba. Al contrario, Maneka le contó que habían venido de Amethi en el avión privado de un amigo y pasó a relatarle cómo el propio Sanjay había cogido los mandos para aterrizar. Una maniobra perfecta, añadió. «Fue entonces cuando me di cuenta de la fuerza y del carácter del hombre con quien me había casado», escribiría más tarde. Ninguno de los dos se había enterado todavía de que los habitantes de Turkman Gate en la Vieja Delhi habían vuelto a su barrio, eufóricos, y amenazaban con esterilizar a Sanjay.

Indira les dispensó uno de sus silencios significativos y se fue a acostar. Era muy tarde y estaba exhausta cuando se dejó caer en la cama. Pensó en sus nietos. Lo importante es que estaban a salvo, por lo menos momentáneamente. A lo lejos, seguían oyéndose las explosiones de los fuegos artificiales.

22

Definitivamente, Indira era un personaje desconcertante. La naturalidad y la entereza con las que asumió su derrota dejaron perplejos a seguidores y enemigos. Pocos eran los ejemplos en la historia de gobernantes que se hubieran hecho el harakiri político con tanta integridad. Si se sentía satisfecha a pesar de todo, es porque había devuelto a la India la confianza en el poder del voto, en una nación que ahora era más estable y más próspera que antes. En lo que a ella respectaba, había cumplido su misión y tenía la conciencia tranquila. Del sufrimiento provocado por sus medidas, no se hacía responsable. La culpa la tenía el sistema, la burocracia, el juego sucio de la oposición. «Con estas elecciones, la India ha demostrado que la democracia no es un lujo que pertenezca a los ricos», dijo *The New York Times* en su defensa. En lo que todos los observadores coincidieron, tanto nacionales como extranjeros, fue en que la carrera política de Indira Gandhi había llegado a su fin. Todos se equivocaron, excepto una vieja colega militante de un partido de izquierda que fue a visitarla y le dijo:

—Ya verás, la gente volverá a ti...

Entonces Indira se giró hacia ella con ojos cubiertos de lágrimas y le preguntó:

—¿Cuándo? ¿Cuando me haya muerto[1]?

Su fiel secretaria Usha no sabía qué cara poner ni qué decir cuando fue a trabajar el día siguiente a las elecciones. Nunca había estado a favor del estado de excepción y sus comentarios al leer artículos críticos casi le habían costado el puesto, de no ser porque Sonia la avisó que no siguiera haciéndolo. No había dor-

1. Citado en Asaf, Ali Aruna, *Indira Gandhi: Statesmen, Scholars and Friends Remember*, op. cit., p. 41.

mido en toda la noche, la oreja pegada a la radio. Al entrar en la oficina, que estaba junto al comedor, se encontró con Indira sentada a su mesa. Sonriendo, la ex primera ministra le dijo:

–Usha, tienes que devolver la mujer gorda.

–¿La mujer gorda?

–Sí, la estatua que nos prestaron del Museo Nacional.

Se refería a una estatua sin cabeza ni brazos, y sin mucho valor, que Indira había pedido prestada al museo para decorar el salón de su casa. Usha encontró en seguida el recibo correspondiente y se puso manos a la obra. «Sabía que la señora Gandhi había dicho eso para relajar la tensión. Era muy típico de ella.»

Había que mudarse pronto porque su sucesor, el derechista hinduista Morarji Desai, a pesar de disponer de una gran casa confortable en Dupleix Road, quería hacer de la residencia de Indira su residencia oficial. Echarla de casa era un símbolo de su victoria y a la vez una mezquindad. Indira estaba dolida. Pero ¿qué podía hacer? Ya estaban en casa los funcionarios que venían a registrar despachos y habitaciones con un inventario en la mano. Empezaron a llevarse objetos y aparatos que habían sido prerrogativas del primer ministro: teléfonos secretos, máquinas de escribir, fotocopiadoras, aparatos de aire acondicionado, mesas y sillas de despacho, y todo eso mientras Usha y Sonia clasificaban documentos, guardaban archivos e intentaban desesperadamente poner orden en tanto caos.

Sonia, que a los pocos días regresó con el resto de la familia de la casa de su amiga Sabine, donde se habían refugiado, se encontró con funcionarios llevándose muebles, lámparas, cuberterías y vajillas. Toda la decoración de sus últimos nueve años estaba siendo levantada por unos tramoyistas que actuaban con la arrogancia del vencedor. La sensación de desamparo se hacía aún mayor al notar la ausencia de los sirvientes oficiales, de los secretarios puestos por el gobierno, de los guardias de la entrada y hasta de los jardineros que se esfumaban, algunos sin ni siquiera despedirse. Muerto el perro, se acababa la rabia.

Indira era dueña de una parcela de tierra en Mehrauli, a las afueras de la ciudad, que Firoz había comprado en 1959 y en la que soñaba jubilarse con su familia. Rajiv había invertido parte de sus ahorros en construir una casa de campo, pero se había quedado sin dinero para acabarla. De todas maneras, Indira no quería exiliarse en el campo. Prefería quedarse cerca de sus nietos, en el meollo, en Nueva Delhi. Conocía la frase de un general de Napoleón llamado Desaix cuando la batalla de Marengo: «Es cierto que acabo de perder una batalla, pero son las dos de la tarde y antes de que caiga la noche puedo ganar otra». A estas alturas, Indira sabía que tanto las nociones de éxito como de derrota eran efímeras en política.

Fue un viejo amigo de la familia quien la salvó. El diplomático Mohammed Yunus ofreció generosamente desalojar su casa del número 12 de Willingdon Crescent, donde había tenido lugar la boda de Sanjay y Maneka tres años antes, para cedérsela a los Gandhi. Esta nueva casa era bastante más pequeña y Sonia se preguntaba cómo iban a caber todos. La mudanza duró varios días, lo que se tarda en trasladar posesiones acumuladas durante trece años, las pertenencias de cinco adultos y dos niños, cinco perros, innumerables cajas de libros, archivadores rebosantes de papeles y documentos, cuadros, objetos, recuerdos de viaje, etc. Indira era reacia a tirar nada: cada papel, cada regalo, cada libro era un recuerdo. De modo que se acumulaban cajas y baúles en los pasillos. En la habitación de Indira sólo cabía su cama y su sillón favorito, cuyo respaldo utilizaba para apoyarse y escribir. Ya no tenía taquígrafo, ni siquiera un despacho propio. Recibía a la gente en la veranda o en el abigarrado comedor. Sonia se las arreglaba para que hubiera siempre un jarrón con unos gladiolos a la vista.

Gran parte de la labor de este ingente traslado recayó en los hombros de la italiana, que tuvo que comprar o pedir prestados a sus amigas una nevera, varios aparatos de aire acondicionado, radiadores, cacerolas, sartenes y cacharros de cocina. Su sentido de la familia se había intensificado viviendo en la India. Trabajaba con un perfecto sentido de la organización, que le recordaba al de sus padres durante su niñez, cuando eran pobres en Lusiana y tenían que trabajar a destajo para salir adelante. Le volvieron a la memoria sus conocimientos de horticultura y limpió una parte del fondo del jardín que plantó de lechugas, calabacines, tomates y verduras desconocidas y exóticas en la

India como el brécol. El haber conocido tiempos difíciles la ayudaba ahora a superar el trance con más entereza que su marido, que no se perdonaba el no haber sido más firme: «He sido incapaz de pararle los pies a mi hermano», le había confesado a un amigo de la familia, sin disimular su frustración[1].

Como el cocinero se había despedido e Indira se mostraba reacia a contratar uno nuevo por miedo a que fuese un infiltrado del gobierno que les pudiera envenenar, le tocaba a Sonia encargarse de hacer la compra y preparar las comidas. Nunca en ese hogar se degustaron tan deliciosas lasañas, pasta a la puttanesca y risottos como en aquellos días aciagos. También había aprendido a cocinar platos indios, que sazonaba con menos picante de lo habitual. Era experta en espinacas con queso y en pollo con salsa korma a base de almendras molidas, cilantro y nata. Cocinar era también su manera de mimar a la familia y contribuir a relajar el ambiente, que era siniestro. ¿No decía la monjita de su internado que Sonia tenía la cualidad de ser conciliadora? Esa cualidad mantuvo a la familia unida durante esa época. Rajiv y Sanjay seguían sin hablarse, excepto para lo indispensable, a pesar de que ahora sus respectivas habitaciones estaban frente a frente a cada lado del pasillo. Indira insistía en preservar la costumbre de comer juntos por lo menos una vez al día, pero era casi imposible sentar a la misma mesa a los dos hermanos. Rajiv responsabilizaba a Sanjay del derrumbe del estatus de la familia, de haber pasado de ser los más respetados a ser unos parias. También era cierto que vivían del sueldo de Rajiv y de las donaciones de los escasos amigos fieles que no habían abandonado a Indira, esperando quizás que su lealtad se viera recompensada en un futuro. Sanjay no aportaba nada, al contrario, necesitaba dinero para pagar a la horda de abogados que le defendían de un sinfín de acusaciones que le achacaban los crímenes más horribles. Él no podía aportar dinero a la caja familiar, pero se resarcía alegando que uno de los magnates que les ayudaban económicamente era un joven amigo suyo, dueño de una fábrica de refrescos en Nueva Delhi. Maneka, fiel a sí misma, no ayudaba

1. Bhagat, Usha, *Indiraji through my eyes*, Nueva Delhi, Viking-Penguin, 2006, p. 239.

en las tareas domésticas, al contrario que Indira, que no dudaba en coger una escoba y ponerse a barrer. «Sonia cocinaba, Maneka comía», decía un amigo de la familia. El resultado fue que la relación entre Indira y Sonia se hizo aún más estrecha durante esa época, lo que azuzaba los celos de la joven Maneka.

Cuando acabaron de instalarse, Usha sintió que ya no tenía sentido quedarse. Siguió yendo en días alternos, hasta que decidió despedirse: «Voy a acompañar a mi hermana a Bombay», le anunció a Indira, que adivinó que se trataba de una excusa y que no volvería. Pero Usha no se atrevía a decirle la verdad: quizás se hubiera quedado si Sanjay y su compinche, el secretario Dhawan, no hubieran seguido campando a sus anchas con ese aire soberbio que Usha no soportaba. Indira esbozó una sonrisa triste al despedirse. Le daba pena perder aquella mujer que había sido su secretaria desde hacía treinta años, y con la que tenía plena confianza. Sabía que Usha conocía hasta los pliegues más recónditos de su alma.

Indira estaba mental y físicamente agotada, preocupada por la desbandada general, por las peleas en casa entre sus hijos, y por las represalias que el nuevo gobierno, estaba segura, iba a tomar. Tenía ojeras negruzcas, y parecía que todo su cuerpo había encogido. Como antigua primera ministra, tenía derecho a seguir con protección oficial, pero el nuevo jefe de gobierno y acérrimo enemigo político Morarji Desai, hindú ortodoxo, quería quitársela como le había quitado la casa.

–¿De qué tiene miedo? –preguntó a un ex ministro de Indira–. No es bueno que vaya siempre rodeada de policías.

–Hay un ambiente hostil contra ella y su hijo...

–No, no es por eso. Es por su vanidad.

Acto seguido, el nuevo primer ministro se lanzó a una diatriba contra las mujeres en el poder desde Cleopatra a Indira pasando por Catalina de Rusia, llegando a la conclusión de que todas habían sido vanidosas y desastrosas como gobernantes.

La campaña de hostigamiento que ese hombre desató contra los Gandhi se tornó en una auténtica caza de brujas. Al principio, Sonia se extrañó, cuando iba a la compra, de observar siempre a los mismos individuos que la seguían a cierta distancia. Lo mismo ocurría con los demás miembros de la familia, incluida

Maneka. Indira se enteró de que eran funcionarios del CBI (Central Bureau of Intelligence, el servicio central de información del gobierno) que tenían instrucciones de seguirles y de pinchar sus conversaciones telefónicas. Sanjay, con la arrogancia del que nunca tuvo que enfrentarse a un percance del que no se hubiera recuperado, ofrecía socarronamente a los agentes del servicio secreto que le seguían llevarlos en su propio coche para ahorrar gasolina. Un día, se presentaron en la casa a medio construir de Mehrauli con detectores de metales. «Pero ¿qué estáis buscando?», les preguntó Rajiv. No le contestaron, pero más tarde les oyó gritar cuando el detector empezó a emitir un silbido. Pensaron que habían dado con el tesoro que Sanjay había enterrado. El tesoro acabó siendo una lata vacía de aceite para cocinar.

Fue aproximadamente en esa época, en pleno calor anterior a las lluvias monzónicas, cuando Indira apareció una noche tarde en casa de su amiga Pupul. Venía a visitarla a menudo, para escapar de las tensiones de casa. De nuevo Rajiv le había echado en cara que «Sanjay y Dhawan son los que te han arrastrado hasta aquí»[1]. Indira no le había contestado, limitándose a bajar la cabeza. Sabía perfectamente que la responsable última de todo lo que había ocurrido había sido ella, por eso disculpaba a Sanjay. «He venido a sentarme un rato, a disfrutar de la tranquilidad», le decía a su amiga. Y pasaba un rato en silencio, en la veranda, encontrándose con ella misma.

Otra noche de canícula llegó muy agitada y con una mirada desesperada: «Tengo información fidedigna de que quieren meter a Sanjay en la cárcel y torturarlo». Pupul se quedó de piedra, sin saber qué decir. Indira tenía un miedo cerval. «Ni mi hijo ni yo somos el tipo de gente que se suicida, así que si aparecemos muertos, no hay que creerse lo que digan...» Que el nuevo gobierno, en sus deseos de venganza, buscaba afanosamente pruebas para vengarse de ella a través de Sanjay era un secreto a voces. Que hubiesen decidido torturar a Sanjay era más producto de su imaginación paranoica que de un plan preestablecido. Nadie mejor que Indira sabía que desde una posición de poder era

1. Citado en Dhar, P. N., *Indira Gandhi, the Emergency and Indian Democracy*, Nueva Delhi, Oxford University Press, 2000, p. 355.

relativamente fácil manipular a los servicios de información. Y la antigua emperatriz de la India se sentía desesperadamente sola. Veía a políticos que iban a visitarla diariamente, pero no podía contar con ninguno de ellos. Los que podían ayudarla no se atrevían a acercarse a su casa por temor a la vigilancia. Por otra parte, la situación financiera de la familia, con tanto gasto de abogados, se hacía insostenible. Los medios de comunicación, que tan dócilmente se habían plegado a sus exigencias cuando había impuesto la *Emergency* –tanto que un político de la oposición, nada más levantarse el estado de excepción, dijo del papel de la prensa: «Os pidieron que os plegaseis, y preferisteis arrastraros»–, ahora se dedicaba con ahínco a inventar historias terribles, o a exagerar rumores para hacer ver que los Gandhi eran una banda de malhechores. «Me acusan de todo tipo de crímenes, hasta de haber matado a no sé cuánta gente...», se quejaba Indira. Era cierto, el ministro del Interior había dicho en el Parlamento que Indira había «planeado matar a todos los líderes de la oposición que había mandado encarcelar durante el estado de excepción». Cinco días más tarde, el gobierno encargaba la formación de una comisión de investigación al Juez de la Corte Suprema J. C. Shah con la misión de «investigar si hubo subversión de procedimientos, abuso de autoridad, uso indebido del poder y excesos durante el estado de excepción». Otra comisión fue creada específicamente para investigar todo lo relativo al Maruti. El gobierno estaba decidido a hacer tragar a Indira y a Sanjay la misma amarga medicina que ellos habían administrado al país durante el estado de excepción.

En ese ambiente, la noticia del suicidio del coronel Anand, padre de Maneka, sonó como los primeros acordes de un drama más amplio que empezaba a desarrollarse en segundo término, como los primeros acordes de una marcha fúnebre. Su cuerpo fue encontrado de bruces en un terraplén, junto a una pistola y una nota que decía: «Preocupación Sanjay insoportable». Al principio, no se supo bien si había sido suicidio u homicidio, aunque Maneka y los familiares próximos estaban convencidos de que el coronel se había quitado la vida. Ya había cometido un intento semejante hacía tiempo con una sobredosis de pastillas y tenía un historial de inestabilidad mental y depresión. No había podido soportar la caída en picado de su reputación y de su posición social. Sus innumerables amigos de conveniencia se habían esfumado en el aire enrarecido de Nueva Delhi. Inmediatamente surgió el rumor de que el suegro sabía demasiado sobre los negocios turbios de Sanjay y que su muerte era en realidad un homicidio disfrazado de suicidio. Pero no se pudo probar nada y en cuanto la atención mediática desapareció, el caso cayó en el olvido.

Indira quedó turbada, y Sonia también. Una muerte así, en el momento en que se produjo, infundió un miedo difuso y profundo, una mezcla de desasosiego y alarma. La caída del poder se había cobrado una víctima muy cercana. La sangre había llegado al río, y donde menos se lo esperaban. Indira se volvió aún más paranoica, relacionando inconscientemente la muerte de su consuegro con las amenazas a Sanjay. Ahora más que nunca, sentía que tenía que proteger a su hijo como fuese. La noticia del suicidio trascendió al extranjero y Sonia recibió llamadas angustiantes de su madre. Allá en Orbassano, los Maino seguían los acontecimientos con una desazón y una inquietud crecientes. Les llegaban habladurías de Nueva Delhi, rumores de que Sonia y Rajiv buscaban escapar y de que Sonia había pedido asilo en la embajada italiana...

—Mamá, nada de todo eso es cierto. Estamos bien, los niños también, pero no puedo hablar, ya te contaré...

E invariablemente, la conversación se cortaba. Sonia se abstuvo de decirle a su madre que el gobierno había incautado el pasaporte a todos los miembros de su familia política. Aunque hubieran querido, ahora no hubieran podido viajar a Italia, ni tan siquiera por una emergencia.

Indira se dedicó con ahínco a trabajar con sus abogados para defenderse de la comisión Shah, mientras públicamente mantenía una vida muy discreta. Un periodista inglés llamado James Cameron la entrevistó y la encontró «la mujer más sola y más aprensiva del mundo», según el titular que dio a su artículo. «Está resignada y no quiere hablar de nada. Parece un boxeador derrotado esperando un milagro. Pero no habrá milagro para ella», escribió en *The Guardian* el 21 de septiembre de 1977.

James Cameron se equivocó. El milagro que iba a hacer resurgir al ave fénix de sus cenizas se produjo en un lugar llamado Belchi, una pequeña e inaccesible aldea en el remoto estado de Bihar, rodeada de arrozales, montañas y cataratas. Un paisaje idílico que había sido el escenario de una atroz matanza. El crimen se había producido en parte por la atmósfera de impunidad propiciada por el nuevo gobierno, cuya coalición incluía elementos hindúes extremistas, y en la que hindúes de alta casta se sentían de nuevo libres de subyugar, como lo habían hecho durante miles de años antes de la independencia, a pobres campesinos intocables. En Belchi, un grupo de terratenientes había atacado a una comunidad de campesinos sin tierra, exterminando a varias familias y tirando los cuerpos al fuego. Entre las víctimas había dos bebés. La noticia tardó varios días en darse a conocer, antes de convertirse en portada de la prensa nacional. El gobierno no reaccionó. A su presidente, Morarji Desai, que consideraba la prohibición de matar vacas y de consumir alcohol como prioridades nacionales, no le parecía que esta clase de sucesos mereciesen atención prioritaria. Ni siquiera se dio prisa en condenar el crimen.

Indira vio inmediatamente la grieta en el adversario. Supo lo que debía hacer. Le pidió a Sonia que la ayudase a preparar sus cosas para ir a Belchi.

—Todo el mundo dice que Bihar es un lugar muy peligroso, que hay grupos de bandidos que asaltan a la gente... —le dijo Sonia que, en efecto, estaba bien informada. Bihar era el estado más atrasado, anárquico e inseguro de la India. Y el más pobre también—. No tienes un equipo de seguridad, es muy arriesgado —insistió la italiana.

—No voy sola, voy con un grupo de fieles del partido.

—Pero en Bihar el partido no ha conseguido un solo escaño... ¿Tendrán fuerza para protegerte?

—Claro que sí. No os preocupéis —zanjó Indira—, no pasará nada.

Sonia no insistió. La conocía suficientemente bien para saber que nada la haría cambiar de idea. Pero se quedó preocupada. En un ambiente tan cargado de animadversión como el de aquellos días en la India, cualquier cosa podía ocurrir.

23

Cuando volvió a casa cinco días más tarde, Sonia casi no la reconoció. Indira llevaba el sari sucio, toda ella estaba cubierta de una capa de polvo y chorreaba sudor. Tenía ojeras y había adelgazado. Parecía una mendicante. Pero Sonia adivinó una chispa de luz en sus ojos, como un destello de vida. En seguida supo que el viaje a Belchi había sido un éxito. Indira le contó la odisea que acababa de vivir con todo lujo de detalles. Sonia la escuchaba, embelesada.

–Llovió tanto que todos los caminos a Belchi eran impracticables. De los quinientos simpatizantes que habían empezado el trayecto conmigo, siguiéndome en una caravana de coches, de pronto me di cuenta que sólo quedaban dos. Los demás habían tirado la toalla. Mi idea era llegar a Belchi antes del anochecer, pero las carreteras estaban tan anegadas que tuvimos que cambiar el todoterreno por un tractor, que a su vez acabó hundido en el barro unos kilómetros más adelante. Mis acompañantes insistían para que diésemos la vuelta, pero les dije que yo seguía a pie. Me miraban como si estuviera loca. Yo sabía que no me iban a dejar seguir sola, y tuve razón, se vieron obligados a acompañarme, aunque lo hicieron a regañadientes. Después de una larga caminata, rendidos y empapados, llegamos al río, y nos dimos cuenta de que era imposible vadearlo a pie. No había barcas bajo aquel temporal, ni barqueros dispuestos a pasar a gente al otro lado. Mis compañeros estaban dispuestos a regresar, pero yo pregunté a unos aldeanos que habían salido de sus chozas al vernos llegar:

» "Tiene que haber una posibilidad de cruzar... ¿Hay caballos por aquí?"

» "No, Madam...", me dijo uno.

» "¿Una mula? ¿Un burro?"

» "No, Madam. Sólo hay un elefante."

» "¿Dónde?", pregunté.

» "En la aldea. Es el elefante del templo."

» "¿Lo podéis traer?"

» "Sí, Madam, pero...", el hombre parecía molesto, no le salían las palabras.

» "Pero... ¿qué?", le dije.

» "Es que no disponemos de *howdah*...", admitió por fin, como avergonzándose.

» ¿Sabes lo que es el *howdah*? –le preguntó Indira a Sonia.

–¿No es la torreta que se pone sobre el elefante para pasear a personalidades importantes?

–En efecto... ¡Siempre en la India, por encima de consideraciones prácticas, está la preocupación por el estatus! Parece que sea lo único que rige las relaciones entre la gente. El caso es que les dije que daba igual que no tuvieran *howdah*, entonces uno de ellos anunció triunfalmente que colocaría una manta.

Indira parecía una chiquilla ilusionada contándole esa aventura a Sonia. Verla tan viva y chispeante, tan directa y cercana, era como milagroso. Indira estaba transformada.

–Sabes... no me sentía cansada, y eso que estuvimos esperando más de una hora bajo la lluvia.

–¿Qué pasó con el elefante?

–Por fin llegó, se llamaba *Moti*. Los campesinos me ayudaron a subir primero, y luego alzaron a uno de mis acompañantes, que se sentó detrás mío. Cuando me di la vuelta, vi que tenía los ojos desorbitados de pavor.

Sonia se rió. Indira siguió contando:

–El otro optó por quedarse y organizar el regreso. Fue terrorífico, porque el animal se balanceaba muchísimo y las aguas del río le llegaban a la altura de la barriga. El hombre estaba agarrado a mi sari como un niño a la falda de su madre. Pensé que se iba a echar a llorar...

Ambas prorrumpieron en carcajadas. Siempre era gracioso oír historias donde las mujeres tenían el control de la situación. Luego el semblante de Indira se tornó grave.

–Era tarde cuando llegamos a Belchi –siguió contándole–.

Los supervivientes de la masacre estaban refugiados en un edificio medio abandonado de dos pisos. De pronto vi salir unas antorchas que iluminaban los rostros de los que las llevaban: había ancianos con la cara llena de arrugas, jóvenes viudas, niños con grandes ojos brillantes, hombres de piel oscura, todos muy temerosos y sorprendidos... Cuando me reconocieron, se lanzaron a mis pies. Creo que me veían como una aparición divina. Yo no tenía nada que ofrecerles, excepto mi tiempo, pero aquella gente tan asustada no paraba de agradecerme que me interesase por ellos, que hubiese sorteado tantos peligros para ir a escucharlos. Decían que mi presencia era un milagro, ¿te das cuenta? Nos quedamos varias horas, y escuché historias horribles de la matanza. Salí llorando de allí... era tanta la pobreza, tanto el dolor de los campesinos al mostrarme las cenizas de la pira donde habían lanzado vivos a sus familiares que salí destrozada. Era noche cerrada cuando abandonamos Belchi. Había ruido de truenos, pero no llovía, de modo que un barquero se ofreció a pasarnos al otro lado.

»¿Sabes qué pasó entonces?

Sonia negó con la cabeza. Indira prosiguió:

—Como la carga era excesiva, al acercarse a la otra orilla, la barca volcó.

Volvieron a estallar de risa. Indira prosiguió:

—... Nos encontramos todos chapoteando en esas aguas negras. Conseguí vadear hasta la orilla. Seguimos caminando hasta la carretera principal, donde nos esperaban unos todoterreno. Estábamos empapados. Entonces ocurrió otro milagro, Sonia. Los campesinos de los alrededores que se habían enterado de mi visita empezaron a llegar. Nos traían frutas, flores y linternas. De pronto oí un ruido de tambores y unas voces de mujeres... ¿Sabes qué cantaban? «Votamos en tu contra. Te traicionamos. Perdónanos» —decían—. Venían con dulces y me ofrecieron sus modestos saris secos para secarme o cambiarme. ¡Algunas me pedían hasta mi bendición!

Sonia se dio cuenta de que Indira había visto la luz al final del túnel. Había buceado en «la masa de humanidad india» y no se había sentido rechazada. Al contrario, había vuelto a encontrar su voz, y una respuesta.

Indira siguió contando que al día siguiente fue a Patna, la destartalada capital del estado de Bihar, a visitar a su antiguo enemigo J. P. Narayan, el hombre cuyo boicot la había precipitado a declarar el estado de excepción. Estaba muy viejo, casi en el lecho de muerte. Ahora que Indira había sido derrotada y vilipendiada, J. P. la perdonó. Estuvieron reunidos durante cincuenta minutos, hablando de los muchos recuerdos que compartían de los tiempos en los que la esposa de Narayan eran la mejor amiga de la madre de Indira. También hablaron de la masacre de Belchi y de la suerte de los intocables. Luego posaron para la prensa. Indira sacó de su bolsa de tela un periódico arrugado y le mostró la foto a su nuera. Era una foto importante para Indira, porque sellaba su reconciliación política. Sonia entendió que su suegra volvía al ruedo.

–¿Pero... no decías hace menos de dos semanas que te retirabas de la política? –le preguntó Sonia.

–Todavía no he vuelto, y me gustaría no volver, pero ¿cómo puedo retirarme?... Mientras quieran la piel de Sanjay o la mía, tendré que luchar para defendernos.

Alentada, Indira decidió partir al día siguiente a su antigua circunscripción de Rae Bareilly, donde los votantes la habían rechazado contundentemente hacía menos de cuatro meses. Era arriesgado, porque podía encontrarse con multitudes hostiles, ya que ese estado había sido objetivo preferente de la campaña de esterilización, pero, ante su gran sorpresa, miles de personas acudieron a recibirla bajo un sol de justicia. También aquí supo perfectamente lo que tenía que hacer y decir. Sin ambages, pidió perdón por los excesos del estado de excepción, y luego lanzó un ataque contra la coalición Janata, que estaba en el poder. La gente la aclamó aún más cálidamente que en Belchi. Decidió hacer una gira relámpago por varios pueblos del estado, repitiendo el mismo mensaje. En todas partes, el recibimiento era multitudinario. Volvía a casa derrengada, sucia, agotada pero contenta.

El relato del viaje de Indira a Belchi se propagó como un eco por el subcontinente hasta alcanzar las aldeas engarzadas en las faldas del Himalaya, las chozas de barro del desierto, las barracas de hoja de palma de los de las castas más bajas, las chabolas de plástico y latón de los intocables del sur... Más allá de la distinción de razas, castas o religiones, la voz de los pobres se había reencontrado con su fuente de inspiración y consuelo. A pesar de sentir que la India había empezado a perdonarla, Indira seguía estando muy preocupada con su situación y con la amenaza de la Comisión Shah. Voces en el gobierno exigían una «especie de juicio de Nuremberg» por sus crímenes durante la *Emergency*.

–Estoy segura de que encontrarán cualquier pretexto para arrestarme.

–No se atreverán –dijo Sonia para tranquilizarla más que por convencimiento.

–Me he enterado de que el gobierno Janata ha prometido no perseguir judicialmente a mis antiguos ministros si aceptan echar la culpa a Sanjay de todos los deslices cometidos durante el estado de excepción. Sé perfectamente que me traicionarán. A Sanjay también lo quieren meter en la cárcel.

Esas traiciones la herían profundamente y la precipitaban a un abismo de soledad que le daba vértigo. Sonia la veía tan fuerte, y sin embargo tan vulnerable. Al revés que su suegra, la mayoría de los políticos estaban en política por pura ambición personal, no por un sentido del deber. La mezquindad de ese mundo le asqueaba. Pero se daba cuenta de que la vida pública, la política entendida como servicio a los demás, eran la razón de ser de Indira y de que nunca cambiaría. Aunque le gustaba decir que soñaba con retirarse del mundo, Sonia ya no la creía. Retirarse era un lujo que Indira no podía permitirse.

Ante el cerco del gobierno y de la Comisión Shah, Indira cogió el toro por los cuernos. Fiel a la máxima de que no hay mejor defensa que un buen ataque, viajó extensamente para afirmar su presencia, para entrar en contacto con el mayor número posible de gente, para afianzar lo que había conseguido en Belchi, el perdón del pueblo. En la estación de Agra, el recibimiento fue tan triunfal que hubo una estampida que se saldó con varios heridos. En todas partes, empezaba disculpándose por haber perjudicado a tanta gente, pero también recordaba los logros del estado de excepción, sobre todo en economía y en seguridad, dejando bien sentado que había sido ella quien había convocado elecciones, y que al ser derrotada había aceptado con caballerosidad el veredicto del pueblo. Luego se lanzaba a denunciar los errores del adversario. En efecto, el nuevo gobierno se veía incapaz de frenar la inflación, que de nuevo se estaba desbocando, y de controlar el mercado negro. Era una coalición dispar, que ya mostraba signos de resquebrajarse.

Sus viajes triunfales a Belchi y a Rae Bareilly irritaron a ese gobierno débil, cada vez más alarmado ante el espectáculo de las masas venerando a su archienemiga. Era necesario hacer algo. El 15 de agosto de 1977, día de la independencia, la policía arrestó a su secretario, el repeinado R. K. Dhawan, así como a su antiguo ministro de Defensa, el regordete Bansi Lal, ambos compinches de Sanjay. Se estrechaba el cerco.

Sonia tenía miedo. Rajiv estaba teniendo problemas en el trabajo, parecía que la dirección no quería renovarle la licencia para seguir pilotando los Boeing 737. Olía a represalia. Su posición clara en contra del estado de excepción no era tenida en cuenta por la empresa, a pesar de tener una reputación intachable y apolítica entre sus colegas de trabajo. A los contratiempos en Indian Airlines vino a añadirse una inspección que el Ministerio de Hacienda abrió contra Rajiv. La inspección también atañía a Sonia, que por hacer un favor a su cuñado había firmado en 1973 documentos que la habían hecho propietaria de acciones de una empresa ficticia, Maruti Services Limited. Aquello, que ya había causado una violenta discusión entre los hermanos y tensión en el matrimonio, fue utilizado como munición por el gobierno, empeñado en demostrar oscuros tejemanejes financieros que en realidad nunca habían existido. Sonia, por ser extranjera, no tenía derecho a poseer acciones ni a ejercer ningún cargo remunerado en una empresa india sin la aprobación del Banco Central, aprobación que de todas maneras nunca existió. Por lo tanto no había habido infracción. Pero ahora Rajiv se veía obligado a demostrar que su mujer no había cobrado una sola rupia de la Maruti y que siempre había estado desvinculada de esa empresa. A lo máximo que podrían condenarla era a una multa. El tiempo que Rajiv no dedicaba a volar lo dedicaba a declarar, a buscar papeles antiguos, o si no a obtenerlos de nuevo, a sufrir un auténtico vía crucis teniendo en cuenta lo enmarañado de la burocracia india. Pero se mantuvo sereno en todo momento. Tenía la conciencia tranquila, lo de Sonia era una nimiedad y él siempre había pagado sus impuestos religiosamente. A la italiana le perturbaba la idea de que intentasen alguna maniobra sucia con documentos falsificados, por ejemplo. El miedo era corrosivo y conseguía deformar la percepción de la realidad. «¿Y cuál era la realidad?» Indira tenía las ideas claras: «Esto es una guerra de nervios, una guerra psicológica. Hay que aguantar, nada más». Sonia no quería añadir más paranoia al ambiente, pero el pensamiento de que podían pagar justos por pecadores la azoraba. Cuando veía a su marido salir de casa para declarar en las vistas de la Comisión Shah, se le hacía un nudo en el estómago, y hasta que no volvía a casa y lo veía sano y salvo, no se relajaba. Esas vistas eran una prueba muy penosa porque se desarrollaban en un ambiente desorganizado y hostil que recordaba a los tribunales populares chinos más que a una corte de justicia. Rajiv volvía siempre agitado. Contaba que la sala estaba a rebosar de gente que vociferaba con gran animadversión mientras algunos comían o dormitaban en el mismo suelo. Los abogados, vestidos con togas negras y pecheras blancas, estaban sentados detrás de mesitas llenas de papeles atados por un cordel, bajo ventiladores que hacían volar los documentos sueltos. Una fotografía amarillenta de Gandhi decoraba las paredes. Cada vez que él o su hermano intentaban defenderse, un abucheo enorme ahogaba sus palabras. El público no les dejaba hablar. Apenas podían distinguir el rostro del juez Shah, tras las filas de tomos del código penal indio y de los legajos que cubrían su mesa. Fuera de la sala, otros curiosos seguían las vistas a través de altavoces. Obviamente Sanjay era quien despertaba mayor inquina. Cada vez que entraba en la sala de vistas, era recibido por fuertes silbidos e insultos. Varias veces la tensión provocó auténticas batallas campales entre sus detractores y sus seguidores. Una de las sesiones acabó en plena algarabía, con cruce de sillas metálicas e intercambio de puñetazos. Sonia entendía lo duro que para Rajiv debía resultar soportar eso, él que siempre había aborrecido la confrontación y siempre había procurado llevar una existencia discreta. Pero, aparte de lo injusto de la situación, tanto Rajiv como Sonia estaban sobre todo alarmados por la repercusión de tanta hostilidad sobre sus hijos.

Sanjay y Maneka, si bien eran ellos el centro de los ataques, se lo tomaban sin embargo mucho más deportivamente, en el sentido tanto figurado como real de la palabra. El 3 de octubre de 1977 estaban jugando al bádmington en el césped del jardín del número 12 de Willingdon Crescent cuando, a las cinco de la tarde, oyeron llegar un coche de policía. Dos individuos llamaron a la puerta. Uno de ellos era un sij, alto, con turbante rojo y excelentes modales. Indira, que estaba departiendo con sus abogados, le abrió la puerta.

–Mi nombre es N. K. Singh, de la dirección del Servicio de Inteligencia –dijo el sij, apretando las manos nerviosamente–. Venimos a informarle de que está usted arrestada –dijo mirando al suelo.

–¿Quiere decir que me llevan a la cárcel?

–Sí... –balbuceó el hombre, visiblemente intimidado.

–Será una buena oportunidad para descansar –soltó Indira.

En realidad, llevaba tiempo esperando este momento, como lo esperaba el país entero.

–¿Se puede saber de qué se me acusa?

El hombre le leyó los cargos. La acusaban de haber coaccionado a dos empresas para que donasen ciento catorce todoterrenos para la campaña del Partido del Congreso y luego venderlos al ejército, lo que sugería cohecho. También de haber otorgado un contrato a una empresa que había sacado a concurso una oferta más cara que otras, lo que sugería corrupción. Indira alzó los ojos al cielo: era todo mentira. «¡¿Eran ésos los horrores de la *Emergency*?!», pensó para sus adentros.

–Mañana tiene usted cita en el tribunal y allí la llevaremos –dijo el hombre.

–Quiero ver la orden de arresto.

El hombre le entregó unos papeles. Indira prosiguió:

–Si no le importa, voy a consultarlo con mis abogados. Espere un momento, por favor.

Se metió en casa con los documentos. Salió una hora después. El oficial sij esperaba fuera, sentado en un escalón de la entrada.

—Aquí falta el First Information Report —dijo Indira—. No pienso moverme hasta que todos los papeles estén en regla.

—Señora, no servirá de nada hacerme el trabajo más difícil de lo que ya es.

—No se preocupe, aquí estaré cuando vuelva.

—Está bien, mandaré a un oficial a por el papel que falta.

—Puede usted esperar dentro si lo desea.

El hombre entró, entre agradecido e incómodo. La casa estaba rodeada de policías y numerosos curiosos empezaban a acercarse. Sanjay y Maneka habían abandonado su partido y se habían encerrado en su cuarto. Usha, que se enteró inmediatamente de lo que había ocurrido, acudió rauda a Willingdon Crescent. «Cuando llegué, vi una escena que me entristeció. Antes, el cordón de policía servía para proteger a la primera ministra de posibles altercados y manifestaciones. Ahora estaba allí para impedir el paso de la gente y arrestarla.» Usha consiguió penetrar en el interior. Indira entraba y salía de su habitación, muy atareada. Se alegró mucho de verla.

—Usha, ¡qué bien que estés aquí! Por favor, ¿por qué no ayudas a Sonia a preparar mi bolsa de viaje?

Sonia estaba en el cuarto de Indira, con ropa de su suegra desplegada sobre la cama. Esta vez no sabía muy bien qué meter dentro. Éste no era un viaje como los demás.

—¿Dónde la van a llevar? —inquirió Usha.

—No lo sé, no lo han dicho —respondió Sonia.

—Mejor le metemos un chal, quizás se la lleven a algún sitio en las montañas.

—Confío en vosotras para que me arregléis bien el pelo —dijo Indira desde el pasillo—. Quiero estar lo más guapa posible.

—No te preocupes por eso —le dijo Sonia, que ya sabía que a su suegra no le gustaba nada ir descuidada, ni siquiera en el interior de casa. Pero ese afán de acicalamiento, que parecía que iba a una boda en lugar de a la cárcel, era inaudito. «Dios mío —se dijo Sonia—. ¡Y a una cárcel india!... ¿Por qué quiere ir tan peripuesta?», se preguntaba.

—La señora Gandhi es así —le dijo Usha.

Mientras le elegían un sari, Indira llevaba a la cocina algunos documentos que consideraba peligrosos si caían en manos de la policía o del Servicio de Inteligencia. El cocinero se encargaba de destruirlos de una manera muy peculiar, utilizando la máquina de hacer pasta de Sonia como trituradora[1].

Aunque los teléfonos estaban cortados, Sanjay y los abogados se las arreglaron para dar la voz de aviso a compañeros del partido, que a su vez avisaron a la prensa. Periodistas con cámaras de televisión, seguidores del Youth Congress de Sanjay y una multitud creciente de curiosos fueron a agolparse contra el cordón de policía.

El oficial sij, en el vestíbulo, seguía esperando a Indira, cada vez más nervioso. No le gustaba nada el circo que se estaba montando alrededor de la casa. De todas las misiones que le habían encomendado a lo largo de su carrera, ésta era quizás la que más le repelía. A nadie le gusta arrestar a una diosa. Estaba intranquilo e indeciso. Procuraba hacerse el simpático con Priyanka y Rahul, pero los niños le respondían con miradas hostiles.

Por fin, a las ocho de la noche, apareció Indira, bien maquillada y mejor peinada, vestida con un precioso sari blanco con borde verde que Usha y Sonia le habían elegido. Era la imagen misma de la distinción. El oficial sij no salía de su asombro, eso era como arrestar a una abuela elegante... Encima, cuando Indira salió de casa, en el jardín fue recibida con vítores y con una lluvia de pétalos de flor. En ese momento, se volvió hacia el oficial sij:

–Quiero que me ponga las esposas –le dijo.

N. K. Singh se quedó perplejo, con la boca entreabierta. «¡Ahora la abuelita le pedía esposas!», pensó horrorizado.

–Señora, por favor...

–Quiero salir esposada de mi casa. ¿No estoy detenida?... Pues póngame las esposas.

Sonia, que la seguía a escasa distancia con su marido y su cuñado, estaba igual de pasmada que el sij. El policía, al borde del ataque de nervios, fue a consultar con sus colegas. Volvió a los pocos instantes.

1. Citado en Chatwin, Bruce, *¿Qué hago yo aquí?*, Barcelona, El Aleph, 2002, p. 330, según la entrevista que Chatwin hizo al cocinero.

–Señora, no la vamos a esposar.

–Si no me esposan, no me muevo. Aquí me quedo.

–Señora, por favor, no me ponga en un aprieto... –dijo avergonzado–. No estoy autorizado a esposarla. Haga el favor de seguirme o la tendremos que llevar a la fuerza.

Ante la determinación del sij, Indira cedió y siguió a los policías, mientras la multitud en la calle le lanzaba flores y la aclamaba. Rajiv, antes de abandonar la casa con Sonia, pidió a Usha el favor de quedarse cuidando de los niños. No sabía lo que tardarían en regresar.

Antes de meterse en el coche, Indira se dirigió a un grupo de periodistas. «Tenía que haber ido mañana a Gujarat a visitar unas comunidades tribales. Os pido que por favor transmitáis mis disculpas al pueblo de Gujarat.» Preguntada por su detención, declaró: «He intentado servir a nuestra patria de la mejor manera posible. Los cargos presentados contra mí carecen de base. Éste es un arresto político».

El coche arrancó, precedido de un jeep militar y seguido de una caravana de vehículos en los que viajaban sus hijos y nueras, simpatizantes y reporteros. Atrás, los niños quedaban llorando, a cargo de Usha. La historia se repetía de nuevo en la dinastía de los Nehru, como cuando la policía venía a arrestar a Jawaharlal y su hija intentaba impedirles el acceso.

No la llevaron a la infame cárcel de Tihar, donde ella había mandado encerrar a las maharaníes de Gwalior y de Jaipur y a tantos otros. Su «prisión» fue en realidad el dormitorio de una comisaría de policía, espartano y relativamente limpio. Muy digna, se despidió de sus hijos y de sus nueras a la entrada. Irradiaba serenidad, porque intuía que a esta hora la noticia de su arresto, como si de un criminal común se tratase, viajaba ya por boca del pueblo a los rincones más alejados de su inmenso país. Sabía que si conseguía darse una imagen de mártir –razón por la cual había pedido las esposas–, ganaría la partida. Sonia, ajena a esta maniobra, la veía con una pena inmensa y hacía esfuerzos sobrehumanos para contener las lágrimas. Los Nehru no eran efusivos, y menos en situaciones así. Tampoco ella podía hundirse ahora. Los policías de guardia se cuadraron ante Indira cuando entró en su «cárcel». Les costaba asimilar que la tenían de huésped aquella noche. Era el mundo al revés. En el interior, le ofrecieron comida pero ella la rechazó. Temía ser envenenada. Se tumbó en la litera de su «celda» y estuvo leyendo largo rato una novela que Usha y Sonia le habían metido en la bolsa. Durmió profundamente y al alba ya estaba vestida, duchada y lista para enfrentarse al tribunal.

A las nueve de la mañana, Rajiv la esperaba en la puerta del palacio de justicia, en Parliament Street, el centro de Nueva Delhi, acompañado de un abogado. Esa mañana no estaban los habituales vendedores de samosas y de jugo de caña, ni los escribanos que por unas rupias escribían cartas o alegatos a los pobres analfabetos enzarzados con la justicia. La noticia del arresto de Indira había causado tal conmoción que a esa hora el edificio estaba completamente rodeado de gente apretujándose. Esta vez, la coalición Janata había mandado a sus propios manifestantes. Sanjay llegó al frente de los suyos, de modo que cuando Indira entró en el edificio, lo hizo escuchando gritos de: «¡Larga vida a Indira Gandhi!», por un lado, y «¡Colgadla!», por otro. Pero ella aguantó, estoica, y en ningún momento agachó la cabeza, ni siquiera cuando le lanzaron una revista que pasó volando a escasos centímetros de su cabeza.

En el interior de la sala diáfana, Indira rechazó la silla que le ofrecieron y se mantuvo casi dos horas de pie, escuchando las discusiones sobre los cargos que se le imputaban. Al arreciar el calor, un bedel mal afeitado vestido con un *dhoti* blanco y sucio dio una palmada para ordenar que se pusieran en marcha los ventiladores colgados del techo. Las palas empezaron a girar con lentitud, chirriando para desperezarse. La brisilla hizo temblar el faldón del sari de Indira, que sintió un poco de alivio. Estaba casi desmayada por el esfuerzo de mantenerse de pie con ese calor. Pero sabía que el gesto de haber rechazado una silla estaba siendo susurrado de boca a oreja por cientos, miles y quizás más tarde, por millones de compatriotas... «¡Se mantuvo de pie!», «¡Rechazó la silla!»... frases sencillas que moldeaban su figura mítica en el imaginario popular.

Afuera, simpatizantes y detractores llegaron a las manos. La policía intervino cargando con sus *lathis,* largos palos de bambú y, más tarde, con gases lacrimógenos.

Al final, el magistrado declaró a Indira inocente y la absolvió. Acto seguido, ordenó su libertad incondicional, sentenciando: «No hay pruebas para confirmar las bases de la acusación». Sanjay salió corriendo, gritando: «¡Caso sobreseído! ¡Está libre!», lo que provocó la euforia de unos y la rabia de otros, que volvieron a enzarzarse. La policía se vio obligada a lanzar más botes de gas lacrimógeno. Indira salió de la sala del tribunal con los ojos enrojecidos y tapándose la nariz, pero feliz porque había ganado. Rajiv estaba muy excitado: «Ni siquiera mamá hubiera podido soñar con un mejor desenlace», declaró a un periodista.

En efecto, la farsa de su arresto consiguió que la noticia fuese portada de todos los periódicos nacionales y buena parte de los internacionales. El gobierno consiguió que Indira pareciese una víctima de una administración incompetente. Consiguió el efecto adverso de lo que buscaba: encauzó a Indira en el camino de su total rehabilitación política.

Sonia empezaba a entender el porqué del afán de su suegra de ir inmaculadamente ataviada. Había conseguido proyectarse como una mártir de la justicia. Admiraba ese afán de lucha y al mismo tiempo el desapego de su suegra hacia los beneficios del poder; ahora estaba segura de que Indira volvería a la cúspide, aunque sólo fuese por limpiar su nombre y ser de nuevo el orgullo de los suyos, sobre todo de sus nietos, que adoraba. Sonia la entendía porque ambas compartían un sentido muy profundo e intenso de la familia. Sin embargo, no veía el otro lado del carácter de su suegra, porque nunca le había atraído el poder. Para Indira era una especie de droga. ¿No había dicho el propio Kissinger que el poder era el mejor afrodisíaco que existía? De ser una niña feúcha y solitaria, luego una mujer frágil y delicada de salud, el poder había hecho de Indira una luchadora formidable, dura y tenaz. Tenía el gusanillo muy dentro de sí, y lo sentía agitarse cada vez que la posibilidad de alcanzarlo, por muy remota que fuese, despuntaba en el horizonte.

Así que no perdió un segundo, sabía que tenía que aprovechar el momento. De nuevo Sonia la ayudó a preparar su bolsa de viaje, y esta vez para largo porque Indira quería recorrer el país entero. En Gujarat, se dirigía a la gente desde pequeñas plataformas erigidas a varios kilómetros las unas de las otras. Según transcurría el día, las guirnaldas de jazmines y margaritas iban acumulándose en el cuello hasta taparle parte del rostro. Se quitaba el pesado fardo antes de entrar en las chozas de los aborígenes donde compartía su comida, sobre hojas de platanero, hablando con ellos de sus problemas: la cosecha, la educación, la falta de atención sanitaria, etc. Una noche, mientras iba en coche atravesando un bosque, pidió al chófer que se detuviera. Había oído una voz. Unos minutos más tarde surgió un aborigen, un hombre medio desnudo con el pelo hirsuto y la piel renegrida. Llevaba en la mano una guirnalda de flores. «Madre, llevo diez años esperando verla», le dijo en su dialecto mientras le ponía el collar.

No siempre el recibimiento era triunfal o afectuoso. El escritor Bruce Chatwin, que la acompañó durante parte de esa gira, estaba en un coche que fue confundido con el de Indira[1]. Una piedra rompió el parabrisas e hirió al conductor. Otra atravesó su ventanilla y las astillas de los cristales le hicieron al escritor una herida en el hombro. «Eso es lo que les suele pasar a los que andan a mi lado», le dijo Indira, que le llevó a su cuarto a comprobar si la herida estaba debidamente vendada. En otra ocasión, en el estado de Kerala, Chatwin fue testigo de cómo una multitud de un cuarto de millón de personas, totalmente empapadas por la lluvia, se acercaron a escucharla cuando ya había caído la noche. Indira se situó en un balcón del último piso de un edificio, sentada en una silla que había sido colocada encima de una mesa. Se puso una linterna entre las rodillas, dirigiendo la luz hacia su cara y torso. Y empezó a mover los brazos y a hablar, mientras sus simpatizantes la confundían con Lakshmi, la diosa cuyos numerosos brazos movía de forma ondulante. La comparación no era baladí: Lakshmi era la diosa de la riqueza. Después de un buen rato, se dirigió a Chatwin, que estaba sentado abajo en la mesa.

—Señor Chatwin, páseme unas cuantas nueces de anacardo más —dijo agachando la cabeza hacia él. El escritor le tendió un puñado, y se quedó perplejo al oír a Indira añadir—: ... No tiene usted idea de lo agotador que es ser una diosa.

1. Chatwin, Bruce, *¿Qué hago yo aquí?*, *op. cit.*, p. 339.

El primer ministro Morarji Desai reconoció el error que había supuesto arrestar a Indira, y no estaba dispuesto a repetirlo, a pesar de los informes de la Comisión Shah que proclamó que la decisión de imponer el estado de excepción había sido inconstitucional y fraudulenta por no existir «evidencia de peligro a la integridad de la nación», una conclusión discutible. Entre los males que había provocado la *Emergency*, el juez Shah destacó la detención de miles de personas inocentes y una «serie de acciones ilegales que resultaron en miseria y sufrimiento humanos». El inconveniente es que la conocida tendencia progubernamental del juez restaba credibilidad al informe de la Comisión Shah. Era una interpretación muy subjetiva de la evidencia, y además no era vinculante.

De modo que se olvidaron de Indira para concentrarse en su hijo, que no estaba legalmente a salvo, aunque nunca pudo probarse que hubiera desvío de fondos públicos o cohecho en el negocio del Maruti. El caso más problemático que pesaba sobre Sanjay era una denuncia por haber destruido una película satírica llamada *La historia de dos sillones*, en referencia al poder que él y su madre acapararon durante el estado de excepción. La realizadora de la película había apelado al Tribunal Supremo para conseguir que el juez diese el visto bueno a la censura y obtener así el certificado de exhibición del film. Pero entonces Sanjay y su compinche el ministro de Información habían mandado destruir las copias y los negativos, en un acto que subvertía el proceso de la justicia. Por eso fueron condenados.

Así que Sonia fue de nuevo testigo del arresto de otro miembro de la familia, esta vez el de su cuñado. Fue mucho más rápido que en el caso de Indira. En cinco minutos se lo llevaron esposado a la infame cárcel de Tihar, donde él mismo había mandado a tantos opositores a su madre. Indira, que estaba viajando por el sur, cogió el primer avión de regreso a Delhi. Fue directamente a verlo a la cárcel y se encontró allí con toda la familia y con un nutrido grupo de periodistas y equipos de televisión. El abrazo que dio a Sanjay dio la vuelta al mundo, así como sus consejos: «No te desanimes, sé valiente, esto va a suponer tu renacimiento político. Y no te preocupes, recuerda que yo, mi padre, todos hemos pasado por la cárcel». Indira temía el efecto que la prisión pudiera tener sobre Sanjay. «Lo que me da miedo –confesó a Rajiv y a Sonia– es que le agredan físicamente.»

A pesar de las tensiones, la familia reaccionaba como una piña ante la adversidad. Sonia se comprometió a preparar a su cuñado una comida al día que Maneka le llevaba a la cárcel. La joven esposa estaba excitada con la nueva situación. Le parecía que estaban viviendo una aventura increíble y en el fondo se regodeaba en su nuevo papel porque se sentía más necesaria que nunca ante su marido.

A lo largo de 1979, Sanjay fue encarcelado seis veces, aunque no pasó más de cinco semanas encerrado. Le ocurrió como a su abuelo Nehru: la cárcel le hizo sacar lo mejor de sí mismo. No tenía ningún prejuicio en mezclarse con todo tipo de reos; organizaba torneos deportivos, juegos de equipo y turnos de limpieza de las instalaciones. Cuando algún prisionero caía enfermo, Sanjay se ocupaba de cuidarlo. Si lo estimaba necesario, pasaba horas sentado junto a él. Nada más ingresar en cualquiera de los centros penitenciarios, se convertía en su líder indiscutible.

Mientras Sanjay sobrevivía entrando y saliendo de la cárcel y de los tribunales, su madre hacía acopio de fuerzas, convencida como estaba de que podría recuperar el poder, y con él la seguridad y la dignidad para ella y su familia. Estaba dispuesta a luchar como una leona para proteger a sus cachorros. De madre leona fue el mensaje que mandó a Sanjay el día de su cumpleaños en la cárcel: «Recuerda, todo lo que hace fuerte, duele. Algunos quedan aplastados o lisiados, muy pocos se crecen. Sé fuerte en cuerpo y mente y aprende a tolerar...»[1].

1. Gandhi, Maneka, *Sanjay Gandhi*, Nueva Delhi, Vakis, Feffer & Simons, 1980.

Indira estaba intentando recomponer su base, es decir el partido, que estaba dividido entre los incondicionales, dispuestos a seguirla hasta los confines de la tierra, y los que achacaban a Sanjay la responsabilidad de la debacle de 1977 y que no lo querían en la organización. A esto había que añadir los numerosos ministros que la habían traicionado ante la Comisión Shah, confesando mentiras a cambio de inmunidad jurídica. En esas circunstancias, recomponer el partido se hacía imposible. Entonces Indira cortó por lo sano. Decidió escindir la organización y quedarse sólo con los muy leales. Se convirtió así en presidenta del Congress (I) –la I por Indira– y el logo elegido fue la palma de una mano, como una bendición. A sus leales, les exigió también lealtad hacia su hijo. «Los que atacan a Sanjay me atacan a mí», había declarado en varias ocasiones. Su querencia por el poder la empujaba inconscientemente a perpetuarse en él, de ahí que la figura de Sanjay alimentase sus ambiciones dinásticas.

Sonia pensaba que ya había vivido lo peor con las detenciones, el hostigamiento, la persecución fiscal a su marido, pero desde el momento en que Indira anunció la creación de su nueva formación política, la vida en Willingdon Crescent se hizo mucho más irritante e incómoda. Era una casa abierta día y noche. La gente llegaba a cualquier hora para visitar a Indira. Los miembros de su partido, con expresiones que pasaban de la euforia a la angustia, entraban y salían como Pedro por su casa. De pronto se reunían en secreto, se organizaban, planificaban nuevas estrategias, decidían qué tácticas emplear en cada circunscripción. A todo esto, había que añadir las frecuentes visitas de abogados que seguían guiando a Indira y Sanjay por los vericuetos de la justicia. De pronto Sonia encontraba en el comedor a miembros de los servicios secretos que venían a interrogar a su suegra o a su cuñado. Ya no sabía si la gente que pululaba por las habitaciones eran aliados o enemigos. No daba abasto preparando tés y tentempiés para las numerosas visitas que Indira recibía en el césped, bajo unas carpas improvisadas en el jardín o en la entrada de casa, que a veces parecía la sala de espera de una estación de tren. Indira parecía feliz con tanto trajín; la promiscuidad no la molestaba. Estaba en su elemento, en el ambiente en que se había criado de niña. Además contaba con la presencia de Sanjay que, si no estaba en la cárcel o con sus abogados, trabajaba muy pegado a ella, viendo la manera de utilizar el Youth Congress para boicotear el funcionamiento del actual gobierno del Partido Janata.

–Me recuerda a los días de Anand Bhawan cuando preparábamos alguna acción de protesta... –decía Indira encantada a Sonia, que estaba al borde del llanto.

Ni ella ni Rajiv soportaban la falta de privacidad. Más de una vez, les ocurrió encontrarse en su cuarto a miembros del partido discutiendo acaloradamente porque no habían encontrado un sitio mejor para hacerlo. El ambiente desorganizado y revuelto, las amenazas constantes y el porvenir incierto les crispaba los nervios. Ésa no era la vida que habían elegido para ellos y sus hijos. Ahora ni siquiera sus amigos podían venir a verlos. ¿Dónde los recibirían? Tanto barullo le hacía temer a Sonia por la seguridad de los pequeños. «¿Y si se cuela alguien en casa con intención de secuestrarlos o hacerles daño?», se preguntaba. Además, le preocupaba el efecto que las tensiones familiares tendrían sobre ellos. Sonia y Maneka habían dejado de hablarse porque esta última seguía sin colaborar en las tareas domésticas. Pupul, que fue una testigo privilegiada de esa época, escribió: «Es increíble que, en esas condicines caóticas, Sonia pudiese encargarse de todas las tareas domésticas sin venirse abajo»[1].

El siguiente paso que dio Indira fue presentarse a las elecciones por una pequeña circunscripción del sur. Le habían llegado rumores de que el gobierno Janata estaba preparando una ley para imponer penalizaciones a los políticos que hubieran cometido crímenes contra el pueblo, como la prohibición de votar y de ser elegido. Si Indira conseguía entrar en el Parlamento, tendría la seguridad de que semejantes medidas no la afectarían al estar protegida por la inmunidad parlamentaria. Había elegido la circunscripción con sumo cuidado. Chikmaglur era un pequeño distrito en las colinas verdes de Karnataka, un estado en el suroeste de la India, donde en el siglo XVII un santo musulmán llegado de La Meca plantó unas semillas rojas desconocidas hasta entonces. Fue el principio del cultivo del café,

1. Jayakar, Pupul, *Indira Gandhi: A Biography*, *op. cit.*, p. 355.

que seguía vigente tres siglos después. Para Indira, era un área perfecta: más de la mitad del electorado estaba compuesto por mujeres, de las cuales la mitad pertenecían a las denominadas «castas bajas». En total, más de la mitad de la población vivía bajo el umbral de la pobreza. La zona era también un bastión del Congress. Su diputado por el distrito, que dimitió para ceder el puesto a Indira, era un viejo líder muy respetado.

Las pequeñas aldeas encaramadas en las colinas estaban rodeadas de una exuberante vegetación semitropical. Indira disfrutaba de ese paisaje bucólico. Visitó las plantaciones de café para hablar con los recolectores y sus familias. Era gente sencilla, satisfecha con lo poco que tenían, aislada de la vida política del resto del país. Indira descubrió que las noticias de su derrota de 1977 no habían llegado todavía al interior de la comarca. Una anciana recolectora ni siquiera se había enterado de que ya no era primera ministra. Cuando le dijeron que podía acabar en la cárcel si se probaban los cargos contra ella, la anciana preguntó con lágrimas en los ojos: «¿Qué cargos?», como si los grandes de este mundo no pudiesen hacer nunca nada malo. Aquellas gentes eran ingenuas e inocentes.

Indira no dejó una sola aldea sin visitar. En todas partes, la acogida era muy cálida. Las mujeres se acercaban a acariciarle la cara porque nunca habían visto una piel tan clara. Captaban en sus ojos un entendimiento tácito sobre lo que representaba ser mujer, acarrear el peso de los partos, los niños, el hambre y la muerte. Las más mayores le agradecieron que su gobierno hubiera puesto en marcha programas de ayuda gracias a los cuales fueron capaces de comer arroz por primera vez. Antes, sobrevivían de la recolección de trigo silvestre y muchas no tenían ni para vestirse, iban cubiertas de hojas de banano. Así de remoto y atrasado era Chikmaglur; así de agradecidas eran sus mujeres.

Mientras sus rivales hacían discursos sobre democracia frente a dictadura y recordaban los excesos del estado de excepción, Indira hablaba de la espiral de precios, la escasez de alimentos básicos y la creciente pobreza. En aquel lugar, la *Emergency* no se había notado. Por si fuera poco, sus contrincantes le allanaron el camino al pifiarla de una manera que sólo hubiera podido darse en la India[1]. En un mitin multitudinario, colocaron un enorme cartel en el que Indira estaba representada en forma de cobra amenazante. Abajo, un texto decía: «Ojo, en estas elecciones una poderosa cobra va a erguirse». El efecto fue totalmente contraproducente. Los autores de la campaña ignoraban que en Karnataka se veneraba a la cobra, considerado un animal protector de la tierra. Otro cartel mostraba flechas del partido Janata matando a una serpiente llamada Indira. Pero en Chikmaglur, matar a una cobra era considerado de pésimo agüero.

Llovió a cántaros el día de la convocatoria electoral. Aun así, tres cuartas partes de la población acudió a depositar su papeleta. Indira regresó a Nueva Delhi y dos días después, mientras estaba con Sonia y Rajiv en la embajada de la Unión Soviética celebrando el día nacional de la URSS, fue informada de que había ganado por un amplio margen de setenta mil votos. El embajador alzó una copa para brindar por la victoria de Indira. En dos años, la mujer que había sido vencida en las urnas de manera humillante regresaba como diputada al Parlamento por una remota circunscripción del sur.

Cuatro días después, Indira volaba a Londres. Había conseguido un pasaporte diplomático para ella y había querido que Sonia la acompañase. Era la única que podía hacerlo, por disponer de pasaporte italiano. Lo había hecho para que su nuera cambiase de aires y además porque era una manera de agradecerle su dedicación a la familia. En los últimos tiempos, la discordia en casa había alcanzado el paroxismo. El comportamiento errático y descontrolado de Maneka era una fuente de tensión constante. Reaccionaba ante la presión y la incertidumbre estallando en frecuentes ataques de cólera contra todo el mundo, incluido su marido. En una de esas peleas, Maneka se quitó el anillo que Indira le había regalado en su boda y lo tiró al suelo con rabia[2].

–¿Cómo te atreves a hacer eso? –saltó Indira–. ¡Ese anillo perteneció a mi madre!

1. *India Today*, 16-30 de noviembre de 1978.
2. Yunus, Mohammed, *People, Passions and Politics*, Nueva Delhi, Vikas, 1980, p. 45.

Maneka se fue dando un portazo y Sonia se agachó para recogerlo.

–Lo guardaré para Priyanka –dijo, y en efecto, años más tarde, su hija luciría el anillo de su bisabuela.

El matrimonio de Sanjay y Maneka era explosivo, lo contrario que el de Rajiv y Sonia. En ese curioso hogar, la italiana se comportaba como una perfecta nuera india, y la india como una napolitana exuberante. «En casa reina el caos –confesó Indira a su amiga Pupul–. Pero Maneka tiene apenas veintiún años... Le esperan largas condenas de reclusión a Sanjay. Hay que entenderla y perdonarle su histeria[1].» La caza de brujas había conseguido que todos tuvieran que pagar un alto precio en desgaste nervioso, hasta el propio Sanjay, en quien habían hecho mella las treinta y cinco querellas criminales presentadas contra él por el Partido Janata en dos años. Un día, mientras la familia desayunaba en casa con unos parientes que estaban de visita, Sanjay protestó porque los huevos no estaban cocidos como lo había indicado y tiró el plato al suelo. Sonia era quien se los había preparado, así que salió de la habitación enfadada. Indira no pronunció una sola palabra de crítica hacia su hijo, aunque se la veía claramente molesta.

Cuando Sonia no podía más, se iba con sus amigas, una de ellas decoradora y otra editora, a comer a un pequeño restaurante chino de Khan Market o al American Embassy Club donde no la reconocían. O salía al jardín con una azada en la mano a cuidar de la huerta. El brécol que había conseguido cultivar causaba sensación entre sus conocidos.

Los diez días del viaje a Londres no fueron vacaciones, pero a Sonia le sentó bien estar fuera de casa. Londres le traía recuerdos de una época muy feliz en su vida. Pensaba que se alejaría del ambiente insoportable de la política india, pero no fue así. La política les perseguía. Indira había aceptado ese viaje para rehabilitar su maltrecha reputación internacional, y fue recibida con gran expectación y mucha desconfianza. Le avisaron de que podría encontrarse con audiencias hostiles en los distintos actos a los que asistiría, de modo que en la primera reunión con parlamentarios, Sonia se temió lo peor.

1. Jayakar, Pupul, *Indira Gandhi: A Biography*, *op. cit.*, p. 384.

–Señora Gandhi, ¿qué falló en su estado de excepción? –le preguntó un diputado sin preliminares ni rodeos.

Hubo un largo silencio. Indira se levantó, ajustó el faldón de su sari, y cogió el micrófono.

–Conseguimos enajenar a casi todos los sectores de la comunidad simultáneamente –respondió de manera sencilla y directa.

Su franqueza causó una risotada general y disolvió la tensión del ambiente. Entre los asistentes estaba una mujer que, si bien se encontraba en el lado opuesto del espectro ideológico de Indira, le profesaba una gran admiración. Se trataba de Margaret Thatcher, que estaba a punto de convertirse en primera ministra. Quizás, por ser mujer, entendía la mezcla de fragilidad y firmeza de Indira y comprendía muchas de sus reacciones en el ejercicio del poder. La futura «Dama de Hierro» no tenía reparos en admitir que se encontraba frente a una maestra. Aquel viaje sirvió en gran parte para que Indira recuperase sus credenciales democráticas.

Entre encuentros con la prensa, con representantes de comunidades indias y visitas a políticos ingleses –que irritaban sobremanera al embajador indio– apenas hubo tiempo de ir al teatro y al cine, de hacer compras en Woolworth's y de buscar libros en la famosa librería Foyle's. Esos paseos fueron para Sonia un auténtico bálsamo. En esas calles brillantes de lluvia nadie la reconocía, se sentía segura, no tenía que estar pendiente de la escolta, podía desplazarse a pie y no depender siempre del coche... ¡Qué lujo! A pesar de todas las dificultades de los últimos tiempos, su relación con su suegra era más estrecha que nunca. Sonia no tenía reparo en reconocer que la quería como a una madre. Aunque Indira no lo mostraba abiertamente, su preferencia por Sonia era notoria. Le inspiraba una confianza que nunca podría inspirarle Maneka. Pero a pesar de ello, siempre la defendía, por lo menos en público. «Maneka soporta una gran presión», decía disculpándola. Lo cierto es que Maneka trabajaba con ardor en la causa de su suegra. Había conseguido destapar un escándalo que había afectado al Partido Janata. Fotógrafos de su revista *Surya* habían conseguido imágenes del hijo del primer ministro, un hombre casado de cuarenta años, en la cama con una adolescente. En un país de hábitos tan pudorosos, ese escándalo tuvo el efecto de poner en ridículo la persecución del Partido Janata contra Sanjay y al propio primer ministro. Maneka estaba muy orgullosa de haber aportado su grano de arena en esta batalla. Pero en su fuero interno, sentía que nunca ocuparía el lugar que ocupaba Sonia en el corazón de Indira, y eso la perturbaba.

Mientras caminaban por Oxford Street, haciendo compras de última hora para los niños, ni Sonia ni Indira podían imaginar que en Nueva Delhi el gobierno estaba haciendo un último y desesperado esfuerzo por derribarla de nuevo. A medida que se afianzaba su resurrección política, se multiplicaban comisiones de investigación para intentar vincularla a toda clase de delitos. Las acusaciones iban de lo macabro a lo absurdo, de «conspirar para matar a un ex ministro» (que en realidad había fallecido de muerte natural) a «desviar fondos y enriquecerse ilícitamente» (lo que era obviamente falso). Quizás el más absurdo de los cargos fue el de haber robado cuatro gallinas y dos huevos, una acusación que la obligó, nada más volver de Londres, a viajar al lejano estado de Manipur, en el este de la India, un viaje de tres mil kilómetros, para presentarse ante el juez local. El caso fue sobreseído e Indira regresó a Nueva Delhi.

En el Parlamento, donde era recibida entre gritos y vítores, el Comité de Privilegio, un grupo que vigilaba el abuso de poder de los gobernantes, había presentado una moción contra Indira, acusándola de haber hostigado, cuando era primera ministra, a cuatro funcionarios que investigaban la Maruti Limited. El informe concluyó que era culpable, pero antes de que fuese tramitado ante la justicia, los cabecillas del Partido Janata decidieron castigarla, haciendo uso de su mayoría en la cámara. Aprobaron una resolución del Parlamento pidiendo que «Indira fuese encarcelada una semana, y en consecuencia expulsada de la cámara». Ahora los que estaban cometiendo abuso de poder eran los propios gobernantes. La condenaban antes de haber sido juzgada. Era puro revanchismo, que se explicaba por el miedo que tenían de verla resurgir. Una cosa era tener a Indira recorriendo el país, otra bien distinta era tenerla pregonando en el Parlamento. De modo que utilizaron una triquiñuela para sacarla: primero encarcelarla, lo que no era del todo legal, para luego aplicar la ley que expulsaba automáticamente del Parlamento a todo el que estuviera condenado a alguna pena de prisión. En realidad, cruzaron la raya de la legalidad. Y lo hicieron justo el día en que en Pakistán, el ex primer ministro Zulfikar Ali Bhutto se presentaba ante el Tribunal Supremo para defenderse de una condena a muerte dictada por un tribunal inferior y urdida por Zia Ul Haq, un general golpista que había organizado un simulacro de juicio. La sombra de esa sentencia injusta llegaba hasta Nueva Delhi amenazando a Indira y a su hijo. Si los gobernantes se saltaban las reglas del juego, todo se hacía posible en aquel ambiente de linchamiento. Al actuar de manera ilegal, los enemigos de Indira arramblaban con los últimos vestigios de la superioridad moral con la que habían asumido el poder como representantes de una nación traumatizada por la experiencia del estado de excepción. De pronto, eran ellos los que se convertían en tiranos que encarcelaban sin juicio, subvirtiendo así los deseos del electorado.

Bajo la bóveda del Parlamento, Indira se defendió con pasión y furia controladas: «Nunca antes en la historia de ningún país democrático un solo individuo, que lidera el principal partido de oposición, ha sido objeto de tanta calumnia, difamación y *vendetta* política por parte del partido en el poder». Volvió a decir que sentía profundamente los excesos del estado de excepción: «Ya he expresado mis disculpas en muchos foros públicos y lo vuelvo a hacer ahora». Sus palabras eran frecuentemente interrumpidas por un estruendo de vivas y abucheos que resonaban con fuerza en la cúpula cóncava del edificio:

–Soy una persona pequeña, pero siempre he sido fiel a ciertos valores y objetivos. Cada insulto contra mí se volverá contra vosotros. Cada castigo que me inflijáis me hará más fuerte. Mi voz no podrá ser silenciada porque no es una voz aislada. No habla de mí, una mujer frágil y sin importancia. Habla de cambios significativos para la sociedad, cambios que son la base de la verdadera democracia y de una mayor libertad.

Terminado el discurso, Indira se levantó y, dando la espalda a los diputados, caminó hacia la salida. Al llegar a la puerta, se dio la vuelta y les miró largamente. Unos estaban sentados con las piernas cruzadas, envueltos en sus *kurtas* de algodón blanco y en sus chales de pashmina, otros llevaban el gorro característico que usaba Nehru, otros el fez musulmán; muy pocos vestían a la occidental. Parecía una corte oriental antigua y abigarrada. Levantó el brazo, con la mano extendida que era el símbolo de su partido:

–¡Volveré! –dijo.

Sonia había preparado una pasta exquisita para cenar. Además, de postre había crema de guayaba y pastelitos de mango de Allahabad, que le gustaban mucho a Indira porque le recordaban a su infancia. Llegó con una hora de retraso, agotada. Los rasgos de su rostro reflejaban la tensión que acababa de vivir.

–En cualquier momento vendrán a por mí... –les dijo a Rajiv y Sonia, antes de contarles lo sucedido en el Parlamento.

Sonia no consiguió probar bocado. Como ocurre muchas veces, las personas cercanas sufren más que las propias víctimas. El miedo volvió a apoderarse de su alma, mezclado con una desagradable sensación de inseguridad, como si estuvieran viviendo sobre arenas movedizas dispuestas a engullirlos a todos. De nuevo Indira sería arrestada, esta vez no dormiría en una comisaría, sino en la cárcel. Sus enemigos habían ganado una batalla. Rajiv y Sonia estaban abatidos.

–¿Por qué no llamas a Priyanka y jugamos una partida de scrabble? –preguntó entonces Indira. Le encantaba jugar con su nieta, que era muy despierta y ganaba un buen porcentaje de veces... Qué mejor compañía que la de la niña de sus ojos en esos momentos de incertidumbre.

25

Al día siguiente, Indira fue arrestada a la salida del Parlamento, en medio de una enorme manifestación de apoyo y gritos de «¡Larga vida a Indira Gandhi!». Esta vez no pidió ser esposada. El furgón celular donde la introdujeron se abrió paso con gran dificultad entre la muchedumbre. Fue conducida a la cárcel de Tihar, cuya sola mención era capaz de amedrentar a los criminales más aguerridos. Pero contrariamente a las maharaníes de Jaipur y Gwalior, no fue encerrada en una celda en compañía de prostitutas y delincuentes comunes. La metieron en los mismos barracones donde había estado preso el jefe de la oposición cuando el estado de excepción. Estaba sola, todo un privilegio. Dos matronas se turnaban para vigilarla. Cuando le trajeron algo de comer, se negó a probar bocado.

–No pienso comer nada que no haya sido traído por mi familia –dijo de manera perentoria, sabiendo que sólo podía fiarse de las manos de Sonia. La matrona salió y fue a discutir con su superior. Como siempre en la India, fueron largas conversaciones que duraron un tiempo interminable.

Mientras tanto, Indira se dedicó a observar la celda. Se oía la algarabía del patio y de las otras internas. Era espaciosa y en general estaba mejor de lo que se había esperado. Disponía de un camastro de madera, sin colchoneta, y había barrotes en las ventanas, aunque carecían de cristal o persianas. Hacía mucho frío. A finales de diciembre, la temperatura puede bajar de cero por la noche.

Indira estaba tapando el hueco de la ventana con una manta para protegerse del frío y para procurar algo de intimidad cuando regresó la matrona.

–Tiene una visita.

Sonia y Rajiv la estaban esperando en el locutorio, una sala grande con paredes desconchadas, algunas mesas y sillas metálicas y mucha gente, la mayoría pobres, hombres jóvenes y huesudos que venían a ver a sus esposas y madres encerradas. La parte baja de las paredes estaba manchada de rojo, vestigio de los innumerables escupitajos de todos los que mascaban hoja de betel. Olía a orines y a incienso rancio. Como ya habían venido a visitar a Sanjay, estaban curados de espanto. Pero parecían muy afectados, y fue Indira quien tuvo que levantarles el ánimo.

—Estoy bien, de verdad. Voy a aprovechar para leer, me dejan tener hasta seis libros... vaya suerte –dijo con sorna–. Han hecho una especie de cuarto de aseo especial para mí y me podré duchar por la mañana con agua caliente. La celda está bastante limpia pero todo es indescriptiblemente feo, como podéis ver... ¿Cómo están los niños?

—Priyanka quería venir a verte, pero hemos pensado que...

A Indira se le iluminó el rostro.

—¡Oh, sí! –dijo sonriendo–. Traedla, es bueno que vea lo que es una cárcel. Nosotros los Nehru, desde pequeños, hemos ido a visitar a nuestros parientes a las cárceles... No hay que perder la tradición.

Se rieron. Como siempre, Indira no se dejaba vencer por la adversidad. Ni una sola vez dejó traslucir el más mínimo rastro de autocompasión. Le bastaba estar convencida de que la razón moral estaba de su lado.

—Vendré a traerte la comida... –le dijo Sonia.

—Tráeme poca cosa. No tengo hambre.

Sonia iba dos veces al día a llevarle platos preparados en casa. Tenía que pasarlo todo por un detector de metales. Una celadora inspeccionaba luego los recipientes. Los dulces estaban prohibidos porque en una ocasión un reo había ofrecido a su carcelero un dulce con alguna sustancia narcótica en su interior y había conseguido escapar. Tampoco estaban permitidos los plátanos en la sección de mujeres: así de puritanas y suspicaces eran las autoridades...

Un día Indira le contó a Sonia que había recibido dos telegramas anónimos. Uno decía: «Vive frugalmente». Y otro le aconsejaba contar los barrotes para pasar el tiempo. «Los he contado, hay veintiocho», le dijo. También le dijo cómo mantenía una estricta rutina que la ayudaba a pasar los días. Se despertaba a las cinco de la madrugada y hacía sus ejercicios de yoga. Luego bebía un vaso de leche fría –que Sonia le había traído la víspera– y volvía al camastro hasta las siete. Después se aseaba, un poco de meditación y se ponía a leer. Las tardes se le hacían eternas, pero no se quejaba. Aprovechaba para pensar, para replegarse en sí misma y, curiosamente, para descansar. El mejor momento lo vivió cuando fue a visitarla su nieta. Todos en la familia decían que Priyanka había salido a su abuela. Tenía carácter y era voluntariosa y decidida. Indira la adoraba. Rajiv y Sonia tuvieron que enzarzarse en larguísimas discusiones con las autoridades carcelarias para conseguir pasar a la pequeña. Fue una reunión alegre en un decorado lúgubre.

Antes de marcharse, Indira le pidió un favor a Sonia.

–Quisiera que mandases de mi parte un ramo de flores a Charan Singh con una nota de felicitación por su cumpleaños.

–¿Charan Singh? –preguntó asombrada Sonia.

–Sí, el mismo. ¿Lo harás, por favor?

–Claro –respondió Sonia perpleja.

Charan Singh era uno de los cabecillas del Partido Janata, ministro del Interior y responsable de su primer arresto, y ahora relegado a un ministerio de menor importancia. Indira sabía lo que hacía. Quedaban tres años por delante de gobierno Janata, pero le había llegado información de que los integrantes de la coalición se estaban peleando a muerte. Charan Singh estaba resentido contra el primer ministro Morarji Desai, ese que había insistido en quitarle la casa y la protección a Indira, por haber sido destituido de su cargo de ministro del Interior. Indira pensó que podría abrir una brecha entre ambos líderes, azuzar sus ambiciones para que el gobierno cayese como una fruta podrida. Ése era el propósito del ramo de flores.

Nada más salir de la cárcel, le esperaba una carta de Charan Singh invitándola a su residencia a celebrar la fiesta de nacimiento de su nieto. En ese marco tranquilizador y familiar tuvo lugar una negociación maquiavélica, en la que ambos adversarios políticos perfilaron una estrategia para tumbar el gobierno del primer ministro Morarji Desai. A cambio de anular la nueva ley de

Tribunales Especiales bajo la que Indira y Sanjay podían ser juzgados sin la protección legal habitual, Indira ofreció el apoyo del Congress para derrocar a Morarji Desai. Y una vez derrocado, se comprometía a apoyar a Charan Singh para hacerlo primer ministro, lo que le permitiría satisfacer la ambición de toda su vida. Fue Sanjay quien se encargó de continuar con las delicadas negociaciones cuidándose de no dejar ningún fleco suelto.

El resultado fue que la coalición se rompió y el gobierno de Morarji Desai cayó, pero Charan Singh no pudo, o no quiso, revocar la ley especial, de modo que Indira le retiró el apoyo, y su gobierno duró menos de un mes. Para salir del atolladero, el presidente de la República disolvió el Parlamento y convocó nuevas elecciones para enero de 1980. Indira había maniobrado con experiencia, frialdad y eficacia. Tal y como les había dicho a los diputados después de su discurso, se disponía a volver, y por la puerta grande.

Unos meses antes, había pensado en dejarlo todo. Ella y Sanjay habían hablado hasta de retirarse a una pequeña ciudad del Himalaya. El sabio y filósofo Krishnamurti, amigo personal de Pupul, había recomendado a Indira que abandonase la política y ella le había contestado que no sabía cómo hacerlo, habiendo veintiocho causas pendientes contra ella. No quería terminar como Zulfikar Ali Bhutto, que había sido ejecutado en la horca el 4 de abril de 1979 en el patio de la prisión central de Rawalpindi. El dictador pakistaní, temeroso de que Bhutto resucitase políticamente como lo estaba haciendo Indira en la India, había conseguido manipular a la justicia para acabar con su rival. Aquí no era tan fácil esa manipulación, porque la India seguía siendo una democracia. Pero el peligro acechaba.

–Tengo dos alternativas –le había dicho Indira a Krishnamurti–, luchar o que me disparen como a un pato de feria[1].

Ahora no había vuelta atrás posible. El poder estaba al alcance de la mano. Indira, fiel a sí misma, fue a conquistarlo. Armada de dos maletas que contenían media docena de saris de algodón crudo, un termo para el agua caliente y otro para la leche fría, dos cojines, varias bolsas de frutos secos, una caja de man-

1. Jayakar, Pupul, *Indira Gandhi: A Biography, op. cit.*, p. 376.

zanas y un paraguas para protegerse del sol, se adentró en los confines del subcontinente. Recorrió setenta mil kilómetros, dirigió una media de veinte mítines al día y, en total, alcanzó una audiencia de cien millones de personas. Fue vista u oída por uno de cada cuatro votantes. En seguida, se dio cuenta de que su segundo paso por la cárcel la había hecho inmensamente popular. Mártir y heroína. En comparación, los candidatos de la coalición que componía el Partido Janata parecían viejos dinosaurios. Competían no tanto contra una diminuta candidata de sesenta y dos años sino contra un mito viviente, una leyenda vestida con sari y sandalias polvorientas que despertaba la pasión del pueblo. Su mensaje era sencillo, lejos de abstracciones e ideologías: «Votad por un gobierno que os funcione». Sonia no podía imaginar que, años más tarde, ella misma echaría mano de ese eslogan.

Como en los buenos tiempos, Indira arrasó en las urnas. Sonia se lo esperaba porque la había acompañado en algunos de sus recorridos por las aldeas y la había visto moverse con total soltura entre las muchedumbres de desarrapados, diciendo una frase amable a un anciano, teniendo un detalle con un lisiado, sonriendo a una mujer, regalando una flor a una niña. La memoria de esa prodigiosa campaña se quedó grabada en su mente y años más tarde le sería de una enorme utilidad.

Cuando los resultados se hicieron oficiales, la casa fue invadida por amigos, periodistas, miembros del partido, grandes industriales, comerciantes del barrio y gente de todo el espectro social. Había flores por doquier. A duras penas, su amiga Pupul pudo abrirse paso entre el gentío. Cuando se encontraron, Indira casi se echa a llorar. «Estaba muy emocionada y un poco ida –contaría su amiga–. Aunque se había dado cuenta de que la marea corría a su favor, la conmoción de la victoria la dejó como noqueada.» Asumir que volvía a ser primera ministra y que de un plumazo todos sus problemas se solucionaban, llevaba su tiempo. Pero en seguida reaccionó.

–¿Qué se siente al ser de nuevo líder de la India? –le preguntó a Indira un corresponsal europeo. Ella se giró hacia él con una mirada de fuego.

–Siempre he sido la líder de la India –le respondió secamente.

Otro periodista, sorprendido ante la afluencia masiva de gente humilde, comentó a Indira que algo muy bueno debía de haber hecho para ellos en el pasado para que acudiesen tantos, a lo que ella replicó de manera un poco críptica: «No, aquellos a los que hemos ayudado están donde no se dejan ver».

Sanjay se encontraba a su lado, sonriente, envuelto en un chal color salmón, como un joven César. También él había ganado, en la misma circunscripción que le había desdeñado tres años antes. Ahora su poder tendría algo de legitimidad. La vida le sonreía también por otra razón. Maneka se había quedado embarazada unos meses atrás, cuando la situación para ambos era muy dura. Se habían llegado a preguntar qué sentido tenía traer un niño al mundo en medio de tanta amenaza. Ahora ese velo de incertidumbre se alzaba y el futuro se anunciaba radiante. Maneka, muy excitada, departía con periodistas y amigos, luciendo con orgullo su barriga desnuda entre el corpiño y el faldón del sari. Rajiv, Sonia y los niños pululaban por la casa. Parecía de nuevo una gran familia feliz.

Los que habían sido víctimas de las campañas de nacionalizaciones y de abolición de privilegios no compartían ese júbilo. La foto de Indira sonriendo junto a Sanjay, que ocupó las portadas de los principales periódicos en días sucesivos, hizo que más de uno en el inmenso país sintiese un escalofrío de miedo. Madre e hijo volvían a la carga. En sus palacios ya decrépitos, los herederos de los maharajás recibieron la noticia con cinismo... ¿Qué podía quitarles ahora que no les hubiera quitado ya? Era tal el odio que inspiraba Indira en muchas familias de la antigua aristocracia del país que una vez, estando de visita en Bhopal, fue invitada a tomar el té a casa de los herederos de las antiguas *begums*, que habían gobernado el sultanato durante generaciones. Indira nunca supo que el trozo de tarta de chocolate que degustaba con fruición estaba impregnado de un escupitajo, regalo oculto de la señora de la casa que, nobleza obliga, la atendía por otra parte con la máxima deferencia.

El 14 de enero de 1980, Indira juró el cargo de primera ministra ante el presidente de la República, rodeada de su familia, de algunos amigos y compañeros de partido, en el resplandeciente salón Ashoka del ex palacio del virrey, cuyas pinturas en

Una familia entregada a la lucha por la independencia

1   2   3

Todo empezó en Allahabad, en la mansión de un brillante y acaudalado abogado llamado Motilal Nehru (foto 1). El amor que éste sentía por su hijo Jawaharlal estuvo en el origen de la lucha por la independencia de la sexta parte de la humanidad.

La extravagante vida de los Nehru cambió cuando entraron en contacto con el Mahatma Gandhi. El patriarca Motilal (fotos 2 y 3) abandonó la sofisticación por la sencillez, cambió sus trajes de franela por simples curtas de algodón hilado a mano, como Gandhi. El hogar de los Nehru se transformó en el hogar de la India entera.

Jawaharlal Nehru y el Mahatma Gandhi no tenían nada en común, pero la combinación de fuerzas que surgió de su amistad acabaría cambiando el mundo. Gandhi era un hombre de fe, de religión. Nehru un racionalista, convencido de que la ciencia y la tecnología salvarían a la India.

4

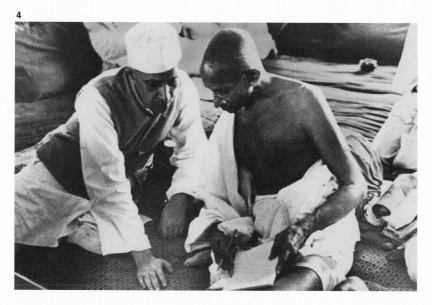

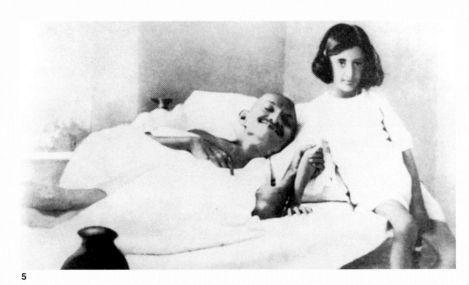

5

El Mahatma Gandhi fue como un segundo padre para Indira, la hija de Nehru. Le contaba sus confidencias de chiquilla, le decía lo mucho que extrañaba a su padre, que pasaba largas temporadas en la cárcel, le hablaba de sus complejos porque era una niña feúcha y enfermiza.

Nada hacía pensar que Indira acabaría sucediendo a su padre. Ella soñaba con una vida familiar estable, lejos de los sobresaltos de la política. Él no tuvo nunca la intención de crear una dinastía política. Las relaciones entre Indira y su padre estuvieron siempre marcadas por el sufrimiento de la distancia. «Mis regalos sólo pueden estar hechos de aire, de la mente y del espíritu, como los que te concedería un hada, cosas que ni siquiera los altos muros de una prisión podrían retener», le escribió Nehru para felicitarle un cumpleaños.

6

7

Al principio, Nehru se opuso a la boda de su hija Indira con Firoz Gandhi, sin parentesco alguno con el Mahatma (en la foto, llevando a su hijo en brazos). Pero Indira estaba enamorada, desoyó a su padre y se casó.

El pequeño Rajiv nació cuando su abuelo estaba todavía en la cárcel. En la foto, tres generaciones de Nehru: Jawaharlal, Indira y Rajiv. Los tres acabarían siendo primeros ministros de la India.

8

9

El titular de esta página recoge palabras de Christian von Stieglitz (a la derecha de la foto 8, junto al autor), el amigo común que presentó a Rajiv Gandhi y a Sonia Maino cuando eran estudiantes en Cambridge, en 1965. Rajiv se había criado entre primeros ministros en un palacete en el centro de Nueva Delhi; Sonia era hija de un modesto constructor de las afueras de Turín. Sus familias no podían ser más diferentes. Sin embargo, el amor hizo que Sonia dejase a los suyos y su país y se fuese a vivir a la India.

Hacía tanto calor en los meses anteriores a los monzones que una de sus distracciones consistía en salir a pasear por los jardines de la Puerta de la India y tomar un helado. Pronto Sonia dejaría sus minifaldas para adoptar el sari.

10

11

El día de su boda, al vestir ese sari rojo pálido que Nehru había tejido en la cárcel para la boda de Indira, Sonia se casaba también con la India, sin sospechar que acabaría encarnando las esperanzas de más de mil millones de personas en el país del Mahatma Gandhi.

12

Su boda fue vivida como un pequeño escándalo en la sociedad de Nueva Delhi, que no entendía que uno de los solteros más codiciados del país hubiese escogido a una extranjera. Sonia tuvo que adaptarse a la vida en la India, empezando por pasar a formar parte de la familia del marido y vivir bajo el mismo techo que su suegra y sus cuñados.

Todos se esforzaban por comer en casa por lo menos una vez al día, y esas comidas eran animadas porque las conversaciones eran siempre interesantes. Los problemas de Indira, que eran en gran parte los problemas de la India, acababan siendo discutidos en casa.

Tomando el té y acariciando a *Pupli*, un golden retriever. Fueron años de felicidad y de aprendizaje.

13

Desde que se conocieron, hubo una corriente de simpatía mutua entre ambas, que luego se transformó en un profundo afecto. Siempre que podía, Indira invitaba a Sonia a viajar con ella, ya fuese de vacaciones (foto 14, durante una excursión por las montañas) o en viaje oficial (foto 15, Indira entre Sonia y Margaret Thatcher). Aunque la «dama de hierro» se encontraba ideológicamente en las antípodas de Indira, la admiraba porque sabía la tensión que una mujer en el puesto de mayor responsabilidad de un país como la India tenía que soportar.

De Gaulle había dicho de Indira: «Esos hombros tan frágiles sobre los que descansa el gigantesco destino de la India... no parece que encojan de tanto peso».

14

15

16

A Indira le fascinaban los niños. Desde su despacho oficial, llamaba a Sonia varias veces al día para preguntar si habían dormido y comido bien... Procuraba volver por casa entre sesiones del Parlamento sólo para jugar un rato con sus nietos. La mujer que mantenía con mano de hierro el Partido del Congreso y el país entero era una abuela cariñosa que no olvidaba nunca un cumpleaños o una celebración familiar.

Indira disfrutaba del contacto con las multitudes. Reconocía la misma corriente de simpatía que siempre había existido entre sucesivas generaciones de indios y los miembros de su propia familia, una comunicación que surgía por encima de todas las barreras.

17

18

Indira era consciente de la influencia que el dinero y el poder ejercía sobre los que estaban a su alrededor, y nunca quiso pararle los pies a su hijo Sanjay, que durante años abusó de su proximidad al poder. La llegada de Maneka a la familia no arregló las cosas. La casa familiar, el único lugar donde Indira encontraba protección contra la dureza de la vida política, dejó de ser un remanso de paz. (*De izquierda a derecha: arriba*: Rajiv, Sanjay; *abajo*: Sonia, Rahul, Indira, Priyanka y Maneka.)

19

20

21

De llevar a sus espaldas la responsabilidad de la nación a ser arrestada por sus adversarios políticos, de estar en la cumbre a no tener ni un techo para vivir, de sentirse feliz y realizada a conocer el abismo del sufrimiento y la pérdida, el poder había hecho de Indira una luchadora formidable, dura y tenaz.

En la foto de arriba, Indira Gandhi llora en público por primera vez en su vida. Acaba de perder a su hijo predilecto, Sanjay, y es consolada por Rajiv. «La vida ha sido espléndida conmigo –le escribió Indira a una amiga–, tanto en felicidad como en dolor. ¿Cómo se puede apreciar lo uno sin lo otro?»

Abajo, exige que le pongan las esposas cuando es detenida por sus rivales de la coalición Janata. Su fiel secretaria, Usha Bhagat (entrevistada por el autor en febrero de 2006, en la foto 20), dijo de ella: «Al juzgarla, existe la tendencia a ponerla en un pedestal o a denigrarla. No hubiera estado de acuerdo con ninguna de las dos valoraciones. Ante todo, era un ser humano, una persona entregada y muy trabajadora que se crecía con los desafíos».

22

Indira con Nixon en 1971, antes de la guerra de Bangladesh. No se llevaron bien. En privado, el presidente norteamericano la tachaba de «vieja zorra».

Indira con Jacqueline Kennedy: dos mujeres que representaban dos dinastías políticas de dos grandes países democráticos.

23

24

25

Rajiv Gandhi era un hombre bueno y honrado, enamorado de su profesión de piloto, de su familia, sin ambición de poder. Pero el destino le arrastró a una vida que nunca quiso. Sonia intentó impedírselo, pero al final tuvo que plegarse ante unas fuerzas demasiado poderosas y aceptar el relevo de Indira. ¿Qué significaba el bienestar de una familia de cuatro miembros comparado con el destino de una sexta parte de la humanidad? Por amor y lealtad, Sonia le siguió en su nueva vida. En las fotos 25 y 26, se la ve haciendo campaña con su marido.

26

27

28

29

Rajiv se sentía como un pez en el agua entre estadistas internacionales. Se había criado entre ellos y hablaba su mismo lenguaje. (En la foto 27, Rajiv y Sonia con Gorbachov; con Mitterrand en la 28.)

Rajiv Gandhi con su amiga y colega Benazir Bhutto. La última vez que se vieron, Rajiv estaba preocupado porque su hija Priyanka quería meterse en política. Le pidió a Benazir que la convenciese de lo contrario. «No se da cuenta de lo peligroso que es esto», le dijo.

La Historia no tardaría en confirmar aquellas palabras. En Colombo, fue víctima de un atentado fallido cuando pasaba revista a un batallón del ejército de Sri Lanka. Un soldado se salió de la fila con la intención de asestarle un culatazo en la cabeza. Rajiv lo esquivó justo a tiempo y acabó con el hombro contusionado.

30

31

32

Sonia Gandhi con el primer ministro Manmohan Singh. Nombrarle fue un experimento en el arte de gobernar, una jugada maestra de Sonia que sorprendió a la nación y al mundo.

Como ella misma la define, la historia de Sonia Gandhi es una historia de luz y de sombras, de lucha interior y de tormento, de cómo la experiencia de la pérdida puede aportar un sentido más profundo a la vida. ¿Quién hubiera podido pensar que esta *paesana* de un pueblo italiano acabaría siendo la gran líder del segundo país más poblado del mundo, ella que detestaba la política? Su transformación prodigiosa de *paesana* italiana a mujer india la propulsó a asumir un extraordinario destino.

33

La dinastía continúa, como un puente entre el pasado y el futuro. El Partido del Congreso tiene depositadas sus esperanzas en Rahul Gandhi, recientemente nombrado uno de sus secretarios generales. En la foto 33, le vemos en un mitin junto a su madre. El asesinato de Benazir Bhutto, vieja amiga de la familia, ha venido a recordarles la fragilidad y lo tenue de sus existencias.

El parecido de Priyanka Gandhi con su abuela Indira es asombroso, tanto físicamente como en carácter. Tiene su mismo magnetismo, capaz de encandilar a las masas. Por ahora, lleva una existencia tranquila en Nueva Delhi, ocupándose de su marido y de sus dos hijos pequeños. «Nunca hemos sido dueños de nuestra familia –dijo en una ocasión–, siempre la hemos compartido con la nación.» El día de su boda, Priyanka llevaba el sari rojo pálido hecho con la tela que su abuelo Nehru hiló en la cárcel. El mismo sari que llevó su abuela Indira al casarse, y luego Sonia. ¿Escapará Priyanka al destino que marca su apellido?

34

35

El autor de *El sari rojo* en la aldea del norte de Italia donde Sonia Gandhi nació y vivió su infancia, durante uno de los viajes de investigación que realizó para escribir este libro.

techos y muros contaban la historia mitológica de la India eterna. Era la cuarta vez que lo hacía en este mismo decorado, cuya grandiosidad evocaba el enorme poder que le otorgaban. Esta vez no juró sobre la Constitución, como en ocasiones anteriores, sino en nombre de Dios. Siempre había sido un poco supersticiosa, al contrario que su padre, pero ahora sorprendía la mención al Todopoderoso. Quizás reconocía en su fuero interno que su regreso al poder se debía más al destino que a sus propios méritos o a los fallos de sus adversarios. Quizás tanto ataque había hecho mella en su coraza, y necesitaba consuelo. Siempre había sentido respeto por lo sobrenatural, herencia que atribuía a su madre, una mujer profundamente religiosa. Desde siempre había escuchado a los astrólogos. Esa misma fecha la había elegido su profesor de yoga, el gurú Dhirendra Brahmachari. Según él, era un día favorable ya que correspondía con el solsticio de invierno del calendario hindú. Desde hacía veinte años este curioso personaje, que también profesaba la astrología, le indicaba los días de buen agüero o nefastos para ciertas actividades. Últimamente su influencia había disminuido mucho. Indira le veía con suspicacia porque la Comisión Shah había sacado a relucir sus tejemanejes y cuestionaba el origen de su fortuna. Aun así, continuaba preguntándole sobre días buenos o malos antes de tomar una decisión. A su edad y después de lo que había vivido, Indira no quería correr riesgos tentando a la suerte.

Justo después de la toma de posesión, Indira fue directamente del palacio del presidente a su antiguo despacho de South Block. No podía contar con la mayoría de sus anteriores ministros y colegas porque la habían traicionado. Tampoco quería rodearse de figuras que la gente pudiera identificar con el estado de excepción. Tuvo que elegir los miembros de su gabinete entre un batiburrillo de diputados sin mucha experiencia, muchos de ellos de entre las filas del Youth Congress de Sanjay. Para sorpresa de muchos y alivio de algunos, no dio ninguna cartera a su hijo, a pesar de su legitimidad validada por las urnas. No quería exponerlo demasiado. Lo prefería a su lado, quería formarlo, quería verlo madurar bajo su protección. Tenía plena confianza en que Sanjay sería capaz de revitalizar el partido y asegurarse de que se cumplirían los proyectos de desarrollo en las áreas rurales. Y no quería repetir los errores del pasado.

Mientras tanto, Sonia se encargaba de nuevo de la mudanza. La victoria de Indira significaba que volvían todos al número 1 de Safdarjung Road. Se hacía urgente recuperar espacio. Antes que nada, Indira quiso mandar a una docena de sacerdotes hindúes a purificar la vivienda donde Morarji Desai había residido mientras la había estado persiguiendo. Se había enterado de que su rival era practicante asiduo de la urinoterapia, una ancestral costumbre que consiste en beber todas las mañanas en ayunas un vaso de la primera orina del día. Para asegurarse de que no quedaba un solo vaso del antiguo inquilino en casa, Sonia e Indira se afanaron en recogerlos todos, colocarlos en una caja y devolverlos a la administración. También envió a una cuadrilla de albañiles para que destrozasen el cuarto de baño al estilo indio que su rival se había hecho construir y lo reemplazasen por uno *european style*, con inodoro y bañera. Cuando se mudaron, parecía que nunca se hubieran marchado de esa casa. «Un aire de renovada elegancia reinaba en todas las habitaciones, que de nuevo estaban llenas de sirvientes y de enormes jarrones de flores que caían en cascada», escribiría Pupul. Sonia volvió a asumir su papel de ama de casa extraordinaria en ese hogar especial, donde había que organizar cenas y recepciones para un continuo desfile de personalidades: Giscard d'Estaing, Mobutu, Yasser Arafat, Andrei Gromyko, Jimmy Carter, etc. Todos venían a estrechar lazos con una de las mujeres más poderosas del mundo.

La vida familiar volvió a ser agradable. La nueva situación y un mayor espacio relajaron el ambiente. Cesaron las peleas y, aún mejor, los silencios. Todos estaban pendientes de Maneka, que estaba a punto de dar a luz. Durante el embarazo, Sonia había hecho las paces con su cuñada de manera tácita. Había optado por olvidar las viejas rencillas, los saltos de humor, los comentarios hirientes para centrarse en su deber de «*bahú* mayor» –nuera mayor– y ayudar a Maneka con su experiencia. Estuvo pendiente de ella en todo momento. La familia es lo primero. Decididamente, Sonia era ya muy india. Aunque ambas cuñadas eran como el agua y el aceite, consiguieron una especie de *enten-te cordiale*. Indira, que no cabía en sí de gozo al pensar en su nuevo nieto, ya le había elegido nombre: Firoz, como su marido. Maneka no estaba convencida, y quería llamarlo Varun. Sanjay zanjó el asunto. El pequeño se llamaría Firoz Varun.

Rajiv ya no tenía que pasar casi todo su tiempo libre, fuera de las horas de vuelo, en la oficina de impuestos del Ministerio de Hacienda. De nuevo podía dedicarse a su familia y a sus *hobbies*, como la fotografía o la radio. Era un padrazo. No se perdía nunca una función del colegio, o la lectura de un cuento si llegaba a casa antes de que los niños estuvieran acostados. La fotografía le distraía mucho; era un relajo después de la concentración que le exigían sus vuelos, a menudo en horas imposibles. Su afición había crecido con el tiempo. Le gustaba experimentar con filtros y con equipos nuevos, no se perdía una exposición y se abonó a revistas especializadas. Animaba a sus hijos a que se aficionasen. Les enseñaba a desarrollar su sensibilidad visual pidiéndoles que identificasen varios tonos de verde en el jardín. Más tarde, aconsejaba a su hijo a que anotase el tiempo de exposición y la velocidad a la que tomaba las fotos para poder corregirlas y mejorar. Su cámara estaba siempre presente en todas las ocasiones especiales: cumpleaños, aniversarios, celebraciones familiares, etc., y si estaba en casa cuando algún fotógrafo venía a retratar a su madre, cogía su cámara y participaba en la sesión. Siempre disfrutó de un compañerismo especial con los fotógrafos. A su madre le regaló un álbum en miniatura plegable que ella llevaba consigo en todos sus viajes. «Rajiv, ponme fotos más recientes», le pedía reiteradamente cuando se cansaba de ver siempre las mismas. A Indira le encantaban las fotos de sus nietos. Elegía las que le gustaban en las hojas de contactos y le pedía a Rajiv que las ampliase y las enmarcase. Su despacho estaba lleno.

Por las noches, Rajiv se encerraba en su taller y establecía contacto con radioaficionados del mundo entero. Había comprado un transmisor de radio en kit automontable y nada le hacía más feliz que conectar con Pier Luigi allá en Orbassano, el amigo de la infancia de Sonia, las noches claras sin interferencias. Protegido por el anonimato, hablar por radio con gente del mundo entero era otra forma de viajar y, al mismo tiempo, de olvidarse de sí mismo y de relajarse.

El 16 de febrero de 1980, un mes después de la toma de posesión de Indira, ocurrió en la India un fenómeno extraordinario que no se repetía desde hacía casi un siglo: un eclipse total de sol. Rajiv instaló un telescopio en el jardín, ayudado por Rahul y Priyanka, que estaban muy excitados con la idea. Además disponían de gafas negras, que Rajiv había conseguido de un colega piloto. Sanjay se entretenía ajustando los mandos de un avión controlado por radio. La afición al aeromodelismo le había venido después de que el gobierno le retirase su licencia de piloto sin mediar razón alguna. Ahora estaba a la espera de recuperarla para volver a lo que se había convertido en su afición favorita: volar. Quedaba lejos la pasión por los coches, sepultada por el fiasco del Maruti. Pupul, que había sido invitada por su amiga a presenciar el acontecimiento, tomaba una taza de té en la veranda. Cuando se acercó la hora del eclipse, Indira, influenciada por las sombrías predicciones de conocidos astrólogos que habían anunciado en los periódicos terremotos, inundaciones y desastres de todo tipo, mandó a Maneka a su cuarto. Considerado como una amenaza directa hacia el niño no nacido, ninguna mujer embarazada debía exponerse a su nefasta influencia. Aun en asuntos que nada tenían que ver con la política, Indira estaba en sintonía con su electorado. La mayoría de la gente optó por esconderse en sus chozas. Los hindúes no salen a la calle durante los eclipses, considerados perjudiciales porque, simbólicamente, la luz se oculta. Unos ayunaron, otros realizaron ofrendas o recitaron mantras para conjurar el peligro. Cuando la luna empezó a invadir el sol, una misteriosa luz envolvió la casa y el jardín y las sombras desaparecieron. Indira se levantó, y fue a encerrarse en su habitación hasta el final del fenómeno. Su gurú Brahmachari le había dicho que el eclipse era especialmente peligroso para ella y para Sanjay, y ella prefirió creerle. Rajiv, Sonia y los niños, todos con gafas negras, asistieron extasiados al paso de la luna delante del sol. Pupul siguió a Indira a su cuarto. «Ésta no era la Indira robusta de los días anteriores al estado de excepción –pensó–. Me sorprendió lo influenciada que estaba por el ritual y la superstición. ¿De qué estaba asustada? ¿Qué sombra, qué oscuridad caminaba junto a ella?[1].»

Los meses siguientes estuvieron marcados por la armonía familiar y la felicidad de volver a disfrutar de una vida normal. Las atenciones que Maneka recibía de parte de su suegra, de su cuñada y de su marido, que la acompañaba a todas las revisiones médicas porque decía que el sufrimiento físico la aterraba, la hacían sentirse en la gloria. Al igual que su hermano Rajiv, Sanjay participó en todo el proceso del parto. Firoz Varun nació el 13 de marzo de 1980 sin mayor problema. Fue la guinda del pastel de la bonanza familiar. A partir de ese momento, la pizpireta Maneka empezó a disfrutar de su papel de madre y esposa, aconsejada por Sonia, en quien recayeron los primeros cuidados del niño. Indira estaba tan contenta que lo reclamó en su cuarto para dormir con él. Le daba igual no pegar ojo.

De nuevo Sanjay, por la proximidad a su madre, disfrutaba de un poder irresistible. Se inmiscuía en todos los aspectos de la vida india, desde los corredores aéreos de la capital a la congestión en los hospitales, desde los planes de desarrollo rural a la protección de los animales, causa favorita a la que su mujer le había arrastrado. Corría el bulo por Nueva Delhi de que antes de un año, sería primer ministro, pero su madre no estaba dispuesta a ello. Cuando los miembros de la asamblea legislativa del Congress de Uttar Pradesh eligieron a Sanjay como su líder, le pidieron a Indira que le nombrase jefe de gobierno de ese estado, el mayor del país. Maneka ya se veía disfrutando de las prebendas que venían con el cargo, incluido vivir en un palacio cargado de sirvientes. Pero Indira se negó rotundamente. A los admiradores de su hijo les dijo que le quedaba mucho por aprender antes de poder hacerse cargo de semejante responsabilidad. Sanjay protestó y discutió con su madre, pero ella no dio su brazo a torcer. Al final, él se tranquilizó y no volvió a insistir.

Aunque seguía rodeado de una corte de aduladores, Sanjay no era el mismo de antes. Hasta sus detractores empezaron a admitir que, en efecto, poseía cualidades que el país necesitaba en ese difícil trance. Reconocían su enorme capacidad de trabajo y

1. Jayakar, Pupul, *Indira Gandhi: A Biography*, *op. cit.*, p. 403.

su probada aptitud para tomar decisiones duras e impopulares. En realidad, le estaba ocurriendo lo que le había ocurrido a su abuelo Nehru y a Indira. Todos en la familia habían tardado tiempo en madurar como adultos, y lo habían conseguido después de enfrentarse a grandes desafíos. A los treinta y tres años, Sanjay estaba en camino de convertirse en un hombre responsable, sin las estridencias ni los comportamientos aberrantes del pasado. Su madre estaba convencida de que, después de un buen aprendizaje político, su hijo pasaría de ser un joven inexperto e impulsivo a un político visionario y enérgico. Tenía los genes para lograrlo, pensaba ella. Lo increíble es que muchos en la India también lo creían así, algo impensable hacía tan sólo seis meses. O el país se había vuelto amnésico o el tirón popular de los Gandhi seguía representando la única posibilidad de salvación para millones de indios.

Rajiv, Sonia y sus hijos pasaron esos meses soñando con las vacaciones. Habían decidido pasar unos días en Italia, y tenían pensado hacerlo en junio, cuando arrecia el calor en Nueva Delhi. Pensaban coincidir con su amigo el actor indio Kabir Bedi, que en aquellos años era mundialmente conocido por su papel estelar en la serie *Sandokán*, y que había prometido visitarlos. Además esta vez pensaban viajar por el norte de Italia. Tenían pensado alquilar un coche y visitar la región de Asiago y la aldea de Lusiana, donde había nacido Sonia. Quería enseñar a los niños el lugar donde se había criado, presentarles a los vecinos y a los parientes que todavía quedaban allí. Una zambullida en las otras raíces familiares.

El día de la partida, antes de despedirse, Maneka le enseñó a Sonia una bolsa, que contenía algo que había comprado, con intención de empezar a usarlo.

—No te lo vas a creer...

—¿Y qué es? —preguntó Sonia, intrigada.

Maneka sacó de una bolsa un libro de recetas de cocina. Les entró una carcajada a ambas. Fue la última vez que se las vio reír juntas.

De no haber sido interrumpidas, hubieran sido unas vacaciones perfectas: relajadas, divertidas e interesantes. Los niños perfeccionaron su italiano, Sonia se puso al día en sus compras de ropa europea y Rajiv hizo lo mismo con su material fotográfico. Al final, ni siquiera tuvieron que alquilar un coche, su hermana Anushka les prestó un descapotable que hizo las delicias de los niños. En él recorrieron el norte de Italia, en la dirección opuesta a la del patriarca Stefano cuando había abandonado su pueblo natal de Lusiana en busca de un futuro mejor en el cinturón industrial de Turín. Treinta y cinco años después, su hija y sus nietos volvían a los montes Asiago, como una familia normal de italianos en vacaciones. De camino, se detuvieron en el bellísimo lago de Garda, rodeado de olivares, campos de limoneros y tupidos bosques de cipreses, pasearon en Verona por las anchas calles de mármol rojo, se dejaron seducir por el encanto de Venecia y se bañaron en las playas del Adriático. Ascendieron los montes Asiago por un paisaje que reflejaba el esplendor de la primavera. Flores silvestres malvas, blancas y amarillas crecían en la cuneta de la carretera que serpenteaba entre bosques de abedules. Los campos donde pacían las vacas se habían vestido con un verde intenso y al fondo los Alpes les recordaba la vista del Himalaya desde la planicie. En Lusiana, la aldea original de la familia, el aire era cristalino, apetecía beberlo, la temperatura era perfecta. ¡Pensar que ahora en Delhi, la abuela, los tíos y sobre todo el pequeño Firoz estarían soportando 45 grados a la sombra, a la espera de la llegada de las lluvias! Desde el coche, Priyanka y Rahul se reían leyendo los rótulos de los negocios: «Panadería Maino», «Trattoria Maino», «Café Maino», «Gasolinera hermanos Maino»... ¡Cómo habían prosperado las diferentes ramas de la familia desde los tiempos de la posguerra!, pensó Sonia.

Fueron recibidos con enorme cariño y curiosidad: todos querían conocer a la hija pródiga del pueblo cuyo destino extraordinario seguían a través de la prensa. A todos les sorprendía lo mismo: la sencillez de la familia. Sonia iba vestida con gusto, con pantalones ajustados y camisetas sin mangas, un lujo que no podía permitirse en la India, donde una mujer podía enseñar la tripa pero estaba mal visto que enseñase los hombros. Se hicieron fotos frente a la casa de piedra familiar, la última de la Rua Maino, que llevaba tres décadas deshabitada. Fueron espléndidamente agasajados, tanto que no disponían de tiempo para aceptar todas las invitaciones, todas las visitas.

Volvieron a Orbassano, donde Stefano y Paola les esperaban con muchas ganas. Lo habían pasado tan mal siguiendo la actualidad de la India durante los últimos años que ahora sentían un pellizco en el corazón cada vez que su hija y sus nietos se marchaban, aunque fuese al Véneto o simplemente a pasar la tarde a Turín. A esa inquietud se añadía la que sentían por su hija pequeña, Nadia, que se había casado con un diplomático español que acababa de ser destinado a Nueva Delhi. Por un lado, estaban contentos porque las dos hermanas iban a hacerse compañía; por otro, no les gustaba tenerlas tan lejos. Bromeaban diciendo que no podían escapar del karma de la India. La hija mayor, Anushka, que vivía en el piso de debajo del chalet de Via Bellini, tenía la intención de abrir una tienda de artesanía india en un centro comercial próximo a Orbassano. A su hija mayor le había puesto de nombre Aruna.

Rahul y Priyanka también estaban felices de volver a casa de los abuelos, precisamente porque sus primos, los hijos de Anushka, vivían abajo, de modo que los niños lo pasaban en grande en esa gran casa familiar, jugando en el jardín o en la calle. Jugaban a lo mismo que Sonia de niña, cuando dibujaba con una tiza en el asfalto los días de la semana y pasaba horas saltando de una casilla a otra. Stefano se sentía muy feliz con esas reuniones familiares. ¿No había construido la casa para tener bajo el mismo techo a todas sus hijas y a sus familias? Ellas bromeaban diciendo que debía de haber sido indio en otra vida de tanto que le gustaba la familia... Las conocidas de Sonia se sorprendían de que su antigua amiga siguiera teniendo una actitud tan humilde, y vistiese de una manera tan sencilla, con joyas pequeñas y discretas. «A la "Cenicienta de Orbassano" –decía una vecina aguantando la risa– no se le ha subido a la cabeza la boda que ha hecho.» Así la describía la prensa local desde su matrimonio: «Cenicienta de Orbassano», un apelativo que provocaba en Sonia vergüenza ajena: «Menuda cursilada», decía. Para Rajiv también las vacaciones en Italia eran el mejor desahogo que hubiera podido desear. Huir de Nueva Delhi era un lujo. Saltar en la Vespa naranja de Pier Luigi e ir a la tienda de electrónica Allegro en el Corso Re Umberto a comprar piezas para su radio que no se encontraban en la India y no ser reconocido era un placer, como lo era visitar en familia el fabuloso Museo Egipcio –donde Sonia, de adolescente, quedaba con sus amigos para evitar el frío de la calle– sin estar inmediatamente rodeado de una nube de gente pidiendo un autógrafo o señalando con el dedo. Pero el placer duraría poco. A finales de junio, la visita de Sandokán a Orbassano causó una auténtica conmoción. De pronto los niños y los jóvenes del pueblo se acercaron a Via Bellini para ver de cerca a este príncipe de Borneo que había jurado vengarse de los británicos en la imaginación de Emilio Salgari. Se formó tanto revuelo que Sonia propuso abandonar la casa. Acabaron la tarde en una pizzería del cercano pueblo de Avigliana, felices y riéndose.

Y de repente, al amanecer del día 23 de junio, sonó el teléfono. Sonia sintió un nudo en el estómago. No era una hora normal, y en seguida pensó que podía ser una llamada de la India. Su madre se lo confirmó, de puntillas y en voz baja, para no despertar al resto de la familia: «Es una conferencia... de Nueva Delhi». Sonia se levantó, se arropó con su albornoz y fue a coger el teléfono al salón. Reconoció entre interferencias la voz nerviosa de uno de los secretarios de su suegra. Ahora estaba segura de que serían muy malas noticias: «Madam... Sanjay ha sufrido un accidente... Ha fallecido». Sonia se quedó con la mente en blanco, sin escuchar las explicaciones atropelladas del secretario. Cuando colgó, estaba aturdida. Volvió a su cuarto. Rajiv estaba desperezándose. Esperó unos segundos para decírselo, como si quisiese darle unos segundos más de una felicidad que, una vez totalmente despierto, no volvería a conocer. En lo más hondo de su ser, Sonia supo que esa catástrofe iba a afectar profundamente a su vida y a la de su familia.

Unas horas más tarde, volaban hacia Roma para enlazar con el vuelo de Indian Airlines que hacía la ruta Londres-Nueva Delhi. Viajaron en primera clase, junto a otros amigos y conocidos, entre los que se encontraban la madre y la hermana de Maneka, cuyas vacaciones en la capital británica también habían sido interrumpidas. Asimismo viajaban en el avión un antiguo ministro, un industrial y un hombre de negocios, todos viejos amigos de la familia, muy conmovidos por las circunstancias. Cada uno de ellos había recopilado información sobre el accidente y durante el largo vuelo pudieron reconstituir lo que había pasado.

Sanjay se había estrellado a los mandos de su último juguete, el Pitts S-2A que había adquirido gracias a la mediación del corrupto gurú Brahmachari. A las siete de la mañana se había presentado en el aeroclub de Nueva Delhi y había invitado a un compañero piloto a hacer unos ejercicios de acrobacia. Su amigo era reacio a volar con Sanjay porque sabía que carecía de experiencia, pero ante su insistencia, acabó aceptando. Estuvieron haciendo bucles en el cielo y caídas en picado sobre Nueva Delhi durante doce minutos, luego volaron sobre el número 1 de Safdarjung Road, donde había estado hablando con su madre apenas una hora antes.

—Ten mucho cuidado —le había advertido Indira—. Me dicen que eres muy imprudente...

—No hagas caso —le había contestado Sanjay.

Según un testigo, la avioneta subió como una flecha hacia el cielo, y luego inició un picado como si fuera a coger inercia para hacer un *looping*, pero no pudo recuperarse. Se estrelló en el barrio diplomático, en un descampado, a menos de un kilómetro del número 12 de Willingdon Crescent.

Un mes antes, el director general de Aviación Civil había informado a sus superiores de que Sanjay violaba pertinazmente el protocolo de seguridad y que por lo tanto ponía en peligro su vida y la de los demás.

—El director de aviación se lo comentó al ministro del Aire, que quedó en hablarlo con tu madre, pero, por la razón que fuese, no lo hizo.

—Si nadie hizo nada, fue por miedo a ir contra Sanjay, me imagino... —dijo Rajiv.

Más tarde, se enterarían de lo que había pasado con exactitud. El informe del director de aviación civil había caído en manos de Sanjay y éste había reaccionado, fiel a sí mismo, obligando al funcionario a tomarse una excedencia voluntaria. Lo había reemplazado por su segundo, un hombre dócil que no le pondría problemas. El caso es que Sanjay había muerto por imprudente y por soberbio, porque su sed de poder era tal que no aceptaba ningún límite.

El anochecer en vuelo fue rapidísimo, por la velocidad del avión y por la rotación de la Tierra. Debían de estar sobre Siria, o quizás Turquía. Abajo, se veían lagos color turquesa y las lucecitas de las ciudades que iban abrazando la noche. Nadie seguía la película. El grupo de los amigos y familiares no habían querido probar bocado. Amteshwar, la madre de Maneka, estaba visiblemente conmocionada. «Viuda a los veintitrés años... y con un niño de tres meses», repetía la mujer. En menos de tres años, había perdido a su marido y a su yerno. Había pasado de estar en la cumbre a ser condenada al ostracismo, y luego en la cumbre de nuevo... ¿Y ahora qué pasaría?

—Tienes que hacer lo posible por mantener ambas familias unidas —aconsejaban los tres amigos de la familia a la madre de Maneka—. Ahora que no está Sanjay, tenéis que hacer piña alrededor de Rajiv.

A Sonia se le pusieron los pelos de punta cuando escuchó esa frase. Estuvo a punto de lanzar un «¡No!» sonoro, pero se contuvo. Ya sabía que intentarían convencer a Rajiv para que ocupase el vacío que había dejado su hermano. Sonia lo tenía muy claro: aquello significaba el final de la felicidad. Estaba dispuesta a luchar con uñas y dientes para impedirlo.

El avión aterrizó en Delhi a las dos de la madrugada. Una oleada de calor intenso les dio la bienvenida. La capilla ardiente estaba instalada en la casa de Safdarjung Road donde una fila de gente —ministros, amigos, desconocidos— había desfilado durante todo el día ante los restos mortales, ordenadamente y en silencio. Indira, muy nerviosa, había estado yendo de una habitación a otra toda la noche, preguntando si había noticias de los que estaban viajando, porque inconscientemente temía que otra desgracia pudiera suceder.

Rajiv, Sonia y los niños ya habían sido informados de lo que iban a encontrarse pero, aun así, el *shock* de llegar a casa en esas condiciones les impresionó vivamente. Cuando vieron el cuerpo de Sanjay tendido en un féretro en el salón, en medio de aquellas paredes donde parecía que todavía retumbaba el eco de su risa franca y nerviosa, Rajiv y Sonia se derrumbaron. Y cuando Indira vio a Rajiv llorando desconsoladamente, también rompió a sollozar. Una vez recuperada la serenidad, Sonia observó a Indira: tenía los ojos enrojecidos e hinchados detrás de sus gafas de sol, la tez color de ceniza, andaba un poco encorvada, como si le costase mantenerse erguida. «¿Después de esto, adónde voy, hija?», le preguntó con la voz rota. Lo había dicho apretando las manos sobre la tripa, en un gesto que las campesinas pobres hacen cuando lloran a sus muertos. Volvieron a abrazarse, y estuvieron largo tiempo en silencio. Hacía menos de diez días, Indira había instalado a Sanjay en su primer despacho oficial, después de haberlo nombrado secretario general del partido. Ahora, de pronto, sólo había un cuerpo yaciente: se había quedado sin hijo, sin compañero, sin consejero y sin sucesor. Luego Sonia vio a Maneka, cuyos movimientos parecían inconexos. Se había pasado todo el día llorando, repitiendo: «Sanjay no, por favor... Cualquiera menos Sanjay...». Rajiv la abrazó y le dijo unas palabras de cariño. Sonia tampoco pudo reprimir las lágrimas al abrazarla. Los niños, cansados y conmocionados, aguantaban estoicamente. El llanto lejano de su primo el pequeño Firoz Varun rasgó el silencio.

En seguida Sonia se puso a atender a los que estaban velando el cuerpo. Ayudó a colocar colchonetas en el suelo para que todos los amigos y familiares cercanos pudieran descansar. También se aseguró de que hubiera té, tostadas y dulces.

Después de la efusión del reencuentro, Indira les contó los pormenores del ritual funerario que había organizado para el día siguiente.

–Haremos la cremación en Shantivana, junto al mausoleo del abuelo...

–No creo que sea buena idea, mamá –sugirió Rajiv–. ¿No sería más prudente hacer un funeral privado, más restringido?

–Quizás, pero el jeque Abdullah, jefe de gobierno de Cachemira, y todos los jefes de gobierno estatales me han pedido un funeral memorable.

–Sanjay no tenía un cargo oficial en el gobierno. Puede causarte problemas hacerle unos funerales de Estado. ¡Imagínate las protestas!

–Lo sé. Pero también es verdad que Sanjay tenía muchos seguidores, y no quiero decepcionarlos. Sería como decepcionarlo a él.

Rajiv dejó de insistir.

La cremación tuvo lugar al día siguiente, a orillas del río Yamuna. Era demasiado cerca de donde había tenido lugar la cremación de Nehru, el padre de la nación, y su hijo, por mucho que Indira no quisiese verlo, no merecía los mismos honores que su padre. Muchos vieron en este gesto de Indira otro signo de abuso de poder. De nuevo, había desoído el consejo de Rajiv para que eligiese otro sitio, no ese lugar sagrado de peregrinación para millones de indios. Pero Indira se dejó llevar por la insistencia de los compañeros de Sanjay. No tuvo fuerzas para luchar contra ellos, y seguramente estaba de acuerdo en rendir un homenaje desmedido a su hijo, como si así pudiese compensar un poco su pérdida.

Indira, los ojos y toda la pena que contenían protegidos por sus enormes gafas de sol, estaba sentada junto a Maneka en primera fila, frente a la pira. Sonia, vestida con un sari blanco inmaculado, sollozaba mientras recordaba los días de recién casada cuando su cuñado, su marido y ella eran un trío inseparable. Detrás, se veía gente hasta la línea del horizonte. A Rajiv le tocó cumplir con los ritos: plantó la antorcha en el fuego y dio varias vueltas alrededor del cadáver de su hermano, al son de los mantras que entonaban los sacerdotes hindúes. Su hijo Rahul le miraba con cierta aprensión. Su padre le había dicho que le tocaría a él, como primogénito, llevar a cabo los ritos de la cremación cuando, por ley de vida, uno de sus progenitores dejara este mundo. Hasta ese día, nunca el chico había pensado que eso podía ocurrir.

Por la tarde, Rajiv llevó las cenizas de su hermano en una urna de cobre para enterrarla bajo un árbol en el jardín de Akbar Road. Al ver la urna, Indira no pudo contenerse más y rompió en sollozos. Por primera vez, lloró desconsoladamente y sin inhibición en público. Rajiv la abrazó y la sostuvo en pie, porque la mujer, literalmente, se derrumbaba. Su dolor parecía no tener límite. Sonia se había enterado de que la mañana de la tragedia Indira había abandonado el hospital donde los médicos remendaban el cadáver de Sanjay para regresar al lugar del accidente. Había regresado dos veces. Las malas lenguas decían que había ido a buscar el reloj y el llavero de Sanjay porque una de las llaves era con certeza la de alguna caja fuerte llena de todo lo que debía de haber robado el hijo pródigo. En la tapa del reloj, siempre según los rumores, estaría grabado el número de una cuenta secreta en Suiza. Pero era pura patraña. A Indira no le interesaban los objetos personales, que además ya habían sido recogidos por la policía. En el fondo, lo que hacía era buscar a su hijo; intentaba inconscientemente recuperarlo a él, no sus cosas. Hurgando con la mirada entre los hierros calcinados, Indira se había dado cuenta de la enormidad de la pérdida[1]. Todos sus sueños, sus grandes planes de futuro, también se encontraban hechos añicos entre las ruinas de la avioneta.

Bajo la sombra del árbol del jardín, Indira consiguió controlar el llanto y recuperarse con asombrosa rapidez. Luego fueron al salón. El lugar donde había estado colocado el cuerpo estaba ahora cubierto de flores de jazmín. Se sentaron en el suelo de esa habitación que olía bien y parecía purificada, las piernas cruzadas y en silencio, escuchando cantar a los sacerdotes versículos del *Ramayana*, la gran epopeya del hinduismo.

En los días siguientes, los simpatizantes de Sanjay erigieron estatuas en su memoria, bautizaron calles y plazas con su nom-

1. Frank, Katherine, *Indira: The Life of Indira Nehru Gandhi*, Londres, HarperCollins, 2002, p. 446.

bre, así como barrios enteros, escuelas, hospitales y hasta centrales hidroeléctricas. El país entero vivió con frenesí un culto póstumo a la personalidad del hijo pródigo que los más aduladores llegaron a comparar con Jesucristo, Einstein y Karl Marx. Ese despliegue de supuesto afecto era más un intento desesperado por parte de sus aliados y compinches políticos de seguir con sus privilegios y mantenerse cerca del poder, próximos a Indira, que una demostración auténtica de dolor nacional. Muchos otros, entre los que se encontraban las antiguas víctimas de su política de control de la natalidad, vivieron esa muerte con alivio. Para ellos, había sido un accidente providencial, que había ahorrado al país el cruel destino de tener a Sanjay de primer ministro, lo que todos pensaban que iba a ocurrir tarde o temprano.

Para Indira, lo único positivo de la tragedia fue que sirvió para recuperar viejas relaciones y reconciliarse con familiares y amigos que le habían dado la espalda durante la *Emergency*. Se sintió particularmente feliz al recibir una carta de su vieja amiga Dorothy Norman: «Hace tanto que no nos escribimos que a cierto nivel no sé a quién estoy escribiendo; en otro nivel, escribo a la persona que conocí. Cómo me gustaría que pudiéramos hablar, aunque el silencio, quizás, sea más revelador que cualquier palabra. [...] Mando esta carta como un puente. Las amistades son lo más valioso en este mundo a veces tan duro». Indira le contestó diciéndole lo emocionada que se había sentido al recibir su carta y que tenía tantas cosas que contarle que no sabía por dónde empezar: «El pasado es el pasado, dejémoslo estar. Pero tengo que aclarar ciertas cosas. La falsedad, la persistente campaña maliciosa de calumnia debe ser refutada...»[1]. Nunca Indira admitió las maldades o los errores de Sanjay.

En casa, quedaban Maneka y el pequeño Firoz Varun, que dormía en el cuarto de Indira con los demás nietos desde la muerte de Sanjay. La abuela se pasaba largos momentos observando al bebé como si detrás de cada gesto reconociese a su hijo. Quedaban también Rajiv y Sonia, cuyo matrimonio había sobrevivido la separación física, la diferencia cultural, la oposición de las familias, el estrés de la *Emergency* y la continua infiltración y

1. Gandhi, Indira, *Letters to An American Friend*, Nueva York, HBJ, 1985.

corrosión de la política en sus vidas. Tenían dos hijos inteligentes, guapos y de buen carácter. Hasta el accidente del tío Sanjay, lo más grave que les había pasado a los niños había sido ver a la abuela en la cárcel y haber perdido a una perra. «Quedaos con el recuerdo de cuando jugabais con ella, lo mucho que se divertía y lo que nos divertíamos todos cuando la sacábamos... –les había escrito Rajiv en una carta llena de ternura paterna, que terminaba con un consejo–. Tenéis que aprender a vivir sabiendo que en algún momento todos tenemos que morir.»

La perfecta vida familiar que disfrutaban parecía algo demasiado bonito y bueno para durar.

Acto III

La soledad y el poder

Cada vez que das un paso adelante, estás destinado a perturbar algo. Agitas el aire mientras avanzas, levantas polvo, alteras el suelo. Vas atropellando cosas. Cuando una sociedad entera avanza, ese atropello se hace en una escala mucho mayor; y cada cosa que trastornes, los intereses creados que quieras suprimir, todo se convierte en un obstáculo.

Mahatma Gandhi

27

Veinte años antes, después de la muerte de su marido, Indira tocó fondo y tardó mucho tiempo en salir a flote. Cuando murió su padre, entró en otra crisis existencial profunda, que duró largos meses. Pero ahora, menos de setenta y dos horas después de la muerte de su hijo, estaba de nuevo en su despacho. «La gente viene y se va, pero la nación sigue viva», declaró a la prensa, situando la tragedia familiar en un contexto nacional, como si de esa manera pudiese trascender la desgracia. Se había convencido de que la tarea hercúlea de gobernar la India no podía ser desatendida. Pero su actitud y autocontrol eran sólo superficiales. En el fondo, estaba irremediablemente herida. Sonia la veía rota por dentro, con el espíritu hecho añicos. Por las noches, la oía levantarse y entre sueños buscaba a Sanjay, y cuando se despertaba se ponía a llorar repitiendo el nombre de su hijo. Su rostro envejeció, su mirada se hizo más dura y empezó a arrastrar un poco las pisadas al caminar. Ya no era tan picajosa con su atuendo, ni le pedía a Sonia consejos sobre su peinado o sobre los accesorios que debían conjuntar con los saris. Al contrario, llevaba el pelo estirado hacia atrás de forma descuidada, y no parecía importarle.

A su inmensa tristeza se unía su preocupación por Maneka, que se pasaba los días sin hacer nada.

–Temo que la ambición de su madre empuje a Maneka a querer ocupar el lugar de Sanjay –confesó a su amiga Pupul.

Aparte de melancólica, Maneka estaba incómoda porque su posición en esa casa se había vuelto muy delicada. Sin la protección de su marido, se sentía vulnerable. Ya no podía usarlo como escudo para defenderse de su suegra o de su cuñado, que en el fondo la seguían intimidando. Su única fuerza era el bebé. Por otra parte, Indira estaba tan devastada que carecía de energía para consolar a los demás. En otras circunstancias, se hubiera volcado con su nuera, pero ahora, su propio dolor la absorbía por completo. Aunque al ver a la joven viuda tan sola y tan perdida, en un arrebato de compasión Indira le ofreció ayuda. En realidad, temía que Maneka, aburrida y aislada, terminase por marcharse de casa, porque entonces dejaría de tener a su nieto cerca. Esa eventualidad la atormentaba:

—¿Quieres trabajar de secretaria mía?... Te podría llevar de viaje conmigo, y creo que eso te distraería...

Al principio, la oferta pareció satisfacer a Maneka. Luego, quizás influenciada por su madre o simplemente porque se le subieron los humos a la cabeza o por ser inmadura, vio en ello una maniobra para apartarla de su derecho natural a hacerse cargo de la herencia de su marido. Su vida junto a Sanjay le había dado la ilusión del poder, y la oferta de su suegra, después de pensárselo, le pareció casi insultante. Ni siquiera respondió al ofrecimiento. «¡Mírala!... ¿Qué se habrá creído?», confesó a uno de los amigos más cercanos de su marido hablando de Indira[1].

A Sonia tampoco le hizo gracia esa oferta. Aunque había perdonado a Maneka su trato despectivo de los primeros tiempos, no quería imaginársela controlando la agenda de Indira. Veía la inexperiencia y la arrogancia de su cuñada como un problema potencial para su suegra, y una amenaza para el delicado equilibrio familiar. Que no ayudase en las tareas de casa, se podía aceptar, pero que se parapetara tras el poder de Indira y empezase a mover hilos para beneficiar a su propia familia, a la que Sonia temía tanto, era un peligro que había que evitar a toda costa. Se lo comunicó a Rajiv.

—Lo hablaré con mi madre —le dijo.

—Mejor le dejo una nota —respondió Sonia.

Al leerla, Indira se dio cuenta de que Sonia tenía razón. Maneka de secretaria, tan cerca, podía en efecto ser más un problema que una ayuda. Temía su impulsividad, que la hacía todavía más impredecible. Y también ella desconfiaba de la familia Anand y de sus tejemanejes. Sin embargo, de lo que Indira era muy consciente, aun envuelta en su nube de sufrimiento, era de

---

1. Citado en Chatterjee, Rupa, *The Sonia Mystique*, Nueva Delhi, Virgo Publications, 2000, p. 56.

la necesidad que tenía de Rajiv y de Sonia. Al fin y al cabo, Rajiv era su sangre; y a Sonia la quería como a una hija. De modo que no insistió más, y la oferta cayó en el olvido.

La joven viuda, por su parte, encontró una manera de distraerse que al mismo tiempo daba sentido a su vida: se concentró en el proyecto de hacer un libro fotográfico sobre su marido, una especie de homenaje que incluiría fotos de familia y de su vida política. Le preguntó a su suegra si querría escribir el prefacio. Indira accedió.

Pero entonces ocurrió un desafortunado incidente, que tuvo una larga e indeseada repercusión. El escritor Kushwant Singh, que había ayudado a Maneka y a su madre a lanzar la revista *Surya*, publicó en su columna periodística un texto en el que sugería que el manto de Sanjay debía recaer naturalmente en los hombros de su joven esposa, «que le había estado apoyando y que había compartido su visión de la India, ya que Rajiv nunca ha mostrado interés alguno por la política y su mujer la aborrece». La idea tenía su fundamento. El artículo acababa con una frase que, más que cualquier otra, desató la paranoia de Indira: «Maneka es como su difunto marido, valiente y decidida, la reencarnación de Durga cabalgando sobre un tigre». Esa imagen de Durga, que había sido extensamente atribuida a Indira y que encarnaba un simbolismo que le pertenecía, la trastornó profundamente. ¿Cómo podían vivir dos Durgas bajo el mismo techo? Pensó que Maneka se había confabulado con el escritor para urdir ese artículo, que estaba maniobrando a sus espaldas para hacerle la competencia, para robarle la herencia de Sanjay. Empezó a verla como a una enemiga en su propia casa.

Inevitablemente, y ante la desazón de Sonia, todas las miradas se iban dirigiendo hacia el heredero natural, Rajiv. Indira tenía sus dudas: «Nadie puede ocupar el lugar de Sanjay –confesó a su amiga Pupul–. Era mi hijo, pero también me ayudaba como un hermano mayor»[1]. Veía a Rajiv demasiado blando y sensible para el mundo de la política. Además, estaba casado con una extranjera, lo que era considerado, en términos de po-

1. Jayakar, Pupul, *Indira Gandhi: A Biography*, *op. cit.*, p. 417.

lítica nacional, como un obstáculo infranqueable. Y si dimitiese de Indian Airlines, ¿de qué viviría? Sanjay era muy frugal, en cambio a Rajiv y Sonia les gustaba vivir bien, a la europea, sin excesos pero confortablemente.

En este escenario de una familia herida en la cúspide del poder, no sólo decidían los individuos, por muy poderosos que fuesen. Tan importante como la voluntad de Indira era la opinión de sus acólitos, sus amigos, sus parientes, sus compañeros de partido, sus consejeros, sus aduladores, sus gurúes, el país entero. Después de haber entonado la marcha fúnebre a raíz de la muerte de Sanjay, ese coro de voces empezó a salmodiar una melodía familiar, la misma que sonó cuando Indira fue llamada por primera vez a presidir el partido o cuando la cortejaban para que aceptase cualquier cartera en el primer gobierno después de la muerte de su padre. La misma voz que en su día le había dicho «eres la hija de Nehru, demasiado valiosa para no tenerte en el gobierno», reclamaba ahora un sucesor, como si en lugar de una democracia se tratase de una antigua corte imperial. Era un coro tan antiguo como la India misma, cuya mitología contaba la historia de una saga ininterrumpida de monarcas hereditarios. Era un llamamiento que venía de lo más profundo de ese país continente, tan inclinado a confundir el poder temporal con el divino. Como en las tragedias de la Grecia clásica, el coro reclamaba una víctima propiciatoria. Había que responder a la necesidad apremiante que el pueblo tenía de estabilidad, de continuidad y, ¿por qué no?, de eternidad. Eso sólo lo garantizaba una dinastía.

En cuanto a Rajiv, se mantenía lo más distante posible. Su relación con su madre era diferente a la de Sanjay. El cariño era muy profundo, pero casi británico en las formas, sin apenas relación íntima. Él no se ofreció espontáneamente a ayudarla, y ella tampoco se lo pidió nunca, por lo menos directamente. Pero cuando Indira se fue dando cuenta de la enormidad del vacío que había dejado Sanjay, así como de la apremiante necesidad que tenía de apoyo y proximidad física, le confesó un día a su amiga Pupul: «Rajiv carece del dinamismo y de las preocupaciones que tenía Sanjay, pero podría serme de una gran ayuda». «... Podría serme de una gran ayuda»: no se necesitaban más palabras para poner en marcha el engranaje que el coro de voces había anunciado ya.

Fueron los amigos de la familia los que empezaron a hablarles, a él y a Sonia, de la soledad de Indira, de la necesidad que tenía de apoyarse en alguien en quien pudiera confiar a ciegas, de contar con una persona que le mantuviera abiertas las ventanas del mundo... Y ese alguien sólo podía ser su hijo. Sonia se rebelaba contra esa idea.

—Sabemos lo que es la política, el supuesto *glamour*, la adulación —decía alterada—. Hemos visto de cerca a los políticos, con su doble lenguaje, el peloteo constante, las manipulaciones, las traiciones, la inconstancia de los medios y de la gente... Hemos visto lo que el poder ha hecho con Sanjay y Maneka. Sabemos perfectamente cómo será la vida de Rajiv si se mete en política.

Su marido callaba; y quien calla, otorga. Estaba completamente de acuerdo con los argumentos de Sonia. Pero no podía impedirlo: la imagen de su madre, sola, destrozada, con el fardo de un país como la India a sus espaldas, le pesaba en la conciencia.

La situación de Indira con Maneka, después del artículo que salió en el periódico, no podía mejorar. La joven se puso nerviosa al sentir la hostilidad de su suegra y que su presencia no era deseada. Había vivido su vida de casada en medio de un ambiente de altísima excitación política, y ahora no estaba dispuesta a hundirse en el anonimato. Se daba cuenta, aunque no era capaz de verbalizarlo, de que ésa era la condición que tenía que cumplir para convivir con Indira bajo el mismo techo. Era el precio de la paz. Pero ella no era Sonia, aborrecía la simple idea de ser un ama de casa, de pasarse el día encerrada entre cuatro paredes dando órdenes a los sirvientes o recibiéndolas de su suegra. Ocuparse del niño, con la ayuda que las familias pudientes tienen a su alcance en la India, le dejaba mucho tiempo libre. Durante todos estos años, había observado cómo funcionaban su marido y su suegra, cómo planificaban cada maniobra con mucha antelación, y ella también empezó a planear su futuro, empujada por su propio coro de voces, la de su familia y la de los antiguos amigos de Sanjay. «¿Por qué no tendrías tú derecho a ser la heredera de tu marido? ¿Acaso no le has dado los mejores años de tu vida? ¿Acaso no has participado en todo lo que él ha hecho? ¿Acaso no te quería? Tú sabes más de política que su hermano...» Querían que reaccionase antes de que Rajiv fuera obligado a hacerlo. Y el coro de voces hacía mella en el espíritu maleable de la joven.

El libro sobre Sanjay fue el caballo de batalla de las relaciones entre Indira y Maneka, que casi no se atrevía a hablar con su suegra. La notaba distante y fría, y le tenía más miedo que nunca. Cuando iba a dirigirse a ella, no le salían las palabras, como cuando llegó a esa casa. Sólo obtenía de Indira la atención debida cuando hablaba del niño. Del resto, nada. Un día, se atrevió por fin a sugerirle la idea que le rondaba por la cabeza.

—Como te he visto tan atareada, he pensado que, para quitarte trabajo, en lugar de que escribas el prólogo, mejor que lo haga el periodista Kushwant Singh basándose en una entrevista contigo.

Indira se la quedó mirando largo rato, en uno de sus silencios que no dejaban presagiar nada bueno.

—Ni hablar —le dijo por fin—. Eso tenías que haberlo hecho inmediatamente después de la muerte de Sanjay. Yo hubiera tenido tiempo entonces de escribir algo. Pero no me consultaste. Ahora no voy a escribir nada y ese hombre no me va a entrevistar.

Era su peculiar venganza contra el artículo que tanto la había irritado. Era también una manera de poner a su nuera en su sitio. Había empezado la guerra.

Maneka salió destrozada de la entrevista con su suegra. «Si no escribe el prólogo, nunca más le dirigiré la palabra», amenazaba a todo el que quisiese oírla. Luego, en la soledad de su cuarto, se puso a llorar. La maqueta del libro, con fotos que había escogido con sumo cuidado y amor, estaba desplegada sobre su cama. «¿Por qué no quiere ayudarme? ¿Acaso no se trata de su hijo?», se preguntaba entre lágrimas.

Cuando se hubo calmado, Maneka intentó una última aproximación. Llevó la maqueta del libro al cuarto de Indira y la dejó encima de su cama. Quizás, al verla, su suegra recapacitaría.

Habían pasado más de seis meses desde la muerte de Sanjay, y volver a ver esas fotos después de una jornada agotadora en el Parlamento conmocionó profundamente a Indira. La cara de ángel que Sanjay tenía de pequeño, las fotos de sus juegos de niño, de cuando acariciaba a su mascota preferida –su tigre–, de sus coches de juguete, de sus paseos a caballo con Nehru, de él e Indira abrazados... todo ese pasado que de pronto volvía a borbotones, como una herida reabierta, la dejó emocionalmente devastada. No pegó ojo en toda la noche. A su amiga Pupul le dijo que el libro estaba bien concebido, pero que estaba decidida a no escribir el prólogo. «Había borrado a Maneka de entre sus seres queridos», escribiría Pupul, que observó un detalle simbólico y revelador: la puerta que daba al cuarto de Sanjay estaba cerrada y la que daba al cuarto de Rajiv, abierta. Indira había pasado una página de su vida y se disponía a abrir otra.

28

–Rajiv, me aterra saber que estás volando... –le dijo Indira un día en el salón de casa.

–Mamá, eres una persona inteligente y sabes perfectamente que, por estadística, hay más probabilidades de morir atropellado cruzando una calle que volando en un avión.

–Lo sé, pero no puedo evitar pensar en...

Rajiv se la quedaba mirando. Su madre, envuelta en un sari blanco de luto, parecía una ruina de sí misma. Y no fingía; se la veía realmente intranquila. La muerte de Sanjay, que proyectaba su larga sombra sobre el presente, había hecho de Indira un ser inseguro, y los miedos que siempre la habían atenazado ahora se magnificaban. A Rajiv, verla así le daba una pena infinita. El simple pensamiento de que ella le necesitaba y que él no podía –o no quería– ayudarla, empezaba a atormentarle. Indira prosiguió:

–¿Sabes que un periódico de Gujarat predijo que Sanjay moriría en junio?

–Mamá, por favor... Si hubiera que creer las predicciones de todos los astrólogos que hay en la India, nadie podría vivir.

–Estoy recibiendo innumerables cartas avisándome de que el peligro te ronda, por eso me da miedo saberte en el aire.

–¿Sabes lo mejor que se puede hacer con esas cartas? Echarlas al fuego...

–No digas tonterías, Rajiv –replicó con el rostro demudado por una expresión de sombría desesperanza–. Lo que le ha pasado a Sanjay es porque no hicimos nada para evitarlo, no hicimos caso de las predicciones que acertaron con la fecha exacta.

–No, mamá. Lo que le ha pasado a Sanjay es porque se lo buscó.

Indira se lo quedó mirando. No estaba acostumbrada a que Rajiv la contradijese.

Él prosiguió:

–... Hacía lo que le daba la gana, y cuando el Director de Aviación Civil lo amonestó por no cumplir con el reglamento y poner en riesgo su vida, Sanjay lo echó de su cargo en lugar de escucharlo. Tienes que ver la realidad como es, mamá. Me preocupa mucho que te dejes influenciar así por los astrólogos...

Indira bajó la cabeza, como dando a entender que se plegaba ante los argumentos de su hijo. Rajiv entendía que su madre intentaba buscar un sentido a la tragedia que se había abatido sobre ella, y ese sentido lo encontraba en las fuerzas ocultas que sus enemigos habían lanzado contra la familia. Esa vieja paranoia suya estaba más viva que nunca.

–Mamá –le dijo Rajiv para congraciarse con ella–. Si hay fuerzas malignas, seguro que también hay fuerzas positivas que nos protegen... ¿O no?

–¿Acaso fueron capaces de proteger a tu hermano? –preguntó ella.

Rajiv levantó los ojos al cielo como diciendo: «¡Otra vez...!». Indira siguió:

–Si me hubiera muerto yo, hubiera sido parte de un proceso natural... Tengo sesenta y dos años, he vivido una vida plena, pero tu hermano era tan joven...

Rajiv se quedó cabizbajo. Su madre era inconsolable. Guardaron silencio un buen rato. De pronto, Indira se levantó:

–Me quedan tres horas de trabajo. Me voy.

–Estás agotada y deberías descansar –le dijo Rajiv.

–Si no hago ese trabajo ahora, tendré que levantarme a las cuatro de la madrugada para hacerlo. Buenas noches.

Rajiv se quedó pensativo. Vio a su madre irse hacia su habitación como un ave encorvada, arrastrando levemente los pies. Parecía ir a la deriva, parecía un náufrago... ¿Dónde estaban su energía desbordante, su eterno optimismo? Era desazonador verla en esas condiciones. Y la pregunta que le asediaba era la lógica consecuencia de ello: «¿Tengo realmente derecho a negarme a ayudarla?».

Cuando le hizo partícipe a Sonia de sus sentimientos con respecto a su madre, a la italiana se le saltaron las lágrimas, quizás porque en momentos de lucidez se daba cuenta de que libraba una batalla perdida de antemano. Además sentía que su marido vivía un dilema que le estaba haciendo sufrir.

–¿Vas a tirar por la borda todo lo que hemos conseguido?... ¿Tu carrera, el tiempo con tus hijos, tus *hobbies*, nuestra felicidad?

Por primera vez, había tensión en el matrimonio. Tanta que un día, desesperada, Sonia le dijo:

–Si piensas meterte en política, pediré la separación y me volveré a Italia.

Nunca, en quince años de matrimonio, habían tenido una pelea. Nunca intercambiaron una palabra más alta que la otra. Nunca Sonia había llegado tan lejos. «Luché como una tigresa por él, por nosotros y por nuestros hijos, por la vida que nos habíamos construido, por su vocación de volar, por nuestras sencillas amistades y, sobre todo, por nuestra libertad: ese simple derecho humano que tan cuidadosa y consistentemente habíamos conservado», escribiría más tarde[1].

Pero las fuerzas contra las que luchaba Sonia eran mucho más poderosas que sus argumentos a favor de la felicidad individual y de la armonía familiar. ¿Qué peso podía tener el bienestar burgués de una familia de cuatro miembros comparada con el destino de la India? Esas fuerzas, que surgían de la historia profunda de la nación, hablaban en nombre de un país de más de setecientos millones de personas. Eran las mismas fuerzas que en su día habían empujado a Indira al ruedo de la política y que ahora reclamaban la presencia de Rajiv. Dos meses después de la muerte de Sanjay, trescientos parlamentarios, todos miembros del Congress, firmaron una petición rogándole que asumiese el puesto de su hermano y se presentase como candidato en su circunscripción. El hecho de que estuviera casado con una extranjera no parecía suponer un problema, quizás porque en la mentalidad popular una mujer adquiere la identidad de la familia del marido.

Fue el principio de una intensa y constante presión pública.

1. Gandhi, Sonia, *Rajiv*, Nueva Delhi, Viking-Penguin, 1992, p. 6.

A partir de ese momento, no había día en que la prensa no vaticinase su entrada en política. Cuando los periodistas preguntaban a Indira sobre el tema, ella se mantenía impasible: «No puedo hablar de ello. Rajiv es quien tiene que decidir». Los diputados empezaron a asediar la casa. Venían a «visitarlo», es decir a intentar convencerlo. Sonia se veía obligada a preparar té con cardamomo para todos esos «buitres» que, según ella, venían a descuartizar ante sus ojos la felicidad familiar.

No sólo la presión pública empezó a ser notoria, la personal también. T. N. Kaul, tío de Rajiv, diplomático de intachable reputación, no era un hombre cuyos consejos se tomaran a la ligera. Kaul era el apellido de la mujer de Nehru y T. N. había estado siempre muy unido a Indira. Su lealtad había resistido los embates de los últimos años. Su hijo era un individuo simpático y vivaracho, había estudiado en Cambridge con Rajiv y formaba parte del círculo de amigos íntimos del matrimonio. Los Kaul eran parientes muy cercanos, y muy queridos.

—La vida de tu madre y la de tu hermano estaban estrechamente entrelazadas, más aún de lo que parecía —le dijo T. N. Kaul a Rajiv en la primera reunión que mantuvieron—. Sanjay era su nexo de comunicación con los líderes del partido, por eso está tan aislada desde su muerte. Necesita a alguien cerca, alguien que sea capaz de actuar de forma eficaz para mantener la lealtad del partido. Y ya sabes que no se fía de nadie, excepto de los muy allegados.

—Lo sé, pero también sé, y lo sabe todo el mundo, que no estoy hecho para la política... Además, ya conoces la postura de Sonia sobre el tema.

—Entiendo que Sonia tenga esa visión, porque ha estado expuesta a los peores aspectos de la vida pública, pero no todo es despreciable ni malo en política. Se supone que es el más noble de los quehaceres...

Rajiv hizo un gesto de ironía. Kaul prosiguió:

—Se trata de servir al pueblo, de dedicarse en cuerpo y alma a los demás... como lo hizo tu abuelo, como lo hizo tu hermano, como lo está haciendo tu madre.

—... Como quieren que lo haga yo.

—Claro. Lo llevas en la sangre.

—No estoy seguro de que sea tan hereditario como crees. Tengo todas las de perder...

—Si tú tienes todas las de perder, tú que has mamado el ambiente de la política desde siempre, imagínate los demás... Al contrario, tienes todas las de ganar. Podrías ser un día primer ministro.

—No, gracias. He visto a mi madre llorar después de que sus más antiguos, fieles y queridos colaboradores la denunciasen para salvarse ellos, he visto a socios suyos, gente en la que había depositado toda su confianza, darle la espalda y convertirse en críticos sanguinarios... Gracias, pero prefiero seguir viviendo mi vida en vaqueros junto a mi mujer y mi familia, que me dan todo lo que necesito.

—Rajiv, sabes tan bien como yo que hay dos tipos de personas que se meten en política: los menos son los que consideran el poder como un medio para hacer avanzar la sociedad, y los más, los que lo ven como un arma para obtener ventajas para ellos y para su grupo. A este segundo tipo, lo que les importa es todo lo que rodea el poder: el brillo, la adulación, que te besen los pies y te veneren como a un dios, todo lo que detesta Sonia.

—¿Y cuál es la recompensa para los otros?

—Sólo una. La satisfacción de verse realizado como ser humano.

Rajiv se encogió de hombros. Era una respuesta demasiado borrosa y abstracta para su gusto. Luego preguntó:

—¿Qué dice mamá?

—Me ha dicho textualmente que no quiere influenciar tu juicio, que hagas lo que te parezca.

—¿Ella sabe que has venido a hablar conmigo?

—Sí. Se lo pregunté... y me dijo que si quería hablarte, por ella no había problema.

Hubo un silencio. Rajiv le mostró unos cuadernos y unos libros que tenía desplegados sobre la mesa.

—¿Sabes que estoy a punto de cumplir uno de los sueños de mi vida?

—¿Ah, sí?

—Indian Airlines está terminando de renovar la flota, y sólo habrá jets. Hasta ahora volaba de segundo en el Boeing 737. El mes que viene me examino de comandante. Me subirán el sueldo y podré pedir la ruta Delhi-Bombay, lo que me permitirá tener unos horarios más decentes.

Kaul paseó la mirada sobre el compás, la calculadora, las cartas desdobladas con anotaciones de correcciones de rumbo y cálculos escritos a lápiz en los márgenes... Luego, con el semblante grave, se volvió hacia Rajiv:

–¿Entonces entiendo que tu respuesta es «no»?

Rajiv asintió con la cabeza, y añadió:

–Para mí, entrar en política sería como entrar en la cárcel.

Al sentir la mirada de su tío fija en él, soltó:

–... Además, ni siquiera tengo el carné del Congress.

–Piénsalo, Rajiv. Piensa en todos los sacrificios que la familia ha hecho por el país. Cuando erais pequeños y fuisteis a vivir a Teen Murti House, lo hicisteis porque tu abuelo estaba solo y necesitaba ayuda. Como ahora tu madre. Ella sacrificó su vida personal para servirlo. Lo hizo porque era una mujer. Tu deber como hombre es ayudarla y apoyarla en lo que puedas.

Los argumentos del tío Kaul eran contundentes y apelaban al deber filial y a un cierto sentido de la predestinación, a una supuesta misión familiar y nacional inscrita en los astros. Los de Rajiv eran racionales y prácticos. Hablaban de cosas sencillas como la vida cotidiana, la vocación, el cariño familiar. Pero la realidad era más compleja, era una mezcla de emociones y ambiciones de mucha gente, de temores y dudas, de sueños y ocultas pulsiones, de historia y política. Durante meses, la presión continuó sobre Rajiv, y por ende sobre Sonia. «Me pasé horas y horas intentando convencerla para que dejase a su marido meterse en política, pero ningún argumento le parecía suficientemente bueno –diría Nirmala Deshpande, una amiga de la familia–. A cada intento, Sonia, muy educada pero con firmeza, decía que no.» Un día, la italiana llegó a confesarle: «Prefiero tener a mis hijos mendigando en la calle a que Rajiv se meta en política».

Para el matrimonio, fue un año terrible en el que ambos se sentían cada día más impotentes a medida que se acercaban al abismo. Les invadía el sentimiento extraño y perverso que de pronto su vida no les pertenecía. Habían pasado de ser dueños de su existencia a víctimas de una maniobra de acoso y derribo en nombre de grandes principios y nobles causas de las cuales, en ese momento, se sentían ajenos. Como si ese país tan gigantesco no pudiera vivir sin ellos. Rajiv estaba desgarrado por el conflicto entre su deber de hijo y su propia felicidad. Sonia estaba atrapada entre su marido y su suegra, dos personas que adoraba. «Al mismo tiempo —escribió más tarde— estaba furiosa y resentida contra un sistema que, tal y como lo veía, exigía un cordero sacrificial. Un sistema que lo aplastaría y lo destruiría; de eso estaba absolutamente convencida.»

Rajiv adelgazó y apenas dormía. Su sentido del deber le empujaba a ayudar a su madre. Su amor por Sonia y el compromiso que había adquirido con ella le tiraban en dirección opuesta. Todos tenían sus razones, todas eran válidas, y él se encontraba en medio, confuso y desgraciado. Entonces se refugiaba en sus estudios para examinarse de comandante del Boeing 737, lo único que le permitía abstraerse de una realidad que se le hacía insoportable. Él, que siempre había huido de conflictos y confrontaciones, vivía angustiado siendo el blanco de todas las exigencias. «¿No disminuirá nunca esta presión? ¿No acabará nunca este infierno?», se preguntaba al ver que pasaban los meses y el coro de voces se hacía ensordecedor.

«Yo esperaba un milagro —diría Sonia—, una solución que fuera aceptable y justa para todos nosotros.»

Pero ese milagro no se producía. Al contrario, cada día que pasaba, los principales actores de este drama se encontraban peor: Indira, cada vez más sola y abrumada por los problemas, que se amontonaban, Rajiv y Sonia, cada día más atormentados.

—No puedo seguir viéndote así —le dijo Sonia un día, abrazándole con fuerza—, no quiero verte tan mal...

—Es como si nos hubieran robado nuestra vida...

—Rajiv, olvida lo que te dije cuando estaba tan enfadada. Olvídalo todo. Si piensas que debes ayudar a tu madre, hazlo... No quiero verte tan infeliz. Nos estamos consumiendo.

—No pienso tomar ninguna decisión sin ti.

—Hazlo —le dijo Sonia llorando, la cabeza apoyada en el pecho de su marido—. Adelante. La vida cambia, a mí me cuesta mucho aceptarlo... En el fondo, pienso que voy a acabar perdiéndote, pero quizás sea egoísmo mío, no sé... Lo que sé es que no podemos seguir así.

«Era mi Rajiv −diría Sonia−, nos queríamos, y si pensaba que debía ofrecer su ayuda a su madre, yo me plegaría ante esas fuerzas que ya eran demasiado poderosas para que yo las pudiera combatir, e iría con él allá donde le llevasen[1].»

Sonia demostró, una vez más, que su amor por su marido le importaba más que cualquier otra consideración. ¿No era la lealtad la esencia misma del amor? ¿No le había seguido siempre? ¿No había dejado su familia y su país por él? ¿No se había convertido en una impecable nuera india por él? Si toda su vida había girado en torno a él, si un día le había prometido seguirlo al fin del mundo, ahora tocaba cumplir con aquella promesa. Le seguiría adonde fuese, al infierno de la política si fuese necesario. Aunque ambos acabasen ardiendo en sus llamas.

Después de cuatro larguísimas y muy intensas visitas del tío T. N. Kaul, Rajiv acabó diciendo:

−... Si mamá quiere que la ayude, lo haré.

Kaul suspiró.

−Es una decisión juiciosa −dijo−. Estamos seguros de que puedes ganar las elecciones de Amethi, la circunscripción de tu hermano, lo que te dará la legitimidad necesaria para trabajar junto a tu madre.

−Pero no quiero formar parte del gobierno, ésa es mi condición. Sólo estoy dispuesto a trabajar dentro del partido, porque me doy cuenta de que hay un vacío y no veo a nadie que pueda colmarlo.

−Lo importante es que ganes tu escaño por Amethi.

−¿Y si pierdo?

−Dejas el campo abierto a Maneka y a los seguidores de Sanjay, y eso es muy peligroso, date cuenta.

−Maneka no tiene veinticinco años, la edad reglamentaria para ser diputada del Parlamento.

−Pero la tendrá en las próximas elecciones. No puede haber

1. Gandhi, Sonia, *Rajiv*, op. cit., p. 7.

dos herederos distintos de Sanjay Gandhi. De ahí la prisa para que aceptes. Y es fundamental que ganes Amethi.

Hubo un silencio. El rostro de Rajiv había envejecido. Casi en voz baja, añadió:

–... Hay un sentido de inevitabilidad en todo esto, ¿no[1]?

–Cuando tu madre fue a ayudar a tu abuelo –le dijo Kaul–, tampoco formó parte del gobierno. –Hizo una pausa, consciente del ingente sacrificio que esta decisión exigía de la familia–. ¿Qué dice Sonia?

–No hubiera tomado la decisión sin ella. Intentaré compaginar mi carrera de piloto con la política, mientras pueda. Luego veremos lo que pasa.

–Es una solución sensata –concluyó Kaul.

Después de tanta angustia acumulada, la decisión fue una especie de liberación, pero sin alegría. Como siempre en la historia familiar de los Nehru, lo que había triunfado había sido el sentido del deber por encima de las demás consideraciones. Sonia se encerró en su cuarto y no salió en cuatro días. Sus hijos no conseguían consolarla. Decían que se pasaba el tiempo llorando.

Cuando emergió de aquel pozo de sufrimiento, estaba demacrada y en los huesos. Durante los días siguientes, apenas comió y dejó de vestirse de la manera elegante y coqueta con la que solía hacerlo.

1. Nugent, Nicholas, *Rajiv Gandhi - Son of a Dinasty*, Londres, BBC Books, 1990.

29

Rajiv acabó cumpliendo su viejo sueño y aprobó los exámenes para obtener el título de comandante del Boeing 737, pero el placer de surcar los cielos en aviones a reacción iba a durar muy poco. El plazo para presentarse por la circunscripción de Amethi, la que se preparaba a heredar de su hermano, se acercaba inexorablemente. La ley de incompatibilidades impedía que Rajiv tuviese un empleo público (Indian Airlines era una compañía del Estado) y al mismo tiempo se presentase a diputado. Como estaba claro que a partir de aquí no podría compaginar su carrera con la política, no le quedó más remedio que hacer de la política su carrera. Así que un día caluroso de mayo de 1981 tomó su decisión. Llegó a casa después de haber pasado el día volando, se quitó la corbata, la chaqueta y los pantalones de uniforme, se vistió con una *kurta* blanca, el «uniforme de los políticos», y se fue a las oficinas centrales de la aerolínea a entregar su acreditación de piloto y a despedirse de sus colegas y sus jefes. Sonia le vio marcharse con el corazón encogido. Era el adiós definitivo a la vida que él había elegido, en Inglaterra, cuando buscaba la manera de ganarse la vida para casarse porque estaba loco por ella.

Como era previsible, la vida del matrimonio cambió a partir de aquel día. Ya no podían dejarse ver los sábados por la noche en Casa Medici, el restaurante italiano del lujoso hotel Taj, o en el Orient Express, en el nuevo hotel Taj Palace. Cambiaron desde los horarios hasta la manera de vestir. Rajiv usaba *kurtas* porque le habían sugerido que sería bueno dar una imagen más «india», y no tan europea. Así que se despidió para siempre de los tejanos que llevaba cuando no iba de uniforme, dijo adiós a los zapatos italianos que Sonia le compraba cuando estaban de vacaciones, y se calzó con sandalias, aunque conservó sus gafas de sol Ray-Ban, ovaladas y de montura metálica, que estaban de moda en aquellos días. La verdad es que la ropa india era más agradable de llevar y resultaba más apropiada para ese calor despiadado que la occidental. Las *kurtas* de algodón crudo se ponían sobre pantalones tipo pijama o *chowridars*, esos pantalones anchos en la cadera y que se van estrechando hasta acabar en pliegues sobre el tobillo. Llevaba también el gorro típico de los miembros del Congress, y a Indira le parecía que con la edad era clavado a su padre, a Firoz.

Una vez que Rajiv hubo tomado la decisión, ya no volvió la vista atrás. Si el destino le ponía en ese trance, mejor sacar provecho y hacerlo bien, lo mejor posible. Los antiguos ideales de los que su abuelo hablaba en la mesa cuando eran adolescentes –la lucha contra la pobreza, a favor de la igualdad, la aconfesionalidad, etc.–, esos principios que había heredado su madre, los hizo suyos también. Él no se lanzaba al ruedo para acumular riqueza o poder, porque nunca le habían atraído. Carecía de ambición personal, pero tenía ideas para la India. Si ahora podía aportar su grano de arena a la vida de la nación, mejor era hacerlo bien informado.

Pero le costaba desprenderse de su mundo, que era el de la tecnología, el de los hechos probados, de las cosas concretas que se rigen por leyes conocidas y comprobables. Un avión vuela porque el aire sustenta sus alas. ¿Qué sustenta el éxito de un político? Eran muchas las respuestas posibles, muchas las variables, pero ninguna certeza, excepto en su caso: tenía un apellido que era una marca reconocible. Los intelectuales y los adversarios de Indira se lo echaron en cara: «la única calificación que posee Rajiv son sus genes». Las clases privilegiadas estaban desconcertadas por lo que consideraban un nuevo acto de nepotismo por parte de Indira. Pero la «gran masa de humanidad india» lo veía a su manera, bajo el prisma de la tradición, según la cual los hijos siguen las vocaciones de sus progenitores. Durante siglos, en las aldeas y en las ciudades de la India, maestros artesanos, músicos, escribanos, cocineros, palafreneros, curanderos, arquitectos y políticos transmitían a sus vástagos los secretos de su profesión. Al atraer a Rajiv a la vida política, Indira y sus correligionarios del partido no hicieron más que seguir una tradición bien establecida.

Durante su primera campaña, Rajiv tuvo que hacer un gran esfuerzo para luchar contra su propia timidez. Para alguien tan celoso de su privacidad, ser constantemente el foco de atención y enfrentarse a las preguntas de los medios de comunicación era difícil de soportar. «La política nunca ha sido lo mío –declaró un día a un periodista que le preguntaba por qué se presentaba–. Me presento porque de alguna manera tenía que ayudar a mi madre...» Su candidez lo convirtió en objeto de escarnio, y pronto aprendió a medir sus palabras, a dar siempre respuestas claras que no pudieran prestarse a malentendidos o a interpretaciones sesgadas.

Hablar en público sin notas tampoco era fácil, porque había que encontrar la manera no sólo de decir lo que quería, sino de conectar con los que venían a escucharle. Los mítines tenían lugar en la plaza del pueblo y los organizadores no siempre disponían de medios para colocar un toldo que los resguardase del calor. La mayoría de las veces, Rajiv se encontraba frente a una multitud de un millar de personas a pleno sol. Muchos estaban sentados sobre esterillas en el suelo, la mayoría de pie al fondo, y todos venían a tener el *darshan* de un hombre que ya formaba parte del elenco de personajes de la mitología de la India. Había muchos campesinos pobres, porque Amethi era una zona muy atrasada del estado de Uttar Pradesh. Pero también había tenderos, obreros, notables del pueblo, empresarios sijs cuyos turbantes destacaban entre la multitud, muchos jóvenes desocupados, enjambres de niños, algunos con el uniforme raído inspirado en los uniformes de las escuelas inglesas, mujeres musulmanas con el rostro cubierto, campesinas hindúes con saris multicolores... Estaban todos muy apretados a pesar de los más de 40 grados de calor. Olía a sudor, a flores, a polvo y al humo de los bidis, esos cigarrillos hechos a base de picadura de tabaco que se conocen como los «cigarrillos de los pobres». Antes de hablar, Rajiv se quitaba las guirnaldas de clavelinas anaranjadas que habían desteñido sobre la blancura de su *kurta* y las colocaba sobre una mesa o se las entregaba a un ayudante. Tenía un estilo muy distinto al de su hermano. Ni era grandilocuente ni arengaba a la multitud. Al contrario, su humildad y su curiosidad le empujaban a hacer muchas preguntas. En sus constantes viajes, metido en la cabina del avión, Rajiv había soñado con un país más justo, más próspero, más moderno, más humano. Ahora, a ras de suelo, la realidad se veía de otra manera: el atraso era tremendo; la falta de recursos, desesperante, y la pobreza, extrema. ¿Cómo era posible? ¿Dónde fallaba el sistema? En los momentos de descanso, sacaba de una bolsa negra un invento plateado que causaba admiración:

—Es un invento revolucionario —dijo Rajiv—. Un día será tan popular como una calculadora o una máquina de escribir, ya veréis.

—¿Para qué sirve? —le preguntó un joven miembro del partido.

—Para muchas cosas. Yo lo quiero usar para tener una base de datos y hacer el seguimiento de las mejoras que vamos a impulsar aquí en Amethi.

Era un ordenador portátil, uno de los primeros que se vieron en la India. El método de Rajiv consistía en identificar las carencias para luego saber dónde podría intervenir para subsanarlas. Algunos problemas eran obvios, como la falta de carreteras, que obligaba a la pequeña caravana electoral a caminar, a veces durante una hora o más, por estrechos caminos de tierra entre campos labrados por bueyes descarnados, para acceder a las pequeñas aldeas. La mayoría de las viviendas eran chozas de adobe que los campesinos tenían que levantar de nuevo después de cada temporada de lluvias. Esas aldeas no disponían de ningún tipo de comunicación con el exterior. «¡Si por lo menos se les pudiera poner un teléfono conectado vía satélite!», se decía Rajiv. Sin embargo, había una luz de esperanza: cuando a los más pobres les preguntaba qué es lo que más necesitaban, nunca pedían comida, o dinero, o una choza donde alojarse, o que hubiera un pozo de agua potable en la aldea —todas necesidades apremiantes—. Los más pobres querían sobre todo escuelas para sus hijos. En primer lugar educación e, inmediatamente después, dispensarios médicos.

Como era de esperar, Rajiv ganó por un amplio margen. Sonia fue la primera en felicitarlo. Se fundieron en un abrazo. Ese triunfo daba a su marido un espaldarazo muy necesario, y Sonia lo adivinó en la expresión de su rostro, de pronto más relajada y confiada. Era la justificación a muchos meses de tormento. Sonia sintió que a Rajiv empezaba a gustarle la experiencia, aunque ella echaba de menos el pasado: «Antes, nuestro mundo era reconocible, íntimo –contaría Sonia–. Había días de actividad concentrada y luego largos periodos de ocio. Ahora era al revés. Nuestra vida se llenó de gente, cientos cada día, políticos, trabajadores del partido, todos presionando con sus exigencias y sus problemas urgentes. El tiempo dejó de ser flexible y la hora que Rajiv pasaba con nosotros era cada vez más valiosa»[1].

A lo que Rajiv seguía sin acostumbrarse era al asedio de los medios de comunicación. Respondía con vacilaciones e interrupciones. «Vosotros los periodistas os abalanzáis sobre los políticos como tigres», soltó una vez, agobiado. Pero a la vez sentía que empezaba a ser apreciado por un número cada vez mayor de gente. El contraste con la personalidad de su hermano resultaba tan refrescante que le hacía ganar adeptos. Si Sanjay había dejado el recuerdo de un individuo abrasivo, despiadado y vulgar en la ostentación del poder, Rajiv era todo lo contrario: un hombre suave y de modales impecables, un conciliador nato que utilizaba el sentido común para dirimir conflictos, y sobre todo un hombre sin contactos extraños ni asociaciones sospechosas. «Quiero atraer un nuevo tipo de gente a la política –declaró al *Sunday Times*–, inteligente, jóvenes occidentalizados sin ideas feudales, que quieran hacer prosperar la India más que prosperar ellos.» Mostraba siempre su verdadero rostro, el de un hombre honrado, amable y de buen corazón. Pronto le llamarían *Mr. Clean*. Por si fuera poco, tenía una familia bonita y fotogénica, aunque Sonia era mucho más reacia que él a dejarse fotografiar y aún menos a dar entrevistas. Su temor y odio hacia la prensa y los medios de comunicación se habían convertido en una constante en su vida.

Rajiv juró su cargo de diputado tres días antes de cumplir treinta y siete años, declarándose abiertamente a favor de la modernización, de la libertad de empresa y de abrir el país a las inversiones extranjeras. Chorreaba sudor bajo la misma bóveda

1. Gandhi, Sonia, *Rajiv*, *op. cit.*, p. 7.

que había devuelto el eco de los discursos de su abuelo y de su madre. Probablemente Nehru se hubiera sentido desconcertado al ver a su nieto en esa enorme sala como un representante más del pueblo. Pero también contento al comprobar que, como él, Rajiv creía que la solución a muchos de los males de la India radicaba en la ciencia y en la tecnología debidamente aplicadas.

Indira volvió a sonreír. Sintió que su hijo, que asumía el papel de consejero personal con sorprendente eficacia, era la persona idónea para encargarse de un ambicioso proyecto en el que el gobierno se había embarcado, consciente de la necesidad de mejorar la imagen del país. Se trataba de organizar los Juegos Asiáticos, que debían tener lugar en Delhi dos años después. El proyecto contemplaba la construcción de hoteles, autopistas, varios estadios y un barrio para alojar a los atletas. Se aprovecharía la iniciativa para ampliar la cobertura de la señal de la televisión en color, que sólo se podía captar en el centro de las grandes ciudades. Llevar a buen fin el proyecto requería una mente con capacidad de organización, emprendedora e imaginativa. Indira sintió que para su hijo era un desafío que, si salía bien, mejoraría su imagen y le serviría de lanzadera en la política nacional. De pronto Rajiv se encontró coordinando arquitectos, constructores y financieros, y supervisando un enorme presupuesto.

Sonia no tenía ambición alguna de hacerse un hueco en la vida pública –ese que Maneka deseaba tanto–, ya fuese de voluntaria en asuntos humanitarios o de anfitriona de personalidades. Se contentaba con su posición a la sombra de su suegra y se afanaba en que funcionase de la manera más eficaz posible la casa de la primera ministra. En aquellos días, Sonia llegó a estar más próxima a Indira de lo que lo había estado jamás. «Sabiendo lo profundas que eran sus heridas, Rajiv y yo nos volvimos aún más protectores con ella.» Su suegra estaba profundamente agradecida de tenerlos cerca. Hablaba con mucho cariño y reconocimiento de la manera en que Rajiv «se había ofrecido para encargarse de algunas de sus responsabilidades relativas al trabajo en el partido». Cuando terminó el periodo de luto de un año, en el que Indira sólo había llevado saris blancos, negros o de color crema, Sonia le escogió un precioso sari color oro con bordados al estilo de Cachemira para la inauguración de una importante conferencia de países asiáticos.

—Mira, este sari hace juego con la decoración de la sala donde se va a celebrar la conferencia... ¿Te gusta?

—Me encanta... —dijo Indira—, es perfecto para los que sigan el evento desde sus televisores en color.

Al verla envuelta de nuevo en saris coloridos, su amiga Pupul le dijo:

—Me alegro de que lo vayas superando.

Indira puso una expresión de gravedad y no le contestó. Pero al día siguiente le mandó una carta: «Has dejado caer una frase sobre que podría estar superando mi dolor. Uno puede superar el odio, la envidia, la codicia y tantas otras emociones negativas y autodestructivas. Pero el dolor es algo distinto. No se puede olvidar ni superar. Hay que aprender a vivir con él, integrarlo en el propio ser y hacerlo parte de la vida»[1].

1. Jayakar, Pupul, *Indira Gandhi: A Biography*, *op. cit.*, p. 424.

30

La nota discordante la puso Maneka, que veía disgustada cómo la herencia de su marido le era arrebatada por el hermano, aunque sabía perfectamente que ella no podía haberse presentado por no tener la edad mínima requerida. Siempre había sentido un profundo desprecio hacia Rajiv, y ahora se puso a hacer declaraciones a la prensa tildándole de «indolente cuñado, incapaz de levantarse de la cama antes de las diez». Implícita iba la idea de que ella, heredera del apellido Gandhi y madre del único hijo de Sanjay, era la más idónea para suceder un día a Indira en la cúspide del poder. «¿Cómo puede Rajiv asumir el manto de su hermano si nunca le ha gustado la política y está casado con una italiana?», decía públicamente. Maneka fue la primera en utilizar los orígenes extranjeros de Sonia contra la familia. Rajiv e Indira, que inmediatamente olfatearon el peligro, le pidieron que terminase los trámites para adquirir la nacionalidad india, a la que tenía derecho por matrimonio. Tenía que haberlo hecho hace tiempo pero siempre lo posponía por pura pereza. En su ingenuidad, Sonia había creído que bastaba con sentirse india y cumplir con las costumbres y los ritos de la sociedad para ser india. Ya había relegado sus faldas, sus pantalones entallados, sus tejanos, sus camisas sin mangas y sus trajes escotados a la oscuridad de los armarios. Sólo se vestía de europea cuando iba a visitar a su familia a Italia. En la India, sólo usaba saris o la versión musulmana del traje nacional indio, los *salwar kamiz*, pantalones anchos de algodón o seda cubiertos por una camisola con muchos botones. Pero eso no bastaba, ahora necesitaba la sanción oficial, la nacionalidad, el pasaporte. De modo que una mañana se fue al Ministerio del Interior y pasó varias horas rellenando papeles y respondiendo a preguntas de funcionarios corteses. Unas semanas más tarde recibió una carta: «Por la presente, el gobierno de la India concede a Sonia Gandhi, nacida Maino, su certificado de naturalización y declara que la susodicha tiene derecho a todos los privilegios, deberes y responsabilidades de un ciudadano indio...». A continuación, entre los papeles que acompañaban el pasaporte, estaba el número y la dirección de la oficina electoral donde le correspondería votar.

Lo único que Maneka consiguió con sus declaraciones insensatas fue irritar aún más a su suegra. Cuando la joven le mostró un primer ejemplar del libro que había diseñado sobre su difunto esposo, Indira puso el grito en el cielo, alegando que parte del texto y de los pies de foto eran perniciosos y distorsionaban la verdad. Así no podía publicarse.

–¡Pero si está prevista su presentación para dentro de tres días!

–Tenías que haberme enseñado la maqueta final antes, no en el último momento. Tendrás que posponer la presentación para cuando los cambios estén introducidos.

–No puedo, ya está todo organizado.

–No permitiré que salga el libro tal y como está ahora.

Maneka, rabiosa, salió de la habitación dando un portazo.

–¡¡Maneka!! –gritó Indira–. ¡Ven aquí inmediatamente!

La joven regresó. Esta vez, no parecía un chucho asustado. Tenía la actitud desafiante de una adolescente rebelde. Sostuvo la mirada de su suegra.

–Las cosas no pueden seguir así, Maneka. No puedo consentir tus tonterías con la prensa ni que publiques lo que te parezca sobre la familia.

Maneka dudaba entre responder o aguantar la regañina. Indira lanzó un farol, intuyendo que su nuera se amedrentaría:

–Si quieres irte de esta casa, tú misma –le dijo con firmeza.

Maneka vacilaba ante la tentación de usar la única arma que podía asestar un golpe letal a Indira: arrebatarle a su nieto. Indira prosiguió:

–Si sigues así, nuestra relación en el futuro será como si no te hubiera conocido nunca. Tú eliges: eso, o seguir siendo amigas.

Maneka apretó los puños y se mordió la lengua, tal vez no era el momento de prescindir de esa relación tan prestigiosa. Bajó la mirada:

–Está bien, retrasaré el lanzamiento del libro, cambiaré los pies de foto.

Indira respiró aliviada. Era consciente de haber ganado una batalla, pero segura de que no sería la última. Por el momento, se había evitado la crisis.

Peleona y persistente, Maneka se hizo experta en tensar la cuerda. Se había convencido de dos cosas: una, que no había lugar para ella en la estructura de poder presidida por Indira, y dos, que podría llegar a rivalizar con su suegra. De modo que decidió, por un lado, redoblar su actitud desafiante y provocadora y, por otro, desarrollar su propia base movilizando a los seguidores, ahora destronados, de Sanjay. Maneka había aceptado ir a dar un discurso a la ciudad de Lucknow, capital del estado de Uttar Pradesh... frente a un grupo de disidentes del Congress, capitaneado por un antiguo amigo de Sanjay. Indira echaba humo: «Me están desafiando con una minirrevuelta», le dijo a Pupul, después de que Maneka le hubiera hecho saber que había conseguido la adhesión de un centenar de miembros de la asamblea legislativa del estado de Uttar Pradesh leales a Sanjay. Indira le mandó un mensaje: «Si vas a Lucknow, no vuelvas nunca a mi casa». Maneka dio marcha atrás y se disculpó, pero ya parecía claro que un enfrentamiento era inevitable. A Indira, esa «niñata» correosa y testaruda que le hacía la vida imposible la sacaba de quicio como no lo conseguían sus poderosos adversarios políticos, mucho más experimentados y maquiavélicos.

Para intentar arreglar las cosas, Indira se la llevó de viaje a Kenia con Rahul y Priyanka. Pero el viaje que de verdad le hubiera gustado hacer a Maneka era el que hicieron Rajiv y Sonia a Londres para la boda del príncipe de Gales con Diana Spencer. Indira les había mandado en nombre suyo, para presentar en el extranjero a quien acabaría con toda probabilidad sucediéndola. Ése sí era un viaje con *glamour*, codeándose con el poder y lo más granado de la sociedad mundial. En cambio a Maneka le tocaba ir con los niños «a ver animales». Empezó quejándose de que era la única de la familia que carecía de pasaporte diplomático. Casi no habló con sus sobrinos en todo el viaje y apenas contestaba a su suegra cuando ésta la llamaba o procuraba animarla. En todo momento se mantuvo apartada, con cara mustia, porque en el fondo no quería estar allí. Cuando, en la embajada en Nairobi, llegó el momento de saludar a los representantes de la numerosa colonia india, lo hizo desganada y fríamente, tanto que daba vergüenza ajena. Taciturna, no se sabía muy bien si se sentía aburrida o simplemente que nada le interesaba. O si estaba tramando algo. O las tres cosas a la vez.

Quien estaba tramando algo era su madre. Algo explosivo. Estaba negociando la venta de la revista *Surya* a un notorio simpatizante del RSS (Rashtriya Swayamsevak Sangh) a espaldas de Indira. Cuando ésta se enteró, montó en cólera. El RSS era una organización política hinduista de extrema derecha con una disciplina casi militar, que había estado involucrada en las masacres de la Partición. Indira siempre había considerado al RSS la «mayor amenaza para la India» por su carácter hinduista fanático y excluyente. Estaba convencida de que ese partido podía un día llevar el país a la perdición. ¿No había sido uno de los asesinos del Mahatma Gandhi miembro del RSS? Esa venta, que acabó realizándose, era una provocación en toda regla. Aunque la propiedad era de Maneka y de su madre, Indira era muy consciente de que la revista había podido ver la luz y funcionar gracias a sus contactos y su influencia. La tensión familiar llegó a un punto álgido. Hacía meses que Rajiv evitaba encontrarse con su cuñada en casa. Ahora estaba claro que Maneka no podría seguir viviendo allí.

Indira, que veía que el conflicto con su nuera iba a privarla de su nieto, se deprimió mucho. De todas las traiciones que había vivido, sentía que ésa era la más grave, la más dañina y la más cruel, porque venía del interior de la familia, territorio sagrado, y afectaba al hijo de su hijo preferido. La inminencia de una nueva crisis, esta vez definitiva, le robaba la energía y la hacía sentirse agotada. Por su nieto, hizo un último esfuerzo. Mandó a su viejo profesor de yoga y gurú, Dhirendra Brahmachari, que seguía visitándola de vez en cuando, a negociar la recompra de la revista, a cualquier precio, a los nuevos dueños. Pero éstos rechazaron la oferta. Indira estaba en un callejón sin salida. Cientos de millones de personas, el país entero, esperaba expectante el desenlace de esta telenovela en vivo, un *reality show* antes de su época.

Indira estaba en Londres, inaugurando el Año de la India, un esfuerzo colosal de su gobierno para promover el intercambio cultural, industrial y comercial entre la India y Occidente. Había querido que Sonia fuese con ella. A la fiesta de apertura asistió un elenco numeroso de políticos, científicos, personalidades del mundo de la cultura, la aristocracia y los medios de comunicación. Indira vivió un momento conmovedor cuando Zubin Mehta, que por cierto era parsi, como el padre de Indira, dirigió la orquesta que tocó los himnos nacionales de la India y del Reino Unido y la audiencia se puso en pie. Tenía un significado especial porque era la primera vez que el himno nacional indio era tocado en público en Londres, la antigua capital del Imperio. Hasta Sonia sintió escalofríos de emoción. Indira, exquisitamente ataviada gracias a los cuidados de su nuera, estuvo radiante durante las diferentes recepciones y cenas que acompañaron a la inauguración. Tanto que hubiera sido imposible adivinar que por dentro estaba agitada y ansiosa. Los mensajes que le llegaban de casa anunciaban que Maneka estaba dispuesta a abandonar definitivamente el hogar familiar y que había decidido desafiarla abiertamente. Sonia callaba, expectante, ante el inexorable momento de la ruptura.

En efecto, Maneka había calculado la fecha con precaución, aprovechando que Indira y Sonia estaban de viaje, y que Rajiv, demasiado centrado en su tarea, no pisaba la casa para evitar coincidir con ella. La joven no había hecho caso a Indira y había ido a Lucknow, donde, ante los seguidores de su marido, pronunció un discurso encendido, pero cuidándose de no parecer desleal a la primera ministra. «¡Larga vida a Indira Gandhi!», «¡Sanjay es inmortal!», rezaban los carteles que organizadores del encuentro habían colgado por doquier. «Siempre honraré la disciplina y la reputación de la gran familia Nehru-Gandhi a la que pertenezco», había concluido Maneka.

Pero esa muestra de falsa lealtad no ablandó a Indira, que regresó de Londres en la mañana del 28 de marzo de 1982, decidida a hacerse respetar. Cuando Maneka fue a saludarla, Indira la cortó en seco:

–Hablaremos luego.

Maneka se encerró en su cuarto y esperó largo rato, hasta que un sirviente llamó a la puerta:

–Adelante –dijo Maneka.

El hombre apareció llevando una bandeja con la comida.

–¿Y eso?

–La señora Gandhi me encarga decirle que no desea que usted se una al resto de la familia para el almuerzo.

–Llévesela. No pienso comer en mi cuarto porque lo diga ella.

El hombre obedeció. Una hora más tarde, regresaba:

–La señora primera ministra quisiera verla ahora mismo –dijo obsequiosamente.

A Maneka le temblaban las piernas al recorrer el pasillo. Había llegado la hora de la verdad, pero no había nadie en el salón. Tuvo que esperar unos minutos que se hicieron eternos y en los que volvió a comerse las uñas como cuando era pequeña. De pronto, oyó unos ruidos y apareció Indira fuera de sí, caminando descalza, acompañada por el gurú Dhirendra Brahmachari y por el secretario Dhawan, el repeinado. Los quería de testigos.

En circunstancias normales, Indira hubiera lidiado este asunto con su acostumbrada habilidad, esperando el momento idóneo para actuar. Ahora, quizás porque el pensamiento de separarse de su nieto le nublaba la razón, Indira cayó en la trampa que le había tendido su nuera. Apenas se entendían sus palabras. Sin embargo se la oyó alto y claro cuando, señalándola con el dedo, le gritó: «¡Sal de esta casa inmediatamente!».

–¿Por qué? –replicó Maneka con aire inocente–. ¿Qué he hecho?

–¡He oído cada palabra del discurso que has pronunciado!

–Tú diste el visto bueno.

Maneka alegaba que se lo había mandado a Indira para su aprobación. En efecto, Rajiv lo había enviado por télex a Londres. Su madre lo había leído, pero no había contestado. Había decidido esperar el regreso para pronunciarse.

–¡Te dije que no debías hablar en Lucknow, pero has hecho tu santa voluntad y me has desobedecido! Había veneno en cada una de tus palabras... ¿Te crees que no me doy cuenta? ¡Vete de aquí! ¡Vete de esta casa ahora mismo! –chilló–. ¡Vuelve a casa de tu madre!

–No quiero ir a casa de mi madre –respondió Maneka desafiante.

–Te vas a ir con ella. Ya que os habéis confabulado con la escoria de este país, a quienes habéis vendido la revista que montasteis gracias a los contactos que yo os proporcioné, no os quiero volver a ver, ni a ti ni a tu madre.

Maneka empezó a llorar pero añadió:

–Necesito tiempo para preparar mis cosas.

–Has tenido todo el tiempo del mundo. Te irás cuando se te ordene. Tus cosas te las mandarán más tarde. ¡Tú y tu madre sois escoria! –lanzó Indira totalmente desatada.

Maneka fue alejándose hacia su habitación, dando voces:

–¡No permitiré que insultes a mi madre!

Pero Indira estaba resuelta a expulsarla. No podía controlarse, todos los agravios acumulados desde que Maneka había entrado en aquella casa estallaban como las compuertas de una presa al reventar.

–¡Vete! ¡Lárgate ahora mismo! ¡Y no te lleves nada de esta casa que no sea tu ropa!

Maneka se encerró en su cuarto, desde donde llamó a su hermana Ambika para contarle lo sucedido, a fin de que diese la voz a la prensa y pedirle ayuda. El escritor Kushwant Singh se enteró de lo que había ocurrido por una llamada de Ambika rogándole que acudiese a casa de la primera ministra.

Las tormentosas relaciones entre suegra y nuera forman parte de la cultura milenaria de la India, hasta el punto de que muchas producciones de Bollywood están basadas en historias que recrean con todo lujo de detalles esos conflictos domésticos. El que ocurrió en casa de la más alta autoridad del país expuso a toda la familia al escrutinio público de una manera que los más avezados productores de cine ni siquiera hubieran podido imaginar.

Hacia las nueve de la noche, una multitud de fotógrafos y periodistas, incluyendo una representación bien nutrida de corresponsales extranjeros, se congregó ante la verja de entrada a la casa. La policía, cuyos refuerzos se habían desplegado en los alrededores, no sabía muy bien a quién dejar pasar y a quién no. De modo que Ambika y el hermano de Maneka entraron sin dificultad, después de ocho años de ir de visita. Se encontraron a su hermana en su cuarto, hecha un mar de lágrimas, metiendo en desorden todo lo que podía en unas maletas. De pronto, cuando estaban dilucidando cómo proceder, Indira irrumpió en la habitación:

—¡Vete ya!... Te he dicho que no te lleves nada.

Ambika, cuya lengua viperina era bien conocida de Indira, intervino:

—¡No se irá! ¡Ésta es su casa!

—¡Ésta no es su casa! —gritó Indira con ojos desorbitados—. ¡Ésta es la casa de la primera ministra de la India! —Y señalando a Maneka, agregó—: No se puede traer gente aquí sin mi permiso.

Ambika iba a hablar, pero Indira la interrumpió.

—En todo caso, Ambika Anand, no quiero hablar con usted.

—¡No tiene usted ningún derecho a hablarle así a mi hermana! —lanzó Ambika, sin intención alguna de dejarse amedrentar—. ¡Ésta es la casa de Sanjay y mi hermana es la mujer de Sanjay! Así que ésta es su casa. Nadie la puede echar.

Entonces Indira enloqueció. Lo que no habían conseguido sus enemigos más enconados lo consiguieron aquellas dos hermanas. Los gritos de Indira alertaron a Sonia, que corrió a avisar a Rajiv a su despacho de Akbar Road. Rajiv intentó controlar la situación, con la ayuda de un primo que le ayudaba en sus quehaceres políticos. Le pidieron al jefe de seguridad, un sij alto y fornido, que hiciera el favor de expulsar a las hermanas de casa. El hombre, cauto, contestó:

—Señor, sólo puedo cumplir esa orden si la recibo por escrito.

Rajiv estaba dispuesto a firmar una orden escrita pero su primo intervino.

—No lo hagas —le dijo—. No firmes nada que luego pueda ser utilizado por la prensa en contra tuya o de la familia. Os guste o no, Maneka tiene derecho a estar en esta casa. Firmar un documento de expulsión sólo puede traeros problemas.

Rajiv miró al sij, que hizo un gesto con la cabeza, en total acuerdo con lo que el primo acababa de decir.

–No es prudente –añadió su primo.

–Está bien –dijo Rajiv, tirando la toalla y volviendo la vista hacia el fondo del pasillo desde donde, de repente, surgió un estruendo ensordecedor.

Las dos hermanas, encerradas en el cuarto de Maneka, habían puesto en el reproductor de vídeo una película de Bollywood a todo volumen para que Indira, que estaba derrotada en la habitación contigua, se diese por enterada de que ellas harían lo que quisiesen. Mientras, planearon su estrategia y la hora exacta a la que saldrían. El secretario Dhawan y el gurú Dhirendra Brahmachari tuvieron que hacer de mensajeros. Cada vez que entraba Dhawan para rogarles que se fueran, ellas le hacían una nueva petición. Primero pidieron la cena, que les fue servida en la habitación. Luego le dijeron que los perros también necesitaban comer, y el secretario mandó alimentarlos con la mala suerte de que *Sheba*, el lebrel irlandés de Maneka, excitado por el ambiente de hostilidad que había en casa, le mordió levemente en el brazo.

Así estuvieron un par de horas, hasta que las hermanas mandaron sacar sus baúles, maletas y paquetes. Cuando ellas ya estaban afuera, llegó de nuevo Dhawan, esta vez acompañado por el gurú:

–Lo siento, pero tenemos órdenes de registrar sus pertenencias.

–Muy bien –dijo Maneka–, si vais a registrarme, que sea aquí fuera, para que lo vea todo el mundo. Y empezó a abrir los baúles deliberadamente, sacando ropa, zapatos, libros...

De pronto, el crepitar de los flashes de los fotógrafos, desde la valla, iluminó la noche como unos pequeños fuegos artificiales. Indira apareció en el umbral, y le dijo a su secretario que no insistiese en lo del registro. Se había dado cuenta de que su nuera le había ganado la partida y empezó a ceder. Maneka no había hecho sino aplicar una lección de su suegra: «Deja que los enemigos hagan lo que quieran contra ti, pero siempre a la luz pública, para que muestren su peor cara». Cuando el lamentable espectáculo del registro llegó a su fin, Maneka y su hermana volvieron a su cuarto, exigiendo que fuesen enviados por adelantado sus pertenencias y sus perros a su nuevo domicilio. La última de las condiciones fue que no se irían sin el pequeño Firoz Varun.

En esa noche desastrosa, la peor equivocación de Indira fue la de intentar quedarse con su nieto de dos años. Antes de la pelea había dado orden de que lo llevasen a su cuarto. Había pasado el día con unas décimas de fiebre. Cuando los sirvientes fueron a por él, Indira se negó a entregarlo.

—Mi nieto se queda conmigo —dijo en un ataque de obcecación irracional.

Maneka le hizo saber que si no le entregaba al pequeño, haría una sentada en la puerta de la casa hasta conseguirlo. Muy hábilmente, la joven viuda se disponía a explotar su papel de víctima usando el arma del Mahatma Gandhi, la desobediencia civil. La lucha de Indira era a la desesperada. Hizo venir a P. C. Alexander, su principal secretario oficial, que al ser despertado en plena noche pensó que había estallado algún conflicto internacional. «Nunca la vi tan afligida, tan preocupada, tan ansiosa, tan tensa como aquella noche —diría el hombre—. Su rostro reflejaba una angustia indescriptible.»

—Madam —le dijo Alexander—, ha tenido usted que enfrentarse a tantas crisis en su vida, a tantas batallas políticas, a la muerte de su hijo. ¿Por qué se pone usted así ahora?

—Alexander, esta chica quiere quitarme a Firoz Varun. Tú conoces mi relación con el hijo de Sanjay. Es mi nieto. Me lo quieren quitar.

Indira seguía fuera de sus casillas. El sufrimiento que le producía la pérdida de su nieto le nublaba el juicio. No había manera de hacerla entrar en razón, de convencerla de que el derecho estaba de parte de su nuera. Por muy primera ministra que fuese, no podía nada contra el hecho de que Maneka era la madre del pequeño. ¿No reinaba en la India la *rule of law*, el estado de derecho? Los abogados que hizo venir en mitad de la noche para ver cómo quedarse con el niño estaban de acuerdo en que no había nada que hacer.

—Señora —zanjó por fin uno de sus abogados—, si usted se queda con el niño, su nuera presentará una denuncia y estará usted obligada a entregárselo a la policía, que a su vez lo devolverá a su madre. Le sugiero que se ahorre todo ese lío.

La batalla estaba perdida. Indira fue a su cuarto, y se quedó mirando al niño, que dormía en la cuna con una respiración acompasada y bien audible. La mujer era un mar de lágrimas. Rara vez en su vida la vieron llorar tanto, tan deshecha. Para ella, eso era como la segunda muerte de su hijo. Cuando la cuidadora fue a llevarse al niño, Indira le hizo un gesto con la mano, lo sacó de la cuna y lo estrechó en sus brazos, largamente, consciente de que era la última vez que lo vería. Luego se lo entregó, rota por dentro, limpiándose las lágrimas del rostro con el extremo de su sari.

Eran más de las once de la noche cuando Maneka, llevando al desconcertado y semidespierto Firoz Varun en brazos, salió por fin de casa y se metió en un coche acompañada de su hermana. Una explosión de flashes iluminó toda la secuencia de su partida. Unas fotos conformes a la imagen que ella quería dar, la de una nuera leal tratada cruelmente por su poderosa y autoritaria suegra. «Maneka saludando a los periodistas desde el coche», rezaba el pie de foto que salió a la mañana siguiente en todos los periódicos de la India y parte del extranjero. El diario *Indian Express* publicó un artículo comparando los esfuerzos de la primera ministra por expulsar a Maneka con el acto de «matar a una avispa a hachazos». Indira había perdido y lo sabía.

A Sonia se le partía el alma de verla tan hundida. También ella sufrió con aquel desenlace, aunque lo veía venir, quizás con más lucidez que la propia Indira. Sufrió porque se había ocupado mucho del pequeño, desde su nacimiento. Había sido una segunda madre para él. La llegada al mundo del pequeño evocaba recuerdos de una felicidad familiar reencontrada después de los sobresaltos de la *Emergency*. La armonía había durado poco, sólo hasta la muerte de Sanjay, pero había dejado una honda impresión en todos los miembros de la familia. Priyanka y Rahul también se habían acostumbrado a la presencia de ese primito, tan cercano que lo consideraban más bien un hermano. Durante los días siguientes, a todo el que llegaba a verla, Indira le decía: «¿Sabes? Maneka y Firoz Varun se han ido de casa», como si hubiese sido la decisión consensuada de dos adultos. Todo el país sabía con pelos y señales lo que había sucedido.

31

Pintar. Concentrarse en cada pincelada, sin que tiemble el pulso. Mezclar y volver a mezclar la pintura en la paleta, buscar el tono correcto, el color justo. Quitarse las gafas y volver a ponérselas. Avanzar despacio, pasito a pasito. Rascar con la espátula, alisar, limpiar, manchar de color, volver a empezar... Para Sonia, sus cursos de restauración de pinturas antiguas al óleo en el Museo Nacional eran como una terapia que le permitía olvidarse durante unas horas del trajín de su hogar. Esos momentos robados le proporcionaban una intensa e íntima satisfacción y ahora estaba segura de que ésa hubiera sido su vocación real si la vida no la hubiera llevado por otro derrotero. Era una actividad que le permitía desarrollar su potencial, su carácter de mujer perfeccionista a la que le gustaba arreglar, rehabilitar, remendar. Para restaurar tenía que hacerse invisible. No se trataba de inventar, sino de interpretar la intención del artista original. No era para rebeldes que acabasen imponiendo su criterio. Era para personalidades como la suya, maleables, poco amantes de la confrontación y más bien dóciles, que terminaban siempre adaptándose de la mejor manera y sacando el mejor partido a lo que había. Ahora podía dedicarse a su afición porque su hogar volvió a ser un remanso de paz, como antes de que Maneka entrase a vivir en ella. Y esa paz ayudó a Indira a calmarse, poco a poco, rodeada del afecto de los nietos que le quedaban y con la seguridad de que Sonia se encargaba de la casa, lo que implicaba, por ejemplo, organizar una cena para Mitterrand y su séquito, o una recepción para dirigentes musulmanes a mediodía y otra para jefes del partido por la tarde.

Sonia procuraba siempre ajustar sus horarios y sus compromisos para coincidir con los ratos libres de Rajiv y de su suegra. Sentía que ambos, quizás para contrarrestar la aspereza de la vida política y para curarse de la conmoción que supuso la lucha

333

con Maneka, necesitaban ahora más que nunca la estabilidad, la intimidad y las relaciones directas y francas que encontraban en el universo familiar. Entre las cuatro paredes del hogar, ni Rajiv ni Indira tenían que medir sus palabras, ni preocuparse de lo que decían o a quién se lo decían. Sonia les custodiaba un santuario para que se protegiesen del barullo de la política. Para que disfrutasen del reposo del guerrero. «Estaba dedicada a mi marido con un amor incondicional», diría. Lo mismo hubiera podido decir de Indira. Rajiv le estaba profundamente agradecido de que hubiera aceptado dar el paso y cambiar de vida, y se lo hizo saber: «Como dice la tradición hindú, un hombre es sólo media persona y su mujer es la otra media. Contigo, me siento exactamente así», le dejó escrito un día en una nota antes de irse a trabajar.

En aquella época Nadia, la hermana pequeña de Sonia, fue a vivir a Nueva Delhi con su marido, diplomático español. Era una chica de rasgos finos, morena, con una innegable distinción natural. Era introvertida, le gustaba leer y la influencia de su marido le hizo aficionarse por la literatura española. Su ambición era hacerse traductora de italiano a español. Ahora estaba demasiado ocupada con sus hijas pequeñas, pero lo dejaba para el futuro... Para Sonia, era maravilloso tenerla tan cerca, poder organizar salidas de fin de semana con los niños de ambos matrimonios o asistir a cenas de amigos, donde se juntaban indios cosmopolitas y europeos residentes en la ciudad. Nadia y su marido tenían una vida social mucho más intensa que la de Rajiv y Sonia, porque ellos formaban parte del circuito diplomático en la capital de la India. Comidas, cócteles, recepciones, inauguraciones de exposiciones, presentaciones de libros, conciertos, partidos de polo, etc., se les veía participando en muchos actos y nada hacía presagiar las diferencias que estaban surgiendo en el matrimonio. A Sonia le llegaron algunos rumores, pero como su hermana no le había dicho nada, les quitó importancia. Estaría loca si se fiara de la rumorología local.

Pero un día Nadia fue a verla a una hora temprana, mientras terminaba de arreglarse.

—¿Qué tal me queda? —preguntó Sonia, aludiendo al sari que llevaba.

—Estás guapísima —le dijo su hermana con voz apagada.

—Aquí sólo uso saris, nos atacan con eso de que soy italiana, ¿sabes? La verdad es que me siento igual de cómoda de cualquiera de las maneras, de europea o de oriental.

—Puedes pasar perfectamente por una india, si no fuese porque tus joyas son discretas, al contrario que las de las señoras de aquí... En cambio, si yo me pongo un sari, parezco una turista vestida de india.

—Una vez, la mujer de un político se acercó a ver la cruz que llevo colgada al cuello y me preguntó que por qué llevaba una cadenita tan fina cuando se puede llevar un cadenote más visible... Aquí se valora la ostentación, fíjate, en un país con tanta pobreza...

Sonia sonrió al recordar la escena, y cuando se dio la vuelta, después de colocarse el sari, se encontró a su hermana llorando.

—Pero ¿qué te pasa?

Nadia no se atrevía a decir nada. Balbuceaba. Sonia tuvo que usar toda su habilidad para sonsacarle lo que le ocurría. Su marido la engañaba. Se había corrido la voz en el mundillo de Nueva Delhi, lo que añadía humillación al dolor.

«¿Cómo puede ser tan irresponsable?», se preguntó Sonia, furiosa.

El diplomático había resultado algo frívolo. Ni siquiera se esforzaba en disimular sus líos. El más reciente, el que había tenido con una diplomática de la embajada danesa, hizo que Nadia se viniese abajo.

—Me ha prometido que va a romper, pero no sé si creerle.

Para Sonia, fue un golpe verla así. Le pidió que tuviera paciencia, que le diese una nueva oportunidad, si es que se lo había prometido. Se había acostumbrado a tenerlos en Nueva Delhi y le daba pena que tuvieran que marcharse. Ojalá se arreglase la situación con su marido. Decididamente, no todos eran como Rajiv. Al cuñado español empezó a cogerle manía.

Como el de Nadia con su marido, la vida está hecha de pequeños desgarros. A principios de 1982, la familia vivió la separación de Rahul. Siguiendo la costumbre heredada de los ingleses, fue enviado a un internado que se encontraba en las estribaciones del Himalaya. Había sido fundado por un profesor inglés que se había quedado de director después de la independencia. Doon School era una institución de excelente reputación, creada a imagen y semejanza de los colegios británicos, donde los hijos y nietos de las clases privilegiadas cursaban sus estudios. Al principio, Sonia se había opuesto a la idea. Separarse de su hijo a los once años no forma parte de la tradición italiana, aunque Rajiv le recordó que sus propios padres la habían mandado interna a la escuela de monjas de Giaveno.

–Ya, pero eso estaba a veinte kilómetros de casa.

Doon School estaba a siete horas de Delhi, lo que, a escala de la India, era una distancia corta. Aun así, fue duro separarse del niño. Era el mismo sufrimiento que habían padecido el bisabuelo Motilal y el abuelo Nehru. En la época, las familias pudientes mandaban a sus vástagos a Inglaterra al cumplir los siete años. Rajiv estaba tan convencido como su bisabuelo de que separarse de su hijo, por muy doloroso que fuese, era una experiencia que ayudaría al niño a crecer, a ser más fuerte e independiente. Lo que le preocupaba, tanto como a Sonia, era que Rahul fuese lo suficientemente maduro como para sobrellevar los ataques y el ensañamiento de sus compañeros. Ya habían tenido que lidiar con ese tipo de problemas cuando iban a la escuela en Delhi y tanto Rahul como Priyanka eran víctimas de las pullas de algunos niños que se mofaban de la familia. Sólo que entonces los padres estaban cerca para ofrecerles su apoyo. «¿Si se meten con ellos allá lejos, quien les consolará?», se preguntaba Sonia, inquieta. «A veces dirán todo tipo de disparates en los periódicos sobre la abuela, sobre mamá o sobre mí –escribió Rajiv a su hijo para darle seguridad–, pero no debes preocuparte. Quizás te encuentres con algunos chicos en el colegio que lo utilicen para meterse contigo, pero descubrirás que la mayoría de esas cosas no son ciertas... Tienes que aprender a lidiar con esas provocaciones... a no hacer caso a lo que te pueda irritar, a no dejar que te afecte[1].»

1. Gandhi, Sonia, *Rajiv, op. cit.*, p. 8.

De lo que se enteraba el niño por los periódicos era de los numerosos viajes que efectuaban sus padres. En aquella época, Indira viajaba mucho, y siempre que podía iba acompañada de su hijo y de Sonia. Juntos fueron a Nueva York, donde Indira vivió la alegría de reencontrarse con su vieja amiga Dorothy Norman, que la describió así: «Allí estaba, la mujer que lideraba una sociedad altamente compleja de más de setecientos millones de personas, la mayoría pobres y enfrentados a problemas de todo tipo; una mujer todavía abrumada por el dolor de haber perdido a su hijo, más triste que antes...».

–Sí, estoy más tranquila, más triste –le confirmó Indira–. ¿Pero sería justo pedir más? La vida ha sido espléndida conmigo, tanto en felicidad como en dolor. ¿Cómo se puede apreciar lo uno sin lo otro?

Dorothy recordaría a Rajiv y Sonia con mucho cariño por la manera en que se comportaban con ella. Vio a Indira muy orgullosa de su hijo: «Rajiv ha hecho un trabajo magnífico con los Juegos Asiáticos», le contó. Los juegos, inaugurados el 19 de noviembre de 1982, día en que Indira cumplía sesenta y cinco años, habían sido una proeza de organización. Seis estadios, tres hoteles de lujo y un barrio entero con alojamientos para los atletas se habían levantado en un tiempo récord. La fisonomía del sur de Delhi cambió para siempre. Rajiv había salido bien parado de su primera prueba, con una imagen de líder eficaz, moderno, y de buen gestor, aunque la prensa denunció las condiciones de vida de los obreros, en su mayoría inmigrantes del sur, escuálidos hombres y mujeres de piel oscura que fueron vilmente explotados por la legión de intermediarios, contratistas, jefes de obra, constructores, fabricantes de ladrillos, de cemento y de acero que manejaban el presupuesto. No era tarea fácil modernizar la India. Sí, se levantaban edificios vanguardistas, pero lo hacía una sociedad medieval, donde los niños trabajaban de sol a sol por una cantidad de dinero que les era robada por quienes los contrataban. Rajiv se había dado cuenta de que el desafío radicaba en cambiar esa estructura social carcomida por la corrupción. Un desafío inmenso, porque la sociedad india arrastraba miles y miles de años de vicios, de explotación de unas castas por otras, de unas clases por otras. Si en un presupuesto se asignaba un sueldo de cien rupias al día a un obrero, todos sabían que acababa cobrando treinta rupias, en el mejor de los casos. El resto se lo quedaba el contratista o los intermediarios. Luego hubo un detalle revelador de la pobreza del país. Gran parte de los análisis de sangre efectuados a los atletas indios indicaba presencia de anemia. ¿Cómo pretendían competir con japoneses, coreanos, malayos? Por todo eso, los juegos habían sido para Rajiv una victoria agridulce.

Aunque Rajiv no pudiese siempre acompañar a su madre, Sonia lo hacía cada vez que se lo pedía Indira. Nunca viajó tanto: recorrió varios países del Este, Indonesia, las islas Fiji, Tonga, Australia, Filipinas, así como otros lugares de Sudamérica. Cuando el viaje era a Europa, aprovechaba para dar un salto a Orbassano y abrazar a los suyos. Sonia evitaba siempre las cámaras y no le gustaba nada que los funcionarios la tratasen con una deferencia especial por ser la nuera de la primera ministra, lo que solía agradar tanto a la delegación india como a los huéspedes extranjeros. En Washington, Sonia pudo comprobar que Indira seguía sin conectar con los presidentes norteamericanos. Esta vez se trataba de Ronald Reagan, cuya atención Indira no conseguía mantener más de algunos minutos, como si los estragos de la enfermedad que más tarde le atacaría hubiesen empezado ya. «¿Te das cuenta? –le comentó a su nuera después de la escala en Moscú y de haberse entrevistado con Brezhnev–. El futuro de la raza humana está en manos de dos ancianos, firmes en sus posiciones, sin flexibilidad ni ganas de iniciar un diálogo.» Pero en ese momento a Sonia le preocupaba más la salud de Indira que el porvenir del mundo. Había notado que su suegra, cuando estaba cansada, tenía un tic en el ojo, y sus párpados se ponían a temblar ininterrumpidamente. Y dormía muy mal. De pronto decía cosas raras: «Cuando cierro los ojos, veo a una anciana deforme que quiere hacerme daño».

De regreso a Nueva Delhi, Indira dijo a su amiga Pupul:

–He recibido informes secretos de que alguien lleva a cabo ritos tántricos y de magia negra para destruirme. ¿Pupul, tú crees que hay fuerzas malignas que pueden ser liberadas a través de ritos tántricos?

–Aunque eso sea cierto –le contestó su amiga–. ¿Por qué reaccionas así? Al hacerlo, sólo consigues que esas fuerzas se hagan más poderosas...

–¿Tengo entonces que ignorar esos informes que recibo cada día?... ¿Qué hago[1]?

Pupul y Sonia estaban perplejas. ¿Era ese comportamiento producto del sentimiento de soledad interior que en el fondo nunca la había abandonado desde niña, desde que esperaba sola en casa a que sus padres volviesen de prisión o del sanatorio? No había visto a su nieto Firoz Varun desde hacía casi dos años, y tanto Sonia como Pupul adivinaban que el dolor de la separación hacía estragos en el corazón de Indira. Mantenía su compostura estoica, pero en el fondo estaba tan herida, que quizás se estuviera volviendo loca.

Sonia no lo creía así. Las locuras de Indira las achacaba a la influencia nefasta del gurú Dhirendra Brahmachari, que seguía rondando por casa, siempre vistiendo con *kurtas* de color naranja. Era como un moscón que, por mucho que uno intentaba apartarlo, siempre volvía. Estaba más grueso, el pelo gris y greñoso le caía sobre los hombros y se había dejado crecer la uña de un meñique, que estaba tan larga y acerada como una cuchilla y que le daba a Sonia un asco difícil de disimular. Todos sabían que el gurú asustaba a Indira con esos supuestos «informes secretos», pero nadie sabía qué hacer para evitarlo. Era increíble: la primera ministra de la India creía con más fuerza esos «informes» que los del departamento de Estadística del gobierno. Lo cierto era que en sus momentos de depresión, cada vez más frecuentes e intensos, lo sobrenatural adquiría una importancia preocupante.

Había otra razón que explicaba por qué utilizaba los servicios del gurú, y es que otro santón, un sij llamado Brindanwale, de treinta años, le había lanzado el desafío político más grave de su vida. Aquel hombre era un simple predicador de pueblo, un fundamentalista que exhortaba a purificar el sijismo, devolverlo a su antigua ortodoxia y luchar por una patria sij. El conflicto con los sijs se remontaba a la Partición que, con toda su colec-

1. Jayakar, Pupul, *Indira Gandhi: A Biography, op. cit.*, p. 440.

339

ción de horrores y masacres, causó un trauma en la conciencia de esta comunidad, nacida en el siglo xv para luchar contra la idolatría y el dogma de las dos religiones dominantes en la época, el hinduismo y el islam. En 1947, la Partición desgarró la patria de los sijs, el Punjab, «el país de los cinco ríos», una de las regiones más bellas y fértiles de la India, un paisaje de campos dorados de trigo y cebada atravesado por ríos de aguas plateadas. La frontera entre Pakistán y la India trazada por los ingleses cortó su territorio por la mitad. El Punjab occidental se convirtió en parte de Pakistán; el Punjab oriental permaneció en la India, con una población mitad sij mitad hindú. Como reacción, un fuerte sentimiento separatista hizo mella en la población sij. Lo curioso de Brindanwale es que lo había descubierto Sanjay. Preocupado por el avance del partido nacionalista moderado que quitaba muchos votos al Congress en el Punjab, Sanjay pensó que al apoyar y promocionar a Brindanwale conseguiría dividir y debilitar el nacionalismo sij. El problema, que nadie supo prever, es que Brindanwale se hizo incontrolable y terminó convirtiéndose en un monstruo que ahora amenazaba a su madre.

Parecía un santón salido directamente de la Edad Media, con una barba negra, larga y sedosa que le caía hasta la cintura. Tenía unos ojillos oscuros penetrantes, una nariz de águila, un rostro severo y enjuto, e iba siempre tocado con un turbante. Vestía una larga túnica azul, y lucía con orgullo su *kirpan* (sable) de un metro de largo al cinto. Con sus dos metros de altura, su presencia era impresionante. Sus discursos, impregnados de un ardor fanático, encandilaban a muchos sijs que soñaban con una independencia del resto de los indios. Había abandonado a su mujer e hijos para liderar una legión de seguidores, tan extremistas como él. Sanjay no había contado con el hecho de que, al crecer su influencia y al aunar más gente a su alrededor, también crecería la ambición de Brindanwale y su deseo de autonomía. Poco después de las elecciones de 1980, en las que participó activamente en la campaña apoyando al Congress y hasta compartió podio con Indira en una ocasión, el santón decidió que no quería ser más un títere de los Gandhi y rompió sus vínculos con el partido. Con el tiempo, él y sus seguidores acabaron exigiendo la creación de un Estado soberano llamado Khalistán, «el país de los puros». El país de los sijs.

El problema es que lo hicieron utilizando la violencia como medio de intimidación y de presión. En 1981, Brindanwale fue acusado de ordenar el asesinato del dueño de una cadena de periódicos del Punjab cuya línea editorial era muy crítica con sus actividades y su ideario. Pero su encarcelamiento provocó una oleada de manifestaciones tan violentas y destructivas que el gobierno central intervino. Vacilante, sin saber realmente qué rumbo tomar, la propia Indira ordenó al ministro del Interior que lo liberase cuando sólo habían transcurrido tres semanas. Lo hizo precisamente para no hacer un mártir de Brindanwale, pero ya era demasiado tarde. Había ingresado en la cárcel como un fanático predicador de provincias y salió como héroe nacional. Hizo una gira por las grandes ciudades en la que demostró su inmensa popularidad entre los sijs de la diáspora. Pero su regreso al Punjab coincidió con un aumento de la violencia. Cada día aparecían, en las callejuelas de Amritsar o Jallandar, cadáveres de hindúes o musulmanes degollados. En varios templos, fieles hindúes descubrieron horrorizados cabezas de su animal sagrado, la vaca, tiradas a los pies de los altares. A estas sangrientas provocaciones se añadían listas negras publicadas por Brindanwale en los periódicos con el nombre de los adversarios que pensaba eliminar. Y cumplía con sus amenazas. El hijo del dueño de la cadena de periódicos asesinado fue abatido a su vez, lo que sembró el terror entre los medios de comunicación y la población en general. Los sijs que se atrevían a criticarlo eran blanco de sus ataques. Volvió a la cárcel, pero sus huestes siguieron matando a opositores. Cuando salió, él y su ejército se atrincheraron en el complejo del Templo de Oro, en Amritsar, la ciudad santa de los sijs.

Construido en medio de las aguas brillantes de un amplio estanque ritual salvado por un puente, el Templo de Oro es un edificio de mármol blanco cuajado de adornos de cobre, plata y oro. La cúpula, enteramente recubierta de paneles de oro, cobija el manuscrito original del Libro Santo de los sijs, el *Granth Sahib*. Alrededor del estanque circulan fieles siempre en el sentido de las agujas del reloj; caminan con los pies descalzos sobre el mármol reluciente, llevan la cabeza cubierta con turbantes de colores y lucen luengas barbas y espesos bigotes. Las huestes de Brindanwale ocuparon este lugar de paz. Se metieron en los edificios anexos al templo, desde donde salían las órdenes a los comandos terroristas para que asesinasen, pillasen, profanasen e incendiasen en las aldeas del Punjab. Mientras Indira seguía sin saber cómo lidiar con esta creación esperpéntica de Sanjay, Brindanwale recibía a equipos de televisión del mundo entero que le trataban como a una auténtica estrella mediática. La policía, que tenía la moral por los suelos debido al aumento de la delincuencia y la violencia, no se atrevía a entrar en un lugar tan sagrado.

Otros brotes de violencia en Cachemira y en Assam daban la impresión de que la nación iba directa al caos y la desintegración. El asesinato de un inspector de policía mientras rezaba en el Templo de Oro, el 23 de abril de 1983, por los disparos de los hombres de Brindanwale, escondidos tras las rejas de las ventanas, obligó a Indira a tomar una decisión. Pero ¿cuál? ¿Asaltar el templo con el ejército y arriesgarse a provocar la furia de los demás sijs? ¿Sitiar el templo hasta que los terroristas no tuvieran más remedio que rendirse? Indira intentó negociar con líderes del partido nacionalista moderado, mientras el pillaje y los asesinatos continuaban, pero cualquier acuerdo que no contemplase la plena independencia de Khalistán era vetado sistemáticamente por Brindanwale. Éste, a su vez, envalentonado por la indecisión del gobierno central y por el hecho de que el asesinato del inspector de policía quedase impune, se atrincheró en el Akal Takht, el segundo edificio más sagrado del complejo. Consiguió armamento sofisticado pagado por sijs del extranjero y convirtió el templo en una auténtica fortaleza. Indira, Rajiv y sus consejeros esperaban pacientemente a que los líderes más moderados que Brindanwale acabasen por imponerse, o se distanciasen del predicador fanático. Pensaban que el tiempo jugaría a su favor, pero pasaron dos años, y los terroristas seguían atrincherados.

–¿Puede el ejército asaltar el templo sin causar demasiados estragos? –preguntó Indira al jefe del ejército, el general Sundarji, que había reemplazado a su viejo amigo Sam Manekshaw.

El general desplegó sobre la mesa unas fotos aéreas tomadas la víspera mostrando que todas las ventanas, puertas y demás aberturas del edificio estaban protegidas por sacos terreros o habían sido tapiadas. Le explicó que los terroristas conseguían abastecerse de armas, alimentos y municiones a través de un laberinto de túneles que los unía al exterior. Así, podían mantenerse eternamente.

—Las posibilidades de causar daños extensos es muy alta —sentenció el general.

Conscientes de que la susceptibilidad religiosa en el país con más religiones del mundo podía hacer estallar como un polvorín el frágil equilibrio de la nación, los padres de la independencia habían establecido un acuerdo tácito por el que los lugares sagrados eran todos intocables. Detrás de ese acuerdo se había parapetado Brindanwale, seguro de que el ejército nunca se atrevería a intervenir. Tenía enfrente a una mujer cansada, temerosa, herida en el alma, desgastada por el poder, que carecía del aplomo y del ardor guerrero que la habían hecho triunfar en el conflicto de Bangladesh.

Sentirse rehén de unos terroristas que no dejaban el más mínimo margen a la negociación la desesperaba. Con una creciente desazón, Indira se daba cuenta de que la única solución a ese desafío pasaba por el uso de la fuerza. La situación le recordaba a la crisis de Bangladesh, cuando también supo que acabaría teniendo que declarar la guerra. Sólo que entonces no existía problema interno religioso alguno. El enemigo era externo y se podían medir mejor las consecuencias. Ahora eran imprevisibles. Cuando su amiga Pupul, viéndola tan abatida, le preguntó si todo eso no era demasiado para ella, Indira al principio no respondió, pero luego dijo: «No tengo salida. Es mi responsabilidad».

32

En 1983, un año después de que Rahul ingresase en Doon School, le tocó el turno a Priyanka de ir interna al equivalente femenino de la escuela de su hermano, Welham School, también en las montañas, a unos doscientos kilómetros de Delhi. De pronto, Sonia se encontró con más tiempo libre del que había tenido nunca, pero tampoco pudo dedicarlo a sí misma. Tuvo que acompañar a su marido a Amethi, su circunscripción electoral. Maneka había decidido, ahora que había cumplido la edad mínima legal, arrebatarle el escaño en las siguientes elecciones en la circunscripción que había sido la de su marido. Un desafío en toda regla. Que hubiese desaparecido de casa no significaba que la cuñada había desaparecido del mapa. En sus recorridos por la zona, se presentaba como la viuda expulsada de casa con un bebé en brazos, y obligada a buscarse la vida por su malvado cuñado y su esposa extranjera. No era cierto, pero sonaba a esas historias sencillas y domésticas de injusticia y envidia familiares que tanto gustan al pueblo. Fue presentada por los suyos en Amethi como «un triunfo del coraje». Ahora que no temía vérselas personalmente con Indira, su comportamiento se hizo aún más agresivo. Puso en circulación cartas de la familia críticas con Rajiv y en un discurso, Maneka comparó a Indira con la diosa Kali, «la bebedora de sangre» –dijo textualmente–, llevando al paroxismo las habituales malas relaciones entre una suegra y su nuera. Se vengaba así por verse excluida por la familia de todas las conmemoraciones oficiales. Al segundo aniversario de la muerte de Sanjay, tampoco fue invitada, y reaccionó convocando un mitin de viudas y organizando una distribución gratuita de ropa. El reto de Maneka era para la primera ministra tan deprimente o más que el desafío, mucho más peligroso, del loco de Brindanwale. Pero dolía más porque tocaba la fibra íntima de la familia.

«Mamá también viene a Amethi conmigo –escribió Rajiv a su hijo–. Va a ser difícil para ella, porque al principio será el blanco de todas las miradas y se sentirá incómoda hasta que se acostumbre. Es muy valiente.» Por primera vez, Sonia se dio cuenta de lo que era la vida de un político indio en campaña. Recorrer un sinfín de kilómetros por carreteras llenas de socavones en automóviles de suspensión durísima, aguantar el calor, el polvo y las moscas en las numerosas aldeas, verse obligada a aceptar un té, y luego otro, y luego otro para no herir la susceptibilidad de la gente... Lo bueno es que ahora hablaba hindi con soltura y podía charlar con los campesinos, que le preguntaban por sus hijos, su suegra, y todo lo que tuviera que ver con la turbulenta historia familiar: «¿Podrá Indira volver a ver a su nieto?», le preguntaban las mujeres, o «¿Es cierto que Maneka no tiene ni para comer?». De lo que no estaban nada convencidos los campesinos es de que Maneka fuese la genuina heredera de la dinastía Nehru-Gandhi, como lo demostraron los resultados en las urnas. De nuevo, volvió a ganar Rajiv.

A principios de 1984, Rajiv aparecía como un político en auge. Su gestión de los juegos, unida a la eficacia demostrada en su cargo de secretario general del Congress, le granjearon un respeto genuino, independientemente de su linaje político. Su oficina era un modelo de buena organización, un rincón creado a su imagen y semejanza. Comparado con los viejos dinosaurios del partido, en su mayoría corruptos aduladores, Rajiv era un dechado de virtudes, sobre todo de eficacia e integridad. Había roto con los individuos turbios que habían pululado alrededor de su hermano, y se rodeaba de tecnócratas, de jóvenes con maletín y traje de ejecutivo, ejemplos de una generación moderna que creía en la tecnología, en las estadísticas y en los ordenadores. Muchos habían sido compañeros de clase suyos en el Doon School, otros en Cambridge, y todos se encontraban más a gusto hablando inglés que hindi. Vivían el presente, no eran intelectuales sino pragmáticos y totalmente ajenos a todo lo que tuviera que ver con la religión, la ideología o la superstición. Tanto ellos como Rajiv se oponían a la actitud pasiva de Indira en el tema del Punjab. La primera ministra, siguiendo los consejos de su gurú Dhirendra Brahmachari, había empezado a hacer ofrendas con la esperanza de que algún milagro pudiese resolver la crisis del Templo de Oro.

–Hay que alejarlo de casa para siempre –le dijo Rajiv a Sonia, hablando del gurú.

No necesitaba Indira más dosis de esoterismo ni más temores añadidos a los negros pensamientos que poblaban su mente. Al contrario, necesitaba tener la cabeza bien fría y la visión lúcida. Seguía hundida en una profunda depresión. Demasiados desafíos, demasiado cansancio. Sanjay había cultivado la amistad con el gurú, no porque creyera en sus poderes ocultos sino porque le era útil. El «santón volador» había conseguido comprar avionetas, traficar con armas, contratar a sicarios y blanquear dinero, y eso eran habilidades que Sanjay admiraba y utilizaba si lo estimaba necesario. Rajiv, directo y honesto, era la antítesis tanto de su hermano como del santón, un individuo perspicaz, impreciso, astuto, deshonesto y nada occidentalizado. Sonia y Rajiv ya no lo soportaban más.

–¿Qué podemos hacer?

–Voy a intentar que le cancelen su programa televisivo semanal y recortarle las subvenciones a sus ashrams.

Como su estatura de político y su influencia habían crecido, lo consiguió. Para no herir a Indira, Sonia y los consejeros más próximos de su marido ensalzaban los logros de Rajiv, e Indira acabó convencida de que los planes estratégicos de su hijo representaban la única solución para arreglar los males de la India. Poco a poco, fue olvidando el misticismo del gurú y dejó de hacer ofrendas a los dioses para conjurar la crisis del Punjab. Ante el gran alivio de Sonia, el gurú desapareció por completo de la mesa familiar. Casi imperceptiblemente, Dhirendra Brahmachari vio su acceso a la primera ministra denegado. «Lo siento, Madam no tiene tiempo para recibirle», le decía el servicio cuando intentaba volver a verla.

El mes de febrero de ese año fue el único en toda su vida en el que Indira no disfrutó de la primavera, su estación favorita, entre el frío del invierno y los tremendos calores premonzónicos que empiezan a castigar en marzo. Durante ese mes, la ciudad se llena de color, la vegetación de los árboles se vuelve de un verde intenso, y los arriates de flores iluminan los jardines. La temperatura es exquisita y una suave brisa acompaña las noches. En el pasado, a pesar de todas las dificultades y los problemas, Indira siempre se había sentido eufórica en esta época del año. Ahora no. Aislada y triste, el santón sij atrincherado en el Templo de Oro le quitaba el sueño. Escuchaba a todos, y seguía sin saber qué hacer. En situaciones insolubles, sólo cabía ganar tiempo, esperar y mantener la confianza, repetía Indira a sus próximos colaboradores.

Siguiendo el consejo de Rajiv, Indira hizo un último esfuerzo para encontrar una salida negociada a la crisis del Punjab accediendo a muchas concesiones de los independentistas, pero se topó con la intransigencia tanto de los miembros del partido moderado como de Brindanwale. La mayoría de los siete millones de sijs estaban tan desconcertados ante la situación provocada por los extremistas como lo estaba el gobierno. En lugar de negociar, el líder del partido moderado dio el paso definitivo que selló la ruptura, un paso que sólo podía abocar a una catástrofe. Anunció que a partir del 3 de junio, aniversario del martirio del gurú Arjun, precisamente el que había levantado el Templo de Oro, toda exportación de energía eléctrica y de grano fuera del Punjab serían interrumpidas. La ironía de la amenaza no se le podía escapar a Indira. Si el Punjab era el granero de la India, era porque la región se había beneficiado más que ninguna otra de «la revolución verde», el ambicioso plan de desarrollo agrícola que Nehru, y ella después, habían lanzado para acabar de una vez con las hambrunas. Y ahora resultaba que un puñado de fanáticos no sólo amenazaba con romper el Estado, sino también con matar de hambre a los pobres del resto de la India, si el gobierno central no se plegaba a sus exigencias. La situación había llegado a un punto sin retorno. Muy a su pesar, Indira se enfrentaba a lo inevitable: sacar por la fuerza a Brindanwale y a sus seguidores del templo.

Antes que nada, antes siquiera de consultar con el jefe del Estado Mayor, quiso hablar con Sonia:

—Sonia, creo que es mejor sacar a los chicos del colegio...

Temo por ellos. El Servicio de Inteligencia me ha avisado de que son blanco de los terroristas. Nada nuevo en eso. Blanco de esos fanáticos lo somos todos. Pero como la situación en el Punjab sigue deteriorándose, es cada vez más difícil garantizar la seguridad en los colegios. Me han aconsejado sacarlos de los internados y traerlos a Delhi.

—¡Pero si aquí tú sólo tienes un guarda armado para protegerte cuando sales por las mañanas a hablar con la gente en el jardín!

—Eso se va a acabar, van a reforzar la seguridad aquí también, por supuesto.

—Está bien, mañana mismo me los traigo. Ya veremos cómo nos organizamos para escolarizarlos aquí...

Un secretario de Indira les interrumpió. El comandante en jefe del ejército la estaba esperando en el salón. El hombre venía con sus informes de Inteligencia bajo el brazo.

—Señora, están armados hasta los dientes. Los terroristas atrincherados siguen consiguiendo armas muy sofisticadas. Les llegan escondidas en bidones de leche y en sacos de grano, y los envíos se hacen con el dinero de simpatizantes sijs del extranjero.

Indira se quedó pensando. ¿Tenía sentido seguir esperando un milagro? Luego se dirigió hacia su jefe de Estado Mayor y le preguntó:

—¿Cómo deberíamos proceder con el ataque?

El hombre resopló. Estaba incómodo. Le costaba creer en el éxito de la misión.

—Hay muchos riesgos, señora. Es mi deber avisarla. Mi opinión es que más vale un ataque rápido y masivo, con toda la fuerza necesaria...

—¿Mejor que sitiarlos? —interrumpió Indira.

—Ya están sitiados, señora, y las armas les siguen llegando. Confío más en un ataque rápido y contundente.

—¿De cuánto tiempo estamos hablando?

—Unas cuarenta y ocho horas. A menos tiempo, menos bajas.

—Es imprescindible la presencia de oficiales y soldados sijs en la fuerza de asalto. No se debe interpretar esto como una agresión étnica, de hindúes contra sijs.

–Sin duda. El oficial encargado es el comandante Kuldip Singh, de la novena división del Ejército, un sij.

–Hay que dar instrucciones muy precisas para evitar dañar el Templo de Oro. La comunidad sij no nos lo perdonaría.

–Instruiremos a la tropa. Pero esos terroristas son duros de pelar, Madam, no puedo garantizar nada.

–Que Dios nos proteja.

El 30 de mayo, día de un calor asfixiante, las tropas rodearon la ciudad de Amritsar. El bullicio de las calles se desvaneció como por encanto. Invadida por un silencio aterrador, la ciudad santa se convirtió en una ciudad fantasma.

El 2 de junio, los medios de comunicación anunciaron que Indira hablaría a la nación esa misma noche, a las ocho y media. Sonia desayunó con ella, y la notó perturbada, pesimista y todavía indecisa. No le gustaba nada la idea de tener que atacar «una casa de Dios». Le confesó que no le salía el discurso. De hecho, estuvo haciendo tantos cambios de última hora que su aparición en televisión tuvo que retrasarse hasta las nueve y cuarto. Por fin habló, en un tono grave, la expresión del rostro angustiada: «Éste no es tiempo de cólera –dijo–. La unidad y la integridad de la patria están siendo cuestionadas por un puñado de hombres que se han refugiado en lugares sagrados. De nuevo, hago un llamamiento a los partidos moderados para que no cedan su autoridad a Brindanwale». Acabó apelando al sentido común de todos los habitantes del Punjab: «No vertáis sangre, deshaceos del odio. Unámonos para curar las heridas». Al escuchar ese discurso, su amiga Pupul se dio cuenta de que los próximos días iban a ser trágicos para Indira y para el país. En efecto, mientras la primera ministra hablaba, tropas del ejército tomaban posiciones alrededor del recinto del Templo de Oro. Estaba a punto de empezar la Operación Blue Star, estrella azul.

Al día siguiente, los corresponsales extranjeros fueron invitados a abandonar el Punjab. El tráfico de autobuses, trenes y aviones quedó interrumpido, así como las líneas de teléfono y de télex. La región fue aislada del resto del mundo en preparación del asalto final. Desde su santuario en el Akal Takht, el edificio contiguo al Templo de Oro, Brindanwale, ahora con una canana cruzada al pecho sobre su túnica azul, una pistola en la mano izquierda y su sable en la derecha, declaró a un puñado de periodistas locales: «Si las autoridades entran en este templo, les vamos a dar tal lección que el trono de Indira se derrumbará. Los cortaremos en pedacitos... ¡que vengan!»[1].

A las cuatro de la tarde del 5 de junio, oficiales del ejército armados de megáfonos dieron orden a todos los civiles de desalojar el complejo, y a los terroristas, de rendirse. Salieron ciento veintiséis sijs, en su mayoría hombres que habían acudido a rezar y peregrinos, pero ningún seguidor de Brindanwale lo hizo. Por la noche, una avanzadilla de comandos especiales se adentró en el complejo, mientras los helicópteros volaban en círculo encima del templo. Se toparon con una resistencia feroz. Más de la mitad de los noventa miembros de los comandos fueron abatidos por el fuego de los extremistas.

El jefe del Estado Mayor informó inmediatamente de las bajas a la primera ministra. El inicio del asalto no podía ser más desalentador. Pero ya no había marcha atrás posible. La suerte estaba echada. Indira no durmió en toda la noche, consciente de que se estaba cometiendo un sacrilegio con los símbolos más venerados de una religión. ¿Por qué le había puesto el destino en esa tesitura? ¿Qué precio habría que pagar por lo que estaban haciendo las tropas? Sintió un escalofrío recorrerle la espalda. De algo estaba segura, y es que ni su gobierno ni ella saldrían indemnes de esa situación. El karma te acaba siempre atrapando. Pero a las ocho de la mañana del 6 de junio, perfectamente arreglada y ataviada, estaba en el jardín atendiendo a un periodista del *Sunday Times*. La temperatura ya rozaba los 40 grados. El periodista la encontró tensa y cansada. Su última pregunta fue:

—Señora, ¿qué cree que ocurrirá en la India cuando usted ya no sea primera ministra?

—La India ha vivido un tiempo largo, muy largo —miles de años—, y mis sesenta y seis años cuentan bien poco. La India ha

---

1. Parte de esta secuencia se nutre de Tully, Mark y Jacob Satish, *Amritsar: Mrs Gandhi's last battle*, Londres, Cape, 1985, y de Sing Kushwant, *Truth, Love & A Little Malice*, op. cit.

pasado muchas vicisitudes en su larga historia y siempre ha salido adelante.

Mientras la entrevista tenía lugar, a quinientos kilómetros al norte de Nueva Delhi la batalla por el Templo de Oro causaba estragos. Bajo una temperatura infernal y un sol de justicia que hacía refulgir la cúpula dorada del templo principal, los soldados indios eran abatidos como patos de feria bajo el fuego de los hombres de Brindanwale. De nuevo, más de cien hombres cayeron en el intento de hacerse con el edificio donde estaban atrincherados los terroristas.

Las instrucciones recibidas para que los soldados restringieran el uso de la fuerza al máximo, y para que infligiesen los mínimos daños posibles al templo principal, carecían ya de sentido. El mando, que no veía otra solución que no fuese la de continuar el asalto, envió por la tarde a la artillería apoyada por tanques y vehículos blindados. Para conseguir neutralizar a Brindanwale y a sus hombres, no tuvieron más remedio que bombardear el Akal Takht, infligiendo enormes daños al templo, construido paradójicamente por el quinto gurú, un auténtico apóstol de paz que había insistido en levantarlo a un nivel inferior a los demás en signo de humildad.

Después de un día de encarnizada lucha, el Akal Takht fue casi totalmente arrasado. Cuando bien entrada la noche del 6 de junio los generales fueron a inspeccionar el lugar, no quedaba una sola columna en pie y las paredes de mármol estaban ennegrecidas y picadas por la metralla. En el sótano encontraron el cuerpo de Brindanwale, su larga túnica ya no era azul sino negra de sangre. Yacía junto a treinta y uno de sus hombres. No hubo supervivientes que hubieran sido testigos del martirio del predicador terrorista. En otra habitación, los soldados encontraron documentos sorprendentes: la lista de todas las víctimas que Brindanwale había mandado matar, y una enorme bolsa con cartas de admiración, no sólo de ciudadanos indios, sino de fans del mundo entero.

El coste de la victoria fue mucho más alto de lo que el comandante en jefe del ejército había pronosticado. Mucho más alto de lo que Indira y Rajiv, que estaban horrorizados, habían imaginado. La Operación Blue Star fue en realidad una hecatombe. Más de la mitad de los mil soldados enviados al asalto perecieron. En cuanto a los civiles, un millar de peregrinos que no pudieron ser desalojados murieron. Aparte de las pérdidas humanas, la biblioteca del templo principal, ese que no debía bajo ningún concepto ser dañado y que contenía los manuscritos originales de los gurús sijs, ardió por los cuatro costados. Para la comunidad sij en general, ese ataque era comparable a lo que hubiera sido una invasión y destrucción del Vaticano para los católicos. Un imperdonable sacrilegio. Precisamente lo que Indira había querido evitar.

33

–Me da miedo que jueguen en el jardín –dijo Indira a Sonia al ver a Rahul desde la ventana del comedor retozar en el césped con uno de los perros–. Los niños habían vuelto a Nueva Delhi, después del aviso del Servicio de Inteligencia, que habían encontrado sus nombres en una lista negra de un grupo extremista sij. Todas las mañanas acudían, fuertemente custodiados, a sus colegios respectivos. Luego pasaban el resto del día en casa. Rara vez salían. Una simple invitación a un cumpleaños entrañaba una compleja operación de seguridad. «Es como si una sombra hubiera entrado en nuestra vida», le dijo Sonia a Rajiv. Indira, muy consciente de que el ataque había causado una herida colectiva en los sijs del Punjab, estaba convencida de que la iban a asesinar. Estaba la primera en esas listas. Otro grupo había jurado vengar el sacrilegio del Templo de Oro asesinando a Indira y a su descendencia hasta la centésima generación. Así se lo dijo a Rajiv y Sonia, que palidecieron. Pero Indira quería que se tomasen muy en serio las draconianas medidas de seguridad que les estaban imponiendo. Ella se ponía un chaleco antibalas bajo el corpiño del sari cada vez que salía de casa, siguiendo los consejos de la policía. Quería que Rajiv y Sonia hiciesen lo mismo.

–No es broma –les dijo.

–Ya lo sé –contestó Rajiv–. Y no te preocupes, me lo pondré también.

Hubo un silencio. Indira adquirió una expresión melancólica y un tono de voz sombrío.

–Cuando ocurra, quiero que esparzáis mis cenizas sobre el Himalaya. He dejado instrucciones escritas para mi funeral. Están en el segundo cajón del secreter de mi cuarto.

–No adelantes acontecimientos –dijo Rajiv en tono socarrón, para relajar el ambiente–. Todavía no estamos en ese trance.

Pero Indira estaba agitada. Más tarde quiso hablar a solas con su nieto Rahul, que ya tenía catorce años:

—Tengo miedo de que os quieran hacer daño. Os pido por favor a ti y a tu hermana que no juguéis más allá de la verja que conduce a las oficinas de Akbar Road —le dijo señalando el lugar en el jardín donde le había visto jugar con el perro—. Siento mucho que tengáis que padecer estas restricciones, pero no me lo perdonaría si os pasase algo.

—¿Qué nos va a pasar aquí dentro, abuela?

—Os pueden matar, así de claro.

El tono serio de Indira hizo que el niño la contemplara con mirada de incredulidad, como si la abuela estuviera exagerando.

—Por favor, hacedme caso y no os alejéis —continuó diciéndole—. Hay muchos fanáticos que estarían muy satisfechos de haceros daño. De hacernos daño a todos. Lo que me puedan hacer a mí no me importa. He hecho todo lo que he debido y todo lo que he podido en la vida, pero a vosotros... no quiero ni pensarlo.

Rahul estaba ahora cabizbajo y compungido. Indira prosiguió. Abandonó su tono protector y siguió hablando con gravedad, de una forma que su nieto no le conocía y que le impresionó.

—Si me pasa algo, no quiero que lloréis por mí, ¿vale? Cuando llegue el momento tienes que ser valiente. ¿Me lo prometes?

El niño alzó los ojos hacia su abuela y asintió.

Durante esos meses de 1984, Indira realizó muchos viajes por el subcontinente, unos viajes que a veces parecían despedidas, por la manera en que hablaba de sí misma y de cómo le gustaría ser recordada. En algunas entrevistas, hacía balance de su existencia, en otras hablaba como si estuviera por encima de la política nacional. Siempre se había sentido con alma de estadista, y ahora su visión global afloraba y se manifestaba en discursos impregnados de sabiduría. «Cuando a un país tan antiguo como éste se le catapulta a una nueva cultura tecnológica... ¿Qué ocurre con la mente rural? ¿Podrán sobrevivir el misterio y lo sagrado? Algo dentro de mí dice que la India sobrevivirá con sus valores intactos.» A principios de octubre, después de que las últimas lluvias monzónicas limpiasen el cielo y los árboles y las plantas reverdeciesen, Indira habló en Nueva Delhi ante una multitud siempre enorme, un diálogo más de los muchos que llevaba manteniendo con el pueblo de la India en las dos últimas décadas. Habló del coraje como valor supremo para acatar la mayor amenaza que se cernía sobre el país: la presión de las fuerzas sectarias, de las castas o de los grupos religiosos para quebrar la unidad de la India. Fue un discurso que le hubiera gustado a su padre. Sí, la unidad de la India era el valor supremo porque garantizaba el estado de derecho para cada individuo, independientemente de su origen social, étnico o religioso.

El 11 de octubre ocurrió un hecho, a miles de kilómetros de distancia, que la hundió todavía más en sus oscuros presentimientos. Margaret Thatcher, a la que había conocido en Londres, fue objeto de un atentado con bomba del IRA en plena convención del Partido Conservador. Se libró de la muerte por los pelos. Indira la llamó en seguida. Entendía mejor que nadie la vulnerabilidad y el pánico de su colega. Aunque la Dama de Hierro se mostrase impasible de cara a la galería, por dentro estaba tan alterada como puede esperarse de alguien que pasa por semejante trance. La diferencia entre estas dos primeras ministras, que llevaban ocho años siendo amigas, es que para Margaret Thatcher el atentado había supuesto una revelación y una sorpresa. Nunca nada semejante había ocurrido en Inglaterra antes, quitando el asesinato de Lord Mountbatten, también obra del IRA, pero éste había tenido por objetivo a un hombre jubilado mientras paseaba en barco con su nieto, no a un jefe de Estado en activo. Indira, sin embargo, estaba mucho más acostumbrada a la muerte violenta. Había visto morir a Gandhi, Sheikh Rahman y a Sanjay. No hacía tanto, el asesinato de Salvador Allende en Chile la había traumatizado y todavía seguía atormentándola. Siempre pensó que su vida acabaría igual. Sin embargo, cuando el ministro de Defensa intentó convencerla de cambiar a la policía por el ejército para aumentar su protección, ella replicó:

—Ni se te ocurra considerar esa opción. Soy jefa de un gobierno democrático, no de un gobierno militar[1].

1. Malhotra, Inder, *Indira Gandhi, a Personal and Political Biography*, Londres, Hodder & Stoughton, 1989, p. 304.

Unos días más tarde, Ashwini Kumar, jefe de la policía de fronteras, dio la orden de que todos los guardias de seguridad sijs destinados en la residencia de Indira fuesen relevados en sus funciones y reemplazados por otros de distintas confesiones. Pero Indira se opuso y vetó la orden. La medida iba en contra de su credo político más íntimo, a saber: que en un estado laico no se hacen distinciones entre religiones. Ashwini Kumar se quedó perplejo y frustrado. «La primera ministra está muy bien protegida de un ataque exterior –dijo–, pero... ¿y si el ataque viene del interior?» Indira apenas le prestó atención y le contestó: «¿Acaso no somos aconfesionales?».

Aquel otoño fue también el otoño de su vida. En noviembre iba a cumplir sesenta y siete años. Era presa de un mal presentimiento que el atentado contra Thatcher había agudizado. Sin decírselo a nadie, a mediados de octubre redactó un documento que luego fue rescatado de entre sus papeles: «Si tengo que morir de una muerte violenta como algunos temen y unos cuantos planifican, sé que la violencia estará en el pensamiento y en la acción del asesino, no en el hecho de mi muerte, porque no existe odio suficientemente oscuro como para hacer sombra al amor que siento por mi gente y por mi país; no existe fuerza capaz de desviarme de mi propósito y de mi esfuerzo por sacar este país adelante. Un poeta ha dicho del amor: "¿Cómo puedo sentirme humilde con tu riqueza a mi lado?". Lo mismo puedo decir de la India». ¿Eran éstas las palabras de una mente depresiva? ¿O se trataba de una premonición? En todo caso, mostraban que Indira sentía que había hecho la elección correcta al haber decidido continuar con el legado familiar de servicio a la India en lugar de dedicarse a buscar su realización personal.

Llegó Diwali, la gran fiesta hindú de las luces, que en este país donde todo es mito y símbolo significa la victoria de la luz sobre las tinieblas. El cielo de la ciudad estaba salpicado de una miríada de resplandores mientras el estrépito de los petardos se oía a lo lejos. Por todas partes centelleaban bombillas, lamparitas, velas. Los barrios de chabolas parecían belenes y las casas de las grandes avenidas de Nueva Delhi exhibían guirnaldas de luces alambicadas y vistosas. Rajiv volvió de Orissa para pasar la fiesta en familia, como hacía puntualmente todos los años. Fiel a la costumbre, Indira encendió una lamparita de aceite ante la figura de Ganesh, el Dios elefante, el dios de la felicidad, que estaba en un altarcito en la entrada. Luego toda la familia siguió con el ritual de iluminar la casa con velas y lamparitas de aceite, y los niños empezaron a encender petardos. Sobre el estruendo de la fiesta, Indira escuchó a Rajiv decir que tenía que salir pronto a la mañana siguiente.

—¿Adónde vas? —le preguntó Indira.

—A Bengala...

—¿Bengala? Qué curioso, ¿sabes que allí creen que las almas de los difuntos comienzan su viaje hoy mismo, el día de Diwali? Allí la gente enciende lamparitas para indicarles el camino...

En el momento, las palabras de Indira no suscitaron respuesta alguna. Ya estaban acostumbrados sus familiares a oírle decir frases que achacaban a su estado depresivo. Pero a Sonia la conmovieron y se angustió tanto que esa noche tuvo una crisis de asma. Eran las cuatro de la madrugada cuando encendió la luz de su mesilla y se levantó para ir al armarito de las medicinas, teniendo cuidado de no despertar a Indira, que dormía en el cuarto de al lado. Pero Sonia se sorprendió al ver aparecer a su suegra, en camisón y con una linterna en la mano.

—Déjame ayudarte a encontrar tus medicinas —le susurró Indira, que obviamente no había dormido nada.

Las encontró y fue a por un vaso de agua para Sonia.

—Llámame si te encuentras mal otra vez —le pidió Indira—. Procura descansar.

—Eso te digo yo a ti, que descanses... ¿No consigues dormir?

—No... Estoy pensando en irme a Cachemira el fin de semana. Quiero ver los chinares en flor. ¿Los has visto alguna vez?

Sonia negó con la cabeza. Indira prosiguió, en susurros:

—Es el árbol más bonito que existe, y sólo se da en Cachemira. Es como una mezcla de plátano y de arce grande, y en otoño se pone de unos colores espectaculares... rojo, naranja, pardo, amarillo. Es un espectáculo que me recuerda a mi infancia. Hay uno en Srinagar del que estoy enamorada desde que era niña. El más bello de todos los chinares... Tengo ganas de volverlo a ver.

«Aquel árbol parecía tener un significado especial para ella
–diría Sonia–. ¿Era acaso la necesidad de despedirse de sus raíces, de los recuerdos y de todo lo que representaba Cachemira
para ella?» Indira dudó en quedarse más de una noche en Srinagar, porque estaba preocupada por el asma de Sonia. Pero su
nuera la animó y al final Indira se llevó a los nietos. Quería en-
señarles esa tierra bella como el paraíso de donde eran oriundos. Y de paso el árbol.

Estuvieron treinta y seis horas en Srinagar y sus alrededores.
Pero, para su gran decepción, el chinar de su infancia había
muerto hacía poco tiempo. La noticia la conmovió. Supersticiosa como era, la reciente muerte de este chinar centenario no podía ser más que una señal del destino. No dejó traslucir su desazón y tuvo tiempo de llevar a sus nietos a dar una vuelta en
shikara, esos barquitos en forma de góndola, sobre las aguas
centelleantes y cubiertas de lotos del lago Dal. Les contó sus últimas vacaciones con el abuelo Firoz en uno de los barcos habili-
tados como hotelitos. Les habló de su amor por las montañas,
que había heredado de su padre, y de cómo Cachemira había representado siempre, para Nehru y para ella, una cierta idea del
Edén. Luego quiso mostrarles un bosque que exhibía los colores
de fuego de los chinares y después los dejó en el hotel. Acompañada de un solo guardia de seguridad, se fue a ascender un mon-
te sagrado para visitar un templo donde vivía un viejo sabio. Estuvieron unas horas juntos. «Indira me dijo que sentía que su
tiempo se acababa y que le rondaba la muerte. Yo también lo
sentí», confesaría el sabio, que no quiso perder la oportunidad
de pedirle que fuese a inaugurar un edificio nuevo adjunto al ash-
ram. «Volveré si sigo viva», fue la respuesta de Indira.

«Regresaron a Delhi el 28 de octubre e Indira pasó una velada tranquila con nosotros en el salón –escribiría Sonia–. Como
solía hacer siempre, trajo de su estudio su taburete de mimbre y
sus carpetas, y se puso a trabajar, echando un vistazo de vez en
cuando a la televisión o charlando con nosotros[1].» Indira tenía
la intención de convocar elecciones generales muy pronto, quizás en dos meses. Por la noche, Sonia le ayudó a preparar la ropa

1. Gandhi, Sonia, *Rajiv*, *op. cit.*, p. 8.

que se pondría al día siguiente para viajar a Orissa, en la costa este. Indira escogió un sari burdeos. El actor Peter Ustinov estaba dirigiendo un documental para la BBC sobre la India e iba a filmarla en su gira por el estado, uno de los más pobres del país. En Bhubaneswar, la capital de Orissa, la primera ministra hizo un discurso emotivo en el que habló de los grandes momentos de la historia de la India, desde los tiempos antiguos hasta la lucha por la independencia. De pronto, hacia el final cambió el tono de su voz, así como la expresión de su rostro: «Estoy aquí hoy, puede que no esté aquí mañana –dijo–. No me importa si vivo o muero... Continuaré sirviendo a mi pueblo hasta mi último suspiro y cuando muera, cada gota de mi sangre alimentará y fortalecerá a mi país, libre y unido». Después, se dirigió a la Casa del Gobernador donde pensaba pernoctar. El gobernador se mostró sorprendido por la alusión a una muerte violenta.

–Sólo estoy siendo realista y honesta –le dijo Indira–. He visto a mi abuelo y a mi madre morir lentamente y con dolor, así que prefiero morir de pie.

La conversación se interrumpió con la noticia de que el todoterreno en el que sus nietos iban al colegio había sufrido un pequeño accidente esa misma mañana. Nadie había resultado herido. Pero Indira se puso lívida y muy nerviosa. Su eterna amiga, esa vieja paranoia, afloró de nuevo. Decidió regresar a Delhi inmediatamente.

Sonia estaba despierta cuando llegó su suegra a las tres de la madrugada.

–¿Cómo están los niños? –preguntó Indira, angustiada.

–Bien. Están durmiendo. No les ha pasado nada.

Su secretario principal acudió a verla. La encontró muy cansada. Seguía llevando el mismo sari burdeos, arrugado y polvoriento. Indira estaba convencida de que el percance de la mañana era parte de un complot para secuestrar a sus nietos o agredirlos, y nada de lo que dijo su secretario sirvió para hacerla cambiar de opinión. Luego insistió en discutir asuntos urgentes sobre Cachemira y el Punjab.

–¿No prefiere dejarlo para mañana? –sugirió el hombre.

–No, hablemos ahora. Mañana quiero descansar un poco. Tengo una entrevista con el ex primer ministro británico James

Callaghan, y por la noche una cena oficial aquí en casa en honor a la princesa Ana...

–Está todo listo para la cena, no te preocupes –dijo Sonia–. Sólo necesito que me digas dónde quieres sentar a la gente.

–Mañana mismo te haré una nota.

Sonia hizo un gesto de despedida y se fue a acostar.

Cuando Indira terminó de dirimir los asuntos pendientes con su secretario principal, llamó al otro, el fiel Dhawan, a quien dio instrucciones para que cancelase todas las citas del día siguiente, excepto la que tenía con Peter Ustinov, que quería entrevistarla por la mañana, y las previstas con la delegación británica por la tarde. Estaba muy cansada.

Dos horas más tarde, a las seis de la mañana, se levantó. Hizo sus ejercicios de yoga, se duchó y escogió un precioso sari de seda en tonos pardos y azafrán con un borde negro. Escogió esos tonos porque le recordaban los colores otoñales de Cachemira y además porque le habían dicho que quedaban bien en televisión. Por la misma razón no se puso el chaleco antibalas que la obligaban a llevar bajo la blusa desde que se multiplicaron las amenazas contra su vida. Probablemente no reparó en que el color azafrán era el color de la renuncia según la creencia hindú, y particularmente sij. Luego desayunó una tostada y una taza de té en su habitación mientras ojeaba la prensa. Sus nietos Rahul y Priyanka fueron a charlar un instante con ella, antes de ir al colegio. Cuando Priyanka le dio un beso de despedida, se extrañó de que su abuela la apretase tan fuertemente contra su cuerpo. Lo achacó al miedo que debía de haber sentido con el pequeño accidente de la víspera. Luego Indira llamó a Rahul y le dijo: «¿Te acuerdas de lo que te dije el otro día, de que si me pasa algo, no quiero que lloréis por mí?». El chico asintió y, sorprendido, se dejó abrazar.

Después del desayuno, Indira fue a su vestidor, donde se puso en manos de dos maquilladoras del equipo de Ustinov. Sonia pasó a verla para informarle del menú de la cena. Indira siempre se cuidaba de no servir lo mismo al invitado que repetía en casa. No tuvieron mucho tiempo para hablar porque en seguida el secretario Dhawan fue a avisarle de que el equipo de televisión estaba esperándola en su despacho de Akbar Road.

–Ultimaremos los detalles a la hora de comer –le dijo a Sonia al marcharse.

Indira cruzó el comedor, la antesala, y salió de casa. Era un día precioso, una mañana clara, sin neblina, luminosa. El sol teñía de oro la vegetación lujuriosa del jardín. La temperatura era perfecta y la brisa, un bálsamo. Olía a flores y a césped recién cortado. Anduvo por el camino que separaba su residencia de la oficina del partido en Akbar Road, entre macizos de flores y matorrales de hoja perenne. Un policía caminaba a su lado, llevando un paraguas negro para protegerla del sol. El secretario Dhawan seguía unos pasos detrás, y luego un escolta. Pasaron delante de un gran arce que exhibía hojas amarillentas y rojizas. Al final del sendero, ahora bordeado de buganvillas, Indira reconoció a su escolta Beant Singh abriéndole la pequeña verja que daba al jardín donde se encontraban las oficinas. Era difícil no verlo, porque Singh era un gigante, un sij del Punjab, tocado con un turbante a juego con el color caqui de su uniforme. Iba acompañado de otro escolta, también sij, que Indira apenas conocía. Al acercarse a ellos, interrumpió la conversación que mantenía con su secretario por encima del hombro para saludarlos. Lo hizo a la manera tradicional, juntando las manos a la altura del pecho, inclinando levemente la cabeza y diciendo: «*Namasté*». Como respuesta, Beant Singh, su fiel escolta de los últimos cinco años, desenfundó una pistola y la apuntó contra ella. Hubo un silencio que duró la eternidad de medio segundo, interrumpido por el canto de un pájaro en las altas ramas de los nims. «¿Qué estás haciendo?», preguntó Indira. En ese momento, Singh le descerrajó cuatro tiros a bocajarro. Indira levantó el brazo como para protegerse. El escolta giró la cabeza hacia su compañero y gritó: «¡Dispara!». El otro escolta sij vació el cargador de su fusil automático Sten –veinticinco balas– en el cuerpo de Indira. El impacto la hizo girar sobre sí misma antes de desplomarse sobre la tierra húmeda del sendero. Tenía los ojos abiertos. Parecían mirar las copas de los árboles, quizás el cielo. Eran las nueve y dieciséis minutos. Cayó en el lugar exacto donde, unos días antes, había visto jugar a su nieto Rahul con uno de los perros.

34

Otro escolta, que seguía a Indira a cierta distancia y que no formaba parte de la conspiración, corrió hacia ella pero, antes de alcanzarla, una ráfaga le dio en el tobillo y cayó de bruces. Los demás acompañantes, paralizados, temiendo ser tiroteados, se agacharon como parapetándose detrás del cuerpo de Indira. Esperaban lo peor. Pronto oyeron las voces de otros agentes de seguridad que llegaban corriendo de Akbar Road. Creyeron que empezaría un violento tiroteo pero en ese momento los dos escoltas sijs tiraron las armas al suelo. «He hecho lo que tenía que hacer –dijo el gigante Beant Singh en punjabí–. Ahora vosotros haced lo que tengáis que hacer[1].» Era su manera de decir que, en nombre de los sijs, había vengado el sacrilegio del Templo de Oro. El policía que había sostenido el paraguas negro se abalanzó sobre él y lo tiró al suelo mientras el secretario Dhawan, que de milagro había salido indemne de la última ráfaga, consiguió salir de su estupor, arrastrarse hacia Indira y ponerse en cuclillas a su lado para atenderla. En seguida llegaron más soldados del cuerpo de policía de fronteras, que estaban de guardia en una garita en la calle, y neutralizaron al otro escolta asesino. Los llevaron a la garita, donde hubo una refriega. Se dice que intentaron escapar. El caso es que fueron tiroteados a su vez. Beant Singh murió en el acto. Al otro, gravemente herido, lo iban a trasladar a un hospital. Más tarde, se supo que fuera de sus horas de servicio Beant acostumbraba a frecuentar las gurdwaras (templos sijs) de Delhi y que charlaba con los elementos más exaltados. El otro acababa de pasar un

1. Tully, Mark y Jacob Satish, *Amritsar: Mrs Gandhi's last battle, op. cit.,* p. 2, citado en Frank, Katherine, *Indira: The Life of Indira Nehru Gandhi, op. cit.,* p. 493.

mes de vacaciones en su pueblo del Punjab, en la cuna misma del nacionalismo sij.

El médico personal de Indira, que uno de los sirvientes había avisado nada más oír el tiroteo, llegó resollando y se afanó en realizar ejercicios de reanimación. «¡La ambulancia, rápido!», gritaba: «¡Llamad a la ambulancia para llevar a la señora Gandhi al hospital!». Una ambulancia estaba siempre aparcada frente al domicilio, como parte de la asistencia rutinaria a la primera ministra. Pero en el momento crítico no estaba disponible.

–¡El chófer se ha ido a tomar un té! –dijo un sirviente.

–¡Pues un coche! ¡Traed un coche ya!

Consiguieron traer un Ambassador blanco que maniobraron y metieron en el jardín. El secretario Dhawan y el policía agarraron el cuerpo inerte de Indira y lo llevaron hasta el automóvil. La tumbaron en el asiento trasero, y ellos se sentaron delante. El coche estaba a punto de arrancar cuando surgió Sonia, en albornoz, demacrada, el pelo mojado y revuelto y la mirada espantada. El tiroteo la había sorprendido en la ducha. Al principio lo había confundido con petardos, como los que los niños lanzan en Diwali. Pero el grito de una de las sirvientas le hizo darse cuenta de que algo terrible había ocurrido.

Y allí estaba la confirmación de sus temores: su suegra yacía sobre el asiento trasero, sin vida. La mujer que desde pequeña se había identificado con Juana de Arco había sido a su vez traicionada y llevada a la muerte por gente de su confianza. Sonia se metió en el automóvil. «¡Oh, mami! ¡Dios mío, mami!», decía al arrodillarse en el asiento trasero para coger en sus manos la cabeza de Indira y abrazarla, hablarle, apurar el último soplo de vida y quizás revertir el ineludible curso del destino. El coche salió zumbando en dirección al All India Institute of Medical Science, el mismo hospital donde habían llevado a Sanjay después de estrellarse en la avioneta. Sonia recordaría aquel trayecto de sólo cinco kilómetros de distancia como el más largo de su vida. El tráfico era muy denso y parecía que no llegarían nunca. Nueva Delhi ya no era la misma ciudad que cuando llegó; ya casi no había carruajes tirados por bueyes o camellos, ni elefantes, en las calles. La población se había multiplicado por cuatro y el tráfico rodado era denso. Indira se desangraba en sus manos y Sonia se sentía impotente. «¡Dios mío, más rápido!», repetía, mientras pasaba la manga de su albornoz sobre el rostro de Indira y procuraba enjugarle las heridas. Como un péndulo enloquecido, su estado de ánimo oscilaba de lo más negro a la esperanza: «¿Y si está simplemente inconsciente?», se preguntaba de pronto mientras el coche intentaba abrirse paso a bocinazos. «¡Rápido! –le decía al chófer–. ¡A lo mejor pueden salvarla!» Pero por muchos esfuerzos que hiciese el chófer, era imposible sortear el tráfico. ¿Podían imaginar esos conductores aletargados que en ese Ambassador blanco que ni siquiera disponía de sirena yacía el cadáver de la mujer que había regido sus destinos desde hacía más de veinte años? En la mente de Sonia se atropellaban preguntas, en desorden, como un volcán en erupción: «¿Dónde está Rajiv? ¿Cómo le aviso? ¿Dónde están los niños? ¡Tengo que mandar a por ellos! ¡Dios mío, mami, no te mueras!». Había sangre por todas partes: en el albornoz de Sonia las manchas eran de un rojo vivo, en el bonito sari de Indira habían adquirido un tono marrón. Los asientos tapizados de terciopelo también estaban empapados, formando una enorme mancha negra. Pero, aun así, Sonia seguía negándose a creer que lo peor había ocurrido, que ya todo había acabado para la mujer que hasta ese día había sido el pilar de su existencia. En el fondo, ya presentía que las balas de los asesinos habían hecho otras víctimas: su felicidad y la de su familia.

A las nueve y treinta y dos minutos, es decir dieciséis minutos después del atentado, llegaron al hospital. Pero nadie había avisado desde casa para decir que la primera ministra estaba a punto de llegar. Cuando los jóvenes médicos del servicio de urgencias la reconocieron, les entró el pánico. Uno de ellos tuvo la presencia de ánimo de llamar a un experto cardiólogo y unos minutos más tarde un equipo de los médicos más veteranos del hospital bajaron a ocuparse de Indira. Le hicieron una traqueotomía para hacer llegar oxígeno a sus pulmones y le colocaron varias vías para una transfusión de sangre. Decidieron subirla al quirófano de la octava planta. Allí, el electrocardiograma mostró débiles signos de latidos del corazón. Se lo hicieron saber a Sonia, que estaba sola, en la antesala. Una tenue luz de esperanza brilló en sus ojos húmedos. Le dijeron que los médicos estaban dando un vigoroso masaje al corazón de Indira, pero se abstuvieron de explicarle que estaba claro, por la dilatación de las pupilas, que el cerebro estaba irremediablemente dañado. Las balas habían perforado el hígado, los pulmones, varios huesos y la columna vertebral de la primera ministra. «Es un colador», dijo un médico[1]. Sólo el corazón se había salvado. Aun así, durante cuatro horas, los médicos intentaron realizar un milagro.

Sonia apenas podía controlar su temblor. La idea de que el enemigo estaba dentro de casa era terrorífica. ¿De quién fiarse? ¿Y si algún sirviente, algún empleado, algún secretario estaba compinchado? Era como si todas las certezas de la vida se hubieran desmoronado de golpe. ¡Otra vez esa sensación de estar sobre arenas movedizas, donde nada es lo que parece y todo puede cambiar de un minuto a otro! «¡¿Dios mío, y los niños?!» No podía evitar pensar en el asesinato de Sheikh Rahman y de toda su familia. El hijo tenía la misma edad que Rahul. ¿Habrán ido a por los niños al colegio? ¡Si solamente pudiese hablar con su hermana! Pero Nadia no estaba en Nueva Delhi por esas fechas.

Fue Pupul Jayakar, la amiga del alma de Indira, quien llegó primero y quien la tranquilizó. Los niños estaban en casa, a salvo y estaban todo lo serenos que se podía estar en esas circunstancias. Pupul le dijo que la noticia todavía no había trascendido y que los movimientos de la calle eran normales. «Encontré a Sonia en estado de *shock* –contaría más tarde–. Casi no podía hablar. Empezó a temblar y no quise hacer preguntas.» Pupul le había traído ropa y Sonia trocó el albornoz manchado de sangre por un sari. En la hora siguiente, empezaron a llegar otros amigos, miembros del partido y del gobierno. A Sonia le hubiera gustado echarles a todos de la sala, a todos menos a los amigos íntimos y los compañeros que habían mostrado su lealtad inquebrantable hacia Indira, tan pocos que se podían contar con los dedos de una mano. Pero eso era olvidar que Indira no sólo era la madre de su marido, sino la de todo un pueblo. Su asesinato revestía una gravedad extrema. El país estaba descabezado, sin timonel. Aún no sabía nadie si el atentado había sido una ven-

---

1. Frank, Katherine, *Indira: The Life of Indira Nehru Gandhi, op. cit.*, p. 494.

ganza puntual contra Indira o si formaba parte de un complot más amplio para acabar en golpe de Estado. De eso trataban las conversaciones susurradas en los pasillos del hospital entre miembros del gobierno y de la oposición, mientras el vicepresidente departía con altos funcionarios del Gobierno en un cuarto del piso inferior. Departían sobre el futuro del país, porque Indira ya era el pasado. Estaba a punto de entrar en la historia. A las dos y veintidós de la tarde, cinco horas después de ser abatida a balazos por hombres cuya misión era proteger su vida, los médicos declararon que Indira Gandhi había muerto. Diez minutos después, la BBC daba la noticia al mundo.

A tres mil kilómetros de distancia, el Ambassador de Rajiv corría lo más rápidamente posible por una carretera estrecha y llena de baches del estado de Bengala, sorteando elefantes, carricoches, motos, camiones atiborrados de mercancías y gente, mucha gente. Quería llegar a Calcuta lo antes posible para desde allí volar a Delhi y quizás llegar a tiempo para despedirse de su madre. Su recorrido de precampaña electoral había sido interrumpido cuando, a doscientos kilómetros al sur de Calcuta, su coche fue interceptado por un Jeep de la policía. Un agente le entregó una nota: «Ha habido un accidente en casa de la primera ministra. Cancele todas las citas y regrese inmediatamente a Delhi»[1]. Por la radio del coche que circulaba por un paisaje de centelleantes arrozales y aldeas de adobe, Rajiv se enteró de que su madre había sido tiroteada por sus escoltas y transportada al hospital, donde los médicos intentaban salvarla. Reaccionó con aplomo y tranquilidad, quizás porque todavía albergaba una leve esperanza de que sobreviviese. Después de dos horas y media de estrepitoso viaje, cuando estaban a unos cincuenta kilómetros de Calcuta, un helicóptero de la policía interceptó su coche. Rajiv subió al aparato, que lo dejó en el aeropuerto, donde un Boeing de Indian Airlines le estaba esperando para llevarlo a casa. Hizo el viaje en la cabina, con los pilotos, que estaban en contacto por radio con la capital. La ausencia de noticias le hizo

1. Merchant, Minhaz, *Rajiv Gandhi: the End of a Dream*, Nueva Delhi, Penguin, 1991, p. 135.

sentir que ya no volvería a verla viva. Fue a través de una comunicación llena de interferencias como se enteró por fin de que había fallecido. Se quedó quieto, sin hablar, sin llorar. Los Nehru no lloran en público cuando son golpeados, eso le habían enseñado siempre. Parecía que la noticia no le hubiera sorprendido, quizás porque le embargaba un cierto sentido de la fatalidad parecido al que tenía su madre.

En el hospital, después del anuncio de los médicos, Sonia pidió a Pupul que la acompañase a casa a por ropa para vestir a Indira para su último viaje. Además, Sonia estaba deseando ver a sus hijos y salir de ese hospital invadido de gente. Fuera, la actividad de las calles parecía normal. La noticia todavía no había trascendido.

Cuando llegó a casa y sus hijos le preguntaron: «¿Cómo está la abuela?», Sonia se vino abajo. Sus sollozos ahogaban sus palabras. ¿Pero eran necesarias las palabras? Rahul se aferró a su madre y Priyanka corrió al interior de la casa y regresó con el inhalador. Sonia no lo necesitó y poco a poco fue calmándose. Luego, después de darles todas las explicaciones, Pupul y Sonia fueron al vestidor de Indira. Para su viaje final, le eligieron uno de sus saris favoritos, color rosa viejo, y un corpiño que había sido un regalo de un viejo sabio que ella admiraba mucho.

Los niños no quisieron quedarse en casa. También ellos querían ver por última vez a su abuela, y no querían dejar a su madre en ese estado, de modo que Sonia y Pupul se los llevaron de vuelta al hospital. El ambiente de la calle había cambiado por completo. Las tiendas estaban cerrando. «Veíamos a hombres con caras de ansiedad pedaleando con rapidez para volver a casa», diría Pupul. A medida que se acercaban al hospital, vieron a cada vez más gente caminar en la misma dirección. Tanta era la afluencia que la policía bloqueó la entrada principal, de modo que tuvieron que utilizar una entrada de servicio.

A la misma hora, Rajiv aterrizaba en el aeropuerto Palam con un nudo en el estómago. No estaban ni Sonia ni sus hijos para recibirle, los únicos que de verdad hubiera querido ver en ese momento. En cambio, en la pista, a pie de escalerilla, le esperaban sus ayudantes, algunos amigos y, sobre todo, muchos políticos del Congress. Ya estaban allí. Rajiv supo en seguida lo que venían a pedirle. Venían a exigirle que, le gustase o no, fuese el próximo primer ministro de la India.

Unos amigos lo condujeron al hospital. También ellos estaban de acuerdo con la idea de que él debía suceder a su madre. Nadie parecía disentir de lo que era considerado como ley de vida. Además, era lo mejor que podía pasarle para su seguridad y la de su familia, porque dispondría de todo el poder del Estado para protegerle. Era un argumento poderoso, que hizo mella en Rajiv.

–Pero eso lo tienen que decidir el partido y el presidente de la República –objetó–. El presidente es el encargado por ley de escoger a la persona que debe formar gobierno.

–Ya ha tomado la decisión.

–¡Pero si no está en Delhi!

–Ya lo ha hecho saber. Tienes que aceptar, Rajiv, es lo mejor para vosotros.

En el avión en el que regresaba de un viaje oficial a Yemen, interrumpido por la noticia del asesinato de Indira, el presidente de la República, viejo amigo de la familia Nehru, ya había tomado la decisión de pedirle a Rajiv que fuese primer ministro. Y además que asumiese el cargo de inmediato, ya mismo, sin dejar pasar más tiempo. El momento era de una extrema importancia. La muerte de Indira a manos de pistoleros sijs hacía temer un estallido de violencia entre comunidades, la pesadilla de todo dirigente indio. Por eso era urgente evitar el vacío de poder, para mantener el país unido frente a semejante amenaza que podía acabar con el orden constitucional y, en definitiva, con la India como nación. Así se lo hizo saber el miembro decano del partido, en el mismo aeropuerto: «No debemos dejar el trono vacío, es muy peligroso». Cuando, más tarde, el presidente de la República explicó las razones de su elección, dijo que tenía que escoger a un nuevo primer ministro del Congress, porque era el partido con mayoría aplastante en el Parlamento. ¿Y quién mejor que Rajiv, que tenía una reputación intachable y era joven e inteligente? Existía otra razón, que no tenía nada que ver con los méritos profesionales de Rajiv, y es que esa elección es la que le hubiera gustado a Indira. «Conocía su manera de pensar y lo que quería –confesó el presidente–, aunque nunca lo discutimos específicamente. Simplemente, sabía cómo era ella.» De modo que Rajiv se encontró en un callejón sin salida. Desde el más allá, la voz de su madre retumbaba en sus oídos. Si no la había abandonado nunca en vida, ¿iba a hacerlo ahora en la muerte? ¿No había tomado ya la decisión de entrar en política? ¿No era lo que le pedía el país la lógica consecuencia de ello? Nunca había querido ser primer ministro, a lo sumo tener un cargo en el gobierno, pero a veces la vida se acelera y no deja elegir.

En su recorrido por los pasillos del hospital, Rajiv se fue encontrando con toda una serie de personajes que habían formado parte de la vida de su madre, incluyendo a una llorosa Maneka, al inefable gurú Dhirendra Brahmachari, que repetía que Indira tenía que haberle escuchado para conjurar el peligro que se cernía sobre su vida, a ministros y funcionarios, ayudantes y secretarios que lloraban en pequeños corros. Los barones del partido estaban todos en el hospital y aprovecharon su llegada para hacerle saber que lo querían como nuevo líder del Congress y, en consecuencia, nuevo líder de la nación. Todos daban por hecho que hablaban con el futuro primer ministro. «Tienes que aceptar –le decían–. Si no por ti, hazlo por tu mujer e hijos, por vuestra seguridad. Y por tu madre, por la memoria de tu abuelo, por la familia, por la India.»

Eran las tres y cuarto de la tarde cuando Rajiv llegó a la sala adjunta al quirófano. Se fundió en un abrazo con Sonia, que rompió en sollozos. Quizás se acordaba de aquella primera cita con Indira en Londres, cuando le había entrado un pánico cerval a conocerla. ¿Quién iba a pensar entonces que la querría tanto, y que les dejaría así, solos ante el abismo?

Rajiv abrazó luego a los niños, que estaban muy asustados. La ola de terror que el atentado había desatado se había propagado como una epidemia. ¿No había jurado un grupo de fanáticos, después de la Operación Blue Star, exterminar a los descendientes de Indira hasta la centésima generación? ¿Quién sería el próximo? «... ¿Papá, mamá, nosotros?» ¿Quién sabía si detrás de cualquier enfermero, de cualquier visitante, de cualquiera de los muchos que recorrían los pasillos de ese hospital no se escondía otro terrorista asesino? ¿Dónde se detendría la furia vengadora de los extremistas sijs?

No tuvo mucho tiempo de consolar a su familia porque la gente le solicitaba constantemente. El país exigía su atención, sin siquiera darle tiempo a llorar la muerte de su madre y tranquilizar a los suyos. «Recuerdo que sentí la necesidad de estar a solas con él, aunque sólo fuese un momento», diría Sonia. Se lo llevó a un rincón del quirófano, a pocos metros de donde los médicos estaban cosiendo el cadáver de Indira. Olía a formol y a éter. La blanca luz de los neones mostraba con toda su crudeza las facciones devastadas del rostro otrora suave de Rajiv.

—Me van a hacer primer ministro —le dijo en un susurro.

Sonia cerró los ojos. Era lo peor que podía haber escuchado. Era como el anuncio de una segunda muerte en el mismo día. Rajiv le cogió ambas manos, mientras siguió susurrándole las razones que le obligaban a aceptar el cargo.

—Sonia, ésa es la mejor manera de protegernos, créeme. Dispondremos de la máxima protección. Ahora es lo que necesitamos.

—Vámonos a vivir a otro sitio...

—¿Y crees que estaremos seguros en otro país? Estamos todos en la lista negra de los extremistas, y esos fanáticos son capaces de golpear en cualquier lugar. No, Sonia, no nos queda más remedio que vivir protegidos constantemente, por lo menos hasta que la amenaza remita.

Sonia lloraba desconsoladamente. Sabía lo que eso significaba. Significa tener que vivir en un entorno claustrofóbico, que los niños no podrían disfrutar de una existencia normal... ¿Era eso vivir? ¿Y la felicidad en todo esto? ¿Esa felicidad a la que se habían tan cómodamente acostumbrado?

—Te lo suplico, Rajiv, no dejes que te hagan esto —le rogó Sonia.

—Te aseguro que es por nuestro bien.

—¿Por nuestro bien? Pero si ese sistema de protección del que hablas ha demostrado ser totalmente ineficaz. ¡Una primera ministra tiroteada en su propia casa, y ni siquiera el equipo de emergencia más básico a mano...! ¿Te das cuenta?

–La avisaron de que debía prescindir de sus guardias sijs, pero no hizo caso...

–¿Qué quieres decir, que se lo buscó?

–Tendría que haber escuchado al jefe de la policía y al de Inteligencia. Seguiría ahora con nosotros, si lo hubiera hecho.

Él la abrazó de nuevo. Ella prosiguió:

–Dios mío, te matarán a ti también.

–No tengo elección, me matarán de todas maneras, esté o no en el poder...

–Por favor, no aceptes, diles que no...

–No puedo, mi vida. ¿Te imaginas seguir viviendo como si nada, siempre con miedo, aquí, en Italia o en donde fuese?... Es lo que pasaría si no acepto. Así es como tienes que verlo. Es mi destino. Nuestro destino... Hay momentos en que la vida no te deja elegir porque no hay elección posible. Ayúdame a aceptarlo.

–¡Oh no, Dios mío, no!... –musitaba Sonia inmersa en un mar de lágrimas–. Te matarán, te matarán... –repetía mientras el secretario oficial de Indira, P. C. Alexander, vino a interrumpirles. La rueda de la sucesión no podía esperar. Era urgente ponerla en marcha. Cogió a Rajiv del brazo.

–Tenemos que organizar la toma de posesión –dijo en voz baja.

–Voy a casa a cambiarme de ropa –le contestó Rajiv–. Estaré antes de las seis en el palacio del presidente de la República.

Entonces Sonia supo que no había nada que hacer, que de nuevo tenía que doblegarse ante unas fuerzas que la sobrepasaban y que nunca podría controlar. ¿Qué podía hacer ella contra un país que se había quedado huérfano y que reclamaba la cabeza del hijo? Cuando Rajiv le dio un beso en la frente y se separó lentamente de ella, Sonia, presa de una indefinible sensación de melancolía, sintió un desgarro en las entrañas, como cuando estaba en el Ambassador sosteniendo la cabeza de una Indira moribunda entre sus brazos.

Por la tarde de ese mismo día tuvo lugar la ceremonia de toma de posesión de Rajiv Gandhi como sexto primer ministro de la India, en el salón Ashoka del Palacio del Presidente de la

República, el mismo lugar donde su abuelo y su madre habían sido investidos para el mismo cargo. De los seis primeros ministros, tres habían pertenecido a la misma familia y los otros tres habían sido muy breves. En treinta y seis años de independencia, los Nehru habían sido primeros ministros durante treinta y tres años. Indira había sido la tercera en morir en el cargo, pero la primera de una muerte violenta. No fue una ceremonia animada, como correspondería en circunstancias normales. Allí estaba un hombre joven, a quien no le habían dado tiempo para asimilar la muerte de su madre y su repercusión en la nación, empujado a aceptar el papel más difícil y exigente al que podía aspirar cualquier ciudadano de la India. Sin quererlo ni desearlo.

Antes de aceptar, Rajiv había dejado claro que mantendría el gobierno anterior, sin miembros nuevos ni cambios de cartera. A continuación tuvo lugar su primer consejo de ministros, en el que el debate giró en torno a los funerales de Indira. Decidieron instalar la capilla ardiente en Teen Murti House, la antigua residencia de Nehru, el palacete donde Rajiv había pasado su infancia. Usha, la fiel secretaria, fue de las primeras en llegar y así describió a su antigua jefa, tendida en el féretro, el cuerpo amortajado pero el rostro descubierto: «Su cara estaba hinchada y sin color. Mejor que no se hubiera visto así porque no se hubiera gustado, ella que siempre iba tan bien arreglada y que cuidaba tanto su apariencia». Lo mismo debió de pensar Sonia. La televisión captó un momento corto e intenso, un gesto que quedó grabado en la memoria de millones de indios y que hablaba, más que cualquier declaración escrita o expresada oralmente, del vínculo que unía a ambas mujeres. Sonia, serena, pasó un pañuelo por la comisura de los labios de Indira para secarle el brillo de la piel. Como si en lugar de muerta estuviera viva y siguiese necesitando sus cuidados. La lealtad sobrevivía así a la muerte.

Pasadas las once de la noche, el nuevo primer ministro apareció en televisión, en un discurso que fue retransmitido por radio al mundo entero. Sonia estaba en el estudio de grabación, el corazón partido al ver cómo el poder había secuestrado a su marido, utilizando sin escrúpulos los apellidos Nehru-Gandhi para mantener el país unido en tiempo de crisis. ¿No era una crueldad haber pedido a alguien con tan poca veteranía en política como su marido que aceptase un cargo que precisaba de tanta experiencia, al menos en esos tiempos tan difíciles?

«Indira Gandhi ha sido asesinada —empezó diciendo Rajiv ante las cámaras—. Sabéis cuán cerca de su corazón estaba el sueño de una India próspera, unida y en paz. A causa de su muerte prematura, su labor ha quedado interrumpida. A nosotros nos toca acabarla.»

Su discurso, y el tono de emoción contenida con el que lo pronunció, recordó a muchos el discurso que hizo su abuelo Nehru tras el asesinato de Gandhi. Entonces Nehru tuvo miedo de que los musulmanes fuesen culpados del magnicidio, por eso se apresuró en decir alto y claro que el culpable había sido un fanático hindú. Treinta y seis años más tarde, Rajiv Gandhi no hizo referencia alguna a los asesinos de su madre, o a sus motivos. Aludió a la naturaleza religiosa del asesinato cuando hizo un llamamiento a la calma y a la unidad, diciendo que nada le dolería más al alma de Indira Gandhi que un brote de violencia en cualquier lugar del país.

Pero la violencia ya había estallado. Primero empezó en los alrededores del hospital, cuando varios taxis conducidos por sijs fueron apedreados y un templo sij, incendiado. Cualquier hombre enturbantado parecía de pronto sospechoso. Los vecinos sijs recogieron a sus niños de las calles, se encerraron en casa, bajaron las persianas y apagaron la luz, procurando hacerse invisibles. Las mujeres miraban espantadas entre las rendijas. Algún sij corría a buscar refugio. Para otros, no había refugio. Sabían que el asesinato de Indira Gandhi los había convertido en blanco de la ira del pueblo. Al caer la noche, se formaron grupos de gente en las callejuelas, la mayoría hindúes, algunos con palos en la mano, otros incitando a la caza del sij. Fue una noche negra, aún más oscura por la oleada de odio y terror que se abatió sobre la ciudad, que apenas durmió. La intensidad de las matanzas aumentaba a medida que surgían rumores de que los sijs habían envenenado los depósitos de agua potable de la capital, o de que un tren lleno de hindúes que venían del Punjab había sido atacado. No eran verdad, pero la gente los creía. Bandas de gamberros, que al principio destrozaban casas y comercios propiedad de sijs, sacaron luego de sus hogares a hombres y niños con turbante para despedazarlos a machetazos frente a sus mujeres horrorizadas. En las calles, grupos de matones se abalanzaban sobre los sijs, a los que daban palizas de muerte o rociaban de gasolina para prenderles fuego. Familias enteras fueron acuchilladas en trenes y autobuses. La policía no se atrevía a intervenir, por pura desidia y también porque en el fondo estaban de acuerdo en vengarse de esa turbulenta minoría. Durante tres días, mientras miles de personas desfilaban ante el cuerpo de Indira Gandhi, entre los que se encontraban estrellas de cine, jefes de Estado, líderes políticos, amigos, familiares y miles de ciudadanos que nunca habían conocido a Indira pero que sentían profundamente su pérdida, la orgía de violencia siguió extendiéndose. Más de dos mil coches, camiones y taxis ardieron, así como un rosario de fábricas propiedad de familias sijs, como la de Campa Cola, la respuesta india a la Coca-Cola, que pertenecía a un antiguo amigo de Sanjay que les había ayudado en tiempos de penuria. Los periodistas documentaron un episodio particularmente atroz en un barrio de la margen derecha del río Yamuna, donde un grupo bien organizado dio muerte de manera sistemática a todo sij frente a la pasividad de la policía. Ni siquiera les daban la oportunidad de salvarse porque prendían fuego a las casas con sus habitantes dentro. Una de las periodistas que fue testigo de lo ocurrido llamó por teléfono a Pupul: «Por favor, haz algo, la situación es trágica», le dijo con voz asustada. Pupul se quedó perpleja[1]. Hasta hacía muy poco tiempo, hubiera sabido qué hacer. Habría cogido el teléfono y hubiera llamado a su amiga Indira, que habría actuado inmediatamente. Pero ahora no sabía a quién dirigirse. De modo que llamó al ministro del Interior, que casualmente estaba reunido con Rajiv en el número 1 de Safdarjung Road. Le explicó las masacres, las violaciones, el horror de lo que estaba ocurriendo a menos de diez kilómetros de donde se encontraban. «Hable con el primer ministro», le dijo, y acto seguido le pasó a Rajiv. Pupul le repitió lo que ya había contado. «Me era difícil dirigirme a Rajiv como primer ministro, me

1. Cuenta Pupul Jayakar este episodio en Jayakar, Pupul, *Indira Gandhi: A Biography*, *op. cit.*, p. 493.

era difícil entender que el enorme poder y la masiva autoridad de Indira ahora recaían en él.» Rajiv la hizo ir a su casa, donde Pupul contó con más detalle todo lo que sabía. El primer ministro parecía desconcertado e indeciso.

–¿Qué hago, Pupul? –le preguntó.

–No me corresponde decir lo que debe hacer el primer ministro –le contestó ella–. Te puedo decir lo que tu madre hubiera hecho. Habría llamado al ejército y hubiera mantenido el orden a toda costa. Habría salido en televisión y con todo el prestigio de su cargo hubiera dejado bien claro que bajo ningún concepto consentiría las masacres.

–Ayúdame a redactar un discurso como los que hubiera hecho mi madre –le pidió Rajiv mientras la acompañaba hasta la puerta–. Por favor, hazlo ya, es urgente.

Pupul lo hizo, pero cuando se sentó frente al televisor, no apareció Rajiv, sino el ministro del Interior. Pupul pensó que no era una presencia suficientemente contundente para calmar los ánimos. Le pareció que el discurso carecía de la angustia del hijo y de la autoridad de un primer ministro. De hecho, el ejército no fue llamado a intervenir esa noche por miedo a inflamar aún más los ánimos, de modo que el terror y la barbarie continuaron. Esa indecisión fue atribuida por muchos a la inexperiencia de Rajiv. Pero la verdad es que estaba superado por los acontecimientos, todavía bajo el trauma de haber perdido a su madre y de encontrarse con las riendas del poder, sin saber realmente cómo funcionaban los resortes de ese poder.

Entre los sijs cundía tal pánico que por primera vez en su vida, muchos de ellos se quitaron el turbante y se cortaron las barbas y el pelo para salvarse. Unos cien mil huyeron de la capital. El escritor Kushwant Singh se refugió con su mujer en la embajada de Suecia: «Lo que las turbas buscaban eran los bienes de los sijs, los televisores y las neveras, porque somos más prósperos que los demás. Matar y quemar gente viva sólo era parte de la diversión»[1]. Al anochecer, grupos de sijs se dispersaban por la ciudad buscando refugio. Dos de ellos llegaron a casa de Pupul,

1. Adams, Jad y Philip Whitehead, *The Dynasty - The Nehru Gandhi Story*, Nueva York, Penguin, 1997, p. 319.

y sorprendieron a la mujer del *dhobi*, el lavandero, que a esas horas debía de estar participando en los disturbios. Ante los gritos de susto de la mujer, los sijs salieron corriendo, pero Pupul les hubiera dado cobijo esa noche, como lo hicieron también muchas familias hindúes. De la misma manera que muy pocos sijs habían sido seguidores de Brindanwale, muy pocos hindúes querían vengarse de los sijs. Pero los que lo hicieron fueron de una crueldad que recordaba a los tiempos de la Partición. En tres días, unos tres mil fueron masacrados.

Por la tarde del 2 de noviembre, Rajiv salió por fin en televisión exigiendo el fin de la violencia. «Lo que ha ocurrido en Delhi desde la muerte de Indira Gandhi es un insulto a todo lo que ella defendía», dijo claramente. Al día siguiente, por fin mandó intervenir al ejército, que impuso el toque de queda y entró con tanquetas en los barrios más conflictivos con orden de disparar a todo el que fuera sorprendido en flagrante delito de agresión.

El 3 de noviembre, mientras la paz se imponía por la fuerza, tenía lugar la cremación de Indira muy cerca de donde había tenido lugar la de Nehru y la de Sanjay, en la ribera del río. Rajiv dio siete vueltas a la pira funeraria de su madre, antes de plantar una antorcha entre los troncos de sándalo. Las llamas fueron prendiendo mientras el sol teñía de naranja, rojo y oro el cielo. Asistía un impresionante elenco de personalidades, entre las que se encontraban George Bush padre, la Madre Teresa, miembros de la realeza europea, artistas y escritores, magnates de los negocios, científicos y jefes de Estado. Para una elegante señora vestida de negro, estos funerales revestían una importancia muy particular. Margaret Thatcher recordaba las cálidas palabras de Indira cuando pocas semanas atrás la llamó después del atentado del IRA. «Tenemos que hacer algo contra el terrorismo...», le había dicho.

La silueta de Rajiv entre las llamas que devoraban el cuerpo de su madre quedó grabada para siempre en los ojos de todo un pueblo, como una antorcha de esperanza. «Todo era caos a su alrededor –escribió un conocido periodista–, pero él daba una imagen de confianza, parecía controlar la situación.» La Dama de Hierro británica comentó: «He visto en Rajiv el mismo autocontrol que tenía la señora Gandhi...». La que estaba absolutamente desconsolada, y no lo escondía, era Sonia. «Si alguien hubiera pintado la escena –dijo Margaret Thatcher–, su propio dolor hubiera bastado para comunicar el sentimiento general.» Paradójicamente, no había una enorme multitud de gente humilde, de los millones que habían venerado a Indira como a una diosa. El miedo a los altercados y la atmósfera de violencia que reinaba en la ciudad disuadieron a muchos de ir a rendirle su último homenaje.

Fiel a las instrucciones que había recibido de su madre hacía poco tiempo, una mañana Rajiv cogió la urna de bronce que contenía las cenizas y se embarcó en un avión de la Fuerza Aérea india. Después de una hora de vuelo, sobrevolaba la cordillera del Himalaya, una cresta de picos blancos que se extendía hasta donde alcanzaba la vista. Le abrieron una compuerta en el suelo del avión que dejó entrar un aire helado. Rajiv, tocado con un gorro de astracán, vestido con un chaquetón de piel, gruesos guantes forrados y llevando una máscara de oxígeno, cogió la urna, también envuelta en una bolsa de piel para que su contenido no se congelase, la abrió y dejó caer las cenizas sobre las montañas, tal y como manda el ritual, para que la muerte volviese a la vida, trece días después de que Indira Gandhi hubiese entrado en la historia.

35

Rajiv no tuvo un minuto para detenerse a conjurar su propio dolor. La vida política continuaba y los jefes del partido le aconsejaron adelantar las elecciones generales. Querían capitalizar el voto de simpatía que el asesinato de Indira era susceptible de provocar. Rajiv entendió que esas elecciones eran muy importantes para él, porque le servirían para adquirir legitimidad popular y no parecer únicamente que había sido designado a dedo por los seguidores de su madre. De modo que fijó la fecha de votación para el 26 de diciembre de 1984. Quiso que Sonia le acompañase de nuevo a hacer campaña en la circunscripción de Amethi, donde Maneka, con su hijito en brazos, se presentaba como candidata rival. Sonia era ahora la primera dama del país, y sólo pensarlo le daba vértigo. El destino no podía haber elegido alguien menos predispuesto para asumir ese papel. Un papel que hubiera llenado de orgullo y satisfacción a la mayoría de las mujeres, pero que a ella le producía melancolía, porque le hacía añorar su antigua vida. ¡Qué lujo era vivir con seguridad! ¡Qué lujo poder dedicarse a restaurar cuadros, salir con las amigas, ser libre y llevar una vida anónima! Estaban todavía tan traumatizados que antes del viaje a Amethi, y coincidiendo con el 68.º cumpleaños de Indira, Rajiv y ella redactaron sendas instrucciones: «En caso de mi muerte o la de mi mujer Sonia en accidente, dentro o fuera de la India, nuestros cuerpos deben ser repatriados a Delhi y quemados juntos, según el ritual hindú, en un lugar a cielo abierto. Bajo ninguna circunstancia nuestros cuerpos serán quemados en un crematorio eléctrico. Según nuestra costumbre, nuestro hijo Rahul deberá encender la pira... Es mi deseo que nuestras cenizas sean esparcidas en el Ganges, en Allahabad, donde lo fueron las cenizas de mis antepasados». ¿No decía el refrán que la cobra muerde siempre dos veces, o sea que una desgracia nunca llegaba sola?

Sonia, vestida con saris blancos, como correspondía al luto por su suegra, descubrió que ahora se encontraba mucho más a gusto entre la multitud de Amethi. «Me convertí en asidua de ese lugar –escribiría más tarde–. Conocía a la gente y sus problemas, y ya no me sentía una extraña entre ellos.» Pero la ausencia de Indira se hacía sentir cruelmente. Había sido el centro del universo familiar, una personalidad fuerte, fiable, siempre presente para guiar, aconsejar, animar y rodear a los suyos. El vacío era abismal. Rajiv se había quedado huérfano, sin la última figura de su familia. Un día, estaba Sonia buscándole en casa, pero nadie parecía saber dónde se había metido. Por fin lo encontró en el antiguo estudio de Indira, observando objetos y fotos de su madre, como si estuviera rastreando su huella. «Parecía muy perdido y muy solo –escribiría Sonia–. Muy a menudo sentía intensamente su ausencia[1].» Era inevitable. Allá donde iba, aun en los confines más remotos del subcontinente, veía carteles con la cara de su madre, siempre acicalada con su mechón de pelo blanco bien visible y saludando con la palma de la mano hacia arriba. Siempre alguien le hablaba de ella, de la última visita que había realizado allí, de lo que había hecho por esa comunidad, de los niños que había bendecido y hasta del funcionario que había reprendido. Indira había dejado su huella en todo el país, y a Rajiv a veces le parecía que seguía viva, que estaba a punto de aparecer para reconfortarlo y darle ánimos. No le quedaba más remedio que hacer acopio de sus reservas de coraje y fortaleza mental para enfrentarse con estoicismo al recuerdo de su madre.

La gira electoral de Rajiv por todo el país hubiera sido triunfal de no ser por un grave accidente que ocurrió en la ciudad de Bhopal, en el centro de la India, cuando un escape de gas venenoso de una fábrica de pesticidas, propiedad de la multinacional norteamericana Union Carbide, se extendió por los barrios más pobres de la ciudad, causando miles de muertos y heridos. Considerado el mayor accidente industrial de la historia, la tra-

---

1. Gandhi, Sonia, *Rajiv*, *op. cit.*, p. 10.

gedia de Bhopal, justo al principio de su carrera, fue vista por muchos como un mal augurio para el hombre que quería a toda costa desarrollar el país y estrechar lazos con la elite de los negocios. Rajiv decidió inmediatamente visitar la ciudad siniestrada. Prefería que Sonia se quedase en casa, no fuera a ser que el veneno de la fábrica anduviese todavía flotando en el aire, pero ella se negó y fue con él. Nada más llegar, quedaron impresionados por los efectos del envenenamiento. Los hospitales estaban atestados de gente que había perdido la vista, de madres que lloraban la muerte de sus hijos, de niños huérfanos y de hombres desesperados por la aniquilación de sus familias. Ante semejante tragedia, sus diatribas sobre la industrialización de la India y su llamamiento a preparar el país para el siglo XXI parecían palabras huecas. Rajiv se dio cuenta de los problemas que el propio desarrollo era capaz de engendrar. Por lo pronto, hizo lo único que podía hacer, desbloqueó ayuda urgente para las víctimas y se comprometió a que el gobierno les daría una compensación justa. Pero eso nunca se consiguió*.

Rajiv arrasó en las elecciones de diciembre de 1984, con un resultado mejor del que jamás habían conseguido su abuelo o su madre. Sonia le felicitó efusivamente, a pesar de intuir que esa noticia les acercaba un poco más al borde del precipicio. Durante los tres últimos años su marido había sido diputado del Parlamento responsable únicamente de Amethi, y uno de los secretarios generales del partido. Ahora tenía a su cargo quinientas cuarenta y cuatro circunscripciones y la responsabilidad de gobernar un inmenso, volátil y a veces ingobernable país gripado por un gigantesco aparato de Estado. ¿No había escrito un político inglés que la cordillera del Himalaya parecía pequeña comparada con la carga que soporta un primer ministro de la India a sus espaldas? La dinastía había recibido el mandato del pueblo, un mandato a escala nacional, pero Rajiv no se hacía ilusiones sobre las razones de su éxito: «Ha sido sobre todo por la muerte de mi madre... Nadie me conocía realmente, lo que han hecho ha

* Véase *Era medianoche en Bhopal*, de Javier Moro y Dominique Lapierre, Barcelona, Planeta, 2001. [Barcelona, Círculo de Lectores, 2001.]

sido proyectar en mí las expectativas que tenían puestas en ella. Me he convertido en símbolo de sus esperanzas»[1]. Quien perdió estrepitosamente fue Maneka, a pesar de haber hecho una campaña muy dinámica. La ola de simpatía por Rajiv, y quizás el hecho de que ella fuese hija de una familia de origen sij, la barrieron del mapa de la política, por lo menos momentáneamente. Ahora quedaba claro quién era el verdadero heredero del manto de los Nehru-Gandhi.

A Sonia y a los niños se les hizo aún más cuesta arriba luchar para recuperarse del trauma de la muerte violenta de Indira porque, después de quince años viviendo en la misma casa, tuvieron que dejarla y mudarse a otra considerada más segura y más apropiada como residencia oficial del primer ministro, y que se encontraba cerca, en Race Course Road. Ahora que el terrorismo se había convertido en una realidad ineludible de la vida política india, la familia se veía rodeada las veinticuatro horas del día de un impresionante despliegue de fuerzas de seguridad. En parte se trataba de un alarde innecesario, desplegado para compensar todos los fallos que habían cometido con Indira. La responsabilidad de proteger al primer ministro ya no recaía en una fuerza paramilitar, sino en un grupo profesional especializado, el Special Protection Group, creado precisamente a raíz del reciente magnicidio. «Su presencia puso fin a lo que quedaba de nuestra privacidad y nuestra libertad», dijo Sonia. De repente, un día, se pegó un susto cuando estaba en el jardín, con sus tijeras de podar en la mano, y vio en la rama de un árbol a una especie de marciano, totalmente vestido de negro, con pasamontañas, chaleco antibalas y metralleta en ristre. «Estoy de guardia», le dijo el hombre. En otra ocasión en la que tuvo que salir deprisa a comprar algo al economato americano, otro marciano, en la puerta, se lo impidió.

–Señora, no puede salir ahora.

–¿Cómo que no puedo? Necesito ir a la embajada americana, tengo invitados esta noche...

–Señora, tiene que acostumbrarse a avisarnos con un poco de

1. Adams, Jad y Philip Whitehead, *The Dynasty - The Nehru Gandhi Story*, *op. cit.*, p. 323.

tiempo. No podemos reaccionar de manera improvisada. Hay unos trescientos agentes encargados de la protección de su familia en este momento.

«¡A buenas horas!», pensó Sonia, que no tuvo más remedio que llamar a su hermana Nadia para que le hiciera el favor de comprar lo que necesitaba y traérselo a casa.

Aunque era desesperante vivir así, no hubo más remedio que acostumbrarse. A Rajiv, los agentes de seguridad quisieron impedirle que siguiera con la costumbre heredada de su madre y de su abuelo de recibir a cientos de visitantes muy pronto por la mañana que le hacían preguntas y le escuchaban sentados en el césped. Pero él insistió en mantenerla, aunque sólo fuese tres días por semana. Era importante que pudiese tomar el pulso del pueblo. Y también aprovechaba para perfeccionar su hindi, que hablaba con errores de sintaxis y a veces de pronunciación.

En casa se despertaban a las seis de la mañana con el *morning tea* que les servían en una bandeja. A las ocho y media, toda la familia estaba reunida para desayunar. Rajiv se iba en seguida y Sonia se quedaba organizando la casa y, si tenía tiempo, leyendo y recortando la prensa. Sus hijos habían dejado de ir al colegio el día del asesinato de la abuela. Según la policía, era demasiado peligroso que fueran a un lugar donde un hombre armado pudiera penetrar con facilidad. De modo que ahora unos profesores particulares llegaban hacia las diez para darles clase en casa. Sonia aprovechaba ese momento para salir a hacer compras o ir a alguna exposición. Iba siempre inmaculadamente ataviada, porque era consciente de que su persona era sometida a un implacable escrutinio público. «Tiene más saris que Imelda Marcos zapatos», decía un rumor. Lo que tenía era la colección de saris y de chales de Indira, en su mayoría regalos que, en su calidad de primera ministra, había acumulado en todos sus recorridos por la India. Sonia los había heredado.

Por las tardes se quedaba con los niños y buscaban maneras de distraerse sin salir, como viendo películas de vídeo. Los domingos quiso mantener la costumbre de invitar a sus amigos íntimos al *brunch*, aunque Rajiv rara vez pudiese asistir, por lo ocupado que estaba. Pero le parecía importante mantener la apariencia de normalidad. Todos los visitantes, incluida su hermana

Nadia y el matrimonio Quattrochi, tenían que ser registrados y pasar una triple barrera de detectores de metales antes de ser admitidos. Se juntaban en el jardín y se charlaba alegremente en italiano, francés, inglés y español mientras degustaban delicias indias servidas en *thalis*, típicos platitos de latón. Sonia sorprendía con algunos platos difíciles de cocinar en la India, como langostinos en salsa de ajo, que se convirtió en un favorito de los domingos.

Aparte de esos momentos robados, la normalidad era una quimera. Cualquier pequeño retraso de Rajiv, que se esforzaba en comer en familia siempre que podía, provocaba grandes sustos. Los únicos momentos de vida normal los tenían cuando iban de vacaciones a Italia, en verano y por navidades. También allí había vigilancia, aunque no tan agobiante. En Nueva Delhi, vivían como prisioneros.

Lo que tuvo que abandonar totalmente Rajiv fueron sus aficiones, especialmente la fotografía, en la que había conseguido un buen nivel profesional. No le quedaba tiempo para escuchar sus canciones preferidas ni para asistir a algún concierto de música clásica india con Sonia y sus hijos. Pero estaba resuelto a continuar siendo un piloto competente, porque era su pasión y además le daba una cierta seguridad ante la incertidumbre de la política. Pidió a un colega que le avisase cuando estuviera a punto de caducar su licencia de vuelo para renovarla acumulando las horas necesarias, lo que siempre podía hacer pilotando él mismo los aviones en los que viajaba recorriendo el país. Pero se le acabó el tiempo para lo que no fuese su actividad de primer ministro: «Para mí sólo había tiempo para la acción. Me lancé a restaurar la confianza, a restaurar la amistad y la fraternidad entre comunidades que habían vivido juntas durante siglos», declaró.

Rajiv había recibido de su madre una herencia envenenada, el problema sij. Era fundamental poder solucionarlo para recuperar la convivencia general. Pensó que primero había que rebajar la tensión, de modo que empezó soltando lastre: declaró que estaba abierto a cualquier compromiso para solucionar el problema siempre y cuando no constituyese una amenaza a la integridad de la nación; liberó a los extremistas arrestados durante los últimos meses del régimen de su madre, y se comprometió a iniciar una investigación sobre las matanzas de sijs en Delhi. El líder del partido sij moderado, tan deseoso de conseguir la paz como el primer ministro, acabó firmando los prolegómenos de un acuerdo. Inmediatamente después, Rajiv anunció elecciones en el Punjab para septiembre de 1985, con el fin de transferir la administración de ese estado a los sijs moderados y hacerles responsables de lidiar con los extremistas. Pero el terrorismo continuó, con pequeñas bombas en Delhi y en los alrededores y, sobre todo, con la explosión de un Boeing 747 de Indian Airlines en pleno vuelo de Toronto a Delhi. El atentado, que costó la vida a los trescientos veinticinco pasajeros a bordo, fue atribuido a dos grupos extremistas sijs. Esa noche, Rajiv estuvo reunido con su gobierno, y Sonia le esperó despierta hasta las cuatro de la mañana. Era muy consciente de la magnitud de la amenaza que se cernía sobre su marido y tanto ella como sus hijos vivían aterrados. Veían a los miembros del Special Protection Group con escepticismo. Es cierto, estaban siempre presentes, quizás demasiado, pero ante la audacia de los terroristas sijs... ¿serían realmente eficaces?

Mientras esperaba a Rajiv, Sonia habló por teléfono con su familia en Orbassano. Desde la muerte de Indira, sus padres estaban muy inquietos por lo que pudiera ocurrirles y vivían muy pendientes de los informativos. Cualquier atisbo de orgullo que Paola, su madre, pudiera sentir por el hecho de que su hija fuese primera dama de la India quedaba ensombrecido por el temor a otro atentado. Sonia siempre les tranquilizaba, aunque su madre era capaz de reconocerle el miedo en la voz, a pesar de la distancia y las interferencias. Ese día su madre estaba doblemente preocupada. Su hija Nadia le había anunciado su regreso a Italia.

–Qué suerte tienes, mamá, vas a estar cerca de las niñas... –le dijo Sonia–. En cambio, yo voy a echar mucho de menos a Nadia.

–Estoy muy disgustada. ¿No crees que se pueden reconciliar?

–No, mamá... A veces es mejor así... –le respondió Sonia, adivinando la angustia de su madre.

Su cuñado español había seguido engañando a su hermana, y

ésta, harta ya, había decidido pedir el divorcio. Ya no tenía sentido quedarse en la India. Sonia se quedaba sola, en un momento delicado, en un ambiente apocalíptico. Tenía que ser valiente, no había alternativa.

Rajiv mantuvo la sangre fría y no cedió a la tentación de responder a la violencia con más violencia, como quizás hubiera hecho su madre. Concedió al Punjab el uso exclusivo de Chandigarh, la ciudad concebida por Le Corbusier, como su capital, a cambio de un compromiso de lealtad por parte del partido moderado sij, y anunció medidas económicas, como la construcción de una presa hidroeléctrica para aliviar el problema de la falta de energía en ese estado. Quería jugar a fondo su baza de ganarse a los moderados.

Pero el 20 de agosto de 1985 todo se vino abajo de nuevo. El líder del partido moderado que recorría los pueblos y ciudades del Punjab pidiendo el apoyo de la gente, «vendiendo» a los suyos el acuerdo con Rajiv, fue asesinado a tiros. De nuevo la tragedia, de nuevo el *impasse*. Los fanáticos imponían su tiranía, boicoteando cualquier solución negociada. En el Parlamento de Nueva Delhi, se empezó a dudar de la habilidad de Rajiv para conseguir una solución rápida al problema. Pero él no se amedrentó y decidió seguir adelante con las elecciones en el Punjab. De la misma manera que el asesinato de su madre le había catapultado al poder, pensó que el asesinato del líder moderado sij crearía una oleada de simpatía hacia ese partido. Estaba en lo cierto. Por primera vez en la historia del Punjab, los moderados arrasaron en las urnas. El resultado era una clara victoria contra el extremismo.

Pero los fanáticos sijs no iban a desaparecer sin dar batalla. En un nuevo intento por crear tensión, volvieron a atrincherarse en el Akal Takht, el templo arrasado durante la Operación Blue Star y que luego había sido reconstruido. Alegaban esta vez que la reconstrucción había profanado el templo; en realidad, cualquier pretexto era válido para recurrir a la violencia. De nuevo, les llegaron armas por los corredores y los túneles del complejo. En el exterior del Templo de Oro, jóvenes extremistas redoblaron sus ataques contra hindúes y contra todo el que no era considerado suficientemente devoto, como por ejemplo los barberos y peluqueros cuya actividad chocaba de pleno contra el precepto sij de nunca cortarse el pelo, ya que lo que Dios había creado debía ser respetado, incluido el vello. Fueron tachados de enemigos del pueblo sij y en consecuencia fueron blanco de los ataques de los más ortodoxos.

«Sólo cabe el recurso a una acción militar...», al oír esta frase, Sonia se echó a temblar. La había oído una vez, en boca de su suegra. A la vista estaba el resultado... El hijo se encontraba de pronto en la misma encrucijada. ¿Era necesario un nuevo sacrilegio, cuando el anterior no había solucionado el problema? ¿Dónde acabaría esta espiral de violencia? Por si fuera poco, los acontecimientos se repetían con macabra similitud. Como en la ocupación anterior, un policía fue tiroteado cerca del templo, poniendo al gobierno contra las cuerdas y forzando a Rajiv a tomar cartas en el asunto.

–¿Qué vas a hacer? –le preguntó Sonia, angustiada.

–Sitiarlos hasta que se rindan.

Desde su despacho en Nueva Delhi, dirigió personalmente la Operación Black Thunder. Dio órdenes estrictas al ejército y a la policía de no entrar en el templo bajo ningún concepto y de sellar el recinto, bloqueando todos los pasillos secretos, así como las vías de entrada y salida de mercancías. La espera se hizo larga, eterna. Los primeros días, los terroristas disparaban al aire y lanzaban ráfagas intimidatorias. Fuera de estas escaramuzas, en el Templo de Oro reinaba el más absoluto silencio. Las aguas del estanque sagrado reflejaban como un espejo los templos colindantes, y todo estaba tan inmóvil que parecía que el tiempo se hubiera detenido. Los terroristas esperaban un ataque, hasta lo provocaban, pero sólo obtenían el eco de sus tiros por respuesta. Al ejército y a la policía siempre les cabía la duda de que pudieran abastecerse por algún canal que escapase a su control, lo que les mantenía en un estado de extrema tensión. Afuera, los habitantes del Punjab rezaban en silencio para que sus lugares sagrados no fueran de nuevo profanados. Sonia lo seguía todo desde casa, en Nueva Delhi, y cada vez que sonaba el teléfono, el corazón le daba un vuelco. Por fin, al cabo de diez días, la voz de Rajiv al otro lado del auricular le dio una buena noticia:

–Se han rendido, ya está. La estrategia ha funcionado. No ha habido violencia ni necesidad de entrar en el templo.

Sonia suspiró, aliviada, aunque no del todo relajada. Vivir sin tensión era un lujo fuera de su alcance. Los terroristas habían fracasado en su intento de provocar al gobierno. Como siempre cuando se quiere repetir la historia, ésta acaba en parodia de sí misma. Esta vez salieron de su guarida muertos de hambre y de sed. Más de doscientos se rindieron. La victoria de Rajiv se hizo aún más patente cuando la prensa publicó fotos del interior del templo, que mostraban el escaso respeto de los terroristas hacia ese lugar tan sagrado. Había restos de excrementos por doquier, montones de ropa, objetos rotos y manchas de sangre producto de sus propias peleas. El descrédito fue completo a ojos de sus correligionarios.

36

Los críticos de Rajiv, que le acusaban de falta de carácter, tuvieron que admitir que sus cualidades de conciliador daban resultado. Su gran ventaja radicaba precisamente en la diferencia de estilo con su madre y con la mayoría de los políticos indios en general. Aportaba savia nueva. Creía que las políticas socialistas de su madre y de su abuelo gripaban el funcionamiento y el desarrollo de la economía. Estaba convencido de que el *License Raj*, que su madre había colaborado a apuntalar, ahogaba el espíritu emprendedor de los indios y fomentaba la corrupción. Agilizar permisos contra un soborno era práctica corriente entre los funcionarios. Como piloto de una compañía estatal durante catorce años, Rajiv había sufrido sus notorias incompetencias y sabía de lo que hablaba. Su esfuerzo por hacer que la administración fuese más eficaz y por relajar los controles le valió el reproche de los intelectuales de izquierda. Según ellos, liberalizar el comercio y relajar los controles harían de la India un país excesivamente dependiente del capital extranjero. Le identificaban más con la creciente clase media que con la India profunda. Le acusaban de haber nacido de pie, de hablar mejor inglés que hindi y hasta de llevar a su familia política de vacaciones al parque nacional de Ranthanbore. Cogerse vacaciones era mal visto en la India, sobre todo para un político. Pero Rajiv quiso invitar a su suegro a ver tigres en el mismo parque nacional donde había pasado con Sonia la luna de miel.

Por fin Stefano Maino había accedido a visitar a su hija preferida. Fueron las primeras y únicas vacaciones de su vida, una oportunidad que Rajiv no iba a desperdiciar, por eso se volcó en agasajarle. También formaba parte de aquel viaje el viejo amigo de Stefano, el mecánico Danilo Quadra. Sonia estaba feliz de poder recibir a su padre después de tantos años. Intuía que sería su única visita a la India porque Stefano nunca había sido amante de los viajes y porque ahora padecía del corazón y se encontraba frágil.

–Siempre tiene miedo por ti, incluso desde antes del asesinato de tu suegra –le confesó Danilo a Sonia.

El miedo lo tenía Stefano metido en el cuerpo desde antes de que Sonia se le escapase de las manos, desde el día lejano en que había comentado a su mujer: «La echarán a los tigres». También sentía miedo por Rajiv, ese *bravo ragazzo* como lo llamaba. Demasiado *bravo* para ejercer de político en un lugar tan convulso y pobre como la India, pensaba Stefano. El espectáculo de la miseria lo conmocionó, quizás porque le recordaba a su infancia, cuando era pastor de vacas y el tiempo discurría con exasperante lentitud y la tripa estaba vacía. Parecía que las cosas no iban a mejorar nunca y que la escasez, el tedio y las limitaciones serían eternas, como lo veía reflejado en las miradas de los jóvenes en las aldeas indias. Sonia lo recriminaba constantemente porque era muy proclive a dar generosas limosnas: «Como sigas así, vas a tener a todos los mendigos de la India persiguiéndote», le decía ella, recordándole que la mayoría de los mendigos trabajaban para las mafias y que más valía dar dinero directamente a los que se ocupaban de los pobres. Pero este hombre parco en palabras y que parecía tan duro no hacía caso porque no podía resistir la sonrisa de un niño que metía la mano por la ventana abierta del coche. Al final del viaje, cuando volvieron a Nueva Delhi, su amigo Danilo se lo confirmó a Sonia, alzando los hombros en signo de impotencia: «No hay nada que hacer, le gusta dar dinero a todo el mundo». Stefano Maino fue siempre fiel a su propia memoria.

Rajiv era demasiado «occidental» como para poder disimularlo, y hasta muy *british* en sus modales y en la manera de contener sus emociones. Una vez, defendiéndose de un ataque de la oposición, dijo que ésta quería hacer regresar a la India a la Edad Media, un modismo que pertenece a la historia europea y no a la india. También era cierto que su grado de identificación con los pobres no era tan intenso como el de su madre o su abuelo, pero pensaba que si la clase media urbana se enriquecía, eso acabaría beneficiando a los pobres de las aldeas. Los viejos dinosaurios del partido le recordaban que lo importante era mantener la lealtad de los votantes, que en su inmensa mayoría eran pobres de solemnidad. ¿Qué sentido tenía hacer una política que no les beneficiase a corto plazo? ¿Acaso quería Rajiv que el partido perdiese las próximas elecciones? El joven primer ministro se encontraba atrapado entre dar mayor libertad a los empresarios para ganar dinero, y mantener la fidelidad de la base, de los pobres. Ése era su gran desafío, y sabía que no iba a ser fácil ganarlo. Para luchar contra el sambenito de «primer ministro de los privilegiados» que sus detractores querían colgarle, y que en una democracia de pobres era muy perjudicial, hizo lo que hubiera hecho su madre: recorrer el país de manera exhaustiva. Hasta participó en una gran peregrinación para mejorar su imagen con las masas. Según Sonia, que le acompañaba en muchos de sus recorridos, su marido era incansable. «Caminaba tan rápido que tenía que pedirle que ralentizase el paso para que los demás pudieran seguirle. Como se había acostumbrado a no dormir más de cuatro o cinco horas al día, solía echar una cabezadita entre las distintas paradas, dándome instrucciones de despertarlo si alguien le estaba esperando. A veces, le dejaba dormir unos minutos más... Luego protestaba, pero por lo menos descansaba[1].» Sonia fue testigo del sentimiento que despertaba en el pueblo. «La gente respondía más a su encanto personal que al puesto que encarnaba. Daba igual que se encontrara en una aldea tribal del norte, una ciudad en Tamil Nadu, en el corazón del Punjab rural o en las chabolas de Bombay. Rajiv no pertenecía a ninguna casta, etnia o grupo. Era indio y todos le consideraban uno de los suyos.» Conducía su propio todoterreno en las zonas rurales. Allá donde había gente esperando, se detenía a charlar. «Si nos retrasábamos –contaría Sonia–, le seguían esperando pacientemente para hablar con él, para verlo. En sitios remotos, bien entrada la noche, un campesino acercaba una vieja lámpara de aceite a su rostro y yo veía surgir un destello en sus ojos al reconocer su sonrisa. Nos pedía que le acompañásemos para presentarnos a su familia, ponerle nombre a sus recién nacidos, desear

1. Gandhi, Sonia, *Rajiv*, *op. cit.*, p. 12.

suerte a los jóvenes matrimonios de la aldea.» Qué lejos se veía la vida de Nueva Delhi desde esos remotos rincones... desde las chozas donde compartían su escasa comida, donde escuchaban atentamente la descripción de sus privaciones y donde les hacían preguntas para averiguar cómo poder ayudarlos. «Veo mucho amor en los ojos de la gente –dijo Rajiv–, y amistad, confianza, pero sobre todo esperanza[1].» Rajiv creía firmemente que la tecnología podía eliminar, o por lo menos mitigar, la pobreza. Se acordaba de su madre, y de los esfuerzos que había realizado para poner en marcha la revolución verde, llevando a científicos al campo y organizando encuentros con políticos locales y campesinos. Cuando le criticaban por destinar grandes sumas de dinero del presupuesto del Estado a centros de investigación científicos, se defendía diciendo que los granjeros del Punjab nunca hubieran tenido éxito de no haber tenido acceso a cultivos de tejidos y a la ingeniería genética. «Podemos tener fallos si experimentamos –decía–, pero si no lo hacemos no llegaremos nunca a ninguna parte.» Las contradicciones de la India eran sangrantes: ¿Cómo era posible lanzar satélites al espacio y no ser capaces de proveer de agua potable a la población?, se preguntaba. Fue descubriendo que no era por falta de tecnología, sino por la incapacidad de aplicar la tecnología a los problemas de los pobres. De ahí surgió una idea suya que llamó Misiones Tecnológicas, un ambicioso programa de investigación en seis áreas que Rajiv, después de sus recorridos por las zonas rurales, identificó como prioritarias: agua potable, alfabetización, inmunización, producción de leche, telecomunicaciones y energías renovables.

Como siempre ocurre con alguien que sacude viejas estructuras e ideas, fue objeto de escarnio. En Nueva Delhi le tildaban de ingenuo, de querer saltar del carro de bueyes al teléfono móvil, algo que sin embargo terminaría por ocurrir gracias a su visión y a su empuje en esos primeros años de gobierno. Tres décadas más tarde, la foto de un *mahut* hablando por un teléfono móvil desde lo alto de un elefante que transporta troncos se convertiría en la imagen publicitaria de una empresa de telefonía india. Fue bajo el gobierno de Rajiv Gandhi, y gracias a la

1. Gandhi, Sonia, *Rajiv, op. cit.*, p. 101.

intervención de indios que vivían en el extranjero, principalmente en Estados Unidos, que se implantó un sistema de telefonía interurbana e internacional que funciona vía satélite y que ha llevado el teléfono a todas partes, haciéndolo asequible a esos pobres que vivían en el aislamiento más completo.

También en la capital se burlaron de su eslogan «Un ordenador en cada colegio de pueblo para el siglo XXI». Parecía el sueño de un hijo de papá porque, en efecto, muchas escuelas en las aldeas no disponían siquiera de electricidad, o de una pizarra. Pero lo cierto es que Rajiv entendió en seguida el potencial de la informática, que años más tarde serviría de locomotora a la economía de la India. Pensaba que la revolución industrial había conseguido que Europa adquiriese su posición preeminente y no quería que la India perdiese el carro de otra revolución, la de la electrónica y la informática. Menos de un mes después de ser nombrado primer ministro, redujo los aranceles de importación de los componentes informáticos y de los ordenadores. Luego fue eliminando muchos controles de la industria informática y promovió el uso de ordenadores en colegios, bancos y oficinas, dando un fuerte estímulo a la industria local. Bajo su mandato la economía se empezó a liberalizar: «Tenemos que librarnos de los controles sin abandonar el control», decía. La clase media vivió una expansión deseada durante mucho tiempo. La gente pudo comprar televisores, radios, cámaras, relojes y electrodomésticos que previamente eran inasequibles a causa de los altísimos aranceles, tan altos que la mayoría de esos objetos se adquirían de contrabando. Fueron años buenos para los consumidores y los negocios. Por primera vez desde la independencia, la creación de riqueza no era considerada un crimen o un pecado.

La repercusión de estas medidas en la vida de Sonia fue inmediata, facilitando su labor de primera dama. En previsión de las cenas oficiales, ya no tenía que partir en peregrinación por los mercados de Nueva Delhi para conseguir queso, por ejemplo, o aceite de oliva o una batidora. Poco a poco, el mundo exterior empezaba a penetrar en la India milenaria y ésta, a su vez, a abrirse al mundo.

Pero en los años ochenta el país seguía siendo un hervidero de conflictos, y la labor de primer ministro podía compararse a la de un bombero apagando fuegos. Después del Punjab, se dedicó a pacificar la región de Assam, alterada por el influjo de refugiados musulmanes que seguían llegando de Bangladesh quince años después de la guerra a buscar trabajo, y a conseguir la paz con las comunidades tribales del noreste, como los bodos, los gurkhas y los mizo, en una serie de acuerdos que consiguieron disminuir y hasta detener la violencia secesionista. En esas visitas, no tenía reparos en tocarse con aparatosos sombreros o de vestirse con trajes locales muy coloridos en símbolo de amistad, exactamente como lo hubiera hecho Indira. Se reía de sí mismo al verse así, y aguantaba muy deportivamente que le tomasen el pelo. Nunca perdía el sentido del humor, y se quedaba perplejo cuando alguien no captaba sus bromas. Cuando Rajiv volvía a casa, se apresuraba a enseñar a Sonia y a los niños los objetos que le habían regalado en esos viajes, ya fuese una vieja pipa de mujer de los mizo, un cesto de mimbre o una concha esculpida, y que luego guardaba en su despacho como auténticos tesoros. En su fuero interno, sabía que conseguir la paz y la seguridad de los distintos pueblos de la India significaba también conseguirlas para su familia, o por lo menos eso creía hasta el 2 de octubre de 1986, cuando el conflicto sij dio un último coletazo.

Ese día, mientras asistían a una ceremonia para celebrar el 117.º aniversario del nacimiento del Mahatma Gandhi en el mausoleo dedicado a su memoria en Nueva Delhi, oyeron nítidamente una explosión.

–Es el petardeo de un ciclomotor –dijo muy seguro un miembro del Special Protection Group.

Rajiv y Sonia se sentaron en el suelo mientras los sacerdotes recitaban las oraciones en memoria del padre de la nación. Cuando la ceremonia terminó y se levantaron para salir, oyeron más explosiones. El guardia más próximo a Sonia fue herido en la frente. Cundió el pánico. La multitud gritaba mientras se dispersaba. Rajiv protegía a su mujer con su cuerpo cuando otros policías les rodearon y los alejaron del lugar. «¡... Conque un ciclomotor!», repetía Sonia indignada. El frustrado asesino fue inmediatamente capturado. Era un sij, que había disparado desde lo alto de un árbol. No hubo heridos, pero para Sonia el intento era un recordatorio de que no podían bajar la guardia ni un segundo. Volvió muy alterada a casa, con enormes ganas de abrazar a sus hijos para comprobar que también ellos estaban bien, porque siempre quedaba la posibilidad de que el atentado formase parte de una conspiración más amplia. Pero esta vez no fue así, el sij había actuado solo.

37

De pronto, parecía que Rajiv había engordado. ¿Serán los *penne all'arrabbiata* de Sonia que tanto le gustaban los responsables de esa prominente barriga?, se preguntaban sus amigos con sorna. No, la culpa de ese torso abultado bajo una camisa de algodón era el grueso chaleco antibalas que fue obligado a llevar desde el último intento de atentado. De ahora en adelante, realizaba sus viajes en uno de dos grupos de coches idénticos, para que nadie supiera en cuál viajaba. Y cada vez que salía, cientos de policías patrullaban la ciudad en estado de alerta. Los niños ya sólo veían a un grupo reducido de hijos de amigos de sus padres de toda la vida, que, a pesar de ser conocidos de los guardias de seguridad, debían someterse a cacheos minuciosos antes de penetrar en «la fortaleza», como llamaban a la residencia familiar. Sonia dejó los cursos de restauración en el Museo Nacional, que había reanudado en su escaso tiempo libre, y se puso a recopilar las cartas entre Nehru e Indira con la idea de publicarlas un día. Era un trabajo que podía hacer en casa y que además podía servir a su marido, siempre en busca de buenas frases e ideas para sus discursos. Buceando en la memoria familiar, reconoció muchos de los conflictos y problemas con los que su marido se enfrentaba porque, de otra manera y en otro tiempo, Nehru e Indira también habían tenido que lidiar con ellos: cómo controlar el poder de la burocracia, cómo apaciguar las tensiones regionales, cómo sacar el país de la pobreza... El desprecio a la seguridad personal parecía ser un rasgo común en la familia. Ni Nehru ni Indira ni Rajiv sentían mucho respeto por «la seguridad» en general, porque les distanciaba del pueblo y les recordaba más a una dictadura que a una democracia. Pensaban que si alguien de verdad quería matarlos, siempre encontraría la manera de hacerlo. Sonia no estaba convencida. Se estaba dando cuenta de que si Rajiv no hubiese acabado de primer ministro, con todo el poder del Estado protegiéndoles, quizás ahora estarían todos muertos. Le daban sudores fríos de sólo pensarlo. Las circunstancias de la vida habían metido a su familia en una espiral que les obligaba a huir hacia delante. Como no existía posibilidad de detenerse ni retroceder, Sonia no tuvo más remedio que cambiar, aceptar su papel e ingeniárselas para adaptarse y sacar provecho de lo que esta vida le ofrecía. No era fácil, porque la atípica situación de la familia les creaba problemas inesperados. Por ejemplo, Rahul y Priyanka estaban llegando a la edad en la que debían ingresar en un *college*. ¿Dónde mandarlos? Sonia daba por hecho que no iban a estar más a salvo de la venganza sij en el extranjero que en la India, de manera que el problema se convirtió en fuente de gran ansiedad. Fue entonces cuando Rajiv sugirió mandarlos al American College de Moscú. De todos los países, la URSS era de los más seguros y además no había comunidad sij. A Sonia no le hizo gracia la idea, así que por el momento la desestimaron.

Como primera dama, Sonia acompañaba a su marido al extranjero. Viajaban a bordo de un Boeing 747 especialmente configurado para acomodar al séquito del primer ministro, compuesto de ayudantes, ministros, periodistas y por supuesto de una unidad de agentes del Special Protection Group. Durante los vuelos largos, Sonia se enfrascaba en la lectura de un libro, su gran afición desde la niñez, mientras Rajiv revisaba discursos con sus ayudantes, añadiendo toques de última hora o alguna sugerencia inspirada por algunas de las cartas de Nehru o de su madre. A Rajiv le gustaban esos viajes en los que dormía poco y trabajaba mucho. Daba la impresión de que se encontraba más a gusto en el extranjero que en casa. «Es bueno estar entre amigos», le dijo a Margaret Thatcher nada más llegar a Londres. Sonia procuraba hacerse lo más invisible posible. No era fácil negarse a asistir a recepciones en las que su presencia era requerida o eludir hacer discursos. «Es una mujer muy reservada a la que no le gusta estar en el punto de mira», explicaba su marido, disculpándola. Existía otra razón: no era bueno de cara a la política interna que se hablase de Sonia, porque automáticamente saldría a relucir su origen extranjero, punto débil que Maneka primero, y la derecha fundamentalista hindú después, estaban utilizando para desacreditar al primer ministro.

Pero Rajiv se sentía como pez en el agua entre estadistas internacionales. En el fondo, se había criado entre ellos y hablaba su mismo lenguaje. No daba la imagen de un oscuro político del tercer mundo, sino la de un hombre moderno y progresista con ideas propias capaz de medirse con cualquier líder mundial. Iba respaldado por los logros conseguidos en sus primeros dos años de mandato, que sumaban más que los de ningún otro primer ministro en un lapso de tiempo comparable. Cuando le criticaban porque su política de apertura económica le acercaba a Estados Unidos o viceversa, cuando en Occidente le acusaban de que la India se inclinaba hacia la Unión Soviética, a él le gustaba repetir una frase de su madre: «Nos mantenemos derechos, no escoramos hacia ningún lado». Rajiv consiguió que el presidente Ronald Reagan hiciese una excepción en su política de no vender a la India tecnología que pudiera ser desviada a países del Este. Quería una supercomputadora americana para ayudar a predecir la evolución de los monzones con un alto grado de precisión, algo que pensó sería de inestimable ayuda para los campesinos. Reagan lo entendió y accedió a la petición.

Para Rajiv, esos viajes suponían asistir a interminables mesas redondas, ceremonias, conferencias y firmas de acuerdos. Disfrutaba sobre todo visitando laboratorios y empresas punteras que producían los últimos adelantos tecnológicos y se preguntaba siempre cómo se podrían aplicar en la India para aliviar la pobreza. En Japón, Rajiv alabó al «primer país asiático en haber asimilado el conocimiento científico» y resaltó los logros de su propio país: «En 1947, ni siquiera producíamos tornos; hoy construimos nuestros reactores atómicos y lanzamos nuestros satélites al espacio». Estaba especialmente satisfecho de haber salido airoso de lo que consideraba el mayor desafío de su mandato, la sequía de 1987, catalogada como la más severa del siglo XX y que afectó a doscientos cincuenta y ocho millones de personas y a ciento sesenta y ocho millones de cabezas de ganado. Tomó el asunto firmemente en sus manos, manteniendo un estrecho contacto con funcionarios locales responsables de los programas de desarrollo y de socorro, asegurándose de que los excedentes de reserva eran apropiadamente distribuidos y de que los gastos de la ayuda de urgencia se convertían en inversiones para el desarrollo, por ejemplo ayudando a cavar pozos de agua y realizando obras de irrigación. Su dedicación y la planificación casi militar, que recordaba a muchos la capacidad organizativa de su madre, hizo que el país no tuviera que importar grano y, por primera vez en su historia, la India salía de una sequía a escala nacional sin hambrunas, sin epidemias, sin muertos y con un producto nacional bruto positivo. «¡Fue una gran satisfacción para él!», diría Sonia.

En otros frentes, los resultados no eran tan alentadores. En política exterior, Rajiv había heredado una situación viciada en Sri Lanka, creada en parte por su madre. La antigua isla de Ceilán era un país poblado por diecisiete millones de habitantes, la mayoría de cultura cingalesa y religión budista, excepto una minoría en el norte de dos millones y medio de tamiles, de religión hindú, que tenían fuertes vínculos raciales y lingüísticos con los cincuenta y cinco millones de tamiles que poblaban el estado indio de Tamil Nadu. Esta minoría se había sentido siempre marginada por la mayoría cingalesa. Se sentían tratados como ciudadanos de segunda, sobre todo desde que el gobierno, en los años cincuenta, declarase el cingalés idioma oficial de la isla. Años de resentimiento desembocaron en el surgimiento de una guerrilla, los Tigres Tamiles, que buscaba la independencia de su territorio en la punta noreste de la isla. Durante años, los Tigres contaron con el apoyo discreto de la India. El jefe del gobierno del estado indio de Tamil Nadu, un ex actor de cine de Tamil reconvertido al populismo, les suministraba armas, dinero y refugio. Indira hacía la vista gorda por razones de estrategia política interna, ya que este hombre era su único aliado en el sur y necesitaba su apoyo político.

En 1983, los Tigres eran tan fuertes que intensificaron la lucha armada. El gobierno de Sri Lanka reaccionó con todos los medios a su alcance y de manera brutal, de forma que el conflicto entró en una espiral de terrorismo y represión que reforzó aún más el deseo de independencia de los tamiles. Las altísimas cotas de salvajismo y de crueldad de ambos bandos ofrecían un contraste sangriento con la belleza paradisíaca de la isla. La expresión serena de los Budas esculpidos en piedra por los antiguos moradores de la isla parecía de pronto fuera de lugar.

Cuando Rajiv llegó al poder, se encontró con el problema de que una avalancha de refugiados cruzaban a la India, huyendo de la ofensiva del ejército de la isla. Aparte del problema logístico que suponía alimentar y alojar a miles de personas, existía el riesgo de que el descontento de los tamiles de la isla se contagiara a los del subcontinente, alimentando el deseo de independencia del estado indio de Tamil Nadu, uno de los estados con personalidad propia muy marcada, y creando más tensiones secesionistas en la India, como si no hubiera bastantes.

–Me recuerdas a tu madre, cuando tuvo que enfrentarse a la primera oleada de refugiados de Bangladesh –le dijo Sonia–. Al principio no sabía muy bien qué hacer.

–Lo que hay que hacer es arreglar el problema en su origen, es lo que hubiera pensado ella. No hay que dar razones a los tamiles de Sri Lanka para que vengan. El problema hay que arreglarlo en Colombo. Como mi madre, que tuvo que arreglarlo en Bangladesh.

Rajiv despachó una serie de enviados especiales a Sri Lanka, cuya misión era convencer al gobierno de la isla para que concediese un cierto grado de autonomía a los tamiles, dejando entender que si el gobierno hacía las paces con los tamiles, la India se comprometía a cortar por completo la ayuda a la guerrilla. Pero el gobierno de Sri Lanka, embarcado en una solución militar, hizo oídos sordos. Continuó con su ofensiva e impuso un bloqueo a la península de Jaffna, el territorio de los tamiles en el noreste de la isla. Gasolina, alimentos y medicinas empezaron a escasear.

–No hacen caso. Tienen que entender que la India no puede quedarse de brazos cruzados. Si no nos invitan a colaborar en la solución de un problema que nos amenaza directamente, intervendremos sin pedir permiso.

–¿Otra guerra? –dijo Sonia–. Piénsatelo bien.

Rajiv planificó bien la jugada. En el bloqueo vio la oportunidad de que la India se impusiera de una vez por todas. Decidió mandar cinco aviones de carga escoltados por cazas en dirección a la península de Jaffna para socorrer a la población, lanzando cuarenta toneladas de arroz, medicinas y suministros varios. Era un gesto animado de un auténtico motivo humanitario y al mismo tiempo de la voluntad de la India de afirmarse como poder regional. La presión funcionó. El presidente de Sri Lanka acabó por firmar un acuerdo con Rajiv, según el cual el gobierno cingalés concedía una amplia autonomía a los tamiles. El acuerdo también estipulaba que una fuerza de paz india sería trasladada a la isla. El ejército de Sri Lanka se retiraría a sus barracones, y los militantes de los Tigres Tamiles serían persuadidos –o forzados– a deponer las armas. «Este acuerdo no sólo acaba con el conflicto –declaró Rajiv–, también trae paz y hace justicia a las comunidades minoritarias de la isla.»

–Tu madre se sentiría orgullosa de ti –le dijo Sonia.

Pero no era como la victoria de Indira en Bangladesh. Rajiv había vendido la piel antes de cazar el oso.

La mayoría cingalesa, temerosa de que sus intereses se viesen perjudicados por las concesiones hechas a los tamiles, reaccionó de manera violenta a los términos del acuerdo. Cuando Rajiv viajó a Colombo a finales del mes de julio de 1987 para ratificarlo, los agentes del Special Protection Group que le acompañaban intentaron disuadirlo de pasar revista a la guardia de honor como requería el protocolo. «Puede ser peligroso –le dijeron–. Pueden haberse infiltrado elementos incontrolados, hay mucha tensión en la isla...»

–¿Cómo? Aquí estamos para firmar un acuerdo que garantiza su paz y seguridad... ¿y vais a decirles que tengo miedo de saludar a la guardia de honor[1]?

Sus escoltas, que conocían lo testarudo que podía ser su jefe, no insistieron. Hacía poco tiempo, uno de ellos había sufrido la ira del primer ministro en carne propia. Había osado quejarse de que Rajiv conducía demasiado rápido su propio

---

1. Adams, Jad y Philip Whitehead, *The Dynasty - The Nehru Gandhi Story*, *op. cit.*, p. 337 (de una entrevista del periodista Vir Sanghvi a Brooks Associates).

Range Rover, regalo del rey Hussein de Jordania, con el que le gustaba desplazarse desde su domicilio hasta su despacho en el Parlamento, y que no le podía seguir por las calles de Nueva Delhi. Rajiv lo había encontrado demasiado insolente y había pedido su traslado. La presión del cargo hacía surgir en Rajiv rasgos de cabezonería y determinación que recordaban a los de su hermano y su madre.

De modo que siguió con su programa y acompañó al presidente de Sri Lanka a pasar revista a la guardia de honor, con música de una banda militar, saludos marciales y toda la parafernalia. De pronto, un soldado, vestido del uniforme blanco de la marina, rompió la fila y se abalanzó sobre él, con la intención de golpearle con la culata de un rifle en la cabeza. Rajiv se percató del ataque y se agachó justo a tiempo para esquivar el golpe que le hubiera reventado el cráneo, y que recibió de lleno en el hombro. Todo ocurrió tan rápidamente que los que estaban presentes no se dieron cuenta de lo que había pasado. Rajiv quiso minimizar el incidente y rechazó ser atendido por los médicos. Permaneció escuchando el himno nacional, aguantando el dolor, y continuó con su programa, impertérrito. Hasta que no se metió en el avión para el viaje de vuelta no se dejó tratar por su médico. Hubiera querido esperar a decírselo a Sonia personalmente, para que no se asustase, pero la televisión había hecho llegar las imágenes al mundo entero. Sonia y sus hijos las habían visto en el salón de casa y estaban de nuevo con el corazón en vilo. Otro pequeño incidente venía a recordarles el peligro constante en el que vivían. «Durante mucho tiempo –contaría Sonia– no pudo mover el hombro ni dormir sobre el lado izquierdo.»

No había aterrizado Rajiv en Nueva Delhi cuando el Gobierno de Sri Lanka solicitó poner en práctica la cláusula de asistencia militar. Una fuerza de paz de varios miles de soldados indios fue despachada a la isla con la intención de supervisar el alto el fuego y el desarme de la guerrilla y, una vez cumplido el objetivo, regresar. Pero las tropas fueron vistas con recelo por ambos bandos, por la mayoría cingalesa que las acusaba de violar la soberanía, y por los Tigres, que hasta entonces habían pensado que la India estaba de su parte. Cuando los soldados de la fuerza de paz les pidieron que depusieran las armas, los tamiles añadieron de pronto unas condiciones que eran inasumibles, dando al traste con el acuerdo. Regresaron a la selva, desde donde lanzaban cruentos ataques contra la fuerza de paz. Al tener que defenderse, los indios acabaron todavía más implicados en la contienda, asumiendo el papel que tenía anteriormente el ejército de Sri Lanka. Rajiv llegó a enviar casi setenta mil soldados, lo que hizo cundir el pánico en el Parlamento de Nueva Delhi:

–¡El primer ministro está convirtiendo a Sri Lanka en el Vietnam de la India! –le acusaron desde el banco de la oposición.

Rajiv había sido muy ingenuo al pensar que los tamiles jugarían limpio. «Incumplieron cada uno de los compromisos que habían adquirido con nosotros –declararía Rajiv–. Se lanzaron deliberadamente a destrozar el acuerdo porque o no eran capaces, o no querían hacer la transición de la lucha armada a un proceso democrático.» Rajiv se lo había jugado todo a una carta, pero los tamiles le dejaron en la estacada. Al quitarles el apoyo del que siempre habían disfrutado en la India, le vieron como un traidor a su causa.

Frustración, desengaño y exasperación eran también el lote de un primer ministro, sobre todo cuando los resultados de elecciones regionales parecían confirmar las predicciones de los halcones de su partido, que le habían puesto en guardia contra una política que no diese resultados inmediatos a los pobres. En 1987, el Congress perdió en varios estados, provocando un aumento del descontento entre la vieja guardia, que empezó a cuestionar el liderazgo de Rajiv al frente del partido. Al problema de Sri Lanka y la derrota electoral se sumó un escándalo que causó un daño irreparable a su imagen de *Mr. Clean*. El 16 de abril de 1987, la radio sueca anunció que millones de dólares habían sido pagados en concepto de comisiones a funcionarios indios y a miembros del Congress por la empresa armamentística sueca Bofors en conexión con un contrato para la venta de cuatrocientos diez morteros a las fuerzas armadas indias. El contrato había sido el resultado de la decisión de Rajiv de mejorar el equipamiento del ejército indio, el cuarto mayor del mundo después del de Estados Unidos, la Unión Soviética y China.

Rajiv y su gobierno reaccionaron ferozmente contra las alegaciones de la radio sueca, desmintiendo varias veces que se hubieran pagado comisiones. La oposición olfateó miedo en las filas del gobierno y lanzó un ataque contra el primer ministro con todos los medios a su alcance. La prensa llegó a acusarlo veladamente de haber cobrado una comisión a través de la familia de Sonia, aludiendo a la proximidad entre Turín y Ginebra como dejando entender que se habían utilizado cuentas suizas opacas manejadas por la familia o amigos de la familia. ¡Hasta hubo periodistas que llamaron por teléfono a los padres de Sonia allá en Orbassano, y el pobre Stefano Maino se vio de repente involucrado en una supuesta trama de tráfico de armas y de cobro de comisiones! Lo único que hicieron aquellas llamadas fue alarmarlos aún más, porque la distancia exacerba la angustia, y el miedo a lo que pudiera ocurrirle a su hija y sus nietos ya era grande. Al escarbar en el asunto, la prensa india sacó a relucir el nombre de un hombre de negocios que había estado involucrado en varios contratos de venta de helicópteros y armamento de empresas italianas al estado indio. Ottavio Quattrochi, el amigo exuberante que desde hacía años pertenecía al círculo íntimo de Rajiv y Sonia, habría cobrado seguramente una jugosa comisión en el asunto Bofors. De ahí a insinuar que Quattrochi les había pasado parte de esa comisión en el extranjero sólo había un paso, que los periodistas dieron alegremente. ¡Qué escándalo más jugoso!

Aunque ninguna publicación pudo aportar pruebas, el daño estaba hecho y la ingenuidad y falta de experiencia de Rajiv no hicieron más que agravarlo. En lugar de ignorar acusaciones sin fundamento, salió a defenderse en el Parlamento: «Declaro categóricamente en este alto foro de la democracia que ni mi familia ni yo hemos recibido comisión alguna en estas transacciones de Bofors. Ésa es la verdad». Pero la verdad ya daba igual. Lo importante para los adversarios de Rajiv era que había picado, que en lugar de ignorar la alegación desde el principio, había reaccionado con tanto ímpetu que había abierto la caja de Pandora de las insinuaciones y falsas sospechas. Desmintió de nuevo que se hubieran pagado comisiones o que cualquier ciudadano indio se hubiese beneficiado de ese contrato, y al hacerlo se hundió aún más en el fango del escándalo. En un país donde hasta un cartero cobra una pequeña mordida por entregar el correo al pobre de una chabola, donde la práctica del intermediario existe en todas las facetas de la vida y es tan antigua como la propia cultura, resultaba difícil creer que en un contrato de mil millones de dólares nadie hubiera cobrado un céntimo. A pesar de que un comité parlamentario conjunto concluyese que el proceso de elaboración y evaluación había sido objetivo y correcto, que la decisión de adjudicarlo a Bofors se había basado sólo en el mérito y que no existía evidencia de intermediarios en el momento en que se firmó el contrato, Rajiv ya era sometido a un veredicto público, y ese veredicto le acusaba de estar escondiendo algo. «Quizás sea cierto que Rajiv no estuviese envuelto en la corrupción –reconoció la prensa–. ¡Pero entonces estará involucrado en camuflarla!», proclamaba acto seguido. Cuando un periodista del *India Today* preguntó por qué Rajiv no respondía a esta última alegación, éste contestó irritado: «¿Tengo que contestar a cualquier perro que ladra?». Más tarde, Rajiv reconoció que ni él ni su gabinete habían sabido manejar el problema. En realidad, había reaccionado como un hombre decente. No lo había hecho como lo hubiera hecho un político avezado, buscando un chivo expiatorio y cargándole las culpas. No contó con que se desenvolvía en el mundo sucio de la política donde la verdad no era lo importante, sino su manipulación para sembrar dudas y descalabrar la imagen del adversario. Sonia estaba triste por él, y furiosa por haberse visto implicada de manera tan ridícula pero tan destructiva, a través de su familia y de los Quattrochi, en semejante despropósito. Se dio cuenta de que se había convertido en blanco de todas las críticas y que ni siquiera en la intimidad era libre. Se acabaron los *brunch* de los domingos. Ni Maria ni Ottavio Quattrochi ni ninguno de los hombres de negocios o diplomáticos que conocían volvieron a la residencia del primer ministro. Qué injusto, pensaba Sonia. Sobre todo porque ella había sido testigo de primera mano de los términos generales de la negociación. Habían tenido lugar alrededor de una lasaña que había cocinado personalmente para la ocasión. Corría enero de 1986, y el primer ministro sueco Olof

Palme, de visita a Nueva Delhi, había ido a comer a casa. Él y Rajiv se habían hecho amigos durante unas conferencias sobre desarme en la sede de la ONU en Nueva York. También Rahul y Priyanka estuvieron presentes en esa comida, en la que ambos estadistas discutieron abiertamente los términos del contrato y Rajiv insistió en su veto a los intermediarios, precisamente para abaratar el coste de la transacción.

¿Cómo podría olvidar Sonia a Olof Palme, tan comprometido con los problemas del Tercer Mundo y que compartía con Rajiv tantos puntos de vista, como la oposición al régimen del *apartheid* o el apoyo a los países no alineados? Menos de un mes después de aquella cena, Sonia se quedó helada al enterarse por la televisión, el 18 de febrero de 1986, del asesinato del líder sueco, en plena calle, cuando salía del cine con su mujer. ¡Dios mío! ¿Es que ya no existe ningún lugar seguro en el mundo? Si algo así ocurre en Suecia, ¿qué puede pasarnos a nosotros aquí en la India?

Por lo pronto, el asunto Bofors se convirtió en una cruzada que utilizó la oposición para echar a Rajiv de su puesto, aunque los periodistas y los editores de prensa se sentían frustrados por su propia incapacidad para aportar una evidencia definitiva de malversación por parte del gobierno. Nadie parecía saber quiénes habían cobrado de la empresa sueca, ni siquiera el gobierno, y menos aún Rajiv. Pero todos admitían ya que la cláusula del contrato que vetaba a los intermediarios había sido violada. ¿Habían cobrado miembros del Congress desvinculados del gobierno y el dinero había ido a parar a las arcas del partido? ¿Había cobrado Ottavio Quattrochi utilizando su proximidad al poder? ¿Era eso posible sin que lo supiera el máximo responsable, es decir el primer ministro? Rajiv sostuvo siempre que no, pero la duda pesaba como una losa. El clima de incertidumbre pulverizó su credibilidad. Durante los primeros dos años de su mandato, había disfrutado de una prensa favorable y parecía incapaz de hacer algo mal. Hasta la oposición encontraba dificultades en criticar sus acciones, limitándose a criticar su estilo: «La política india ya no huele a pobre como en tiempos del Mahatma Gandhi –había declarado un famoso periodista de un partido rival–; ahora, con Rajiv, huele a *after-shave*».

«Al principio nada de lo que hacía estaba mal –diría Rajiv–. De pronto, nada de lo que hacía estaba bien. Por supuesto, ninguna de las dos cosas eran ciertas.» De llamarle *Mr. Clean*, pasaron a llamarle peyorativamente *the boy*, con la intención de compararle desfavorablemente con su madre. «¿Conseguirá *the boy* estar a la altura?» era el tema de un editorial de prensa diario.

En realidad, la mayoría de los problemas de Rajiv tenían que ver con su inexperiencia política y su candor como ser humano. Le costaba fijar los límites entre la lealtad a los amigos y el bien público. El nombre de los hermanos Bachchan, amigos de la infancia en cuya casa Sonia había vivido sus primeros días en la India, se vio asociado a oscuros escándalos financieros. Un primer ministro más prudente se hubiera distanciado de ellos. Pero Rajiv no lo hizo, al contrario, se mostraba resentido porque criticasen a sus amigos. Su madre decía siempre que en política no existen las relaciones sociales, pero él era demasiado buen amigo para ser buen político. Al principio, se negaba a admitir que sus amigos pudieran fallarle y antes prefería ver una conspiración de sus adversarios políticos que la verdad. Sin embargo, muchos amigos de confianza que había nombrado como consejeros acabaron desengañándole. Uno de ellos, un piloto, el encargado de recordarle cuándo expiraría su licencia de vuelo y de ocuparse de los asuntos de su circunscripción de Amethi, fue acusado por la prensa de construirse una piscina de mármol importado de Italia en su casa. De nuevo Rajiv, en lugar de distanciarse de él, salió a defenderle e hizo un comentario que le causó más daño político que si hubiese realmente cometido un error de gobierno. Dejó caer que muchos pilotos de aviación tenían casas con piscina, una declaración que, dicha en cualquier país de Occidente por un jefe de Estado que además hubiera sido piloto de aerolínea, no hubiera causado furor alguno. En la India levantó ampollas. La oposición le echó en cara su falta de respeto hacia la «sensibilidad india». Fue muy criticado por la costumbre de cogerse unos días de vacaciones en Año Nuevo con su familia en sitios a veces exóticos, como las islas Lakshadeep, en el océano Índico, o las islas Andamán, en la bahía de Bengala. En Occidente hubiera parecido razonable que alguien que trabajaba tanto mereciese un descanso, que los hijos que vivían enclaustrados todo el año pudiesen disfrutar de unos días de libertad y seguridad, pero en un país pobre como la India, que el máximo mandatario se lo pasase bien estaba mal visto. En realidad, Rajiv y Sonia seguían con la costumbre de reunirse en familia en Navidad y Año Nuevo, pero en 1988 dejaron de hacerlo en Italia. En octubre de ese año, Stefano Maino había caído fulminado por un ataque al corazón y pensaron que era mejor invitar a la familia a algún lugar que no les recordase las antiguas reuniones alrededor del patriarca.

Sonia se desplazó a Orbassano para el entierro, prácticamente de incógnito, y casi no se dejó ver. A los problemas de seguridad se unía un lógico sentimiento de profunda desolación y las ganas de estar en familia, con su madre y sus hermanas, buceando en los recuerdos, consolándose mutuamente. Al oír el ruido de la primera palada de tierra que el enterrador tiró sobre la caja, Sonia se estremeció. Una parte de su vida quedaba sepultada para siempre. Ya no escucharía sus consejos de sabio montañés que, ahora se daba cuenta, la habían marcado más de lo que siempre había creído.

De regreso a casa, estuvo charlando con Danilo Quadra, el viejo amigo de Stefano, que rememoró los últimos momentos de la vida del antiguo pastor de los montes Asiago. Le contó que habían estado jugando al dominó en el bar de Nino, en la plaza de Orbassano, como lo hacían diariamente desde hacía años, y que nada más volver a casa, esa casa que para Stefano era el símbolo de su triunfo en la vida, cayó fulminado. Que murió sin sufrir. Unos días después, Danilo le contó que Stefano estaba irritado desde que se había enterado del recrudecimiento de los ataques contra Sonia en la prensa india.

—«A mi hija no la quieren allí porque es de aquí», me dijo. ¿Es cierto eso?

—No lo creo —dijo Sonia—. Los que no me quieren son los que están en contra de mi marido.

—Le fastidiaba que por el hecho de que seas italiana, el gobierno indio evite cualquier contrato con empresas de aquí —siguió contándole Danilo—. Unos días antes de morir, me dijo que la Fiat había hecho una oferta muy buena de venta de tractores, pero que al final el contrato se lo habían llevado los japoneses... por miedo del gobierno de tu marido a ser acusado de favorecer empresas italianas. ¿Es eso cierto? –volvió a preguntarle Danilo.

Sonia le miró con sus ojos negros, hinchados por el cansancio y la pena, y asintió. Cuando se quedó sola y se fue a dormir a la que había sido su habitación de soltera, se preguntó, como sorprendida de sí misma, ¿soy realmente de aquí? Su padre se hubiera revuelto en su tumba si la hubiera oído decir algo así, pero sentía una indefinible sensación de extrañeza, de no pertenecer ya a ese decorado que había sido el de su juventud. Como si la muerte de su padre hubiera precipitado el sentimiento de desarraigo. A Sonia le costaba reconocerse en el país de su infancia. Su mente estaba demasiado lejos de las preocupaciones cotidianas de la gente de Orbassano, como para que pudiera identificarse con ellas. En el fondo, había vivido más años en la India que en Italia, más años en un ambiente volcado en los problemas de gobernar a una sexta parte de la humanidad que en un ambiente orientado al mero bienestar individual. Hacía tiempo que su corazón había dejado de oscilar entre ambos mundos. Era de allí, y la muerte de su padre vino a confirmárselo, de una manera secreta, como si la desaparición de quien más se había opuesto a su designio le hiciese ver con mayor claridad de qué lado se encontraba de verdad.

Se quedó encerrada varios días en casa, sin ganas de nada. Ni siquiera tuvo fuerzas para ir a ver a Pier Luigi; no quería hablar con nadie, dar explicaciones, contar su vida... ¿Era posible contarla? ¿Cómo pretender que alguien entendiese la vida que llevaba? Sólo lo podía entender su familia más próxima, y ahora ni siquiera su padre. Le asaltaron pensamientos oscuros... «Tendría que haber sido más cariñosa con él –se decía–, tendría que haberle insistido para que viniera más veces a Delhi, haber estado más cercana a él, haberle llevado al médico y quizás se hubiera podido evitar el infarto...» Era una letanía de reproches provocados por la pena inmensa de haber perdido al hombre que, junto a Rajiv, más la quería. Cuando cerraba los ojos, recordaba el cosquilleo del bigote de su padre en su mejilla, su olor a jabón, su sonrisa y su ceño, sus palabras siempre juiciosas, impregnadas de un sentido común muy básico. Recordaba cuando la llevaba a visitar una obra terminada, y él se la mostraba con el orgullo del trabajo bien hecho. «¿Por qué se ha ido tan rápido?», se preguntaba Sonia. Se acordó de Indira, que había perdido a su marido de un infarto, que es como cuando se apaga la luz de golpe. O cuando explota una bomba y deja un cráter. Dicen que es mejor morir así, pero a Sonia le hubiera gustado despedirse de él, decirle lo mucho que le quería... aunque sólo fuese una vez. Le parecía tan extraño que su padre ya no estuviera allí que una noche se levantó y se fue al cementerio, a rezar sobre su tumba. Se encontró con su hermana, que había tenido la misma idea. Querían estar con él, porque a veces el inconsciente tarda en aceptar lo inevitable. A los pocos días, Sonia se marchó a Nueva Delhi y nunca nadie la volvió a ver en Orbassano.

38

La historia se repetía. Rajiv Gandhi no podía ser primer ministro sin provocar la misma animosidad que habían suscitado anteriormente su abuelo y su madre. En 1989, partidos de derecha e izquierda se aliaron con miembros del antiguo Partido Janata, la coalición que había nacido para derrotar a Indira, con el objetivo de presentar un frente común en las elecciones generales y lograr una misma meta: de nuevo sacar a un Gandhi del poder. Durante la campaña, un episodio de violencia feroz en el estado de Bihar entre musulmanes e hindúes empañó aún más la ya de por sí desgastada imagen de Rajiv. Hubo más de un millar de muertos antes de que Rajiv pudiese encargarse de aplacar los disturbios.

Luego siguió recorriendo el país al estilo de su madre, acumulando mítines y kilómetros y vendiendo los logros de su gobierno. La diferencia es que su madre iba rodeada de poca protección, lo que le permitía estrechar manos, dar abrazos y, en definitiva, estar en contacto físico con la gente. Cada desplazamiento de Rajiv, en cambio, implicaba la movilización de unos trescientos agentes de seguridad, que no le permitían acercarse tanto, salvo en situaciones absolutamente controladas. De vez en cuando se saltaba el protocolo, aunque tuviera que discutir con sus escoltas, pero en general cada movimiento suyo implicaba tanta logística que había que pensárselo bien si merecía la pena o no. Sabía que tanta limitación le hacía aparecer como un líder lejano ante las masas y por eso pugnaba por liberarse de la vigilancia. «Nunca he tenido miedo por mí», declaró en una entrevista. Como siempre, quien era más consciente del peligro era Sonia.

En campaña, Rajiv viajaba en un Boeing del ejército, costeado por el partido, que despegaba de Nueva Delhi antes del amanecer y que le permitía visitar tres o cuatro estados en un día. Para acceder a lugares remotos, utilizaba helicópteros que la víspera del viaje habían hecho prácticas de aterrizaje en pistas de fortuna. Terminaba la jornada después de medianoche y se quedaba a dormir unas horas en el avión, o en un alojamiento del gobierno. Sólo alguien con la resistencia y el sentido deportivo de la vida que tenía Rajiv podía soportar un ritmo semejante. Sin duda los indios no profesaban por él la misma adoración que sentían hacia su abuelo, ni el respeto casi reverencial con el que rodeaban a Indira, pero apreciaban a este hombre decente que luchaba por mostrarse digno de la carga dinástica que había heredado. En varias ocasiones le acompañó su hijo Rahul, un adolescente con gafas que se parecía mucho a él. Para el joven, fue el bautismo de multitudes. La gente quería tocarle como si al hacerlo se contagiasen de la magia y del poder de un Gandhi. Priyanka no iba a ser menos que su hermano, e insistió para que ella y su madre fuesen a la circunscripción de Amethi, de la que Rajiv era diputado, a poner toda la carne en el asador. Priyanka disfrutaba mucho haciendo campaña junto a su madre. Ambas eran muy populares y muy queridas entre el millón y medio de habitantes de Amethi, que disfrutaban ahora de la prosperidad que les había prometido Rajiv en su primera campaña. Amethi podía alardear ahora de tener todas las carreteras asfaltadas; casi todas sus aldeas tenían electricidad y agua potable y un pequeño boom industrial había reducido drásticamente el paro. Ésas eran las ventajas de tener a su diputado de primer ministro. Madre e hija fueron recibidas con mucho cariño y efusividad. Sonia era la atracción principal de los campesinos, deseosos de colocar una guirnalda de flores alrededor del cuello de esta extranjera que les intrigaba porque siempre iba vestida con sari y hablaba hindi con fluidez. «Puede que sea hija de Italia, pero soy nuera de Amethi», les decía para explicar su origen, y su sonrisa dejaba ver sus graciosos hoyuelos. Como a Sonia no le gustaba hablar en público, prefería de ir de casa en casa, o de choza en choza, y animar a la gente a votar por su marido. También madre e hija improvisaban mítines en la cuneta de la carretera, donde explicaban lo mismo que Rajiv y Rahul explicaban a miles de kilómetros de allí a otros campesinos todavía más pobres. Repartían pegatinas e insignias a los jóvenes, y a las mujeres unos *bindis* adhesivos (el punto en medio de los ojos) con el logo del Congress, la palma de la mano abierta. «Sólo quiero que os deis cuenta de lo que ha mejorado la situación de vuestras aldeas desde que Rajiv fue elegido parlamentario hace ocho años... –les decía Sonia, antes de añadir–. Hermanos y hermanas, si queréis que sigamos trabajando, votad por mi marido.»

Su marido ya no era el político un poco verde de cinco años atrás. La adulación no le hacía el mismo efecto, apenas se avergonzaba de las canciones que le dedicaban ni de los floridos adjetivos con los que le describían. Estaba impaciente por hacer entender los avances conseguidos, las nuevas políticas y las novedosas iniciativas emprendidas. Se desgañitaba explicando cómo había solucionado gran parte de los conflictos heredados en 1984 y cómo había conseguido colocar a la economía en la senda de un crecimiento del 6 por ciento, cuatro puntos más que cuando gobernaba su madre, pero le daba la impresión de que había perdido poder de persuasión y que sus palabras se las llevaba el viento. Le irritaba tener el sentimiento de haberlo hecho bien y al mismo tiempo tener que defenderse constantemente de ataques e insinuaciones malévolas. Lo cierto es que su imagen había pasado de «hijo valiente que asumía el manto de su madre» a «señorito europeo que vivía a costa del pueblo». Era inevitable que después de aplacar antiguos conflictos surgiesen nuevos, pero lo importante era que la India permanecía unida, era un país respetado internacionalmente y la economía despegaba. Sin embargo, la oposición le martilleaba con una avalancha de calumnias. Sonia era un blanco favorito de las críticas: una extranjera manipuladora que desviaba recursos de los pobres indios hacia paraísos capitalistas con la ayuda de amigos y familiares en el más puro estilo mafioso, tan de su país. El problema de su nacionalidad era tan espinoso que le aconsejaron no ir a recibir al Papa en su escala en Nueva Delhi. No se consideraba políticamente correcto que millones de indios la viesen hacer la reverencia y besar el anillo del máximo pontífice de la Iglesia católica. En realidad, ni los políticos ni las masas ni los medios de comunicación estaban acostumbrados al *glamour* de una pareja en el más alto puesto de gobierno. No existía en la India la tradición de unos Kennedy, unos Blair, porque todos los primeros ministros anteriores habían sido viudos, empezando por el abuelo Nehru.

Al término de la campaña, Rajiv estaba escaldado y decepcionado. Empezó a tener dudas de que su trabajo y la sinceridad de sus propósitos acabaran imponiéndose, como pensaba al principio. «El mundo real es una jungla –escribió a su hija Priyanka–, pero ni siquiera funciona la ley de la selva cuando estás en la vida pública.» Su aspecto reflejaba su desaliento. Ya no tenía el rostro sereno y la expresión relajada del pasado. Con la edad, sus facciones se habían crispado, su andar era más pesado, la voz perdió firmeza, aunque seguía siendo cálida, porque él era un hombre afable.

En la oposición, una exultante Maneka Gandhi también ponía en práctica, a su manera, todo lo que había aprendido de su suegra. Hacía campaña en una circunscripción vecina a la de Rajiv con todo el vigor de su juventud y sus ganas de tomarse la revancha. Indira se hubiera escandalizado desde el más allá al descubrir que su nuera se había convertido en una de las secretarias generales de una nueva versión de la coalición Janata, las siglas bajo las que había conseguido ser vencida y llevada a la cárcel. Además, Maneka ejercía de periodista y reportera especializada en temas medioambientales, sobre todo la protección de los animales, un tema muy afín a la ideología de la derecha hindú, siempre muy preocupada por proteger a la vaca sagrada. La influyente revista *India Today* describía así su estilo de hacer campaña: «Ésta es la Maneka real: madura, confiada en sí misma, una infatigable política que sabe exactamente cómo ganarse el corazón rural. Lleva saris con los colores azafrán y verde de su partido y la cabeza siempre cubierta; la perfecta imagen de una viuda recatada, pero decidida». No tenía escrúpulo alguno en utilizar su vínculo con la familia para apoyar al partido contrario. Los eslóganes, escritos en paredes y muros de adobe, ofrecían un curioso panegírico de la «cuñadísima»: «La tormenta de la revolución: Maneka Gandhi» o «La valiente nuera de Indira dará su sangre por la nación», como si su relación con la familia bastara para convertirla en mártir potencial.

Las elecciones tuvieron lugar del 22 al 24 de noviembre de 1989. La mayor movilización voluntaria en el mundo de hombres, mujeres y material con un solo objetivo culminó con pocas interrupciones y escasos disturbios. Tres millones y medio de funcionarios supervisaron 589.449 colegios electorales para que quinientos millones de personas depositasen sus papeletas en las urnas. Todo el proceso, que se vivió como una gran fiesta, era motivo de orgullo para la gran mayoría de la población, que encontraba en la democracia un nuevo Dios que les unía por encima de sus diferencias de casta, raza o religión. Rajiv volvió a ganar en Amethi, pero el Congress, por primera vez en su historia, no obtuvo la mayoría absoluta en el Parlamento nacional. Los analistas coincidieron en que el asunto Bofors había jugado un papel importante en los resultados. Aquellas elecciones marcaron el final de lo que se llamaba el «sistema de partido dominante» porque nunca más ningún partido ha vuelto a conseguir la mayoría absoluta de escaños en el Parlamento.

Había corrido el rumor de que Rajiv tenía un vuelo reservado para ir a Italia en caso de derrota, pero no era cierto. Poco antes de las elecciones, un amigo íntimo, también aficionado a la música, le había preguntado:

–Vamos a suponer que pierdes las elecciones...

–Para mí, sería la paz –contestó Rajiv–. Me sentaré a escuchar música con los niños. Retomaré mis viejas aficiones, como la radio y la fotografía.

Pero lo había dicho a la ligera, llevado por el cansancio y el desgaste. Tanto él como su familia, después de todo el esfuerzo realizado, estaban desilusionados. Priyanka, que había heredado el carácter luchador de Indira, no se daba por vencida.

–Papá –le decía–, si el Congress ha conseguido el mayor número de escaños, tienes derecho a formar gobierno... ¿Por qué no lo haces?

En efecto, Rajiv tenía derecho a formar gobierno, pero decidió abstenerse. Aunque hubiera tenido suficiente apoyo entre los partidos minoritarios, pensó que no era momento de seguir.

–Creo que es mejor mantenerse fuera –le dijo–. Voy a dimitir, ahora les toca preocuparse a los nuevos. Interpreto los resultados como que el pueblo no está todo lo satisfecho que tenía que estar. Es lógico que después de tantas expectativas al principio, ahora haya existido una reacción en contra...

Apartado del poder por el péndulo de la democracia, Rajiv

sentía una gran frustración. No por el veredicto del pueblo, sino por no haber podido hacer todo lo que se había propuesto, y por su incapacidad en desenvolverse en el nido de víboras de la política india. Ahora que sabía lo difícil que era construir algo, cambiar los conceptos y las ideas, le daba vértigo pensar en la facilidad con la que su labor de los últimos años podía ser destruida. Quizás su visión de la India había pecado de inocente: en cinco años, quiso que su vieja nación, tan temerosa de los cambios y al mismo tiempo tan deseosa de ellos, emprendiese un viaje de varios siglos hacia el futuro. ¿No era pedirle demasiado a este viejo elefante indio? Por un momento, Sonia pensó que quizás abandonaría la política, pero al verlo tan descorazonado fue ella quien le animó a seguir en la brecha. A un periodista que le preguntó a Rajiv si por fin había aceptado la política como profesión, él contestó de buen humor:

–Sí, sólo que a veces me apetece tomarme un descanso. Creo que es algo muy humano.

Sonia sabía que era imposible volver a la vida de antes. Cuando su marido miraba hacia atrás, lo hacía con nostalgia, pero asumiendo que aquello era el pasado: «Soy el mismo de siempre –dijo en una entrevista en televisión–, pero lo que ha cambiado es todo lo demás. Tenía una vida muy confortable, una familia pequeña, un trabajo bien pagado con mucho tiempo libre... pero todo eso se acabó». Rajiv estaba imbuido de un sentimiento de fatalidad que le hacía pensar que un hombre no reniega de su destino. Los últimos años le habían hecho crecer en una dirección que le había colocado en un plano distinto en la vida. Ahora los desafíos eran mucho mayores y las expectativas eran diferentes. Sobre todo, la responsabilidad de mejorar la vida de ochocientos millones de personas se había transformado en algo prioritario para él. «Esa responsabilidad pesa tanto que cambia todo lo que hacía y lo que hago ahora. Lo que no va a cambiar es mi compromiso con el pueblo de la India para mejorar su existencia, y para que la nación tenga su lugar en el mundo.» La derrota no había alterado su fe. Sabía que su nombre era, para su partido, sacudido por varias derrotas en distintos estados, el solo y único recurso. Su plan era seguir reformándolo para convertirlo en una organización más democrática, como lo era en tiempos de su abuelo. Un partido aconfesional capaz de abarcar todas las tendencias y las creencias. Una casa común que sería el mejor antídoto contra el creciente faccionalismo religioso que vivía el país. Para hacer ese trabajo, era mejor estar en la oposición.

–Con esta coalición entre comunistas y la derecha fundamentalista hindú... –le dijo a su hija, siempre muy interesada en el día a día de la vida política– ocurrirá lo que ocurrió con la abuela y el Janata... Caerá por su propio peso. Es sólo cuestión de tiempo antes de que sus líderes se peleen por el poder, ya lo verás.

Rajiv dimitió el 29 de noviembre de 1989: «Las elecciones se ganan y se pierden... el trabajo de una nación nunca termina. Quiero agradecer al pueblo de la India el afecto que me ha dispensado con tanta generosidad». Eran palabras que evocaban las del testamento de su abuelo, en el que Nehru había afirmado sentirse conmovido por el cariño que todas las clases de indios le habían profesado. Eran palabras que sonaban a despedida. La cita que Rajiv Gandhi tenía con el destino se acercaba inexorablemente.

Tal y como lo había predicho, los dos líderes más importantes de la nueva coalición se enzarzaron en una pelea a propósito de la designación del nuevo primer ministro. Era un mal comienzo que presagiaba una singladura borrascosa. Pero entre los nuevos miembros del gobierno se encontraba una persona especialmente eufórica que había formado parte de la dinastía familiar de los Nehru. Al ser nombrada ministra de Medio Ambiente y Bosques, Maneka Gandhi vio por fin cumplido su viejo sueño. Ya estaba en el poder. Ya se había tomado la revancha, y pensaba llevarla muy lejos. Fue una humillación más para Rajiv, aunque estaba curado de espantos sobre los vericuetos torticeros de la política y nada de ese mundo le sorprendía. Para el resto de la familia, que había visto cómo Maneka utilizaba su apellido con una total falta de escrúpulo, fue una amarga píldora que sólo la certeza de que ese gobierno sería flor de un día consiguió endulzar.

Para Sonia, haber perdido las elecciones significaba una nueva mudanza, esta vez la última. Tuvieron que dejar la residencia oficial del primer ministro y ocuparon otra villa blanca de estilo colonial, de una sola planta y rodeada de un amplio jardín. Se encontraba en el número 10 de la avenida Janpath, la antigua Queen's Way, una de las grandes arterias de Nueva Delhi bordeada de flamboyanes y de nims, árboles con ramas muy abiertas y frondosas, y cuyas hojas amargas, según la creencia popular, «lo curan todo». Quizás su sombra protectora fuese responsable de curarles la melancolía producida por la derrota porque, nada más mudarse, el ambiente en casa se animó. La vida se hizo un poco más tranquila, más liviana, como si se hubieran quitado un peso de encima, el peso del poder. Rajiv seguía estando muy atareado con su trabajo en el Parlamento y en el partido, pero a un ritmo más llevadero. «Estaba relajado –escribiría Sonia–, casi aliviado. De nuevo disfrutaba de placeres sencillos y cotidianos como comidas ininterrumpidas, quedarse en la sobremesa con nosotros, ver de vez en cuando un vídeo en lugar de encerrarse en su despacho a trabajar[1].» El chef del exquisito restaurante indio Bukhara, donde antaño solían acudir en familia al buffet de los sábados, les recibió con los brazos abiertos cuando volvió a verlos después de tan larga interrupción. Fueron allí a celebrar el cumpleaños de Rahul, y su inminente partida a Estados Unidos. Los niños ya no eran niños, sino jóvenes adultos devoradores de periódicos y muy interesados en todo lo que pasaba a su alrededor. Como no podían seguir estudiando en casa porque ya habían terminado el equivalente al bachillerato, Rajiv y Sonia habían decidido mandar a su hijo a la Universidad de Harvard, acabando así con la tradición de educar a los hijos en Inglaterra, como lo habían hecho tres generaciones de Nehrus. Priyanka prefirió quedarse en Nueva Delhi, estudiando psicología en el Jesus and Mary College. Su obsesión por la política preocupaba tanto a su padre que lo comentó con Benazir Bhutto, cuando se encontraron por última vez en París, invitados por el presidente Mitterrand a asistir a las celebraciones del bicentenario de la Revolución francesa.

–Por favor –le dijo Rajiv–, cuando la veas, intenta convencerla de que no se meta en esto.

De escuchar a alguien, sabía que su hija escucharía a Benazir, cuyo propio padre había sido asesinado después de una pa-

1. Gandhi, Sonia, *Rajiv, op. cit.*, p. 13.

rodia de juicio bajo las órdenes de un dictador militar. Era otro ejemplo, próximo y terrible, del destino que esperaba a los que se dejaban seducir por la política. «No se da cuenta de lo peligroso que es esto», insistió Rajiv ante Benazir[1].

Él pensó que, estando fuera del poder, la amenaza que pesaba sobre él y sus hijos disminuiría, pero los informes que le llegaban sobre su seguridad le tenían siempre preocupado. Las amenazas contra su vida se habían multiplicado. En 1984, estaba el primero en la lista de tres grupos terroristas. Cinco años más tarde, lo estaba en una docena de organizaciones, incluida los Tigres Tamiles. El problema del Punjab parecía haberse solucionado, pero había otros conflictos, especialmente entre hindúes y musulmanes, potencialmente igual de peligrosos. «Ambos habéis vivido en circunstancias muy difíciles durante mucho tiempo, cinco años en un espacio limitado a la casa y el jardín –les había escrito Rajiv a sus hijos en una ocasión–. Es la época de vuestra vida en la que teníais que haber vivido en libertad, haber conocido gente de vuestra edad, haber descubierto el mundo como realmente es. Desafortunadamente, las circunstancias no nos han permitido ofreceros una vida normal.» Aquella carta desprendía un sentimiento de culpabilidad y al mismo tiempo de fatalidad. Rajiv era consciente de que no era dueño de su destino. Lo que le había catapultado a la política había sido un accidente, luego un atentado le había llevado al más alto cargo del gobierno de la nación, y, al fin, el escándalo Bofors le había colocado en la oposición. No había podido cambiar el rumbo de los acontecimientos y en esa carta parecía disculparse por el sufrimiento que ello pudiera haber ocasionado a sus hijos.

En realidad, la derrota en las elecciones fue una bendición para Sonia. En agosto, se fueron unos días a Mussorie, en las montañas, y Rajiv condujo su propio coche. Era su primera escapada juntos en diecinueve meses y allí, con la cordillera del Himalaya de fondo, celebraron el que sería el último cumpleaños de él.

Luego, en Navidad, cuando Rahul volvió de Harvard, toda

---

1. Ali, Tariq, *The Nehrus and the Gandhis: an Indian Dynasty*, Londres, Pan Books, 1985, p. 324.

la familia fue a pasar una semana de vacaciones a la casa de campo de Mehrauli, la que había comprado Firoz Gandhi con la idea de vivir sus últimos años tranquilo con Indira. Nunca habían podido estrenar esa casa, cuyos detalles de construcción Rajiv había supervisado durante años y costeado con sus ahorros. «Fue la primera vez que nos quedamos a vivir en una casa que era enteramente nuestra», escribiría Sonia. Rajiv se encargó de ponerla a punto. Sus hijos ayudaron a sacar los muebles de jardín y a limpiar el vetusto interior mientras él preparaba algo para picar, porque lo prefería a las comidas formales. Ellos le escondían el chocolate que tanto le gustaba porque les parecía que desde que había dejado el poder había ganado peso. Recordaron las fiestas de Holi que habían pasado allí en la infancia, tirándose polvos de colores hasta acabar todos perdidos. Jugaron al bádmington y al scrabble y Sonia empezó a limpiar de rastrojos una parte del jardín con la idea de plantar un huertecito. Le tiraba el campo, desde siempre, desde su niñez en Lusiana. ¡Cómo le hubiera gustado tener a su padre con ellos en esas vacaciones! ¡Cómo le hubiera gustado esa casa! Se acordaba mucho de él. En sus llamadas semanales a su madre en Orbassano, casi se dejó llevar por el reflejo de preguntar por su padre.

«Disfrutamos mucho cada minuto de los seis días que pasamos allí –recordaría Sonia–. Nos traía recuerdos de nuestra vida tal y como era al principio, y el sabor de la que habríamos tenido si hubiéramos podido elegirla por nuestra cuenta.» Muchos amigos se sorprendían de que siguiesen tan románticamente enamorados como el primer día. «A mí no me sorprendía porque siempre se quisieron mucho... –recordaría Christian von Stieglitz, el amigo común que les había presentado en Cambridge y que fue a visitarlos durante aquellos días a la casa de Mehrauli–. Por razones de trabajo, iba mucho a Delhi en aquella época, y era un placer verlos siempre tan acaramelados después de tantos años de matrimonio. En privado, no paraban de darse besos y de cogerse la mano.» El 9 de diciembre de 1990, día de su cumpleaños, Sonia recibió un regalo de Rajiv con una nota: «Para Sonia, que no cambia con el tiempo, que es aún más hermosa hoy que cuando la vi por primera vez sentada en una esquina del restaurante Varsity, aquel día tan bonito...».

39

Pero como siempre, el paréntesis de felicidad lo cerraron los acontecimientos políticos, que se precipitaban más rápidamente de lo que Rajiv esperaba. La India se deslizaba por una pendiente peligrosa, empujada por uno de los partidos de la coalición en el poder, el BJP (Bharatiya Janata Party), la antigua derecha fundamentalista hindú que tanto había fustigado a Indira. El partido había crecido hasta convertirse en el adversario más peligroso del Congress y un peligro potencial para la unidad del país. Apoyado por el RSS, una organización militante extremista, el BJP reclamaba una «India hindú» donde las minorías tendrían que vivir supeditadas a la mayoría, no en pie de igualdad. Su filosofía era diametralmente opuesta a la de Nehru y el Congress, porque renegaba del principio fundador de la India moderna, es decir de la aconfesionalidad que pregonaba la separación del Estado y de la religión, y la igualdad de todas las religiones ante la ley. El auge del BJP coincidió con el recrudecimiento de la violencia religiosa en el norte del país. Eran disturbios que no se aplacaban solos, sino que duraban hasta que las fuerzas de policía los aplastaban. El origen de esos disturbios era siempre el mismo y solía desencadenarlo un detalle nimio, como una disputa por los lindes de un terreno, por un espacio en una acera, por un cerdo orinando en el muro de una mezquita o una vaca muerta encontrada cerca de un templo hindú. En cualquier caso, en cuanto saltaba la chispa, la violencia se propagaba de manera fulgurante, alimentada por rumores, siempre falsos, que magnificaban el incidente original, transformando un simple encontronazo entre dos individuos en una guerra santa entre religiones. Las organizaciones comunitarias y los políticos que se identificaban con una u otra de las facciones alimentaban el fuego de la discordia, de manera que de las palabras se pasaba a los puñetazos, luego a los cuchillos, y así hasta los cócteles molotov y los balazos.

En la India, los conflictos de casta y religión empezaron a retroalimentarse a partir de los años ochenta, en concreto después de que toda la población de un pueblo de intocables en Tamil Nadu tomase la decisión de convertirse al islam para escapar del rígido sistema hindú de las castas. Aquellos pobres cambiaron hasta el nombre del pueblo, que de Menashkipuram pasó a llamarse Rehmatnagar. Los fundamentalistas hindúes pusieron el grito en el cielo –«¡El hinduismo está en peligro!»– y acusaron a los países del Golfo de estar financiando a los musulmanes de la India. La realidad era que los intocables reaccionaban por fin a siglos de opresión a manos de los terratenientes, que en esa zona eran hindúes de alta casta.

Luego, un acontecimiento aparentemente inofensivo inflamó aún más los ánimos de los fundamentalistas hindúes: la retransmisión en 1987 de una serie basada en el *Ramayana*, la epopeya hindú más popular, lo más parecido que los hindúes tienen a las escrituras sagradas. La adaptación para la televisión, una mezcla de telenovela y mitología, constaba de ciento cuatro episodios que se retransmitían los domingos por la mañana. El éxito fue tan fulgurante que la televisión estatal encargó a otro productor de Bollywood la realización de la epopeya del *Mahabharata*. Ambas series fueron las telenovelas de mayor audiencia en el mundo entero. Un 85 por ciento de los telespectadores indios vieron la totalidad de los episodios, una cifra única en la historia de la televisión.

Cuando emitían las series, la actividad del país entero se paralizaba. Taxis, bicicletas y *rickshaws* desaparecían de las calles. Los teléfonos dejaban de sonar. Las oraciones y los ritos de cremación se posponían. Funcionarios, amas de casa, tenderos, prostitutas, reos, vendedores de agua, barrenderos, niños, pobres que hurgaban en las basuras... todos abandonaban sus quehaceres para plantarse frente a un televisor en casa de alguien, en un comercio, en la plaza de la aldea, o mirando a hurtadillas por las ventanas de las casas de las familias que tenían el privilegio de contar con ese invento extraordinario. Muchos espectadores se creían a pie juntillas lo que estaban viendo, como si los dioses que salían en la pantalla habitasen el mundo de los hombres. Cuando el dios Rama salía en la serie, encendían una lamparita de aceite y se ponían a rezar allí mismo. En la India, las capas más desfavorecidas de la población son indiferentes a la distinción occidental entre historia pasada y actualidad, entre verdad y mito. Para ellos, todo es verdad. Los políticos más avezados, empezando por Indira, siempre supieron utilizar a su favor esa tenue frontera entre personas y dioses.

Las series desencadenaron una auténtica marea de fervor hinduista. En realidad el fervor había existido siempre, y se había exacerbado con la independencia, como una reacción a tantos siglos de dominación por los mogoles y luego por los ingleses. Nehru y Gandhi, muy conscientes del peligro de este tipo de fundamentalismo –parecido al de los sijs o al de los musulmanes, o al de los cristianos en otras partes del mundo, pero más peligroso aún en la India porque era la religión mayoritaria–, se esforzaron en predicar las virtudes de la aconfesionalidad y en enfatizar la unidad entre hindúes y musulmanes. El Mahatma Gandhi lo pagó con su vida: fue asesinado por unos militantes del RSS, organización que más tarde se afilió al BJP. Indira, muy consciente del problema, al principio de su mandato tuvo que enfrentarse con firmeza a cientos de santones desnudos que exigían la prohibición de matar vacas a las puertas del Parlamento.

Rajiv y otros miembros del Congress eran testigos de cómo el BJP explotaba con fines políticos el sentimiento religioso creado por la retransmisión de las series. En 1987, el BJP, de común acuerdo con dos poderosas organizaciones sociales y paramilitares ideológicamente afines, iniciaron una campaña que llamaron de «desagravio histórico». El objetivo era derribar una antigua mezquita construida en la antigua capital hindú de Ayodhya por un general del emperador mogol Babar en 1528. Alegaban que la mezquita había sido construida en el emplazamiento donde había nacido el dios Rama.

Para los musulmanes indios, la campaña del BJP y sus aliados era un ataque directo a sus derechos y a su religión. Impedir que las hordas hindúes destruyesen la mezquita se convirtió en símbolo de su supervivencia. Los ingredientes para un conflicto enrevesado y violento estaban servidos.

En 1989, después de las elecciones que le costaron el puesto a Rajiv, otra organización fundamentalista hindú asociada al BJP lanzó una campaña nacional para que cada pueblo de más de dos mil habitantes ofreciese un ladrillo destinado a la construcción de un templo a Rama a menos de treinta metros del emplazamiento de la mezquita. Era una provocación a los musulmanes. En el Parlamento, Rajiv urgió a que el gobierno tomase cartas en el asunto. El nuevo primer ministro mandó a las fuerzas del orden a interrumpir la construcción del templo, pero no consiguió sentar en una misma mesa a los distintos líderes para negociar una solución pacífica al conflicto. Por su parte, Rajiv hizo el gesto de ir a visitar a un santón hindú muy venerado que vivía a orillas del Ganges, un hombre que creía firmemente que la India era el hogar común de muchas religiones, y que debía seguir siendo así.

Un año más tarde, el BJP hinduista dio una nueva vuelta de tuerca a la provocación. Uno de sus líderes, un individuo alto, serio y carismático llamado L. K. Advani, hizo un llamamiento para que miles de voluntarios de todo el país convergiesen en Ayodhya con la idea de galvanizar las pasiones chovinistas de los hindúes. Él mismo encabezó una peregrinación que salió de una pequeña ciudad de Gujarat, y lo hizo a bordo de un carruaje motorizado que exhibía grandes retratos de los dioses y cuyos altavoces recitaban versos del *Ramayana*. Los campesinos se frotaban los ojos, incrédulos, al ver pasar ese cortejo seguido de voluntarios vestidos exactamente igual que los héroes de las series que habían visto en televisión. Aquella marcha elevó tanto la temperatura de la tensión comunal que el gobierno, en principio reacio a intervenir contra uno de los miembros de su coalición, mandó interrumpir la procesión de Advani antes de que ésta llegase a su destino.

Como represalia, miles de voluntarios del BJP asaltaron la mezquita de Ayodhya, armados de arcos y flechas. Un escalofrío de pánico recorrió el país entero. ¿Qué pasaría si en cada barrio, en cada aldea, en cada ciudad del subcontinente empezase una guerra de religiones? ¿No había servido la violencia desencadenada durante la Partición para vacunar a la India contra enfrentamientos basados en la religión? Las consecuencias podían ser tan terribles que daba miedo imaginarlas: atrocidades contra personas inocentes, el desmembramiento del país, quizás una guerra civil. Pero el líder del partido hinduista parecía inmune al sentido común. Todo valía con tal de ganar votos, incluyendo colocar a una nación de ochocientos cincuenta millones de habitantes al borde del abismo.

La policía no tuvo más remedio que actuar con contundencia para proteger la mezquita de la destrucción. Hubo una docena de muertos entre militantes y policías. El partido hinduista achacó a la policía el desenlace violento y su líder, Advani, anunció que retiraba su apoyo al gobierno. Mucho antes de lo que Rajiv había previsto, caía el primer gobierno que le había sustituido.

–¿Vas a pedir que se convoquen elecciones? –le preguntó su hija.

–No, el partido no está listo todavía. No creo que saquemos más votos ahora que en las anteriores. Prefiero esperar.

Rajiv, cabeza del partido con mayor representación en el Parlamento, se encontraba de nuevo en una posición clave. Un líder rival del primer ministro que acababa de caer solicitó su apoyo para formar gobierno. Rajiv aceptó dárselo, pero desde fuera, sin formar parte del nuevo gabinete. Una maniobra astuta, que le proporcionaba control sin tener que asumir la responsabilidad de lo que hacían los miembros de la nueva coalición gobernante. La verdad es que Rajiv no confiaba mucho en este líder, ni en sus ministros, entre los que se encontraba Maneka Gandhi, y no quería verse asociado a su gestión, que preveía iba a ser un desastre. Estaba convencido de que en cuestión de meses la gente pediría desesperadamente el regreso del Congress al poder. Entonces sería el momento de convocar elecciones.

Las predicciones de Rajiv se hicieron realidad. El gabinete constituido por el nuevo primer ministro ofrecía una colección de granujas de lo más deprimente hasta para los estándares del tercer mundo: «Una extraordinaria colección de los más despiadados e inmorales oportunistas que jamás han entrado en la arena política india», según la descripción del escritor inglés afincado en Nueva Delhi, William Dalrymple[1].

1. Citado en Ali, Tariq, *The Nehrus and the Gandhis: an Indian Dynasty*, *op. cit.*, p. 320.

La ruptura no tardó en llegar, y ocurrió de manera un tanto extraña. Sonia estaba de nuevo muy ofuscada con el tema de la seguridad porque, al perder las elecciones, el nuevo gobierno les había retirado los escoltas altamente adiestrados del Special Protection Group, como si el hecho de que Rajiv no estuviese en el gobierno hiciese desaparecer las amenazas. El cambio había sido tan drástico que Sonia y Priyanka vivían en un estado de miedo perpetuo cada vez que Rajiv se iba de viaje. De pasar a ser protegido por cientos de agentes en cada desplazamiento, salía de casa acompañado de un solo escolta, un buen hombre, fiel y servicial, llamado Pradip Gupta: «Si algo le ocurre a Rajiv, será por encima de mi cadáver», le dijo una vez a Sonia al verla tan desasosegada. Pero era un pobre consuelo. Rahul compartía la misma angustia. Llamaba a menudo desde Estados Unidos para cerciorarse de que nada le había pasado a su padre. Estaba tan preocupado por los detalles que le contaba su madre sobre lo chapuceras que eran las medidas de seguridad que insistió mucho en ir a pasar las vacaciones de Pascua a casa, en marzo de 1991. Acompañó a su padre en un viaje por el estado de Bihar y se quedó pasmado al comprobar por sí mismo la ausencia de previsión, la falta de medios y lo expuesto que estaba Rajiv a cualquier agresión. A veces los policías estaban apartando a una muchedumbre y le dejaban solo en el coche, otras veces no se adelantaban lo suficiente y Rajiv quedaba de nuevo expuesto. Antes de embarcarse de nuevo para Estados Unidos, Rahul dijo a su madre unas palabras que en el fondo no quería creer, pero que resultaron premonitorias: «Si no hacéis algo al respecto, me temo que la próxima vez que vuelva será para el funeral de papá».

El problema no era sólo la falta de apoyo del gobierno, sino que Rajiv estaba obsesionado con la idea de mantenerse cercano al pueblo. Le habían dicho que había perdido las elecciones porque había dado la imagen de alguien lejano y casi altivo. La presencia de guardaespaldas era un impedimento a la hora de labrarse una imagen de político accesible, que era lo que buscaba. «Vivir bajo una amenaza terrorista o una amenaza de muerte nunca me ha preocupado –había declarado–. Nunca he dejado que interfiriese en mi manera de pensar. Sí, me ha causado problemas por todas las molestias que la seguridad implica... pero si hay que morir por lo que uno cree, no lo dudaría.» Christian von Stieglitz estuvo unos días con ellos en aquellas fechas, junto a Pilar, su mujer española. «Pilar no conocía Nueva Delhi, así que Rajiv nos llevó a dar una vuelta. Nos metimos en un pequeño Suzuki que conducía él mismo, y salió a toda velocidad, sus escoltas siguiéndole como podían en un Ambassador blanco, hasta que consiguió despistarlos. ¡No debía de ser fácil ser escolta de Rajiv Gandhi! Yo no podía dejar de pensar que se arriesgaba demasiado. Recuerdo que una tarde fuimos al Qutub Minar, el monumento más alto de la ciudad. Rajiv estaba entre mi mujer y yo charlando con nosotros mientras caminábamos entre las ruinas. En un momento dado, me di la vuelta y vi que nos seguían unas mil personas, a cierta distancia, sin atreverse a acercarse demasiado. Estaban sorprendidísimos de ver a Rajiv pasear como un turista más. Seguimos caminando y de pronto Rajiv se agachó y recogió del suelo dos florecitas blancas. Se acercó a la multitud y se las dio a una niña que le miraba boquiabierta con grandes ojos negros.» Cuando Christian le hizo un comentario sobre los riesgos que asumía, Rajiv le contestó: «No puedo desconfiar del hombre de la calle. Tengo que vivir la vida».

La que no vivía era Sonia. Fue ella quien se fijó, en un fin de semana que pasaron en la casa de campo de Mehrauli, en dos individuos que vigilaban la casa y que no eran los escoltas habituales. Se lo comunicó a Rajiv, y éste salió a preguntarles quién les había dado la orden de vigilarlos, y así descubrió que había sido el jefe de gobierno local, un individuo que pertenecía al partido del nuevo primer ministro. Irritado y desconcertado por lo que consideraba una inaceptable intrusión en su vida privada, Rajiv llamó al primer ministro y exigió que le quitasen esa vigilancia, así como la dimisión del jefe de gobierno que había dado esa orden. «Era una cuestión de confianza –declaró Rajiv–. Había depositado mi confianza en este hombre, y apoyamos su gobierno. Y ahora descubro que no somos de fiar y nos ponen dos policías vigilando nuestra casa. ¿Qué significa esto?» El nuevo primer ministro intentó minimizar el asunto y procuró aplacar los ánimos encendidos de Rajiv, porque se encontraba en un callejón sin salida. De cara a su propio partido, no podía despedir a funcionarios o a jefes de gobierno locales a petición del líder del Congress. Por otra parte, si Rajiv le quitaba el apoyo, perdería el control del Parlamento. Pero Rajiv insistió en depurar responsabilidades. Como el hombre no respondió a sus requerimientos, Rajiv amenazó con boicotear el Parlamento. De modo que cuatro meses después de haber jurado el cargo, ese primer ministro se vio obligado a presentar su dimisión al presidente de la República.

Ahora sí, había llegado el momento de celebrar nuevas elecciones generales, que la comisión electoral fijó para el 20, 23 y 26 de mayo de 1991. La India estaba en plena crisis, lo que podía facilitar que un partido de oposición como el Congress volviese al poder. Aparte del auge del fundamentalismo hindú, Cachemira vivía una escalada de violencia. En el frente de la economía, la gestión de los últimos gobiernos había sido desastrosa. La inflación, producida por el aumento del precio del crudo a causa de la guerra del Golfo, estaba desbocada y amenazaba con crear graves problemas sociales. Rajiv propuso un programa basado en la estabilidad y en la reforma económica, incluyendo más privatizaciones y menos controles a la industria y el comercio. El enemigo a batir en las urnas era el BJP, el partido hinduista, que se perfilaba como una organización en auge con un programa potencialmente peligroso para la estabilidad del país. Los demás partidos, incluidos los de la coalición saliente, sólo podían aspirar a un número limitado de escaños.

De nuevo Rajiv partió en campaña, seguro de su victoria. Así era la política, como un reflejo de la vida misma, donde nada es permanente y todo cambia sin cesar, a veces a una velocidad de vértigo. Quiso iniciar la campaña junto a Sonia, y él mismo pilotó el avión que el 1 de mayo de 1991 se posó en Amethi. Era la primera de seiscientas escalas que tenía que hacer en veinte días. Una multitud estaba esperándoles a la bajada del avión, entre las que había muchas mujeres que fueron a dar la bienvenida a Sonia. Una de las razones de su inmensa popularidad en Amethi es que Sonia tenía una memoria prodigiosa, y recordaba los nombres y las caras de mujeres que quizás había visto cinco minutos en anteriores viajes. La italiana se identificaba plenamente con aquellas campesinas que la tocaban con una curiosidad casi infantil para comprobar que era de carne y hueso como ellas. Tenía la intención de pasar tres semanas acampando en la circunscripción de su marido, solicitando el voto casa por casa, mientras él recorrería el subcontinente. Al final de la jornada, antes de subir por la escalerilla del avión, Rajiv se dirigió a sus electores y les dijo una frase muy sencilla, pero que a la postre resultó ser profética: «No creo que pueda regresar aquí de nuevo, pero Sonia se queda para velar por vosotros». Sonia sintió una punzada en el corazón. No por el hecho de quedarse sola, porque la calidez de la gente y la actitud solícita de los miembros locales del Congress la hacían sentirse como en casa, sino porque era la primera vez en veintitrés años de casados que iban a pasar tanto tiempo separados, casi tres semanas.

Aquella noche, mientras intentaba conciliar el sueño tendida en un charpoi, un catre hecho de cuerda trenzada, dentro de una tienda de campaña y luchando contra el calor y los mosquitos, Sonia se acordó de la última vez que había estado en Amethi. Era en febrero, el mes en que cumplían su aniversario de boda. Había venido a inaugurar una campaña de vacunación contra la polio. Pensaba que no podrían celebrar juntos el aniversario, porque Rajiv tenía previsto viajar en esas fechas a Teherán. Iba con la idea de lanzar una iniciativa diplomática para acabar con la guerra del Golfo. Pero una noche como aquélla, aunque menos calurosa, le había llegado una nota de Rajiv pidiéndole que cancelase sus compromisos en Amethi y que por favor volviese rápidamente a Nueva Delhi para acompañarlo en ese viaje. «Siento como... que me apetece estar contigo, únicamente tú y yo, nosotros solos, sin cientos de personas revoloteando a nuestro alrededor como siempre», decía la nota. Cuando Sonia llegó a Nueva Delhi, al filo de la medianoche, se encontró con un Rajiv nervioso porque pensaba que no llegarían a tiempo para coger el vuelo. Descubrió que ya había hecho las maletas. Todo estaba listo para el viaje. En Teherán, después de los compromisos oficiales, se fueron a cenar solos a un restaurante. ¿Hacía cuánto tiempo que no se permitían semejante lujo romántico? Ni se acordaban ya... Rajiv le entregó un regalo que había traído desde Delhi, unos pendientes preciosos y sencillos como le gustaban a ella. Cuando volvieron al hotel, cogió su cámara, con la que siempre viajaba, y se hicieron una foto con el disparador automático, algo que nunca habían hecho antes[1].

–¡Madam, Madam!...

Una voz susurrante fuera de la tienda interrumpió su ensoñación. Sonia se levantó, se puso una bata y salió. Un hombre joven, un simpatizante del partido, le entregó un sobre. Venía de Nueva Delhi, era de Rajiv. Sonia lo abrió y encontró una rosa, con una nota escrita a mano. La leyó, sonrió mostrando sus hoyuelos, y regresó al charpoi. «Era un mensaje de amor», confesaría más tarde.

Priyanka llegó unos días más tarde a Amethi para acompañarla. Visitaban una media de quince aldeas al día. Escuchaban las quejas de la gente por una pensión que no llegaba, un niño ciego que necesitaba dinero para una operación o una anciana que se quejaba de que después de las anteriores elecciones, los del Congress los ignoraron. Sonia tomaba notas y daba instrucciones a sus ayudantes. «Tened fe –les decía a los suplicantes–, me voy a encargar de solucionaros esto.»

En una de las aldeas, Priyanka fue testigo de un acontecimiento extraordinario, teniendo en cuenta la aversión que tenía su madre a hablar en público. Sin que Rajiv se lo hubiera pedido, Sonia se atrevió a hacer su primer discurso frente a una multitud de varios miles de personas. «Mi marido ha trabajado mucho por vuestro bienestar y yo trabajo para mi marido... Sólo el Congress puede representaros dignamente, estrechad la mano de mi marido...» Priyanka se reía de verla exhortar a la gente a votar por el Congress, y además con gracia. Las frases en hindi con un ligero acento le salían con facilidad, sonreía y parecía disfrutar, quizás porque no había periodistas, todos eran gente humilde que no la intimidaban. Lo más notorio era que lo había hecho motu proprio, como un acto de entrega a su marido.

Ambas regresaron a Nueva Delhi el día 17 de mayo, agotadas, sudorosas y llenas de polvo, pero optimistas sobre el resul-

1. Gandhi, Sonia, *Rajiv, op. cit.*, p. 14.

tado final de las elecciones. Cuando la noche siguiente Rajiv llegó de su gira y entró por la puerta principal, se quedaron estupefactas. «Estaba exhausto. Casi no podía hablar ni caminar. No había dormido ni había comido decentemente durante semanas. Había estado de campaña unas veinte horas al día. Sus manos y sus brazos estaban llenos de arañazos y de marcas. Le dolía todo el cuerpo. Miles de admiradores le habían tocado, le habían dado apretones de mano, abrazos fraternales y palmadas en la espalda. Se me partió el corazón de verlo en ese estado.» Sus dedos estaban tan hinchados por la cantidad de apretones de mano que se había tenido que quitar la alianza. Pero estaba contento, el corazón henchido por tantas pruebas de afecto, por tanto entusiasmo. Su deficiente servicio de seguridad le había servido para ir al encuentro de lo que su abuelo y su madre llamaban «el amor de la gente», y volvía emocionado porque la gente respondía. «En Kerala y en Tamil Nadu tienen la costumbre de pellizcarte la mejilla, por eso la tengo tan roja e hinchada... –le contaba a Sonia mientras ella le colocaba un reposapiés para que pudiese estirar las piernas–, y a veces, en zonas musulmanas, te dan besos, ya sabes, uno, dos, tres besos y luego ese abrazo especial que te parte la espalda... Me duele todo el cuerpo, pero no importa.» Estuvieron charlando tranquilamente durante un buen rato, intercambiando impresiones sobre sus experiencias mutuas. Rajiv estaba satisfecho porque había conseguido demostrar que le importaba la gente. Pero no estaba seguro de ganar: «Va a ser una lucha dura», le confesó. Esa noche durmió cinco horas, todo un lujo, antes de salir para Bhopal, donde el 19 de mayo dio un mitin frente a cien mil personas. La ciudad seguía traumatizada por la catástrofe de 1984. La multinacional responsable del accidente había llegado a un acuerdo para pagar una suma en concepto de compensación a las víctimas, pero el dinero no acababa de llegar a manos de los necesitados. Era desviado por funcionarios corruptos e intermediarios. De nuevo el sistema era lo que fallaba.

Después de Bhopal, ya sólo quedaba el sur, «territorio amigo», como lo llamaban los miembros del Congress. Regresó primero a casa y estaba tan cansado que se quedó dormido en el salón, aliviado al pensar que la campaña estaba llegando a su fin. Tres días más, y estarían todos reunidos allí mismo, porque Rahul iría a pasar las vacaciones de verano. Tenía previsto llegar el 23 de mayo. Sonia y Priyanka también estaban contentas. Estaban más seguras que Rajiv de que éste ganaría las elecciones por un amplio margen. La familia entera se había volcado en el esfuerzo de volver a colocar a un Gandhi y al Congress a la cabeza del país. Indira se hubiera sentido orgullosa de todos ellos: eso era «hacer familia».

El 20 de mayo, Rajiv y Sonia salieron de casa a las siete y media de la mañana para depositar su voto. A esas horas, la temperatura era todavía soportable. Las cornejas parecían saludarlos desde las ramas de los árboles con sus graznidos amargos. Rajiv, vestido con una *kurta* blanca y un pañuelo tricolor alrededor del cuello, condujo el coche por las anchas avenidas, que estaban casi desiertas, pero a la entrada del colegio electoral les esperaba un corrillo de gente y un equipo de televisión. Sonia estaba espléndida en un *salwar kamiz* rojo. Saludaron a diestra y siniestra juntando las palmas de las manos a la altura del pecho y Rajiv firmó algunos autógrafos mientras esperaban que abriese el colegio. Detrás, la fila iba creciendo. Un joven voluntario del partido se acercó a Rajiv con una bandeja en la que había incienso, azúcar y pétalos de flor con la intención de realizar allí mismo una *puja* (una ofrenda) para empezar el día con una nota auspiciosa en su honor. Sonia, siempre que estaba con su marido en un lugar público, observaba atentamente a todo el que se acercaba, intentando adivinar alguna intención oculta, un bulto sospechoso, un gesto inhabitual. La paranoia no le daba tregua. Quizás por eso se asustó tanto cuando el hombre de la bandeja, intimidado por Rajiv, la dejó caer en un estrépito que hizo sobresaltarse a todos. Sonia se crispó, luego empezó a sudar copiosamente. Rajiv se percató del malestar de su mujer y pidió que le trajeran un vaso de agua. Cuando le tocó votar, estaba tan alterada que no encontraba la papeleta con el símbolo del Congress. Por un momento pensó que se iría sin votar. A la salida, yendo hacia el coche, se lo contó a Rajiv, que se reía: «Me cogió la mano –recordaría Sonia– con ese toque cálido y tranquilizador que siempre ayudaba a disipar cualquier sentimiento de ansiedad». Fue quizás la última ocasión en la que Rajiv estaba presente para calmar a su mujer, porque después de dejarla en casa, salió para su siguiente gira. Por la tarde tenía previsto volver a Nueva Delhi para cambiar del helicóptero a un avión y partir con destino al sur, donde las elecciones se celebrarían dos días después.

Pero esa tarde, Rajiv les dio la sorpresa de pasarse por casa. Sonia y Priyanka estaban felices de verlo, aunque fuera por poco tiempo. Rajiv se duchó deprisa, picó algo y llamó a su hijo a Estados Unidos: «Te llamo para darte ánimos con tus exámenes, Rahul, y para decirte lo contento que estoy de que vuelvas pronto... Va a ser un buen verano... Te quiero... Adiós». Luego dio un beso a Priyanka. De nuevo debía irse, pero lo bueno es que aquélla sería la última escala de la gira electoral. Estaba tranquilo, iba al sur, territorio seguro, no como el norte, tan convulso y peligroso.

–¿No puedes dejarlo ya? –le pidió Sonia–. Este viaje no cambiará los resultados...

–Lo sé, pero ya está todo organizado... Ánimo, un último empujoncito y saldremos vencedores... Sólo dos días más y de nuevo juntos –le dijo a Sonia con su sonrisa cautivadora.

«Nos despedimos con ternura... –recordaría Sonia– y se fue. Me quedé mirando entre las rendijas de la persiana y le vi alejarse, hasta que le perdí de vista... Esta vez para siempre[1].»

1. Gandhi, Sonia, *Rajiv*, *op. cit.*, p. 15.

40

Al día siguiente, 21 de mayo de 1991, Rajiv se embarcó en un helicóptero para visitar varias ciudades del estado de Orissa, en el este del país. Fue una jornada extenuante, y por la noche se encontraba tan cansado que pensó recuperar un poco de sueño atrasado y cancelar la última visita que tenía prevista a un pueblo del vecino estado de Tamil Nadu llamado Sriperumbudur. Además, un informe del Servicio de Inteligencia del gobierno central le había expresamente aconsejado no asistir a mítines en Tamil Nadu después del anochecer, porque los Tigres Tamiles disponían en ese estado de un apoyo considerable entre la población. Estaba hambriento, y la líder local del partido, una joven profesional que él había reclutado para el Congress, le invitó a cenar a su casa, pero se quedó pensando en los que le estaban esperando en Sriperumbudur, en todo el esfuerzo que sus compañeros de partido habían invertido en organizar el mitin, y a la postre no quiso defraudarlos y declinó la invitación a cenar. El partido bien se merecía un último esfuerzo.

–Ya dormiré a pierna suelta con Rahul, Priyanka y Sonia a mi alrededor –le dijo a su acompañante.

–¿Entonces no vas a hacer caso al informe del Servicio de Inteligencia?

–Si tuviera que hacer caso a todos esos informes, tendría que haber abandonado la campaña hace mucho tiempo. Además –añadió–, la violencia política es poco común en el sur de la India, eso lo sabemos todos. Aquí las elecciones se parecen más a fiestas de pueblo que a acontecimientos políticos serios.

Al entrar en el avión, se encontró con la agradable sorpresa de que la líder local le había hecho llegar pizza y unas empanadillas. Apenas había dado un primer mordisco a su cena cuando le comunicaron que el aparato no podía despegar por un problema técnico. «Mejor –se dijo Rajiv, que sólo pensaba en echar una cabezadita–. Pues aquí nos quedamos.» Bajó del avión y se metió en un Ambassador que le condujo al alojamiento del gobierno. Pero de camino, un coche oficial le alcanzó.

–Señor –le dijo un policía por la ventanilla–, ya se ha solucionado la avería, el avión está listo para el despegue.

Durante una fracción de segundo, Rajiv dudó en si debía seguir camino o regresar al aeropuerto. Al final, se dejó llevar por los acontecimientos y le dijo al chófer que diese media vuelta. De nuevo en el avión, tomó asiento, se abrochó el cinturón y cuando el aparato empezaba a rodar por la pista, se dio cuenta de que había olvidado la comida en el coche.

Llegó a Madrás a las ocho y media de la noche, asistió a una corta rueda de prensa, bebió un refresco y siguió viaje por carretera. Iba sentado delante, al lado del conductor, con la ventanilla abierta. En el salpicadero del Ambassador, había una pequeña luz fluorescente que le daba en la cara para que la gente pudiera verlo en la oscuridad de la noche. Se detuvo en un pueblo en el que dio un mitin de veinte minutos y a las nueve y media ya estaba en otro dando un nuevo discurso. En el trayecto, aprovechaba para charlar con periodistas. Ese día iba acompañado de Barbara Crossette, corresponsal de *The New York Times* y especialista en temas asiáticos. Al cruzar las aldeas, el coche se abría lentamente paso entre la multitud y la gente, con expresión de frenética alegría en sus rostros, lanzaba flores. «Esperamos buenos resultados en esta zona», dijo Rajiv a los periodistas. Nada más salir del coche, sus seguidores pugnaban por colocarle guirnaldas alrededor del cuello, mientras otros le regalaban pañuelos y chales. En un momento dado, se detuvo para saludar a una mujer que estaba siendo estrujada por la muchedumbre. Le colocó una bufanda de seda alrededor del cuello y le dijo unas palabras. La mujer cubrió su rostro con sus manos y apretó la bufanda contra su pecho. Barbara Crossette se sorprendió de la escasa protección de que disponía: «Más de cien veces, cualquiera de las manos que se habían metido en el coche para tocarle el brazo o darle la mano hubiera podido apuñalarlo o dispararle».

Siguieron camino. A lo largo de la carretera, había luces de colores y pancartas dándole la bienvenida. De vez en cuando,

Rajiv indicaba al chófer que fuese más despacio o que parase el coche para salir y estrechar más manos mientras les pedía el voto para el Congress. Lo curioso es que lo decía en inglés, porque no hablaba tamil. Cuando tenía que explicar algo más largo, un intérprete le hacía la labor. Las notas y cartas que iba recogiendo de la gente las metía en una bolsa gris de líneas aéreas que siempre llevaba consigo. Barbara Crossette le hizo su última entrevista. Le preguntó si no tomaba suplementos vitamínicos o si llevaba una dieta especial para aguantar ese despliegue de energía, teniendo en cuenta el calor de 40 grados y lo duras que eran las carreteras... Rajiv prorrumpió en carcajadas. «¡Estos americanos!», debió de pensar. «La mayor parte del tiempo no como nada. Me mantengo con esto...», contestó, señalando un par de termos, uno de café y otro de té. Les indicó que la única concesión al confort eran las zapatillas de deporte blancas que llevaba. Luego departió sobre sus temas favoritos: «La gente está frustrada porque el sistema no es eficaz, no alimenta sus aspiraciones. Tenemos que conseguir mejorarlo drásticamente. Pero, sobre todo, estoy decidido a acabar con todas las controversias sobre la religión. Queremos una separación completa entre religión y política. La mezcla es explosiva, no sólo aquí, sino en todo el mundo».

A las diez de la noche, los líderes locales de Sriperumbudur, un pueblecito agrícola sin mayor interés, anunciaron la llegada del líder. La gente estaba viendo un espectáculo de danza típica de la región, muy colorido y ruidoso, algo normal en los mítines electorales, ya que los candidatos importantes nunca llegaban puntuales. Las dos horas de retraso sobre el horario previsto no quitaron las ganas a la gente de corearlo y de lanzar petardos para celebrar su llegada. Rajiv se asustó al oír las primeras explosiones, pero le explicaron que era la manera habitual de recibir a un dignatario importante en Tamil Nadu. Normalmente, en un acto así, en el norte, hubiera habido un arco detector de metales a la entrada del recinto. Pero aquí no existía nada parecido, excepto los esfuerzos del fiel escolta Pradip Gupta por apartar a la gente y evitar que tocasen a su protegido. Rajiv se detuvo frente a una estatua de su madre y le colocó ceremoniosamente una guirnalda de claveles. La multitud estaba compuesta sobre todo de hombres de aspecto cordial, vestidos con *longhis*, unas telas enrolladas alrededor de la cintura, y de niquis o de *kurtas* sin cuello. Después del homenaje a Indira, Rajiv caminó sobre una alfombra roja hacia el estrado donde le esperaban los líderes locales del partido, sentados alrededor de una larga mesa. Aceptaba con su eterna sonrisa las guirnaldas que le iban poniendo, se detenía para dar un apretón de manos, respondía al saludo de uno, se quitaba guirnaldas amontonadas en el cuello y las lanzaba a las mujeres, discutía con los policías locales que intentaban mantener apartada a la multitud, se reía y bromeaba con todos. Sacaba su increíble energía del contacto con la gente, entroncando de este modo con el ejemplo de su abuelo y de su madre.

Entre la multitud había dos mujeres de unos treinta años. Una de ellas era bajita, de piel oscura y llevaba gafas. Se llamaba Dhanu. Vestía una chaqueta vaquera sobre un traje punjabí de color naranja que consistía en una falda larga sobre pantalones anchos, contrariamente al resto de las mujeres del sur, que suelen llevar saris. Parecía estar embarazada. Nadie sospechaba que las razones de su corpulencia se debían a que bajo su chaqueta tenía pegados al cuerpo una batería de nueve voltios, un detonador y seis granadas con metralla envueltas en un material explosivo plástico. La otra chica se llamaba Kokila, y era la hija de un funcionario del partido. Rajiv le puso cariñosamente el brazo por encima del hombro mientras ella recitaba un poema en su honor. Dhanu, con una guirnalda en la mano, consiguió abrirse paso y colocarse detrás de Kokila. Cuando la chica acabó el poema, le llegó el turno a Dhanu, pero justo cuando iba a entregarle su guirnalda a Rajiv, una mujer policía la paró con el brazo. Rajiv le sonrió. «Deje que cada uno tenga su turno... No se preocupe, tranquila.» La policía desistió y se dio la vuelta, sin sospechar que de esa manera estaba salvando la vida. Entonces Dhanu se acercó a Rajiv para colocarle una guirnalda de virutas de madera de sándalo esculpidas en forma de pétalos de flor alrededor del cuello. Rajiv se lo agradeció con su hermosa sonrisa y, siguiendo la tradición, se quitó la guirnalda para entregársela a un compañero del partido que estaba detrás de él. Mientras, Dhanu se agachó para tocarle los pies. Rajiv también lo hizo, para mostrar humildad, como diciendo que él no era digno de ese saludo. Pero la mujer le engañó: no estaba tocándole los pies en signo de veneración, sino tirando de una cuerda que activó el detonador.

La explosión fue apocalíptica. «Cuando me di la vuelta –contó Suman Dubey, ayudante de Rajiv y viejo amigo de la familia– vi a gente volar por los aires como a cámara lenta.» Barbara Crossette, que se había quedado atrás, vio «una explosión muy intensa... y luego la gente cayendo alrededor, en círculo, como los pétalos de una flor. En el lugar donde se suponía que estaba Rajiv, había un agujero en la tierra». La metralla había acabado con la vida de la asesina, de Rajiv y de diecisiete personas más. El pánico se apoderó de la multitud y de los policías, que no sabían si aquélla sería una explosión aislada o si habría más. El polvo y el humo se disiparon para dejar al descubierto el espectáculo de la masacre: cuerpos desmembrados, tierra negra y humeante, objetos calcinados. Curiosamente, el estrado seguía en pie, lo que había saltado en pedazos había sido la gente.

«Estaba buscando algo de color blanco –contaría Suman Dubey–, porque Rajiv siempre iba de blanco. Pero todo lo que veía era negro, materia calcinada.» Otros compañeros de partido se fueron acercando y encontraron a Pradip Gupta, el fiel escolta de Rajiv. Seguía vivo, estaba tumbado y con los ojos muy abiertos, sufriendo en carne propia la predicción que le había hecho a Sonia: «Si algo le pasa a Rajiv, tendrá que ser por encima de mi cadáver...». Murió unos segundos después. Debajo de su cuerpo, alguien encontró una zapatilla de deporte blanca. Era de Rajiv. Un colega del partido intentó girar lo que quedaba del cuerpo, sin conseguirlo porque se deshacía. Rajiv había sido literalmente eviscerado por la explosión, el cráneo estaba fracturado y había perdido casi toda la masa cerebral. Había muerto en el acto. Quince minutos después de la explosión, sonó el teléfono en el número 10 de Janpath.

41

Quien descolgó el aparato fue el secretario de Rajiv, que trabajaba en el despacho privado de su jefe, en un ala apartada de la casa. La familia dormía. En su dormitorio, Sonia oyó el teléfono entre sueños y le sonó como un alarido.

–Señor, ha habido un atentado con bomba –dijo una voz entrecortada, salpicada de interferencias.

–¿Quién habla?

–Soy del Servicio de Inteligencia. Llamo de Sriperumbudur.

Al secretario se le hizo un nudo en la garganta.

–¿Cómo está Rajivji? –preguntó.

El hombre no respondió. El secretario oyó cómo su interlocutor carraspeaba para aclararse la garganta antes de volver a hablar.

–Señor, es que... –empezó diciendo, sin terminar su frase.

Nervioso, el secretario le azuzó:

–¿Por qué no me dice de una vez cómo se encuentra Rajiv?

–Señor, ha fallecido –soltó entonces el hombre, y nada más decirlo colgó el teléfono.

El secretario se quedó con el auricular en la mano, la mirada perdida, intentando asimilar lo que acababa de oír. La leve esperanza de que hubiera sido una falsa noticia se evaporó cuando, nada más colgar, volvió a sonar el teléfono. Un miembro del Congress de Tamil Nadu vino a confirmarle la noticia. Ya no había duda. En seguida las demás líneas empezaron a vibrar, en una cacofonía insoportable. El secretario salió apresurado.

–Madam, Madam...

Se encontró con Sonia en el pasillo, que salía de su cuarto atándose el albornoz.

Casi no podía abrir los ojos. Tenía el pelo revuelto. Sabía que una llamada en mitad de la noche no podía anunciar nada bueno. Tenía grabada en su memoria la que había recibido una noche en la casa familiar de Orbassano anunciándole el accidente de Sanjay. Ahora estaba presa de un sentimiento similar y se le hizo un nudo en el estómago. Pero lo que la dejó helada fue el aire asustado, casi histérico del secretario, un hombre habitualmente sobrio y comedido.

—Madam, ha sido una bomba... —balbuceó.

Sonia le lanzó una mirada severa. Tenía el rostro hinchado de sueño.

—¿Está vivo?

El secretario fue incapaz de contestar. No le salieron las palabras. Tampoco hacían falta, Sonia había dejado de escucharle. Todo su cuerpo se contrajo como si hubiera recibido una descarga eléctrica y de lo más hondo de su alma herida de muerte surgió un grito gutural, ronco. Siete años después de la conversación que había mantenido con Rajiv en el quirófano del hospital donde estaban cosiendo el cadáver de Indira, y en la que le suplicó no aceptar el puesto que su madre había dejado vacante porque le matarían, la predicción se había cumplido.

—¡¡Nooooo...!!

Su grito despertó a Priyanka, que apareció en el pasillo, también envuelta en un albornoz, el aspecto derrengado, la mirada atónita. Se quedó muda, incrédula, lívida. Agarró a su madre y la llevó al salón como pudo. Nunca en sus diecinueve años de vida la había visto en ese estado de desesperación. Nunca nadie la había visto llorar de esa manera. Tanto duraron y tan fuertes eran los sollozos que los primeros compañeros de partido que más tarde empezaron a llegar a la casa los oyeron desde la calle.

Priyanka no conseguía confortarla. De pronto, Sonia empezó a toser y a ahogarse de tal manera que el secretario temió que perdiese el conocimiento.

—Es un ataque de asma —dijo Priyanka.

Resultó tan violento que se asustó mucho.

—¡En seguida vuelvo! —lanzó.

Corrió hacia el cuarto de baño de su madre y buscó afanosamente el inhalador y los antihistamínicos. Cuando volvió al salón, la vio sentada en un sillón con los ojos casi en blanco, la boca abierta y la cabeza echada hacia atrás, buscando aire como un pez fuera del agua. Pensó que se moría. En realidad, una parte de ella había muerto con su marido.

Las medicinas hicieron su efecto y consiguieron detener la tos, pero no los sollozos. Por mucho que su hija intentara calmarla, Sonia era inconsolable. Su llanto crecía sobre sí mismo, insistente y regular como las olas en su acoso a la playa. Priyanka se dirigió al secretario:

–¿Dónde está el cuerpo de mi padre? –preguntó.

–En este momento, lo están llevando a Madrás.

–Por favor, ayúdame a hacer las gestiones pertinentes para que podamos desplazarnos hasta allí –le rogó.

Priyanka se hizo cargo de la situación, demostrando una madurez, una sangre fría y un sentido de la organización admirables. Departió con los primeros amigos de su padre y líderes del Congress que acudían con aire perplejo y desolado, algunos llorando a lágrima viva. Hasta habló con el presidente de la República por teléfono. Le pidió que pusiese un avión a disposición de la familia. En el fondo algo dentro de ella le impedía creerse que su padre estaba muerto. Era como un reflejo que protege del dolor y permite actuar. Inconscientemente, le costaba aceptar algo tan catastrófico sin comprobarlo, por eso necesitaba ver a su padre cuanto antes.

–¿Creéis que es prudente desplazaros hasta allí? –le dijo el presidente de la República.

–Por favor, presidente, insisto. Mi madre y yo tenemos la firme intención de ir esta misma noche a Madrás.

–Está bien, hablaré con el ejército para poner a vuestra disposición un avión de la Fuerza Aérea. Luego pasaré por vuestra residencia para daros el pésame.

–Gracias, le esperaremos.

Ahora le tocaba dar la noticia a su hermano, que estaba en Harvard. Allí era la hora del almuerzo. Consiguió que un compañero le transmitiese el mensaje de que debía llamar a casa urgentemente. Una hora más tarde, su hermana y su madre le dieron la peor noticia de su vida.

–¡Lo sabía, lo sabía! –dijo el chico llorando y mordiéndose el labio–. Sabía que iba a pasar.

Ese sentimiento de frustración e impotencia acentuaba el dolor de toda la familia.

–Hicimos lo que pudimos...

–¿Tú crees?

–Claro que sí.

Le dijeron que viniese en el primer vuelo, que estaban empezando a organizar los funerales, que le esperaban.

Eran más o menos las once de la noche y ya la noticia había corrido por Nueva Delhi. Una multitud se estaba congregando ante la verja de casa. Desde el interior, Priyanka y Sonia oían gritos histéricos y lamentos. Seguían acudiendo amigos de la familia, compañeros, ministros, policías, etc. Una invasión en toda regla. La prensa tomaba posiciones en la verja y la calle. La gente todavía no sabía contra quién dirigir su rabia: ¿contra los sijs, los fundamentalistas musulmanes o hindúes, los Tigres Tamiles, los asameses, los dalits...? No faltaban agravios en ese país tan abigarrado. Por lo pronto, la dirigieron contra los equipos de televisión nacional e internacionales. La gente allí congregada empezó a insultarlos. Algunos amigos que al volante de su coche franqueaban la valla fueron recibidos de mala manera: Ottavio y Maria Quattrochi fueron abucheados y recibieron alguna que otra pedrada, y lo mismo ocurrió con los líderes de la oposición, que venían a presentar sus condolencias. La furia de la multitud se extendió hacia todos los adversarios de Rajiv. Una turba intentó asaltar la vecina casa de uno de sus críticos más feroces cuando estaba en el gobierno, un líder de una casta de «intocables». Tal era el ambiente en las calles que el presidente de la República no pudo llegar hasta la casa. Se encontró con una muchedumbre frenética y desesperada. La gente se tiraba sobre el capó de su automóvil, llorando y sollozando.

–¿Los dispersamos? –preguntó el oficial de seguridad al presidente.

–No, demos media vuelta. No quiero que se inflamen más los ánimos.

De regreso a su residencia en el antiguo palacio del virrey, el presidente llamó por teléfono a Sonia. Estaba un poco más tranquila, y pudo agradecerle sus condolencias y las facilidades que había dispuesto para ese singular viaje.

Vestida con un *salwar kamiz* blanco, el pelo peinado hacia atrás y recogido en un moño, nada más colgar salió de casa con Priyanka. Fuera les esperaba un coche para llevarlas al aeropuerto. Conducía el tío Kaul, el que tantos esfuerzos había hecho para convencer a Rajiv de que siguiera los pasos de su hermano. El coche se abrió paso con dificultad entre la multitud que se agolpaba alrededor de la casa. Las calles estaban cada vez más agitadas. Grupos de gente se arremolinaban en las esquinas y en las rotondas, en un estado de ánimo que oscilaba entre la rabia y la pena.

–Espero que el gobierno actúe con prontitud y no permita lo que ocurrió después de la muerte de Indira –comentó el tío Kaul.

El vuelo duró tres horas y media, el tiempo que un jet tarda en cruzar el subcontinente de norte a sur. Abajo, en esa negra extensión de tierra salpicada de puntitos de luz que indicaban las ciudades y los pueblos, la India dormía. Dentro de unas horas iba a despertar con la tragedia de otro asesinato político. Dentro de unas horas, pensaron, el país estaría hundido en la aflicción. Nadie habló durante el vuelo. Sólo se oían los sollozos de Sonia.

Seguía siendo de noche cuando aterrizaron en Madrás a las cuatro y media de la madrugada. El avión rodó hasta la vieja terminal, iluminada y rodeada de una ingente multitud. Allí estaba el cuerpo de Rajiv. Por indicación del presidente de la República, lo habían llevado hasta allí para evitar que Sonia y Priyanka tuvieran que desplazarse en coche hasta la ciudad. Un aire húmedo y pegajoso les envolvió nada más salir del avión. Estaban muy nerviosas porque se acercaba el momento. El momento de verlo por última vez. ¿Qué iban a encontrarse? ¿Estaban preparadas para ello? ¿Lo soportarían? Se hacían esas preguntas mientras bajaban la escalerilla y saludaban a las personalidades que habían acudido a recibirlas. También aquí las autoridades temían que estallasen disturbios, les dijo el gobernador. La multitud buscaba un chivo expiatorio y los ánimos en la ciudad estaban muy caldeados. Por eso habían dispuesto las medidas necesarias para que el vuelo despegase antes del amanecer. Cuando reconoció a Suman Dubey, viejo y leal amigo de Rajiv que había salido milagrosamente ileso del atentado, Sonia se echó a llorar en sus brazos.

Pero no vieron a Rajiv. No podían. Les dijeron que su cuerpo estaba tan destrozado que había sido imposible embalsamarlo. Lo único que vieron fue dos ataúdes. Uno contenía los restos de Rajiv y el otro el de su guardaespaldas, el bueno de Pradip Gupta. A partir de entonces, todo fue muy rápido. Agarradas la una a la otra, madre e hija vieron cómo los metían en las tripas del avión. Ellas volvieron a subir por la escalerilla. Una vez dentro, Sonia pidió que colocasen el ataúd a su lado. Con una mano puso una guirnalda de flores sobre el féretro, mientras con la otra se cubrió el rostro con un chal para enjugar sus lágrimas. Priyanka, al ver el ataúd amarrado así, tuvo que admitir lo que su subconsciente se negaba a aceptar, que en esa caja estaba su padre, o mejor dicho, lo que quedaba de él. Entonces no pudo contenerse más y se desmoronó. De pronto se dio cuenta de que no lo volvería a ver nunca, de que nunca más se dejaría mecer por el afecto y calidez de su padre. Se abrazó a la caja y se quedó sollozando largo rato.

El avión rodaba ya por la pista. Suman Dubey y Sonia la tranquilizaron, la hicieron sentarse y le abrocharon el cinturón. En ese momento Sonia tuvo un gesto que sin duda Rajiv hubiera apreciado. Al darse cuenta de que el ataúd del guardaespaldas Pradip Gupta estaba sin nada, fue a colocarle una guirnalda de jazmines.

Era de día cuando el avión despegó, de vuelta a la capital india. Empezaba el último viaje de Rajiv Gandhi.

Acto IV

La mano oculta del destino

No conoces los límites de tu fuerza, no sabes lo que
haces. No sabes quién eres.

EURÍPIDES

42

Ya está. Ha terminado todo. A pesar de que no ostentaba ningún cargo oficial, sesenta y cuatro países han mandado un representante oficial a los funerales. Rajiv tenía algo especial, que le hacía ser muy querido por los que le trataban.

Las cenizas ya viajan hacia el océano, disueltas en el Ganges, mezcladas con las del bisabuelo Motilal, las del abuelo Nehru y las de su hermano. El dolor individual es sólo una parte del vacío tan grande que ha dejado. El personal de servicio y de seguridad está triste y desorientado. Hasta los perros de casa están mustios. El asidero al que todos podían aferrarse ante los vaivenes de un mundo caótico e inseguro ha desaparecido. ¿Cómo creer que ya no está? Sonia y sus hijos sienten su presencia en todo momento, sobre todo de noche, en sueños. El inconsciente va más lento que la realidad, le cuesta alcanzarla, por eso los despertares son especialmente duros. Otras veces se desvelan sobresaltados y se dan de bruces con la realidad, y entonces se dan cuenta de que ésa es la peor pesadilla.

Lo importante es que todo ha transcurrido en paz. Se ha evitado el baño de sangre, no como después del asesinato de Indira. El gobierno ha sacado el ejército a la calle a tiempo y ha decretado siete días de luto nacional. Lo que no se ha podido evitar han sido varios casos de suicidio e inmolaciones en el interior del país. La India eterna sigue viva en los corazones de la gente.

Ahora, hasta sus adversarios políticos concuerdan en que Rajiv ha sido un hombre decente. En la muerte, ensalzan al líder que han denigrado en vida. También la prensa, que primero lo encumbró y luego lo vilipendió, hace su examen de conciencia. Una mañana, Priyanka enseña a su madre un artículo del *Hindustan Times*.

–Léelo, mamá, aquí publican un homenaje que busca disculpar la actitud que los medios han tenido con papá.

Sonia está orgullosa de sus hijos. Han estado a la altura. Menos mal que ha tenido a Priyanka cerca para organizarlo todo, para mantener la casa en orden, ir a recibir a Rahul y escoger el lugar de la cremación. Ella no hubiera podido. Es imposible tomar decisiones cuando uno se siente muerto en vida. Piensa que Indira también estaría orgullosa de ellos.

Sonia se coloca las gafas y se pone a leer. El texto tiene el mérito de la franqueza: «Le tomábamos el pelo por sus zapatos Gucci, sus gafas Cartier, sus vaqueros de marca, sus viajes con su mujer en los jumbos de Indian Airlines... Nos burlábamos de su hindi, aunque el nuestro fuese peor... La verdad es que estábamos llenos de resentimiento y de envidia... Sabíamos en nuestro fuero interno que había viajado más que todos nosotros juntos y que tenía una mejor visión de los problemas de la India que la que podíamos tener nosotros, pontificando en nuestras columnas. Su elegancia natural, su buen aspecto y sus modales le daban una ventaja injusta sobre todos los demás. Tenía tanto por lo que vivir, tanto que hacer a pesar de nuestros reparos y nuestras críticas[1]». Sonia llora cuando le devuelve el artículo a su hija. «¿Por qué ha tenido que pagar un precio tan alto un hombre bueno que encima había hecho bien su trabajo?», se pregunta. Son tantas las preguntas y tan escasas las respuestas que Sonia se desespera. Lo que sabe es que su marido ha acabado siendo víctima de un sistema que le ha exigido lo imposible. Ah, si no se hubiera metido en política, si hubieran dejado a Maneka el papel de heredera... Maneka, que apareció en el funeral junto a Firoz Varun y que con ojos llorosos musitó unas palabras de condolencia.

Ahora Sonia y sus hijos quieren saber quién le ha asesinado. Dice la policía que han sido terroristas del Frente Tamil de Liberación Nacional... ¿Pero están seguros? ¿Cuándo lo podrán confirmar? Y sobre todo... ¿Cuándo se podrá hacer justicia?

1. Hazarika, Sanjoy, «For we shall never be young again», en *Hindustan Times*, 2 de junio de 1991, citado en Chaterjee, Rupa, *The Sonia Mystique*, *op. cit.*, p. 130.

Es un pobre consuelo la justicia, pero a estas alturas es lo único que queda.

–Señora, tiene una llamada –le interrumpe un sirviente–. Es una conferencia.

Desde que sus hermanas han regresado a Italia después de pasar unos días en Nueva Delhi, arropándoles, Sonia habla todos los días por teléfono con alguna de ellas, que insisten para que vuelva. Piensan que con el tiempo se dará cuenta de que ya no tiene sentido quedarse a vivir en Nueva Delhi, aparte de que es peligroso. Pero Sonia lo tiene claro y ya se lo dijo a su madre. La India sigue siendo su razón de vivir, aunque le haya robado el corazón. Aquí es donde están enterrados sus sueños.

–Ésta es mi vida –le repite a su hermana Nadia al teléfono–. Ya no puedo dejar este país e instalarme fuera, donde seré siempre una extranjera. Me di cuenta de ello cuando murió papá.

–Por lo menos, cámbiate de casa...

–¿Por qué? ¿Tú también crees que está gafada? Aquí es lo que dice la prensa...

–No, no creo en esas tonterías, lo digo porque en esa casa todo te recordará a Rajiv...

–Es precisamente por eso por lo que no quiero mudarme. Sabes, quedarse viuda no es como divorciarse. Además, desde el punto de vista de la seguridad, esta casa es adecuada.

¡La seguridad! Qué hueca parece esa palabra desde la distancia. Dos asesinatos, y Sonia sigue creyendo en ella. Cuán testaruda puede ser una hermana... Pero sólo se entiende el miedo si se vive desde dentro. La amenaza de los sijs a Indira de matar hasta la centésima generación de sus descendientes se ha quedado grabada en la mente de Sonia. ¿Cómo olvidar una amenaza semejante, que además se ha visto confirmada con la sangre de su suegra? Ahora, con lo de Rajiv, sabe que la sed de venganza no tiene límite. Nunca ella ni sus hijos podrán vivir en una paz completa, por ser quienes son. Nunca, ni aquí ni en Italia ni en ningún otro sitio. Mejor aceptarlo. Por lo menos, en la India, vuelve a disponer de todo el aparato del Estado para protegerles. «La seguridad de la familia Gandhi es de interés nacional», ha declarado pomposamente el presidente de la República una semana después del atentado. A buenas horas, piensa Sonia... El caso es que el primer ministro en funciones, por indicación del presidente de la República, les ha asignado la máxima protección. Vuelven a disponer del servicio del Special Protection Group, que ya demostró su eficacia cuando Rajiv era primer ministro. Sonia no ha podido evitar hacer un comentario amargo:

–La policía me ha hecho saber que si no le hubierais retirado la protección del SPG a Rajiv, a la que tenía derecho, se hubiera salvado del atentado.

–Soniaji –le ha respondido sin alterarse el primer ministro–, sabes perfectamente que si Rajiv hubiera insistido, el gobierno se la hubiera devuelto.

–No estoy tan segura.

¿Cómo estarlo? ¿Cómo creer la palabra de un político? Es cierto, Rajiv no lo había solicitado, pero ella sí. Había insistido varias veces, siempre en vano. Priyanka había insistido. Rahul también. La realidad es que ningún político tenía especial interés en proporcionar a Rajiv una mayor protección: los de su partido porque le apartaba de las masas y por lo tanto reducía sus posibilidades de éxito, los de la oposición porque si le pasaba algo a Rajiv, acababan con la preponderancia del Congress. Todos ganaban dejando a Rajiv indefenso.

Después de tanto ajetreo, de ver a tanta gente, de tantas lágrimas vertidas, Sonia sufre el contragolpe. Poco a poco se va asentando la nueva situación, de donde surge una pregunta aterradora: ¿Cómo seguir viviendo sin Rajiv? ¿De dónde sacar fuerzas para estar sin él? Ahora toca lo más difícil, inventarse una vida. De poco le sirve el consuelo de la religión. Dice que cree en todas las religiones porque quizás no crea en ninguna. Tiene el consuelo de que su hijo Rahul se queda a pasar el verano. El chico está deshecho. A la tristeza de haber perdido a su padre, se añade un fuerte sentimiento de culpabilidad por no haber removido cielo y tierra, por no haberse enfrentado a él y haberle obligado a exigir más protección... Sonia y Priyanka también se sienten un poco culpables, pero ¿qué podían hacer contra la voluntad de Rajiv y del aparato del Estado? El caso es que la casa familiar vuelve a ser la fortaleza de antes, con sus vallas en la calle, sus arcos detectores de metales, sus cámaras de vigilancia, sus torretas, sus garitas y su centenar de policías armados rondando por la zona. La seguridad.

El atentado no ha interrumpido las elecciones, sólo se han retrasado las dos últimas jornadas. El Congress ha arrasado en el sur, a causa del «factor empatía» provocado por el asesinato, pero ha sido derrotado en el norte. Maneka también ha sido derrotada en su circunscripción y pierde su escaño en el parlamento. La gran sorpresa de estas elecciones ha sido el espectacular avance del BJP, el partido hinduista que Rajiv había identificado como el «enemigo a batir». Ha multiplicado por cien sus escaños. Un auge espectacular y terrorífico. ¿Cómo no sentir miedo cuando el líder de un grupo paramilitar hindú, aliado de este partido, ha homenajeado al asesino del Mahatma Gandhi? ¿No es algo que estaría prohibido en la mayoría de las democracias?, pregunta Sonia, escandalizada como la mayoría de los visitantes que recibe. ¿Puede uno cargar tan fácilmente contra los pilares de una nación con total impunidad? Con la excusa del pésame, muchos diputados y miembros del partido van a sondearla, a veces hasta bien entrada la noche. Acuden a discutir quién debería ser el definitivo sucesor de Rajiv a la cabeza del Congress. No se atreven ya a decirle que ella debería asumir ese puesto, que si lo hiciese habría esperanza para luchar contra el avance del sectarismo religioso. Saben que ella no quiere oírlo. ¿No rechazó de manera tajante la presidencia del partido, que fueron a ofrecerle en bandeja de plata estando las cenizas de Rajiv todavía calientes?

Sonia, sin embargo, les escucha con atención: que si fulano representa demasiado a los ricos y tiene mala imagen entre los pobres, que si zutano es desleal y no se puede confiar en él, etc.

–¿A ti qué te parece? –le preguntan.

–Yo me inclinaría más por Narasimha Rao, creo que es el que Rajiv elegiría... Pero ¿por qué no decidís vosotros quién será el próximo líder?

–Porque este partido, con personalidades tan imponentes como Nehru, Indira y tu marido, nunca ha tenido la necesidad de desarrollar un mecanismo sucesorio y quieren que alguien les guíe... Tú, por ejemplo –se atreve a soltar uno de ellos, mirándola fijamente.

Sonia pugna por mantenerse entera y tranquila. ¿No entienden que no estoy interesada? Les ha dicho cien veces que no quiere hacer política, que no va a participar en ningún acontecimiento o evento relacionado con la política. Si les sigue recibiendo, es por fidelidad a la memoria de su marido, porque piensa que a él le gustaría. Mantener esas relaciones es mantenerlo un poco en vida. No quiere cortar el cordón umbilical que la vincula al mundo de Rajiv, de Indira, a la herencia de la familia. Lo hace por ella y por sus hijos. Una amiga suya se ve en la obligación de avisar a los que llegan. «No disgustéis a Madam hablando de su entrada en política. Le duele mucho. Recordad que está de luto por un marido que nunca quiso entrar en política[1].»

Muchos la recordarán vestida con un sari blanco y un corpiño negro, sin joyas, como manda la tradición en época de luto, excepto la alianza, sentada en el borde del sofá en el estudio de Rajiv, con los retratos de la familia mirándoles desde las paredes. La mesa de despacho está exactamente igual que cuando él la dejó. No ha querido descolocar ningún objeto y nadie se sienta en su sillón, ahora recubierto con la bandera que envolvía su féretro. Nadie lo hará jamás, ni siquiera ella. A pesar de su porte elegante y su esfuerzo por mantenerse entera, se le escapan lágrimas de vez en cuando, que disimula pasándose un pañuelo por el rostro. De tanto llorar tiene ojeras perpetuas y se le ha quedado una mirada acuosa. Ha adelgazado mucho, la palidez marmórea de su tez está veteada de gris, tiene una expresión de tristeza infinita en la mirada.

Pero su opinión pesa. Pesa tanto que ella misma se sorprende. Al final, los diputados la escuchan. Una vez convencidos de que Madam prefiere a Narasimha Rao, arreglan una elección interna para que los diputados le voten. El partido acaba colocando a este viejo amigo de la familia Nehru de primer ministro de un gobierno de coalición, minoritario porque le han faltado al Congress 30 escaños para alcanzar la mayoría. A la prensa no se le escapa este poder de influencia, que denomina *the Sonia*

---

1. Citado en Chaterjee, Rupa, *The Sonia Mystique*, *op. cit.*, p. 136.

factor. A la italiana le pasa lo que a Indira cuando murió Nehru, que automáticamente ha heredado algo del poder de la familia. Para unos se trata del «carisma», para otros del «apellido». Si aquel día llega a haber mencionado otro nombre, es probable que Rao no hubiera salido. No es tan fácil como parece desprenderse de la política. El poder la persigue, el poder la quiere. El poder la necesita.

El gobierno de Rao parece débil. Tal y como están las cosas, nadie apuesta por su supervivencia, ni por la del partido. ¿Qué es el Congress sin un Gandhi a la cabeza?... Una organización condenada a desaparecer, dando pie a que el partido hinduista, el BJP, se adueñe del terreno perdido. Es grave, porque ese partido defiende la idea peligrosa de «una India hindú», que para muchos es la receta del desastre. Y nadie se atreve a imaginar las consecuencias para el país y el resto del mundo de un desastre a la escala de la India... Por eso redoblan las presiones sobre Sonia. Para los responsables políticos de un Congress en pleno desconcierto, y para una gran parte de la población, ella representa la última centinela de una dinastía golpeada de muerte.

–¿Algún favor, algo que necesites, algún servicio? –así, con voz tintineante, se anuncia el ministro de Bienestar Social al entrar en el domicilio familiar de los Gandhi.

En la dirección del Congress, no saben qué inventarse para ganársela, para que recapacite y acepte entrar en el redil.

Son tantos los que quieren verla que decide instaurar un horario de visitas, de cinco a siete de la tarde. Las mañanas las dedica a contestar las miles de cartas de condolencia que ella y sus hijos siguen recibiendo del mundo entero. Insiste en leerlas todas, y procura contestar personalmente a las de los conocidos. A los demás, les manda una nota de agradecimiento impresa y firmada de su puño y letra, en inglés o en hindi. Las tardes, después de las visitas, es cuando el sentimiento de pérdida y de soledad se hace más duro de soportar. Por momentos se olvida de que Rajiv ya no va a volver esa noche. Tantos años acostumbrada a esperar su regreso que se le ha quedado el reflejo de esa esperanza vana. Afortunadamente está rodeada de su familia. Su madre, Paola, vive ahora con ellos, y sigue esperando secretamente que Sonia decida volver a Italia. Pero no quiere insistir más, la última vez que lo ha hecho, Sonia se ha puesto nerviosa. Priyanka y Rahul están muy pendientes de su madre. De vez en cuando se presenta algún amigo a cenar y el ambiente se anima mientras preparan la comida.

Los amigos íntimos son escasos, los fieles. Entre ellos están los hermanos Bachchan (uno de ellos, Amitabh, se ha convertido en la mayor estrella del cine indio), una decoradora que conoció nada más llegar y su marido, una pareja de periodistas y editores, antiguos compañeros de Indian Airlines, viejos amigos de la familia como Suman Dubey y su esposa... Los Quattrochi han regresado a Italia, aunque si estuvieran aquí, no podría verlos... Sus amigos no hablan con la prensa, no cuentan nada que pudiera ser interpretado por Sonia como una traición a su confianza. Saben que es una mujer muy celosa de su privacidad. No quiere que su dolor aparezca en las revistas de papel *couché*. Está muy irritada con la prensa extranjera que proyecta a Priyanka como la heredera de «la dinastía». A los reporteros que las siguieron durante la campaña en Amethi no se les escapó el magnetismo de la joven, con esa mirada penetrante, y ninguno se resistió a compararla con su abuela.

Muchos dignatarios extranjeros de paso por la capital también quieren verla y ella está contenta de recibirlos, porque así comparte recuerdos de los numerosos viajes que hizo junto a su marido. En el Ministerio de Asuntos Exteriores no entienden por qué Yaser Arafat, Nelson Mandela o el rey Hussein quieren entrevistarse con una persona que no tiene un cargo oficial. «¿Qué pasa con el protocolo?», preguntan. Pero el primer ministro Rao desautoriza esas objeciones. Mientras los dignatarios extranjeros así lo deseen, el gobierno no necesita plantear la cuestión del protocolo, les responde. El poder la trata, a ella y a sus hijos, como miembros de una familia reinante. A los Gandhi, muertos o vivos, se les sigue reverenciando, como si la India les reconociese el derecho divino de reinar sobre ella. Ahora, junto a los grandes retratos de Indira que adornan los edificios públicos, se encuentra también la foto de un Rajiv sonriente desde el más allá. La familia sigue muy presente en la mente de millones de indios.

Poco a poco, sus hijos y sus amigos la ayudan a encontrar un sentido a la vida sin Rajiv. Sonia es consciente de que necesita normalizar su existencia cuanto antes, aunque sólo sea por sus hijos, que tendrán que volver a la universidad. «Lo que ha pasado no puede ser un obstáculo para que lleven una vida normal.» Está obsesionada con esa idea. Toda su vida no ha querido otra cosa, y todavía habla de ello como si pudiera alcanzarlo. Luego se corrige, y dice: «... una vida lo más normal posible». Sí, ésa es la meta, la única viable.

Y aunque ya no puede vivir *con* Rajiv, sí puede vivir *para* él. Para su memoria. Para que su sueño no desaparezca. Sus amigos le proponen crear una fundación, un poco al estilo de las fundaciones presidenciales norteamericanas, que guardan el legado de cada presidente. Sería una respuesta a los terroristas que lo asesinaron, una manera de que sus ideas y su visión sobrevivan. Sonia escoge la fecha del 20 de junio para firmar el acta de constitución de la Rajiv Gandhi Foundation, porque también es una manera de dar sentido al cumpleaños de Rahul, que ese día cumple veintiún años. Rodeada de sus hijos y amigos, ponen su firma en el documento que consagra la creación de una institución destinada a promover la aplicación de la ciencia y la tecnología al servicio de los pobres. A Sonia le da la impresión de que de esa forma Rajiv sigue vivo en la muerte.

El 20 de agosto, el día en que Rajiv hubiera cumplido cuarenta y siete años, van a rendirle un homenaje al *samadhi*, el mausoleo en forma de flor de loto erigido en el emplazamiento donde ha tenido lugar su cremación. No está lejos de los *samadhi* respectivos de Sanjay, Indira y Nehru, símbolos todos que recuerdan el considerable precio del poder. Sonia lleva un sari blanco bordeado de negro, tiene la mirada extraviada y parece que su espíritu está muy lejos, en algún lugar que sólo ella conoce. Quizás se deja llevar por la ensoñación y hace planes de vida con Rajiv, como antes, y consigue arañar así unos segundos de felicidad, aunque sean ficticios. Huele al incienso que queman los sacerdotes en braseros improvisados. De pie entre Priyanka y Rahul, los tres parecen ensimismados y absortos en sus pensamientos, mientras los cánticos religiosos hindúes van desgranándose como una letanía sin fin. Al fondo, se oyen los ruidos de la ciudad. De pronto aparece Maneka, sola, la última persona que desean ver allí en ese momento. Sonia se crispa mientras su cuñada se acerca al *samadhi* y deposita una ofrenda floral sobre el mármol pulido. Luego sigue con la tradición de dar una vuelta alrededor del mausoleo y pasa delante de Sonia y de sus hijos, pero no se saludan. Su presencia ha roto la serenidad del acto. Sonia, irritada, decide acabar y volver al coche.

43

Cinco meses después del atentado, la comisión electoral anuncia elecciones locales en Amethi, y de nuevo se empieza a oír el coro de voces. El coro que reclamaba a Indira después de la muerte de Nehru, y a Rajiv después de la muerte de su hermano, reclama ahora a Sonia. Antiguos compañeros de su marido hacen un llamamiento al primer ministro para que la convenza de que se presente en Amethi como la sucesora de Rajiv. Saben que Sonia tiene un vínculo especial con la gente de esa circunscripción. La adulación llega a extremos inverosímiles cuando un miembro del partido declara sin vergüenza: «Si Sonia quisiese llevar zapatos hechos con mi piel, se la ofrecería sin dudar». Pero la familia pierde la paciencia: «¿Qué se creen estos militantes? –exclama Priyanka, fuera de sí–. ¿Que tenemos que seguir sacrificando nuestras vidas? ¡Ya basta de política!»[1]. Les parece aberrante que el equilibrio de una nación de casi mil millones de habitantes repose sobre una viuda italiana, pero así lo creen en la cúspide del gobierno, y del partido.

Ante el fracaso de convencerla, prueban con otros medios. El gobierno de Rao decide otorgar una donación de diez millones de rupias, pagaderas en cinco años, a la Fundación Rajiv, como si de esa manera quisiese compensar la pérdida del marido. Sonia se enfurece aún más y manda una carta a Rao: «Le agradecemos personalmente, así como a sus colegas, esta generosa oferta, pero sería mejor que el gobierno diseñase sus propios proyectos y programas humanitarios y los financiase directamente, haciendo así honor a la memoria de mi marido»[2]. Pero es tarde, el escándalo ya está servido. Nada más hacerse pública la noticia de

1. Citado en Kidwai, Rasheed, *Sonia*, Nueva Delhi, Penguin, 2003, p. 57.
2. Chaterjee, Rupa, *The Sonia Mystique, op. cit.*, p. 141.

la supuesta donación, la oposición ha arremetido contra lo que llama el *Rome Raj*, el «reino de Roma»: «Un gobierno que puede robar a los pobres para dar diez millones de rupias a la familia de Rajiv Gandhi es capaz de cualquier cosa».

Harta ya de tanta maniobra y manipulación, de este nuevo e innecesario escándalo que la oposición exprime con fruición, de tanta presión que no respeta ni su dolor, de la prensa que especula sin cesar sobre su papel, Sonia decide seguir el consejo de sus hijos de marcharse de viaje a Europa y Estados Unidos durante una temporada. El viaje le sirve para distraerse del barullo de la India, para descansar mentalmente y para poner orden en sus ideas. Está más decidida que nunca a mantener viva la herencia de Rajiv sin tener que meterse en la ciénaga de la política. ¿Pero es eso posible?

Cuando regresa, la policía le anuncia que ha identificado a los autores del asesinato de Rajiv. La investigación ha sido posible gracias al trabajo heroico de un fotógrafo local de Sriperumbudur, un joven llamado Haribabu. Aquella noche aciaga, el reportero había esperado con impaciencia la llegada del líder. Nada más bajarse Rajiv del Ambassador blanco, Haribabu le había bombardeado con sus flashes, tanto que el escolta Pradip Gupta le hizo un gesto para que dejase de importunar. Pero el fotógrafo, poco preocupado en ahorrar carretes de película, siguió con su trabajo. ¿Quién sabe cuándo volvería a ese lugar perdido un personaje tan importante como Rajiv Gandhi? Su persistencia le costó la vida. El cuerpo de Haribabu acabó reventado por el efecto de la onda expansiva. Sus restos aparecieron a veinte metros del lugar donde originalmente se encontraba. Lo que la policía descubrió fue su cámara entre los restos humeantes de la deflagración. Estaba milagrosamente intacta. Al revelar el carrete contenido en su interior, aparecieron los últimos rostros que Rajiv había visto en vida, entre los que se encontraba el de Dhanu, la terrorista suicida.

—Mire bien la foto —le dice el jefe de policía—. Ésta es la asesina de su marido.

A Sonia le sudan las manos cuando la coge para observarla.

Es profundamente turbador ver así el rostro de la persona que tanto daño les ha hecho. De ser una abstracción en la mente, la asesina se le aparece como una mujer aparentemente normal. «¿Cómo ha podido cometer semejante barbaridad?», se dice Sonia, mirándola fijamente, como si buscase algún signo exterior de su maldad, como si pudiese penetrar en su mente, escrutar su alma, adivinar por qué decidió matarlo. El policía le indica con el dedo el rostro de un hombre de piel oscura, un sureño, en una esquina de la foto.

—El equipo de investigaciones especiales de la policía ha conseguido identificarlo. Se trata de un terrorista conocido como Shivarasam, es un líder del LTTE (Tigres de Liberación de la Patria Tamil). Señora, esto viene a confirmar lo que todos sabíamos: que su marido cayó víctima de un complot de los extremistas tamiles.

—Su asesinato fue la venganza de los tamiles contra la intervención militar en la isla, ¿no es así?

El policía asiente.

—Los extremistas se le volvieron en contra, señora, precisamente como un tigre que le da un zarpazo al que viene a darle su comida.

Al pensarlo, Sonia descubre que existe una horrible pauta en las muertes de la familia, como si sus miembros fuesen los arquitectos de su propia destrucción. Indira ha muerto por un problema que Sanjay desencadenó al crear el monstruo de Brindanwale para controlar políticamente a los sijs; Rajiv ha muerto por un problema creado originalmente por Indira, que durante años facilitó apoyo a los Tigres para granjearse los votos de los tamiles de la India y no perder base electoral. ¿No había oído decir a Indira muchas veces que lo peor en política era, por miedo a perder apoyo, no hacer lo que uno en el fondo pensaba que debía hacer? Ambos han acabado pagando el error cometido en algún momento de debilidad, de falta de fe, el error de anteponer consideraciones políticas a corto plazo al interés general del país a largo plazo. Y los errores cuestan caros en política. A Sonia, a Priyanka y a Rahul se les hiela el corazón al pensarlo. Es la lección más cara de sus vidas.

Contrariamente al Congress, los fundamentalistas hindúes están muy satisfechos de sus resultados electorales. Se dan cuenta de que la campaña para destruir la mezquita de Ayodhya y reemplazarla por un templo hindú dedicado al dios Rama, ha dado importantes réditos políticos. Los disturbios se han convertido en votos. Entonces, ¿por qué no seguir? En octubre de 1991, las organizaciones hinduistas extremistas afiliadas al BJP se las arreglan para comprar los terrenos alrededor de la mezquita. Inmediatamente después empiezan obras de nivelación del terreno. Para colmo de la provocación, anuncian que el 6 de diciembre iniciarán la construcción del templo. Cuando los musulmanes ponen el grito en el cielo, el gobierno envía a Ayodhya un equipo para evaluar la situación, y éste se encuentra con una gran plataforma de hormigón levantada por los extremistas junto a la mezquita. Es una violación flagrante de la ley que después de los últimos disturbios había prohibido alterar las cosas. El equipo del gobierno está consternado de que el gobierno local haya hecho la vista gorda, pero la explicación es muy sencilla, su jefe es miembro del BJP.

Preocupado por una eventual escalada de la violencia, el ministro del Interior en Nueva Delhi envía a veinte mil hombres, que se instalan en distintos cuarteles situados a menos de una hora de la mezquita. Pero, por otro lado, van llegando cien mil militantes hinduistas, disfrazados como los héroes de la mitología, con tridentes, arcos y flechas, y acampan en la zona. Algunos líderes del BJP invocan el carácter pacifista y simbólico de la concentración.

–¡Tenemos nuestro propio servicio de orden! –argumentan ante las autoridades.

Éstas deciden no mandar a los soldados al recinto en la mañana del 6 de diciembre, la fecha anunciada para poner la primera piedra del templo. «No hemos querido provocar», dirán más tarde, cuando la gravedad de ese error salga a relucir.

En los alrededores de la mezquita sólo está presente la policía del estado, una fuerza escasa, mal motivada y peor pertrechada para contener los ánimos de una gigantesca multitud. A las once y media de la mañana, mientras santones medio desnudos cubiertos de ceniza empiezan a entonar cánticos y oraciones en la plataforma de hormigón, algunos militantes se acercan a la mezquita en actitud amenazante. Cuando intentan pararles los pies, lo único que consiguen el servicio de orden y algunos agentes de policía es ser apedreados por la multitud encolerizada.

—¡Levantaremos nuestro templo aquí mismo! —gritan con fervor los militantes.

Un joven intrépido consigue saltar por encima de la policía y escalar los muros de la mezquita hasta llegar a una de sus tres cúpulas. La multitud percibe el gesto como una señal de ataque. Armados de hachas, picos y palas, una avalancha de militantes se lanza sobre la mezquita. La policía huye despavorida.

Media hora más tarde, los militantes caminan por el techo haciendo ondear banderas color azafrán y lanzando vítores. Mientras unos lanzan ganchos atados a una cuerda para clavarlos en el techo de los minaretes, otros atacan la base con mazas, martillos y picos. A las dos de la tarde, el primer minarete se derrumba, y con él una docena de hombres que estaban destrozando el techo a hachazos. Pero parece que da igual, la vida humana no importa, lo que vale es acabar con los símbolos del vecino musulmán. Una hora después, cae el segundo minarete. Luego el último, y finalmente la cúpula central. En una sola tarde, un monumento que ha sido testigo de innumerables convulsiones de la historia, que ha soportado el azote de más de cuatrocientos monzones es reducido a escombros por la furia de unos fanáticos[1].

La mayoría de los hindúes del país no están de acuerdo con que una minoría de extremistas consiga doblegar el Estado a su voluntad. Si las fuerzas que hubieran podido detener ese sacrilegio están a mano, ¿por qué no les ha llegado nunca la orden de intervenir? En esos días de terror son muchos los indios que echan de menos a Indira; con ella en el poder en Nueva Delhi, piensan que probablemente esto nunca hubiera ocurrido. Lo achacan a un acto de cobardía del gobierno de Narasimha Rao, que no quiere ser percibido como contrario a los hindúes en un país en el que son mayoría.

La demolición causa seis muertos entre los militantes y una cincuentena de heridos. Los líderes del BJP son arrestados por

1. Citado en Ghua, Ramachandra, *India after Gandhi, op. cit.*, p. 630.

la policía y puestos bajo custodia protegida. Un influyente sacerdote local expresa el deseo de que Ayodhya se convierta en el «Vaticano de los hindúes» y hace un llamamiento a la violencia. El primer paso, agrega, es limpiar la ciudad de sus minorías. Los militantes responden con ardor a este grito de guerra y se lanzan a una orgía de violencia, incendiando las casas de los musulmanes y luego barrios enteros. Pronto, la violencia se extiende a lo largo y ancho de la India. Los musulmanes salen a las calles, atacan las comisarías de policía y prenden fuego a edificios del gobierno. Las turbas excitadas utilizan armas de todo tipo, desde ácido hasta escopetas, pasando por tirachinas y puñales. La prensa relata casos de niños quemados vivos, de mujeres acribilladas a bocajarro por policías. El espectro de la Partición vuelve a aparecer.

Hay miles de muertos por toda la India. El ejército impone el toque de queda. El país está paralizado por el miedo. Los aviones no despegan, los trenes no circulan. La pesadilla de Nehru y de Gandhi, la del odio entre comunidades, se está haciendo realidad ante los ojos atónitos del pueblo, que ve cómo la convivencia entre vecinos es reemplazada por la hostilidad y la suspicacia. Ya no juegan juntos los niños musulmanes e hindúes como lo han venido haciendo desde hace ya más de mil años. Los padres no comercian entre ellos, dejan de relacionarse. A los musulmanes se les empieza a exigir que prueben su lealtad hacia la India. En los partidos de críquet contra Pakistán, se les exige que desplieguen la bandera nacional en la fachada de sus casas, y que animen al equipo nacional. Están obligados a mantenerse a la defensiva, pero en Cachemira, donde son mayoría, los papeles se invierten. Allí los extremistas musulmanes lanzan una jihad contra la comunidad de los pandits hindúes, de la que los Nehru son oriundos. Más de cien mil se ven obligados a exiliarse. Ambos procesos se retroalimentan, mientras la gente, que no está acostumbrada a hacer política en términos de fe y religión, se hace multitud de preguntas: ¿se puede confiar en un gobierno que no asume su compromiso de proteger un antiguo lugar de culto?, ¿se puede confiar en una comunidad que expulsa de manera tan drástica a los que profesan otra fe? «Como los minaretes que coronan esta vieja mezquita –escribe el *Time Magazine*–, los tres pilares del Estado indio –democracia, aconfesionalidad y estado de derecho– corren el riesgo de ser derribados por la furia del nacionalismo religioso.»

Durante tres años, Sonia ha estado encerrada en casa, volcada en la tarea de organizar el archivo de la familia. Ha escrito un conmovedor libro sobre su marido para el que ha tenido que bucear entre cien mil fotos, quinientos discursos e innumerables notas[1]. Lectora voraz, ha vivido su periodo de luto entre libros, legajos, fotos y documentos. También ha editado el segundo volumen de cartas entre Nehru e Indira, una correspondencia intensa y conmovedora. «No puedes librarte de la tradición familiar –escribió Nehru a su hija desde la cárcel– porque te perseguirá y, lo quieras o no, te dará una cierta posición pública que no has hecho nada por merecer. Es desafortunado, pero tendrás que aguantarte. Aunque, después de todo, no es mala cosa tener una buena tradición familiar. Nos ayuda a encarar el futuro, nos recuerda que tenemos que mantener viva una llama y que no podemos rebajarnos o envilecernos.» Sonia no consigue quitarse esa carta de la cabeza. Escrita en otro tiempo y otras circunstancias, su eco retumba en su interior porque contiene una ineludible verdad.

Ahora, lo que ocurre a su alrededor le revuelve las entrañas. Que el gobierno, encabezado por un primer ministro del Congress, no haya podido impedir la catástrofe de Ayodhya le duele en el alma. Es un insulto al ideario, a la esencia misma del partido. ¿Es posible que los sacrificios de Gandhi, Indira y Rajiv no hayan servido para nada? –se pregunta desconcertada–. ¿Todo ese dolor ha sido inútil?

En una reunión del patronato de la fundación que lleva el nombre de su marido, propone emitir una dura declaración de condena al gobierno.

–La fundación es una entidad apolítica –le dice uno de los patronos, un antiguo miembro del Congress y viejo amigo de Rajiv–. No hay necesidad de hacer un comentario sobre un tema político.

1. Gandhi, Sonia, *Rajiv, op. cit.*

Sonia niega con la cabeza.

—A Rajiv y a los demás miembros de la familia se nos identifica con el laicismo, con la voluntad de no mezclar política y religión. Me da la impresión de que si la fundación no expresa su condena, estamos traicionando la herencia de nuestra familia.

—Pero si lo haces, te estás metiendo en política. Tienes que saber que si te metes contra lo que hace el Congress, estás dando fuelle a los adversarios, a los extremistas hindúes...

—No se trata de hacer política o no. Es una cuestión de principios. No puedo permanecer impasible ante lo que está ocurriendo.

No piensa callarse, le da igual quién esté en el gobierno. Repite que la suya es una autoridad moral, no política. ¿No ha cometido el primer ministro Rao el mismo error en la gestión de la crisis de Ayodhya que cometieron en su día Sanjay con los sijs e Indira con los tamiles? ¿Es que de nada sirven las lecciones del pasado? Está claro que Rao no ha mandado al ejército a tiempo para impedir la destrucción de la mezquita a fin de no alienarse el electorado hindú. Ha sacrificado la paz del país por un beneficio electoral a corto plazo. Ésa no es la política que Sonia está dispuesta a apoyar, caiga quien caiga, aunque sea el Congress.

De modo que sigue adelante con su idea y redacta una declaración de condena en términos severos, en la que imputa una gran parte de responsabilidad al propio gobierno de Narashima Rao. Inevitablemente, se desata una tormenta política. «¿Se está metiendo en política y lo hace contra nosotros?», se preguntan en el gobierno, atónitos. Como era de esperar, la oposición disfruta del espectáculo de esta pelea interna del Congress, que se añade a otras entre distintos líderes. En el partido se devoran los unos a los otros, es un auténtico nido de víboras. Los extremistas hindúes aplauden.

Pero Sonia lo tiene claro. Seguir fiel al compromiso de preservar la memoria de su marido y de la familia nada tiene que ver con la suerte de los hombres de Rajiv en política, sobre todo cuando no existen razones para apoyarlos. Piensa que quedarse de brazos cruzados es ser desleal. Y Rajiv sigue estando muy presente en su mente. Todo lo que ha hecho en la vida, lo ha hecho por él. Ahora también, en eso la muerte no ha cambiado nada. Él vive en ella. Es su razón de ser.

Y además tiene otro agravio contra el gobierno de Rao. El juicio contra los conspiradores arrestados por la policía no tiene visos de empezar nunca. Como resultado de los interrogatorios a los detenidos, la policía ha descubierto un plan meticulosamente trazado para acabar con la vida de Rajiv. Saben que fue diseñado en la profundidad de las junglas de Sri Lanka por la dirección colegiada de la organización terrorista, que utilizó la cantera de activistas que tienen en el sur de la India porque necesitaban tamiles locales que no pudiesen ser identificados por el acento de la isla. La policía ha descubierto toda una red de apoyo a la organización terrorista, con una estructura donde los que prestaban los pisos francos sólo sabían que luchaban por la causa; los que estaban más cerca de la dirección sólo sabían que la misión consistía en asesinar a un político «hostil a la lucha de los Tigres»; y únicamente los dirigentes sabían quién era el blanco. Esos dirigentes temían que si Rajiv hubiera vuelto al poder, habría enviado de nuevo al ejército indio a la isla, lo que les hubiera perjudicado.

Sonia y sus hijos están decepcionados y molestos por que todo ese buen trabajo de la policía corra el riesgo de quedar en agua de borrajas por la inacción de la judicatura.

—Espera un poco más, hay que tener paciencia... —le repiten los antiguos compañeros de Rajiv.

—La justicia, si es lenta, no es justicia... ¿No lo sabemos todos? —dice Sonia, repitiendo otra frase que ha oído mil veces en casa cuando vivía Indira.

—No es el momento de atacar al Congress. Está tan debilitado que sería fatal. Sobre todo si el golpe viene de ti.

—Ni mis hijos ni yo seguiremos esperando mucho tiempo.

Sonia, volcada en el trabajo de la fundación, recorre el país como nunca lo ha hecho antes. Es un redescubrimiento de la India profunda, esta vez sola y con otros ojos. Ya sea para inaugurar el Lifeline Express, un tren convertido en hospital ambulante para operar la ceguera, o bien aportando material de socorro a las áreas más afectadas por los disturbios, lanzando programas de alfabetización o abriendo un hospital oncológico en una zona rural y apartada, su presencia atrae un número creciente de gente que invariablemente le dispensa una acogida entusiasta. Al sentirse querida, aprende a ser más comunicativa, no con la prensa, de la que sigue recelando, pero sí con las mujeres con quienes comparte el té y la charla, y con los niños a los que abraza y ofrece regalos. Su trabajo la satisface profundamente. Asume con vigor y eficacia el antiguo compromiso familiar con los pobres de la India, y lo hace a su manera.

Pero si uno está comprometido con la gente, tiene principios y el poder que da pertenecer a la familia de Nehru, ¿puede callarse ante la ineficacia y la desidia de las autoridades, sean del signo que sean? ¿No equivale el silencio a aprobar el comportamiento del gobierno, que ha colocado el país al borde del abismo?

El 20 de agosto de 1995, fecha del cumpleaños de Rajiv en el cuarto aniversario de su muerte, Sonia, harta ya de esperar, preocupada por el auge de los enfrentamientos entre comunidades, sale a la palestra, y lo hace en Amethi. Diez mil personas en delirio corean: «¡Sonia, salva al país!», mientras ella sube despacio las escaleras del estrado, la cabeza cubierta por el faldón de su sari. Le tiemblan las manos de lo nerviosa que está y parece insegura, en contraste con su hija Priyanka, que saluda relajada a la muchedumbre.

—Mamá, ¡mira qué de gente! ¿No crees que deberías saludarlos?

Sonia hace caso a su hija y levanta el brazo. La atronadora respuesta de la gente la envalentona. Flanqueada por Priyanka, da libre curso a su cólera: «Desde hace cuatro largos años, el gobierno ha sido incapaz de arrestar y de llevar a juicio a los asesinos de mi marido —declara en un hindi casi perfecto—. Si el sumario sobre el asesinato de un ex primer ministro tarda tanto tiempo en hacer progresos, ¿qué le ocurrirá al ciudadano común con los asuntos pendientes ante la justicia? Seguro que vosotros entendéis lo que siento». En medio de un huracán de exclamaciones, continúa: «Hoy, los ideales de Nehru, de Indira y de Rajiv están amenazados. Hay divisiones en todas partes. Ha llegado la hora de restaurar sus principios y estaré con vosotros en ese esfuerzo». «¡Sonia, salva al país!», le responde la gente, que siente afecto por esta viuda valiente y digna. La admiran por su abnegación, su fidelidad a la familia y su sacrificio. Antes de meterse en el coche, una periodista se le acerca:

–¿Su discurso marca el regreso de la dinastía de los Gandhi a la escena política india?

–No –contesta Sonia–, no tengo ambiciones políticas. Siempre hablo en calidad de presidenta de la Fundación Rajiv Gandhi.

Pero la India entera ha oído su mensaje. Al día siguiente, su foto con el brazo alzado, acompañada de sus hijos, está en portada de todos los periódicos nacionales. A ojos de millones de indios, Sonia deja de ser percibida como el ama de casa que vive a la sombra de su marido y de su suegra, y pasa a ser la figura pública responsable del legado de la familia.

A Sonia le está ocurriendo lo que le pasaba a Rajiv y a Indira. El contacto con la gente la anima, la reconforta, la saca de su angustia existencial, le hace olvidar la contradicción que supone asumir el legado de una familia tan política detestando la política. El resultado de las siguientes elecciones, las de 1996, no la sorprende en absoluto. Está tan bien informada que ya sabe que el partido no va a alcanzar los doscientos diputados. Pero no llega ni a ciento cuarenta, un desastre histórico. Rao disuelve el gobierno, dimite de primer ministro y de líder del partido.

Pocos días después, recibe la visita de un grupo de disidentes del Congress que de nuevo vienen a solicitar su consejo para elegir al próximo presidente de la organización. Pero Sonia se niega a dar su opinión. Esta vez, consciente de su poder, «del factor Sonia», ni siquiera menciona cuál sería el sucesor favorito. No quiere ser manipulada.

Quien ha salido victoriosa en estas elecciones ha sido Maneka, que ha conseguido de nuevo un escaño en el Parlamento. Yendo y viniendo de su puesto, la cuñada se ha labrado una imagen propia de defensora de los animales. Es nombrada de nuevo ministra de Medio Ambiente, pero la alegría le dura poco. A causa de las presiones de los enemigos de la coalición, el nuevo primer ministro se ve obligado a relevarla unos días después. No deja de ser irónico que la nuera india de Indira, política y charlatana, luche tanto por una parcela de poder mientras que la tímida y apolítica nuera extranjera siga teniendo que rechazar ofertas de liderazgo.

Porque los líderes del Congress vuelven a la carga, conscientes de que la ausencia de la viuda es la presencia más importante del partido. La situación es catastrófica, le dicen, el partido se desintegra, el país corre hacia el abismo de las guerras de religión. No hay día que no venga alguien a repetírselo. Las peleas intestinas en el seno de la mayor organización política del mundo la están vaciando de los mejores militantes, que desertan en masa. El nuevo líder que sale elegido a costa de agrias disputas es un individuo que no inspira respeto. Se pasa las tardes en su casa, tumbado en el suelo, la cabeza sobre una almohada, bebiendo whisky, fumando sin parar y hablando de política, de chismorreos y de sexo. Sonia sabe que ese hombre no es la solución, más bien al contrario. Ante las presiones constantes, ella sigue sin dar su brazo a torcer. «¿Y Priyanka?», preguntan, como si valiese igual la madre que la hija. Lo que sea, pero que sea un Gandhi, es lo único que puede salvar a la organización. Sólo un Gandhi puede aglutinar las distintas tendencias, los diferentes egos. Sólo un Gandhi puede galvanizar la maltrecha moral de los simpatizantes. En el otrora todopoderoso Congress, un partido con ciento doce años de historia, cunde la desesperación. «Millones de militantes del partido están dispuestos a dar su vida por ti. ¿Cómo puedes permitir que el Congress se desmorone ante tus ojos?», le repiten. Tanto se lo dicen que Sonia empieza a sentir un vago complejo de culpabilidad, la conciencia afligida por una especie de dolor. ¿Puedo seguir como una espectadora muda frente a la desintegración del partido por el que Rajiv dio su vida? La pregunta la perturba. De pronto es como si la tierra le faltase bajo sus pies. Además, está cansada de tanta presión, a la que no ha dejado de estar sometida desde que murió Rajiv. También harta de tanta adulación. Pero, sobre todo, está atormentada. Si se desintegra el Congress, se acaba la herencia familiar. Pensar que el sacrificio de Rajiv ha sido en vano le quita el sueño. Su hija comparte su zozobra.

–Hay que hacer algo –le dice Priyanka–, si no el BJP acabará destruyendo todo lo que hemos conseguido, desde el abuelo hasta papá.

Cuando viene a visitarla un viejo amigo de la familia, Amitabh Bachchan, en cuya casa estuvo viviendo cuando llegó a Nueva Delhi y que se ha convertido en el actor de cine más popular de la India, le hace partícipe de su desazón.

–Me pregunto si al fallarle al Congress, no le estaré fallando a Nehru, a Indira y a Rajiv –le confiesa.

–No los confundas con los líderes de ahora –responde Amitabh–. Éstos son una panda de buitres que se quieren aprovechar del poder de convocatoria de vuestra familia para sus fines políticos. No te dejes engañar, no cedas.

–Claro, tienes razón –le dice.

Pero Priyanka no está de acuerdo con Amitabh.

–Entonces –le dice a su madre cuando están de nuevo a solas–, ¿vamos a dejar que el país se derrumbe sin hacer nada?

Sonia le contesta con otra pregunta.

–¿No te parece que la familia ya ha hecho bastante por el país?

Pero la duda la oprime como un abrazo lúgubre, como si adivinase que su resistencia está a punto de claudicar ante lo irremediable.

Meses más tarde, otra visita de otro antiguo amigo de Rajiv termina de sembrar la duda en la mente de Sonia. Es uno de los líderes del Congress mejor valorados, un hombre íntegro llamado Digvijay Singh. Su opinión siempre pesaba en tiempos de Rajiv.

–Vamos de cabeza al desastre –le dice de sopetón–. Con este nuevo presidente, no vamos a conseguir ni cien escaños en las próximas elecciones. ¿Sabes lo que significa eso?

Sonia hace una mueca de disgusto. El hombre prosigue:

–Significa la desintegración del partido, el final del Congress. Y quizás de la India como nación.

Hay un silencio largo, denso.

–Conozco tu postura y la de tus hijos con respecto a asumir

el manto de vuestra familia, pero ante la extrema gravedad de la situación, he venido en nombre de los compañeros de Rajiv a pedirte que lo hagas. Ya sé lo que piensas de la política, lo sabemos todos. Sé que me vas a decir que no, pero faltaría a mi deber si no insistiera. Y no lo haría, si pensase que hay una solución mejor.

–Yo siempre he pensado que tú tenías tirón, que podrías perfectamente ser un buen presidente del partido –le dice Sonia.

–No tengo suficientes apoyos. Quizás en el futuro los tenga, ahora no. En este momento de máxima gravedad, la solución pasa por ti o por tus hijos.

–¿Me estás diciendo que si no entro en política, estoy faltando a mi responsabilidad?

El hombre no se atreve a responder.

–Quiero hacerte ver otro aspecto del problema –prosigue–. Supongamos que el Congress desaparece... ¿Qué pasará con vuestra seguridad? Hagáis o no hagáis política, hay mucha gente que os ve como una amenaza por lo que representáis. Los que están en contra de los principios fundadores del Congress están tambien en contra vuestra. Y desgraciadamente son legión, cada día más. Aunque nunca quieras hacer política, el hecho de haberte quedado a vivir en esta casa es en sí mismo un acto político.

Sonia no contesta. La cabeza le da vueltas. Digvijay Singh prosigue:

–Si se la quitaron a Rajiv, os la quitarán a vosotros, que no te quepa la menor duda. Si el Congress desaparece como fuerza política, ¿quién va a costear el enorme despliegue de seguridad que tú y tus hijos necesitáis?

Sonia se estremece, porque sabe que su interlocutor tiene razón. ¿Se atreverían a dejarlos desprotegidos? Todo es posible en este sucio mundo de la política. Hay enemigos fuera, y también dentro del partido, los mismos que le retiraron la protección a Rajiv. Unos por una razón, otros por otra. Está claro que si el partido se hunde, quedan indefensos. Pero si acepta y entra en política para salvarlo, ¿no es tentar al diablo? ¿No es exponerse aún más a las balas de cualquier loco? No hay salida en el laberinto de su vida. Todo se acaba mezclando en su cabeza: el sentido de la responsabilidad y el miedo, el odio a la política y la necesidad de seguridad. Por primera vez, Sonia se está dando cuenta de que no sólo el poder la necesita a ella; la familia también necesita la protección del poder. Si no, está claro: el legado dejará de existir, el sacrificio de Indira y Rajiv caerá en el olvido y quizás ellos –Sonia, Priyanka o Rahul– también dejarán de existir.

44

Mientras Sonia se debate en un mar de dudas, la política india sigue desintegrándose. El concepto de «nación» creado por el Partido del Congreso durante la lucha por la independencia, y que aboga por una nación plural, laica y diversa (al revés que Pakistán, una nación creada alrededor de una religión), sigue perdiendo terreno de manera alarmante. Los mismos adversarios contra los que lucharon el Mahatma Gandhi, Nehru, Indira y Rajiv son los que ahora ganan adeptos con su idea de una India hindú, como un eco involuntario de Pakistán. ¿Qué pasará si se hacen con el poder? ¿Habrá una limpieza étnica? Luego está el lamentable espectáculo de la corrupción. Un centenar de parlamentarios en Nueva Delhi tienen ahora un «pasado criminal», lo que significa que han sido acusados de varios crímenes, pero no condenados formalmente. ¡Si Nehru levantara la cabeza! Una vez que son elegidos es prácticamente imposible condenarlos, por eso la política se está convirtiendo en un incentivo importante para delincuentes de toda calaña.

La corrupción es tan grotesca que una líder en alza del mayor partido de «intocables» de la India, una mujer de mediana edad llamada Mayawati y que se ha hecho rica de la noche a la mañana alegando que sus simpatizantes son «muy generosos», ha sido pillada in fraganti otorgando licencias a sus amigos constructores para levantar un gigantesco parque temático alrededor del Taj Mahal. El escándalo la ha obligado a abandonar el proyecto, pero no le ha restado ningún voto. La prensa publica fotos suyas recibiendo a sus interlocutores sentada en un auténtico trono de madera labrada recubierta de pan de oro en su casa palacio de Lucknow. Ha celebrado su cumpleaños a lo grande, utilizando la maquinaria oficial y fondos públicos. Y no es la única.

Parece que, en lugar de progresar, el país retrocede a los tiempos de los corruptos maharajás. Vuelve a las andadas, como cuando estaba compuesto por una miríada de reinos que se peleaban entre ellos, debilitándose mutuamente, facilitando las invasiones de mogoles y británicos. Si el Congress acaba pulverizado en las próximas elecciones, morirá el único gran partido nacional. Ahora sólo quedan reinos de taifas que luchan no por su ideología, sino por granjearse los favores de sus electores, cada vez más agrupados en castas o comunidades regionales. La política se atomiza. ¿Hasta dónde llegará esa fragmentación? ¿Hasta la desintegración de la India? Los analistas no lo descartan. Algunos dicen que la India eran los Nehru, que sin ellos la India no es ni siquiera una nación.

En una de sus noches de insomnio, Sonia siente de nuevo una presión en el pecho. A veces es el frío lo que desencadena una crisis de asma, otras veces surge sin aparente explicación, otras el estrés. Los bronquios se estrechan y dificultan el paso del aire a los pulmones. La sensación de ahogo, de que al inhalar no entra aire, es angustiosa. El asma crónica no se cura, uno aprende a convivir con la enfermedad, como lo ha hecho Sonia. Reconoce que el yoga le es de una gran ayuda. El yoga enseña a respirar. Cuando esa noche nota los primeros síntomas, ya está buscando su inhalador y sus medicinas. Pero no los encuentra en su lugar habitual, no están ni en el armarito del cuarto de baño ni en la mesilla de noche. «Debo de habérmelos dejado en el despacho», se dice. Se envuelve en su albornoz y sale de su cuarto.

En efecto, el inhalador está en la mesa del despacho. Sonia se sienta, se lo pone en la boca, aprieta justo en el momento de la inspiración y da unas profundas caladas. En seguida nota el efecto. Ya está, puede respirar. Se relaja. La casa está en silencio, excepto por el ruido del viento en el follaje de los árboles del jardín y el de sus profundas exhalaciones e inspiraciones. La habitación sigue oliendo a incienso frío, como cuando vivía Rajiv. Le gustaba encender unos bastoncillos cuando trabajaba. Decía que le ayudaban a concentrarse.

De pronto Sonia levanta la vista y se encuentra con el retrato de Indira. Y el de Nehru. Y luego el de Rajiv. «¿Por qué me miráis con esa insistencia? ¿Con esa sonrisa enigmática?» Esa noche, en la penumbra, le parece que están vivos. Sonia guarda su inhalador en el bolsillo y, antes de apagar la luz, vuelve a mirar los retratos. No consigue sostener esas miradas y baja la vista, como avergonzada. Apaga la luz y vuelve a su cuarto a acostarse. Pero no concilia el sueño y no quiere tomarse una pastilla para no acostumbrarse. Da vueltas en la cama, se enreda en la sábana, enciende la luz, intenta leer, se cansa y la apaga de nuevo. No puede apartar de su mente las fotos del despacho. «Les estoy fallando –se dice a sí misma–. Les estoy traicionando. Dios mío, ¿qué hago?»

Necesita hablar con sus hijos. Rahul acaba de llegar de Londres, donde ha encontrado trabajo en una entidad financiera después de haber terminado sus estudios en Estados Unidos. Priyanka tiene novio, un chico que conoce desde que era pequeña. Al día siguiente, alrededor de la mesa del desayuno, Sonia les cuenta la sensación que le han provocado las fotos del despacho.

–Cada vez que paso delante de ellos, me da la impresión de que me están mirando, como si esperasen algo de mí...

–Es que lo esperan, mamá –le espeta Priyanka–. A mí me pasa lo mismo, me da vergüenza quedarme sin hacer nada mientras todo se viene abajo. ¿Qué diría la abuela? Estoy segura de que no le gustaría... Tenemos que evitar el descalabro del partido.

–¿Y cómo se hace eso? –pregunta su hermano.

–Haciendo campaña por el Congress en las próximas elecciones –contesta Priyanka.

Rahul se encoge de hombros.

–No nos metamos en ese berenjenal.

–Yo creo que hay que pensárselo bien –tercia Priyanka, que tiene los pies en la tierra–. Sabes, mamá, yo he llegado a la misma conclusión que tú, aunque por otro camino. No podemos quedarnos de espectadores. Es como... ¡como inmoral!

Poco a poco, van barajando los pros y contras de una decisión que aparentemente lo trastoca todo, pero que acaba mostrando su lógica profunda.

–Hay veces en que hay que dejar las preferencias que una tiene de lado, ¿no creéis? –pregunta Sonia, con el semblante serio.

Sus hijos no contestan. Ella prosigue:

–Estaría dispuesta a hacer campaña por el Congress para intentar salvar a la organización, pero no a asumir ningún puesto de gobierno. ¿Me ayudaréis?

–Claro que sí –le dice su hija.

–¿Te acuerdas de lo que le decía el bisabuelo a la abuela Indira en aquella carta?... Que nunca podría desprenderse de la tradición familiar. ¡Qué razón tenía! Creo que nosotros tampoco podemos. Es como una segunda piel, nos guste o no.

A Rahul le cuesta aceptar la decisión de su madre, porque no la ve contenta. Sabe que ella va a adentrarse en una senda que en el fondo le repele. Sabe que lo hace porque ha heredado el mismo sentido del deber que tenían Indira y Rajiv. Pero al final el chico entiende lo que está en juego.

–Mamá, dejaré el trabajo y te acompañaré a todos los mítines –le dice para animarla.

A Sonia le gusta servir ella misma el té a los que vienen a verla. Esta vez no es una visita habitual, ha sido ella quien ha convocado al líder del Congress y viejo amigo de la familia Digvijay Singh, ese que hace unos meses le dijo que iban derechos al desastre. Es un hombre alto y bien parecido, con una elegancia natural realzada por un conjunto blanco de *kurta* y pantalones tipo pijama. Ha acudido sin dilación, a pesar de haber tenido que pasar una noche en tren. Pero si Sonia llama, se le hace caso, porque no suele llamar nunca. La italiana le entrega la taza de té, que desprende efluvios de jazmín. Antes de sentarse, echa un rápido vistazo a las fotos de las paredes, como si les pidiese la aprobación ante el atrevimiento de lo que se dispone a proponer.

–¿Qué pasaría si hago campaña por el Congress? –suelta de pronto.

El hombre se quema los labios y se atraganta. ¿Será verdad

lo que está oyendo?, se pregunta. No tenía ni idea de lo que iba a encontrarse, por eso la pregunta le pilla desprevenido.

Se hace el silencio, un silencio denso, que Sonia aprovecha para ofrecerle una servilleta de hilo bordada con una G.

–Madam –responde secándose la comisura de los labios–, eso tendría un efecto galvanizador en nuestras filas. Barreríamos en las urnas.

Sonia está seria, meditativa. Al hombre se le iluminan los ojos.

–¿Lo crees de verdad?

–Estoy convencido.

–Para mí es una decisión muy difícil de tomar.

–Lo entiendo perfectamente, Madam.

Sonia prosigue:

–No soy una líder nata, ya lo sabes, no es algo natural en mí...

–No creo que la capacidad de liderar sea algo innato. Mira el ejemplo de Indira. Era tímida y al principio hablaba fatal. O tu marido. Todo se aprende. Y en política se aprende aún más rápido.

–¿Tú crees que eso se puede aprender?

–Estoy seguro. Fíjate en la cantidad de gente que acude a verte a cualquier acto. Parece que beben tus palabras... Además, te podemos preparar. Tienes la ventaja de tener a tu disposición la gran reserva de talentos que existe en el Congress, a menos que el partido se desintegre tan rápidamente que acaben todos marchándose antes de las elecciones. Pero todavía tenemos a los mejores especialistas en campos como la economía, la administración o la ciencia y la tecnología.

Sonia se lo queda mirando, pero no dice nada. Tiene la expresión hermética de la que se ha resignado a aceptar lo irremediable.

Poco tiempo después de esa reunión, Sonia realiza una gestión discreta, a su manera. Se dirige a la sede del partido en Akbar Road y rellena el formulario que acompaña la solicitud de adhesión a la organización. Con el carné en la mano, que la vincula aún más a Nehru, a Gandhi y a todos los que lucharon por los ideales de una India independiente y libre, vuelve a su casa.

Se mete en el despacho y, antes de guardarlo en un cajón, dirige su mirada a los retratos. Esboza una tímida sonrisa, como si ya no sintiese vergüenza de mirarlos a la cara.

El 28 de diciembre de 1997, Sonia anuncia públicamente su decisión de entrar en política y de presentarse como candidata del Congress en las próximas elecciones. La noticia da la vuelta al mundo. Nadie entiende las razones de esta pirueta, ni su madre ni sus hermanas ni sus amigos ni el público en general. Los líderes del partido hacen un gran espectáculo dándole la bienvenida, pero algunos están recelosos porque saben que esta «neófita» acabará mandándoles. Las malas lenguas escupen su veneno: Sonia se mete en política para escabullirse del escándalo Bofors, dicen unos. Sonia quiere ser primera ministra, dicen otros. Por fin muestra sus verdaderos colores, clama un tercero. Maneka Gandhi no pierde oportunidad de añadir su grano de arena. «Saluda como el limpiaparabrisas de un coche», dice aludiendo al saludo de Sonia a sus entusiastas seguidores a la salida de la sede del Partido. Y añade en una entrevista al semanario *Panchjanya*: «Sonia no saldrá elegida porque es extranjera... Lo único que quiere es ser un día primera ministra para tener una vida regalada. Ese cargo es como un juguete para ella, no es consciente de las dificultades que entraña...»[1].

Sonia rechaza hacer cualquier comentario sobre su ex cuñada. Lo que intenta es blindarse contra las críticas y las burlas, vengan de donde vengan. Siempre ha sabido que sería sometida a un escrutinio público aún más intenso que antes. Forma parte de la vida de un político. Por eso quiere prepararse lo mejor posible. Consciente de sus limitaciones, se rodea de los mejores especialistas: una historiadora, un sociólogo, un jurista experto en derecho constitucional, un ex director del Servicio de Inteligencia, un experto en ciencias políticas... En general, la consideran una «estudiante aplicada» que por ejemplo aprende rápidamente las costumbres y los usos parlamentarios. Pero comete algunos fallos. Cuando le presentan a un influyente líder de una

1. Citada en *The Indian Express*, 14 de mayo de 1999.

casta del estado de Uttar Pradesh, un hombre brillante, con una mente analítica capaz de explicarle el delicado equilibrio de las castas, Sonia le comenta con candidez: «En el Congress, yo quiero que se minimicen las consideraciones de casta». El hombre se levanta de golpe y dice que volverá cuando Sonia tenga más idea de lo importante que es el tema del que está hablando. Gajes del oficio.

El momento de su entrada en política coincide con la boda de su hija. Priyanka se casa con un diseñador de joyas, hijo de un magnate del latón de una ciudad próxima a Nueva Delhi. A Sonia no le hace mucha gracia esa unión; el novio no ha terminado la universidad y, peor aún, algunos miembros de la familia tienen vínculos con organizaciones extremistas hindúes afiliadas al BJP. Pero a Priyanka eso no parece importarle. Está enamorada de un hombre, no de su familia, en eso piensa como una europea, no como una india. Ha tomado una decisión y va a seguir adelante.

–Priyanka está siendo muy fiel a la tradición familiar –le dice Rahul a su madre, con sorna–. Se casa con alguien con quien no tiene nada en común. ¿Qué hay de malo en ello?

–Ése es precisamente el problema.

–¿Problema? ¿Qué tenía que ver el bisabuelo Nehru con la bisabuela? Nada. ¿La abuela Indira con el abuelo? Nada tampoco. ¿El tío Sanjay con Maneka? Y tú con papá... tú misma lo has dicho, erais de mundos muy distintos. A veces funciona, a veces no, eso nunca se sabe.

–Si tu hermana y tú os confabuláis contra mí, no pienso abrir otro frente –le dice Sonia, que vuelve a sonreír.

A la boda de Priyanka, hija, nieta y bisnieta de tres primeros ministros, acude lo más granado de la sociedad. Sonia, muy elegante en un sari de seda color burdeos y oro, recibe al presidente de la República, al primer ministro y a los altos cargos del partido. El ambiente está cargado de expectación en este evento calificado por la prensa como la «boda del año». Nunca como hoy la familia «reinante» ha sido fuente de tantos y tantos comentarios y chismorreos. Desde que Sonia ha anunciado su entrada en política, unos predicen su inminente fracaso, otros muestran su satisfacción de haber encontrado una líder capaz de hacer resurgir el Congress. Dicen que la madre ha aceptado hacer el sacrificio de entrar en política por sus hijos, auténticos herederos naturales de la dinastía. Entre los comensales se encuentra también un chico alto y bien parecido, que Priyanka ha insistido en invitar. Es su primo, Firoz Varun Gandhi, el hijo de Maneka, que está estudiando en la London School of Economics. Viene solo, sin su madre. Ya sea Priyanka, Rahul o Firoz, los líderes del partido tienen una fe absoluta en ellos. Los consideran líderes natos, carismáticos y capaces de decidir el destino de millones de personas. Ahora que la madre ha dado el primer paso, están convencidos de que el futuro del Congress, y de la nación, pasará por ellos. No se les escapa que Priyanka, radiante, luce el espléndido sari hecho con el algodón que su abuelo Nehru hiló en la cárcel. El mismo que llevó Indira en su boda, y luego Sonia en la suya. Todo un símbolo, ese sari rojo.

Todo un símbolo también, el hecho de que Sonia empiece su campaña donde su marido acabó la suya, en la ciudad de Sriperumbudur. Tiene que sobreponerse a la emoción de encontrarse en el lugar que Rajiv vio por última vez, a su timidez, a su nerviosismo y a sus ataques de asma a la hora de hablar en público. «Estoy aquí frente a vosotros, rodeada de medidas de seguridad, en este mismo lugar en el que Rajiv estuvo solo y desprotegido frente a sus asesinos. Su voz ha sido silenciada, pero su mensaje y las ideas que defendía siguen más vivos que nunca.» Ya no hace alusión a la lentitud de la justicia con la inquina de antes. Por fin, en enero de 1998, el juez que preside el tribunal contra los acusados de asesinar a su marido ha dictado sentencia: pena de muerte. Los condenados han apelado al Tribunal Supremo, pero sus posibilidades de que les conmuten la pena son mínimas. No es un consuelo para Sonia, que siempre se ha opuesto a la pena capital. Preferiría que los mantuviesen entre rejas.

Haciendo referencia a sus orígenes extranjeros, el punto débil que sus adversarios ya utilizan en su contra, añade: «Me convertí en parte de la India hace treinta años, cuando entré en el hogar de Indira Gandhi como esposa de su hijo mayor. Fue a través de su corazón como aprendí a entender y a querer a la India». Son frases sencillas, dichas en un tono natural y amable, entrecortadas por una sonrisa débil. Las repite a lo largo de un mes, en el que recorre treinta mil kilómetros, una de esas palizas a las que ha visto someterse a varios miembros de su familia. En sus discursos, que lee directamente en alfabeto hindi, habla también de sacrificio, de estabilidad y sobre todo de laicismo. Explica que se ha lanzado a hacer campaña como reacción a la angustia que le produce que haya políticos pidiendo votos en nombre de la religión. «Tenéis que elegir entre las fuerzas de la armonía y el progreso o las que buscan explotar nuestras diferencias para ganar poder.» No deja de aprovechar cualquier ocasión para disculparse por los errores del pasado, como la Operación Blue Star en el Punjab o la demolición de la mezquita en Ayodhya. Asume los fallos de los demás con total humildad. Habla con el sentimiento de estar imbuida de una misión. Las multitudes asisten a sus mítines no sólo por la tremenda curiosidad que suscita, sino porque Sonia es capaz de combinar la emoción con un discurso político contundente. Su campaña aporta una nota de frescor y de novedad al panorama general. Los líderes más escépticos se sorprenden de la eficacia de Sonia a la hora de llenar los mítines y de galvanizar al electorado. Al término de la campaña, el *Times of India* titula en portada: «De emperatriz esquiva a sufrida esposa y poderosa política, la transformación de Sonia Gandhi parece completa».

Sonia no arrasa en los resultados, pero consigue 146 escaños para el Congress y que la participación de los votantes aumente significativamente. Es decir, consigue evitar la catástrofe. Reconocida como salvadora del partido y para que en el futuro la organización no desaparezca en trifulcas internas, los líderes deciden auparla a la presidencia. Sonia Gandhi se convierte en el quinto miembro de la casa de Motilal Nehru en asumir tal cargo. ¡Ah, si Stefano Maino levantase la cabeza!... Qué lejos quedan las montañas Asiago, las veladas al calor de la chimenea con sus hermanas esperando la *zuppa* para cenar, las misas eternas de los domingos en la iglesia de Lusiana, el olor a nieve de finales de otoño, los sueños de niña de querer vivir en una ciudad y no en el campo ordeñando vacas... Y todo, por un cruce de miradas en un restaurante en Cambridge.

Once meses después de su boda, Priyanka se topa en el periódico con una noticia sobre los asesinos de su padre. Una de las terroristas acusadas está a punto de ser ejecutada en la horca junto a tres cómplices. Uno de ellos es su marido. La terrorista, conocida con el nombre de Nalini Murugan, se ha casado con él en la cárcel de Vellore, una ciudad del sur, y han tenido una niña. Todas las tardes, la pequeña, acompañada por su abuela, va a visitar a su madre a la prisión durante media hora. Priyanka, profundamente apesadumbrada por la noticia, lo habla con Sonia y con su hermano. ¿Es realmente necesario que muera más gente? ¿No ha habido bastante tragedia ya? ¿Hay que dejar una niña huérfana? Sonia y Rahul están igual de alterados. Ninguno de los tres está a favor de la pena de muerte. Se ha hecho justicia, en cierta medida eso ha servido para reconciliarse con el drama vivido. Pero que un acto de Estado deje huérfana a una niña por las fechorías de sus padres es algo que les parece injusto.

—No nos va a aportar ningún consuelo —dice Sonia.

—Más bien al contrario —añade Rahul—. ¿Qué podemos hacer?

—Pedir clemencia para la madre —sugiere Priyanka— y conseguir que la ejecución de los demás se posponga indefinidamente.

Cuando el presidente de la República recibe a Sonia en audiencia especial en su residencia de Rashtrapati Bhawan, el antiguo palacio del virrey, se queda atónito por lo que oye, después de todo lo que Sonia ha protestado por la lentitud de la justicia. «Mis hijos se han quedado huérfanos de padre, y con eso basta —le dice Sonia—. Nuestro argumento es que ningún otro niño tiene que quedarse huérfano. No queremos que la tragedia engendre más tragedia. Le pido que haga lo posible para conseguir el indulto para Nalini Murugan a fin que pueda criar a su hija.»

Cuando vienen a sacar de su celda a la joven terrorista, está convencida de que es para su último viaje. Pero la llevan ante el juez de Vellore, que le anuncia que su pena capital ha sido conmutada por la de cadena perpetua. «Ojalá esto sirva para algo, aunque sólo sea para llamar la atención sobre la futilidad de los actos terroristas, que únicamente conducen a la destrucción y a la muerte», declara Rahul a la prensa. Luego, gracias a la mediación de Sonia, Nalini consigue un visado para que su hijita y sus abuelos paternos puedan viajar a Australia, donde son acogidos por miembros en el exilio de la comunidad tamil. La niña podrá educarse en un ambiente no estigmatizado por la situación de sus padres.

45

Sonia ha devuelto la esperanza al mayor partido del mundo, aunque no lo devuelve al poder. No ha conseguido detener el auge de los hinduistas del BJP, cuyos resultados le permiten liderar una coalición para formar gobierno. ¿Seguirán azuzando la rivalidad entre comunidades? ¿Seguirán empujando el país hacia el abismo? Menos mal que el nuevo primer ministro Atal Bihari Vajpayee es un hombre culto, moderado, muy respetado en círculos políticos. ¿Conseguirá controlar a los más extremistas? El país entero se hace estas preguntas, sobre todo a la vista del programa, que es para hacer temblar a cualquiera: una India hindú, reforma de la Constitución, construcción del templo Rama en Ayodhya, etc.

Es lógico que muchos tengan depositada su confianza en Sonia, a quien le toca asumir el papel de líder de la oposición por ser presidenta del Congress. Allá en Italia, parientes, amigos y vecinos se agolpan frente a sus televisores para seguir la historia inconcebible de esta hija de la tierra. La Cenicienta de Orbassano ha cedido ante las súplicas de sus cortesanos y se lanza a luchar por el poder del reino... Pero ¿no le da vértigo? ¿No tiene miedo a que la maten? ¿No teme por sus hijos? ¿Por qué no lo deja todo y viene aquí a montar una tienda de decoración y a vivir tranquila? No entienden lo que pasa por la cabeza de esta mujer... que se ha enamorado de un príncipe y puede acabar convertida en reina.

Ocho años después del asesinato de Rajiv, a Sonia se le abren las puertas del Parlamento. Al subir la escalinata, le viene a la memoria una frase de su suegra, que decía que la suya no era una familia normal, «porque de nosotros se esperan milagros». ¿No era un milagro encontrarse en ese edificio singular, redondo, inmenso, en el corazón de Nueva Delhi, donde convergen las aspiraciones de una nación que ahora cuenta con mil millones de habitantes, donde Nehru, Indira y Rajiv defendieron sus ideas? Donde ahora le toca defender las suyas, ella que viene de tan lejos, que se muere de vergüenza cuando la miran, que ha aceptado ese desafío tan contrario a su temperamento para proteger la familia del hombre que más ha querido y para salvar el país del yugo integrista. ¿Será capaz de realizar esos milagros?

¡Cuánto camino recorrido, cuántas alegrías e ilusiones, cuántas decepciones y lágrimas vertidas!... Sobre todo, cuánto amor por ese marido, cuya cálida presencia ella siente en este lugar que él frecuentaba. En su memoria se concentra, a él le pide protección cuando, el 29 de octubre de 1999, tiene que hacer su primer discurso. Todo su cuerpo está en tensión. Ha ido cinco veces al baño pensando en el trance que la espera. Es consciente de que hay quinientos pares de ojos escudriñando cada uno de sus movimientos, una tortura para una mujer de una timidez enfermiza. Pero ella lo hace por el mismo sentido del deber por el que su marido se lanzó a la política. No lo hace por gusto, sino por amor. De ese amor inconmensurable saca la energía para ir a la contra, para vencerse a sí misma, para aguantar las miradas de los que ocupan la tribuna de la prensa, el de los visitantes y el de los diplomáticos, que están a rebosar. En el banco del gobierno está Maneka, recién nombrada ministra de Cultura de la coalición liderada por el BJP. Ambas cuñadas representan las facciones más opuestas del espectro ideológico, como una metáfora de la división que sufre el país. ¡Si Indira pudiese verlo! En el banco del Congress, hay por los menos una docena de compañeros dispuestos a socorrer a Sonia, por si le falta un dato, por si se equivoca, por si mete la pata. Ella es la imagen misma de la elegancia, con su pelo negro y brillante cayendo en un suave bucle sobre sus hombros, su sari de seda en tonos verde pastel, su porte altivo, su mirada directa.

Se coloca las gafas. Viene preparada con un texto impreso en letra muy grande para que no parezca que lee, un viejo truco de la familia. Un texto en el que denuncia que el régimen actual se atribuye reformas que en su origen fueron promovidas por el Congress, y en concreto por Rajiv. No hace caso a los abucheos y silbidos que le lanzan desde el banco de la coalición en el poder.

Al contrario, sigue adelante y denuncia las últimas maniobras del gobierno para desacreditar a su marido en el caso Bofors. «No se pueden lanzar sospechas sobre un hombre que es inocente y que además no está aquí para defenderse», exclama. Su discurso emocional causa un impacto muy favorable en sus diputados, que constatan que Sonia es capaz de coger el toro por los cuernos en un tema tan delicado como el de Bofors. De pronto, es como si los recuerdos de un Rajiv sonriente y jovial reapareciesen. Pero todos se preguntan lo mismo: ¿Qué va a pasar cuando tenga que atacar o defender opciones económicas determinadas? ¿Qué pasará cuando su discurso no tenga carga emocional?

A lo largo de varios meses se atreve a hacer cortas arengas en el Parlamento relativas a la actualidad del momento, aunque evita pronunciarse sobre asuntos económicos. En eso, confía plenamente en un hombre que ha conocido cuando se formó el primer gobierno después del asesinato de Rajiv. Es un sij llamado Manmohan Singh, antiguo alumno de Cambridge, brillante economista, arquitecto de las reformas que han conseguido sacar al país de la crisis económica de los noventa, conocido por su irreprochable reputación de honradez. Ha seguido la estela de Rajiv y está comprometido con la modernización de la economía. Su influencia sobre ella es tan grande que los viejos socialistas e izquierdistas del Congress la miran con recelo. «¿No nos estará apartando de los viejos principios socialistas para embarcarnos en la vía del liberalismo?», se preguntan alarmados.

Al principio, su papel como líder de la oposición despista tanto a sus compañeros de partido como a sus adversarios. Como teme enfrentarse a temas espinosos, los reparte entre diferentes diputados, considerados especialistas, ya sea en política exterior, política económica, asuntos legislativos... Pero los de enfrente atacan con saña esa oposición fragmentada, sin timón, sin peso, sin contundencia. En las filas del Congress, los diputados llegan a temer las sesiones parlamentarias tanto o más que la propia Sonia, que se defiende mal de todo tipo de acusaciones, lanzadas sin fundamento alguno para menoscabar su imagen. Las peores son las de Maneka, que en su calidad de ministra de Cultura se encuentra de pronto por encima de las instituciones benéficas y familiares que administra Sonia y que, para dejar bien claro su poder, ordena una serie de auditorías alegando sospechas de irregularidades financieras. Por fin disfruta del sabor de la venganza. Pero su ensañamiento es tal, su rabia y su inquina personal contra Sonia se notan tanto que los demás partidos de la coalición protestan por esa persecución gratuita. De modo que, en una maniobra abrupta, es apartada del cargo y puesta a la cabeza del departamento de estadística, donde su actividad inquisitorial queda neutralizada.

Las deficiencias del papel de Sonia como líder de la oposición («una líder que se esconde», como la acusan los del gobierno) se ven compensadas por su eficacia a la hora de dirigir el partido. Los viejos sátrapas que pensaban que podían manipularla se dan rápidamente cuenta de que no se deja. Ha estado demasiado próxima a Indira como para no haber aprendido la lección. Pero, además, Sonia acomete reformas espinosas que siempre eran pospuestas por las anteriores jefaturas. Por ejemplo, consigue que el Congress sea el primer partido que reserve una cuota del 33 % a las mujeres en todos los niveles de la jerarquía. Más difícil es atacar la corrupción, pero Sonia no vacila. Bajo el nuevo mantra de integridad y transparencia, consigue que el partido sólo acepte donaciones en cheques para facilitar la contabilidad y exige que todos los miembros con cierto peso paguen puntualmente sus cuotas, de manera proporcional según su puesto en la jerarquía. Los altos cargos son obligados a pagar un mes de sueldo al partido. Son cambios profundos, que muchos perciben como triunfos personales. «El Congress está preparado para limpiar el sistema», dice con tono amenazante ante unos diputados escépticos y, en muchos casos, corruptos, que ya conspiran para echarla.

Aprovechan que su papel como líder de la oposición deja mucho que desear. Sonia no se atreve a comunicarse directamente con los demás líderes opositores por vergüenza y por timidez, lo que provoca una gran descoordinación. Queda claro que desconoce el juego político. Le cuesta disimular su falta de experiencia y de confianza en sí misma, lo que la convierte en un blanco fácil para los ataques de la coalición en el poder, que la desafía y la humilla cada vez que la oportunidad se presenta. «¡No saben de lo que estoy hecha!», les dice un día a sus hijos al salir de una sesión del Parlamento en la que ha sido vapuleada. Ha causado gran bochorno porque se ha quedado muda cuando el primer ministro le ha preguntado cuál es la posición del Congress en temas de disuasión nuclear, un tema que desconocía. De modo que se jura a sí misma que no le volverá a ocurrir, y convoca a los mejores expertos en seguridad nuclear y defensa, incluidos los que no forman parte del *think tank* del Congress, para entender los matices y lo intrincado del tema. Cuando se encuentra segura de sí misma, vuelve al Parlamento. Parece otra: «En la última sesión, el honorable primer ministro se rió de mí porque no contesté a su pregunta... Pero es un tema demasiado importante como para contestarlo entre las carcajadas de sus diputados. Ahora le pregunto yo a usted: ¿Cuál es su posición al respecto?... Sólo menciona usted tres palabras: mínima disuasión creíble. ¿Cree usted que esas tres palabritas conforman una política seria?»[1].

En mayo de 1999, el gobierno del BJP pierde la mayoría en el Parlamento y los consejeros y viejos líderes del Congress piensan que la hora de Sonia ha llegado. Creen poder articular la formación de una coalición para gobernar. Necesitan la cifra mágica de doscientos setenta y dos diputados y están convencidos de que la tienen. Ya sueñan con el reparto de carteras: que si fulano se peleará por el Ministerio del Interior, que si zutano irá a Asuntos Exteriores... El humor en las filas del partido es exultante. Tan seguros están de conseguir el poder, que apremian a Sonia para que anuncie que está en condiciones de formar un gobierno alternativo rápidamente. Para Sonia, representa la oportunidad de sacarse las espinas de los ataques constantes contra ella. Por fin va a poder parar los pies a sus adversarios. Cuando sale del antiguo palacio del virrey, donde el presidente de la República ha convocado a todos los partidos para invitarlos a que formen gobierno, se ve rodeada por cámaras de televisión. «Tenemos doscientos setenta y dos», asegura. En realidad ha querido decir que, al estar la mayoría de diputados en contra del BJP, un gobierno alternativo es posible. Pero la prensa lo anuncia a su manera: «Sonia Gandhi va a encabezar un nuevo gobierno». El país

---

1. Citado en Kidwai, Rasheed, *Sonia, op. cit.*, p. 92.

parece súbitamente inflamado por la perspectiva de que la italiana asuma el poder, pero el suspense dura poco tiempo. Sonia no consigue la mágica cifra porque muchos grupos pequeños opuestos al BJP, en concreto los socialistas, se niegan a apoyarla como primera ministra a causa de su origen extranjero y del fuerte sentimiento en contra del Congress que existe en muchos partidos. El fiasco es tan grande como las expectativas suscitadas. Queda mal con los simpatizantes, y en ridículo frente a la nación entera. Su precipitación deja ver a la luz pública su falta de experiencia en el ruedo político así como la dependencia tan grande que tiene de sus consejeros.

–Mamá, déjalo ya –le dice Rahul.

–¿Ahora? ¿Tú crees que puedo? No pienso irme sin defenderme.

Poco a poco, Sonia va aprendiendo. «Hay una luchadora en ella y eso es algo muy bueno para la organización», dice uno de sus compañeros de banco. Está obligada a luchar porque la prensa y sus adversarios políticos redoblan los ataques. Se ríen del acento de «la italiana», como la llaman despectivamente. Aseguran que es arrogante y fría, cuentan que desconoce el alfabeto hindi y que sus discursos están transcritos al alfabeto latino, lo cual es mentira. «Lee sus discursos como si leyese la lista de la compra», escribe un conocido periodista. Pero si de algo sirven los enemigos es para aprender de ellos, y Sonia aprende a hacerlo tenazmente. Poco a poco, le mete calor y pasión a sus discursos, multiplica los viajes, los encuentros, los contactos personales. Sostiene que no es arrogante, sino tímida. Pero es una lucha que desgasta, porque es estéril. Está basada en prejuicios, en una actitud machista y en un nacionalismo exacerbado que enmascara la voluntad de sus adversarios de apartarla del poder a toda costa. En los ambientes más extremistas, llegan a acusarla de ser una agente de Roma, como si fuese una espía del Vaticano infiltrada en el laberinto de la política hindú... Su padre tuvo una visión profética cuando dijo que la echarían a los tigres. Bien, allí está su hija, en el centro del anfiteatro, esquivando zarpazos.

Nada le afecta tanto como el desafío que viene de los suyos, de miembros de su propio partido. Un día, recibe una carta firmada por el jefe del grupo parlamentario de su partido y dos diputados más, en la que ponen en duda su capacidad, vistas sus pobres prestaciones como líder de la oposición, en conseguir estar un día a la altura del cargo de primera ministra. En la carta, sugieren que se enmiende la Constitución para reservar los altos cargos del Estado, presidente de la República y primer ministro, únicamente a los indios de nacimiento. Después del fiasco de la coalición fallida, éste es un golpe bajo que Sonia acusa con amargura. No porque quieran impedirle ser un día máxima mandataria, a lo que de todos modos ni aspira ni desea. Pero le duele la falta de confianza, le duele que la quieran como reclamo de feria, sin más. Como anuncio para las elecciones, como un peón que presta su apellido –y su vida entera– a un partido que en el fondo la desprecia. Le duele darse cuenta de que está sola cuando se creía en terreno amigo.

Cuando esa tarde regresa a casa, sólo tiene en mente estar con Priyanka y Rahul. Su hija se da cuenta en seguida de lo dolida que está su madre. Rahul está irritado:

–¡Deja ya la política de una vez por todas, mamá! –le dice.

–Creo que mi hermano tiene razón –añade Priyanka–. No tiene sentido seguir así.

–Ha llegado el momento de tirar la toalla –admite Sonia–. Por favor, ayudadme a redactar una carta al grupo parlamentario del Congress –les pide.

Priyanka coge un papel y un bolígrafo y juntos escriben un texto muy claro y conciso: «Algunos colegas han expresado la idea de que por haber nacido en el extranjero, soy un problema para el Congress. Me duele su falta de confianza en mi habilidad para actuar en el mejor interés del partido y del país. En estas circunstancias, mi sentido de la lealtad al partido y mi deber hacia la nación me obligan a presentar mi dimisión del cargo de presidenta del Congress». Más abajo, añade: «Vine a servir al partido no por adquirir una posición o por tener poder, sino porque el partido se enfrentaba a un desafío que cuestionaba su mera existencia y no podía mantenerme impasible ante lo que estaba sucediendo. Como tampoco puedo mantenerme de brazos cruzados ahora». Sonia suspira largamente: «¡Por fin libre!», se dice.

La debacle. Su carta provoca un auténtico cataclismo en las filas del partido. Sus más próximos colaboradores están consternados por la decisión. ¡Con lo que ha costado que asumiese las riendas, y ahora unos barones que ven su poder amenazado dentro de la organización lo echan todo por la borda! Cuando los miembros del grupo parlamentario le ruegan que reconsidere su decisión, ella les responde que está muy resentida con el despliegue de xenofobia que rodea el tema de sus orígenes.

–Que eso ocurra en el BJP, un partido ultranacionalista, o entre los socialistas, ya es bastante triste –añade Sonia–, pero de acuerdo, estaba dispuesta a defenderme siempre y cuando sintiese que el partido me respaldaba. Lo que nunca pude imaginar es que mis propios compañeros me atacarían de esa manera. Así que me voy.

Empieza el desfile de los *chief ministers* de los estados gobernados por el Congress que vienen a rendirle pleitesía a su casa. Amenazan con dimitir en masa: «Somos jefes de gobierno gracias a ti. ¿Para qué seguir si no estás tú?», le dicen.

El seísmo causado por su dimisión es tan enorme que miles de simpatizantes acampan frente a la verja del número 10 de Janpath para pedirle que regrese. «¡Sonia, salva al Congress! ¡Salva a la India!», corean. Una tarde en la que Rahul vuelve a casa con un amigo, varios líderes del partido le interceptan: «Tienes que convencer a tu madre para que retire su dimisión». Entre la multitud que bloquea la calle, hay mujeres que lloran pidiendo que Sonia no las abandone. Una mañana, a la salida de su casa, mientras su Ambassador se abre paso entre la multitud, Sonia es interceptada por un viejo musulmán que se le acerca:

–¿Has pensado en la suerte de las minorías en un gobierno dirigido por el BJP? ¿Es que no quieres luchar por nosotros[1]?

Sonia no le contesta y sube la ventanilla del coche, mientras las palabras del hombre retumban en su cabeza.

El colmo de la desesperación de sus seguidores lo simboliza un hombre joven, uno de los que acampan frente a su casa. Intenta inmolarse con fuego, lo que provoca una considerable conmoción. Los policías y los guardias de seguridad se abalan-

---

1. Citado en Kidwai, Rasheed, *Sonia, op. cit.*, p. 165.

zan sobre él y consiguen ahogar las llamas antes de que acaben con su vida. Las cámaras de los reporteros graban la escena para que el país entero la contemple en los informativos de la noche. Para que todo el subcontinente sepa las pasiones que despierta «la italiana» que todos creen poseer. Porque Sonia les pertenece, porque lleva el apellido mágico de Gandhi. Y por eso no se puede marchar.

El trágico incidente precipita los acontecimientos. De nuevo Sonia recibe en su casa, en el despacho de Rajiv, a la cúpula del partido, un grupo de hombres de cierta edad, vestidos con *kurta* y anchos pantalones de algodón.

–No existe otro líder que pueda mantenernos unidos como tú. No hay otro capaz de conseguir los votos que consigues tú. Por eso te pedimos que te quedes de presidenta. El partido está contigo. Escucha el clamor de la calle.

En sordina, se oyen eslóganes a favor de Sonia que los simpatizantes agolpados ante la verja corean de una manera regular. Uno de los jefes del partido prosigue:

–No desprecies las muestras de afecto que te prodiga la gente... Los que te mandaron esa carta no representan ni siquiera una minoría dentro del partido, no se representan más que a sí mismos, más que a su propia ambición.

–No hay lugar para ellos en la organización –añade otro–. Les hemos expulsado. Ya no tienes nada que temer.

De nuevo le ofrecen el poder en bandeja de plata, de nuevo escucha los mismos argumentos, la misma adulación, la cantinela de siempre...

–Tengo que hablarlo con mis hijos.

Ella está dispuesta a mantener su dimisión, ya se ha hecho una idea de lo agradable que sería volver a su colección de miniaturas Tanjore que tanto le gustan, y recuperar su afición a la restauración de cuadros y muebles antiguos. Pero Priyanka y Rahul están conmovidos por el súbito estallido de emoción y solidaridad. No se esperaban una movilización semejante. A los tres les embarga ese curioso sentimiento de que el apellido que llevan no les pertenece, que pertenece a la India, a las multitudes que reclaman su liderazgo, y de que no son dueños de su destino. Sonia vacila, aunque ahora sabe que si vuelve será por la puerta grande. Sus amigos terminan de convencerla para que se quede. No puede marcharse por el ataque de tres rivales que quieren su puesto. Su dimisión, dicen, sólo reforzará a los que han escrito la carta y a todos los xenófobos de la India. De nuevo Sonia piensa en Rajiv, en sus hijos, en la familia, en la tragedia del poder, en el miedo a perder la seguridad, en el sentido del deber... y de nuevo cede. Lo hace a regañadientes, pero el resultado es que vuelve a asumir el máximo cargo dentro del partido con más fuerza y autoridad que antes. Anuncia su regreso en un estadio abarrotado. Tanto, que un miembro del partido comenta a un compañero:

–¿Te imaginas tanta gente junta sin una Sonia Gandhi?

–Simplemente no existiría este mitin –le contesta el otro–. Sin Sonia, no hay mitin; sin Sonia, no hay partido[1].

«Aunque he nacido en el extranjero –dice Sonia en cuanto la sonora y larguísima ovación la deja hablar– he hecho de la India mi país. Soy india y seguiré siéndolo hasta mi último suspiro. Aquí me he casado, aquí he tenido a mis hijos, y aquí me he convertido en viuda. En mis brazos murió Indira. Si he decidido regresar hoy es porque el partido me ha dado una renovada confianza y esperanza. Quiero un partido que esté preparado a seguirme y listo para morir por los principios que he decidido adoptar.»

Así, poco a poco, a base de sinsabores, Sonia Gandhi va haciéndose al juego de la política. Ciertos reflejos le vienen inconscientemente, no por vocación, sino por contagio, por haber vivido tantos años en ese caldo de cultivo. Ha limpiado el partido de sus ovejas negras. Ahora tiene más influencia sobre la organización que la que tuvo su marido. Lo ha conseguido sin tener la habilidad de distribuir poder, y sólo con una remota esperanza de conseguirlo algún día, lo que demuestra lo desmoralizadas que estaban las filas.

1. Citado en Kidwai, Rasheed, *Sonia, op. cit.*, p. 170.

46

Con el tiempo consigue hacerse una imagen pública de política reacia a la política, la que transmite la prensa. Pero vive en un estado de terror perpetuo hacia los medios de comunicación. Cada palabra suya es minuciosamente escrutada por sus adversarios para descubrir algún signo de que no es tan india como pretende. Vive encerrada en su caparazón, atrincherada en el número 10 de Janpath, una fortaleza más difícil de franquear que todas las residencias donde ha vivido con anterioridad. Vive sin libertad, atendiendo desde el alba a comités, a miembros del partido, a compromisarios que vienen de todos los rincones del país a pedirle consejo, a solicitar su opinión como guía máxima. Sólo las visitas de sus hijos le aportan calor. Su madre pasa los inviernos en Nueva Delhi, y las hermanas y los viejos amigos van periódicamente a visitarla. Pero son visitas que mantiene en secreto, para que no la acusen de «extranjera».

La sola mención de su nombre es capaz de animar la más aburrida de las cenas o acto social, dividiéndose con vehemencia las opiniones entre los que la admiran y los que la desprecian. Dos conocidos diputados de su partido se lamentan en cada cocktail de tener como líder a «un ama de casa italiana sin estudios». Poca cosa comparado con el veneno de algún miembro de la coalición en el poder, como el fundamentalista hindú Narendra Modi, que la tacha públicamente de «zorra italiana». Sonia sabe que su condición de extranjera es su talón de Aquiles, y la coalición en el gobierno, ferozmente nacionalista e hinduista, no pierde oportunidad de meter el dedo en la llaga. Su radical negativa a conceder entrevistas se debe a que no quiere definirse. Piensa que así puede dejar a sus adversarios sin argumentos para atacarla. No quiere tener que decir que es católica, aunque no practique. No quiere tener que hablar de su Italia natal, ni de sus recuerdos de infancia ni de sus amigos ni de su familia. Al contrario, le parece esencial que se la vea cómoda con las tradiciones de su país de adopción. Se esfuerza en visitar santones en grandes templos hindúes, como hacía Indira. Cuando el BJP arrecia sus ataques en el Parlamento contra sus «orígenes extranjeros», Sonia se refugia en el templo de la Misión Ramakrishna de Nueva Delhi y pasa tardes enteras con el Swami Gokulananda, un santón muy respetado que le ata un cordel rojo en la muñeca en signo de hermandad. Sonia tiene mucha fe en ese cordel, se está haciendo un poco supersticiosa, como lo era su suegra. Cada vez que hay una celebración familiar, convoca al sacerdote de la familia, que vive en Benarés, para que acuda a oficiar los ritos religiosos pertinentes. Cuando nace su primer nieto, el hijo de Priyanka, el pandit realiza ofrendas sofisticadas recitando sus oraciones. De la misma manera que Indira escogió los nombres de sus hijos, ahora Sonia es la encargada de elegir el de su nieto. «¿Rajiv?», propone. Priyanka teme que ese nombre condene a su hijo a ser comparado toda su vida con su padre. Sonia sugiere un nombre que empiece por R. Al final, se deciden por Rehan, un nombre parsi, para conectar con la tradición del abuelo Firoz Gandhi. Pero Sonia insiste en llamarlo Rajiv. Al final, se queda en Rehan Rajiv. Gracias a Dios, el horóscopo que le prepara el santón predice fama y fortuna para el retoño, pero no un papel político para la sexta generación de los Gandhi. Madre e hija suspiran de alivio.

Pero ante la constante provocación, el Swami Gokulananda se ve obligado a salir en defensa de Sonia: «Es tan india como cualquiera –declara–. Lleva una vida disciplinada y no veo nada malo en sus orígenes extranjeros». En Gujarat, el estado del que Narendra Modi, su feroz adversario, es jefe de gobierno, una oleada de ataques acaba con la vida de varios misioneros cristianos, acusados por los hinduistas de fomentar las conversiones. «No dejes que te provoquen –le dicen a Sonia sus consejeros–, quieren que salgas en defensa de los cristianos, no entres al trapo, no lo hagas.» Ella les escucha y opta por callarse, pero entonces las críticas cambian de orientación. «¿Por qué se aleja del catolicismo? –se preguntan sus adversarios con perfidia–. ¿Por qué está acomplejada de su propia religión?» Sonia se da cuenta de que, haga lo que haga, su religión y su origen italiano son un estigma imborrable. Obsesionada por disimularlo lo más posible, cansada de la campaña de los hinduistas sobre su fe, el 22 de enero de 2001 decide hacer un gesto simbólico de gran significado religioso. Durante la Khumba Mela, la gran celebración religiosa hindú que reúne cada doce años a decenas de millones de personas en la confluencia del Ganges, el Yamuna y el mítico Sarásvati a las afueras de la ciudad de Allahabad, la ciudad de los Nehru donde fueron a echar las cenizas de Rajiv, Sonia decide darse un baño ritual. Se mete en el agua vestida, de pie, y hace una ofrenda de pétalos de flor al son de los mantras y del ulular de las caracolas de mar que hacen sonar los pandits en la orilla. Junto a ella hay grandes santones hindúes, y también representantes de otras religiones, como el Dalai Lama. La explanada de arena entre los ríos está llena de gente hasta donde alcanza la vista. Es una multitud tan impresionante como lo es el orden y la ausencia total de disturbios o de episodios violentos. El servicio de seguridad de Sonia es tan estricto que la policía no permite acercarse a nadie a menos de doscientos metros de la orilla donde se encuentra.

En los días siguientes, su foto haciendo la *puja* a los dioses, publicada en periódicos y en panfletos, es vista por millones de campesinos en cientos de miles de aldeas. Sonia espera así neutralizar las críticas de sus adversarios. De todas maneras, está convencida de que el pueblo no da la más mínima importancia al hecho de que haya nacido en Italia. Además, se pregunta... ¿Qué significa ser indio? Entre un habitante del Himalaya y otro del sur, las diferencias son abismales: ni hablan el mismo idioma ni comen igual ni veneran a los mismos dioses. Ni siquiera tienen el mismo color de piel. Sin embargo, ambos comparten el orgullo de ser indios. La tolerancia es parte esencial de la cultura del subcontinente, si no... ¿cómo hubiera podido sobrevivir tantos siglos esa amalgama de pueblos, tradiciones, culturas, etnias, razas y castas que se llama la India? En un lugar que siempre ha sabido asimilar la diversidad, la noción de extranjero pierde sentido. Sus consejeros le dan argumentos para defenderse. Le recuerdan que cuando la India alcanzó la independencia, fue un inglés su primer jefe de estado: se llamaba Lord Mountbatten, era el último virrey del Imperio. Los líderes del partido recuerdan que en 1983 Sonia redactó un testamento expresando su deseo de que su cuerpo sea quemado según el rito hindú. En aquel entonces, no era probable que Rajiv Gandhi acabase de primer ministro, y aún menos que Sonia asumiese ningún papel político algún día. Lo hizo porque creía en ello.

En el fondo, y eso lo sabe bien Sonia, es indio quien se siente indio. Y ella lo repite sin cesar: «Soy india. Al entrar en esta familia me he convertido en hija de la tierra de mi marido, en hija de la India...». Está convencida de que el pueblo percibe su amor al país. Cuando le preguntan de dónde saca los principios morales cuando tiene que tomar una decisión en el ámbito de la familia o de la política, no quiere mentir y responde cándidamente: «Supongo que de los valores católicos que siguen ahí, en el fondo de mi mente –y añade–: Soy una ardiente defensora de que la India siga siendo un estado laico. Por estado laico, me refiero a uno que abarque todas las religiones. El actual gobierno no está por esa labor». La ferocidad de la campaña contra Sonia encuentra en Orbassano un eco inesperado. Un inmigrante indio, un ingeniero sij que trabaja en la Fiat, ha sido elegido concejal municipal de la pequeña ciudad piamontesa. Si un sij puede participar en la vida política de una ciudad italiana... ¿cómo es que una italiana no puede participar en la vida política india?, pregunta un diputado del Congress. La respuesta del BJP es furibunda: «¿Dejarían que ese sij acabase de primer ministro de Italia? –pregunta un diputado nacionalista–. ¡Claro que no!». En su apoyo cita al alcalde de Orbassano, que ha declarado a la prensa: «Me pregunto si nosotros en Italia aceptaríamos un extranjero, una mujer para más inri, como líder de un partido que ha simbolizado la lucha por la independencia contra la dominación extranjera y que sigue disfrutando de gran apoyo popular, aunque menos que antes. Que una parte de los indios confíen su destino a Sonia dice mucho sobre la tolerancia de la India»[1]. En este debate que transciende continentes, un periodista italiano llega a su propia conclusión: «No, sus orígenes no cuentan por-

1. Citado en Naravane, Vaiju, «In Maino Country», en *Frontline*, 8 de mayo de 1998.

que ha sido absorbida, indianizada, transformada. En ese sentido, ya no es italiana». Quizás se hizo india de verdad cuando en medio de un ataque de asma se quedó mirando los retratos de la familia en el despacho de Rajiv y en ese momento aceptó lanzarse a la política. Fue entonces cuando asumió plenamente el legado de la familia.

Ahora el aluvión de críticas sobre su falta de experiencia y la campaña de odio sobre sus orígenes la están haciendo madurar a marchas forzadas. Su personalidad va cambiando sutilmente a medida que gana confianza en sí misma y afianza su determinación de solucionar los problemas del partido, a lo que se dedica en cuerpo y alma. De 1998 a 2004, mientras dos coaliciones sucesivas lideradas por el BJP gobiernan la India, y sorprendentemente de una manera muy moderada gracias a la influencia del primer ministro Atal Bihari Vajpayee, Sonia se ocupa de regenerar el Congress, simplificando el proceso de toma de decisiones y buscando el consenso. Lo hace de manera muy distinta a su suegra, que era más imperiosa en su estilo y que fomentaba una cultura de corte palaciega. Sonia se rodea de sus hijos y de los expertos que existen en la cantera del Congress, sin dejarse influenciar por el proceso de demonización en su contra. Está demasiado ocupada en escoger los candidatos adecuados y asegurarse de que van ganando el favor del pueblo, estado a estado, sin prisa pero sin pausa. Muchas de sus decisiones las basa en lo que ha aprendido de su suegra y de su marido, pero con mucho cuidado de evitar los errores que a ellos les costaron tanto. Por ejemplo, no cambia a los jefes de gobierno de los estados a su antojo, como hacía Indira. Al contrario, los apoya incondicionalmente, les deja hacer, y ellos se lo agradecen mostrándole una lealtad sin fisuras. Sólo tiene un problema con el jefe de gobierno de Orissa que, después del asesinato de un misionero, se alinea con los argumentos de los fundamentalistas hindúes: «Hay que disciplinar a los misioneros cristianos», declara. Sonia lo destituye en el acto, mostrando que no le tiembla el pulso a la hora de tomar una decisión. Pero excepto algún problema puntual, bajo su mandato el partido vuelve a ser una fuerza que hay que tomar en cuenta. En 2002, y gracias a la paciente labor de zapa de Sonia, el Congress consigue el poder en catorce estados, que suman más de la mitad de la población. En marzo de ese mismo año, barre en las municipales de Nueva Delhi, consiguiendo tres cuartas partes de los escaños. En todas partes, cesan las deserciones de los afiliados y se invierte la tendencia: el número vuelve a crecer.

El 11 de mayo del año 2000, la India celebra una extraña proeza. El gobierno elige a una niña llamada Aastha Arora, nacida en Nueva Delhi, como la bebé número mil millones. La noticia de que el país ha alcanzado esa cifra mágica causa un brote de fervor popular teñido de nacionalismo. Como todo en la India se celebra, también en esta ocasión la gente sale a la calle a tirar petardos y a festejar. Hordas de periodistas y reporteros de televisión se precipitan al hospital e invaden el pabellón donde se encuentra la niña, subiéndose a las camas y a las mesas para conseguir un retrato de la elegida. Una periodista del *Indian Express* está consternada: «El bebé mil millones ha sido recibido por tantos millones de flashes que los médicos temen que su piel se haya visto afectada»[1].

Pero a pesar de la explosión demográfica, por fin, en el umbral del nuevo siglo, surge la esperanza de salir de la pobreza. Los resultados de la economía, que ha seguido liberalizándose desde los tiempos de Rajiv, son boyantes. La India vive con optimismo una oleada de fervor nacionalista alentada desde el gobierno liderado por el BJP. ¿No repite la prensa que éste va a ser el «siglo de la India»? Parece que el país está bien encauzado en la senda de convertirse en la gran potencia que promete ser. Después de tantos años de controles y de limitaciones, toda la energía y la vitalidad contenidas se desbordan. Las universidades y las escuelas técnicas fundadas en la época de Nehru producen un millón de ingenieros al año. Son muchos, comparados con los cien mil de las universidades europeas y americanas. Una nueva generación de empresarios florece a la sombra de la revolución informática y de las telecomunicaciones. Pronto la India se regocija al

---

1. Ganapathy, Nirmala, «Billion baby put through hell», 12 de mayo de 2000, citado en Ghua, Ramachandra, *India after Gandhi*, op. cit., p. 619.

seguir de cerca a China en otro récord, el de ser la segunda economía con mayor tasa de crecimiento económico del mundo. Parece que el viejo elefante indio se despereza. El BJP y los hinduistas se atribuyen todo el mérito. Desde el banco de la oposición, Sonia denuncia que el progreso económico sólo beneficia a una pujante clase media que adora un nuevo dios, el del consumo.

–¡En la próspera Nueva Delhi –les recuerda apoyándose en cifras de un estudio reciente publicado en la prensa–, uno de cada cuatro niños es obeso, pero en el campo la mitad de los niños de menos de tres años sufren algún tipo de desnutrición crónica! ¿Qué progreso es ése?

Les repite que la nueva riqueza no llega a la enorme masa de población que vive en las aldeas. La India rural sigue sufriendo el paro, los excesos del sistema de castas, la escasez, la falta de oportunidades, con el agravante de que la expansión de la televisión les permite ver con sus propios ojos cómo vive la otra India, la que se divierte, prospera y consume en las grandes ciudades. Sonia le recuerda al gobierno que la India, ese país tan orgulloso de sus centros punteros de investigación y desarrollo, alberga el 40 % de los pobres del mundo.

–No hay que dejarse llevar por la euforia desatada por la propaganda del gobierno sobre los beneficios de las reformas. Algo no va bien cuando la economía crece al ritmo de suicidios de los campesinos pobres, que se quitan la vida porque están endeudados con prestamistas locales y no ven salida a su situación.

Pero parece que la mayoría de los diputados no quiere creer sus palabras, incómodas en el fondo porque empañan el sueño de prosperidad y nacionalismo en el que viven. Sonia predica en el desierto, pero le da igual que la tilden de aguafiestas: Nehru e Indira sentían un fuerte compromiso con los pobres y ella es consciente de que su partido ha sobrevivido por haberse alineado con los más desfavorecidos, esos cuya voz nadie quiere oír. Ella, quizás porque conserva la inocencia esencial de una extranjera, es todavía sensible al terrible espectáculo de la pobreza que muchos indios que acceden a un mejor nivel de vida simplemente no ven. Es como un reflejo inconsciente que les ciega a la miseria circundante. Ojos que no ven, corazón que no siente... No mirar es no sufrir. Pero Sonia tiene los ojos bien abiertos.

Y su voz se oye cada vez más alta y clara en el Parlamento: rebate invariablemente los logros de los que el Gobierno hace gala. Si ha vuelto la paz a los territorios del noreste, no es por la acción del gobierno, sino por los esfuerzos de Rajiv para fraguar un acuerdo de paz que ha permitido que los líderes separatistas, que antaño eran insurgentes en las selvas, hoy se hayan convertido en respetables políticos elegidos por el pueblo. Si la situación se ha calmado en el Punjab, tampoco es por este gobierno, sino por los «acuerdos del Punjab» que fueron obra de Rajiv. Si los nacionalistas moderados sijs se han dado cuenta de las ventajas que comporta pertenecer a la Unión India y han regresado al sendero de la democracia, es gracias a su marido.

Pero el momento cumbre de sus intervenciones ocurre en marzo de 2002. De pronto surge una líder que habla sin miedo y sin complejos, con la contundencia que le da el convencimiento profundo de sus opiniones. Sonia acusa directamente al gobierno de haber fomentado un nuevo brote de violencia religiosa que ha vuelto a poner el país al borde del abismo. Es un acto más en la tragedia de Ayodhya, iniciada por miembros de ese mismo gobierno hoy en el poder. Después de la destrucción de la mezquita, los fundamentalistas hindúes se toparon con el rechazo de las autoridades judiciales a cualquier intento de construir en ese emplazamiento un templo al dios Rama, precisamente para no añadir más leña al fuego. Pero los militantes no se dieron por vencidos y varios grupos pertenecientes a organizaciones afines al gobierno siguieron viajando periódicamente a Ayodhya para insistir en su reivindicación. «¿No estaba inscrita en el programa del gobierno del BJP?», preguntaban. Al regresar de uno de esos viajes, ocurrió un altercado entre uno de esos grupos de manifestantes hinduistas y unos vendedores ambulantes musulmanes en la estación de Godhra, en el estado de Gujarat. Los vendedores se negaron a cantar canciones a la gloria del dios Rama, como les conminaban los militantes hindúes, de modo que éstos empezaron a insultarlos y a tirarles de las barbas. En seguida se corrió la voz y jóvenes musulmanes que trabajaban en los alrededores de la estación corrieron en defensa de sus correligionarios agredidos. Los militantes hindúes se subieron al tren, que arrancó bajo una lluvia de piedras. Unos kilómetros más allá, el convoy se detuvo. Una columna de humo negro se alzaba en el cielo. Un incendio se declaró a bordo con el resultado de cincuenta y ocho personas carbonizadas, la mayoría militantes hinduistas.

Aunque posteriores investigaciones determinarían que el fuego fue provocado por la explosión accidental de un hornillo de gas, los extremistas hindúes no dudaron en acusar a los musulmanes de haberlo provocado. La noticia de que unos hinduistas fueron quemados vivos desató la venganza de la población. El jefe de gobierno de Gujarat, el fundamentalista hindú Narendra Modi, aliado del gobierno y archienemigo de Sonia, declaró el 28 de febrero un día de luto para que los funerales de los pasajeros pudiesen celebrarse por las calles de la ciudad. Era una clara invitación a la violencia. Los barrios musulmanes se convirtieron en ratoneras. Miles de hindúes enfurecidos la emprendieron contra comercios y oficinas e incendiaron las mezquitas. En lugar de actuar contundentemente para aplacar la violencia, Narendra Modi declaró: «A cada acción corresponde una reacción». Esas palabras, interpretadas por los extremistas hindúes como un aval de su líder para justificar la venganza, marcaron el principio de una orgía de violencia comparable a la de los acontecimientos trágicos de la Partición. Pero esta vez, gracias a la televisión, todo el país es testigo de imágenes atroces de mujeres maltratadas y violadas por militantes enfurecidos, y después forzadas a beber queroseno frente a sus maridos e hijos, a los que obligan a ver cómo les prenden fuego, antes de ser a su vez asesinados. Todo ha ocurrido ante la impasibilidad de la gente, que parece celebrar esa venganza que simboliza el incendio del tren de Godhra. Los periodistas que han cubierto las matanzas están convencidos de que no han sido espontáneas, como pretendía el gobierno local, sino que han sido planificadas. Han visto a extremistas hindúes, con censos electorales bajo el brazo, señalando casas y chozas habitadas por musulmanes en los barrios mixtos. Les han visto señalar comercios propiedad de musulmanes que han tomado la precaución de adoptar un nombre hindú. La eficacia en la persecución y en los asesinatos hace pensar que ha habido cierto grado de planificación. En total, más de dos mil musulmanes han sido asesinados y más de doscientos mil se han quedado sin hogar.

Sonia es la voz que más ardientemente denuncia los hechos. En el Parlamento, llega a acusar al gobierno de fomentar el genocidio. «Señora, no use palabras tan fuertes», le replica el primer ministro. Pero Sonia no calla. Denuncia la turbia actuación de la policía. «En ciertos casos, se sabe que hasta han ayudado a los militantes a encontrar las direcciones que buscaban.» Cita en su apoyo informes de las investigaciones de grupos de defensa de los derechos humanos que demuestran que la policía había recibido órdenes de no interferir. «Lo que esta masacre ha sacado a relucir, señor primer ministro –le dice Sonia–, es el rostro sectario y horroroso de su partido, el BJP, que usted ha tenido tanto cuidado en disimular durante sus años en el poder, pero que ahora salta a la vista... Además, ¿cómo es posible que usted no se haya dignado visitar los lugares devastados por la violencia inmediatamente? ¿Por qué ha esperado un mes para hacerlo? Ya sabemos que el señor Narendra Modi está detrás de estas matanzas, ¡y mucho nos tememos que el gobierno central también lo esté!» Por primera vez, Sonia da la talla de gran política, denunciando al gobierno con auténtica y sentida pasión, sacudiendo al primer ministro con sus invectivas, no dejando títere con cabeza. Las atrocidades que ha visto en la televisión la han escandalizado: «Eso no es la India. Eso no representa a mi país», declara. Sus intervenciones hacen que los valores inherentes al Congress resalten más que nunca. La pretensión del partido más viejo de la India de representar a indios de todas las castas y religiones no sólo se ve como algo atractivo, sino como algo indispensable. La decencia de los principios del Congress se solapa en el imaginario popular con la imagen y la voz de esta política accidental que habla con el corazón en la mano.

Pero el primer ministro no consigue que dimita su compañero de partido Narendra Modi, una medida pensada para pacificar el país. Los demás no le dejan. Mejor esperar a que decida el pueblo, le dicen. La gran sorpresa es que en las elecciones estatales de Gujarat, que tienen lugar dos meses después de los sangrientos disturbios, el temible Narendra Modi vuelve a arrasar. La razón es que ese estado es mayoritariamente hindú. Su campaña, que se ha basado en un solo principio, el odio a los musulmanes, parece confirmar la vieja creencia del BJP: los disturbios basados en el odio religioso, si están bien orquestados, se convierten en votos. Modi ha revelado ser un mago prestidigitador en este arte. Se ha aprovechado de que Gujarat hace frontera con Pakistán, lo que favorece la política del miedo al enemigo islámico.

Después de las esperanzas suscitadas por Sonia, llega ahora el momento de una decepción masiva. En la sede del Congress, el ceño fruncido y las gafas puestas, Sonia lee el informe del secretario general de su partido sobre las elecciones en Gujarat. El ambiente es sombrío. «El Congress no ha ganado un solo escaño en un radio de cien kilómetros alrededor de Godhra, donde un vagón de tren ha sido incendiado, matando a medio centenar de personas. El Congress ha perdido todos los escaños en las zonas próximas al estado de Madhya Pradesh y Rajastán...» La conclusión es que, ahora como cuando la destrucción del templo en Ayodhya, la política de enfrentamientos comunales está dando dividendos. Los hindúes, la gran mayoría, ceden al miedo y al racismo. ¿Cómo evitar que ese modelo avance en otras partes de la India? Nadie tiene la respuesta.

Ahora que todo parecía sonreír a Sonia, el resultado de las elecciones en Gujarat es un jarro de agua fría que abre un interrogante sobre su futuro. En cambio, el gobierno, alentado por su victoria en Gujarat, decide adelantar las primeras elecciones generales del siglo XXI a mayo de 2004 para aprovecharse del viento a favor y revalidar su mandato por otros cinco años. Los críticos de Sonia dentro de su partido alegan que si las fuerzas coaligadas con el BJP siguen ganando terreno a este ritmo, ella no bastará para neutralizarlas. No se la percibe como suficientemente sólida. Que bajo su dirección catorce estados hayan cambiado de color político empieza a verse como algo insignificante. Sonia es de nuevo vulnerable. Le reprochan que no haya conseguido proyectarse como una política en la línea de Indira o de Rajiv. Hasta los más optimistas dentro del Congress albergan dudas sobre su capacidad de llevar el partido a la victoria. «¿Hemos tomado la decisión adecuada al invitarla a liderar el partido?», se preguntan ahora los mismos que la empujaron a aceptar. Algunos de sus seguidores hasta ahora leales comentan a sus compañeros de partido que Sonia es buena, pero no lo bastante. Todos reconocen que ha mejorado mucho, pero que no da la talla ni la dará nunca. Y es que en el Congress tienen prisa por volver al poder. El partido que más tiempo ha gobernado la India lleva más de siete años apartado de él. Es el mayor lapso de tiempo en toda su historia, y coincide con la presidencia de Sonia Gandhi. Poco a poco se va fraguando otra conspiración. La proximidad de las elecciones generales atiza las ambiciones personales. Si esta vez Sonia sale indemne de ese complot es porque el cabecilla muere en un accidente de tráfico. Pero el descontento reina en muchos sectores del partido.

Mientras el debate sobre sus habilidades como líder y su falta de experiencia continúa, Sonia se atreve a presentar una moción de censura contra el gobierno, acusándolo de una serie de cargos que van de la anarquía a la corrupción. Ataca de frente, mezclando la agresión con alguna ocurrencia, hablando con soltura y gracia. Por ser minoría en el Parlamento, la moción es rechazada, pero Sonia consigue dar la imagen de una líder que puede ser una alternativa al actual gobierno. Queda lejos la diputada primeriza que buscaba las palabras, se quedaba muda ante una pregunta, o se sonrojaba cuando la atacaban. Las elecciones están a la vuelta de la esquina, y no hay otro líder capaz de galvanizar a las bases. La suerte está echada. Ya no hay vuelta atrás, ni para Sonia, ni para el Congress.

47

Nueva Delhi, 10 de mayo de 2004. A los cincuenta y siete años, Sonia sigue siendo una mujer muy guapa, como cuando era joven. Pero es una belleza que lleva las marcas de las tragedias que la han golpeado, y por eso su rostro tiene una expresión que puede parecer dura. Ella, que de joven tanto reía a carcajadas, aparece siempre grave, con una sonrisa que no termina de convencer porque surge de un denso bosque de tristeza. No sólo su rostro ha cambiado; su lenguaje corporal es ahora distinto. Su andar vigoroso, la manera en que mueve los hombros bajo el tejido de sus saris, todo en ella recuerda a Indira. Sonia se ha hecho india hasta en los ademanes.

Cuando está cansada, aflora un gesto de crispación. Y hoy, en esta mañana de lunes, mientras Sonia Gandhi se maquilla los ojos con una fina pincelada de khol frente al espejo de su tocador en su casa de Nueva Delhi, se siente agotada. Lleva varias semanas de campaña electoral intensa en las que ha recorrido miles de kilómetros por todo el subcontinente indio, casi la distancia de una vuelta al mundo, soportando la canícula de esas fechas. La mayoría los ha recorrido en coche, en helicóptero y a pie, pero también ha tenido que hacer diez kilómetros en camello para llegar hasta una pequeña comunidad del Rajastán. Y lo ha hecho para llegar a una aldea de apenas doscientos habitantes donde la esperaban con los brazos abiertos porque nunca ningún candidato se había dignado desplazarse hasta allí. Esos días se ha acordado mucho de su suegra, de su afán en llegar al corazón del pueblo, en alcanzar la aldea más remota, como aquella vez en la que tuvo que cruzar un río de noche a lomos de elefante para llegar a Belchi, una aldea de intocables traumatizados por haber sido víctimas de una matanza. Como su suegra, Sonia no ha escatimado esfuerzos para hacer llegar su mensaje a los lugares más remotos. Y aunque no gane estas elecciones, no podrá nunca reprocharse no haber puesto toda la carne en el asador. Como siempre, le ha resultado muy gratificante el encuentro con los pobres de la India. En momentos de vacilación, las palabras del Mahatma Gandhi que un día leyó en el muro de un dispensario rural le vuelven a la memoria: «Cuando dudes o te cuestiones, haz la siguiente prueba: recuerda el rostro del hombre más pobre y más débil que hayas visto jamás y pregúntate si el paso que estás a punto de dar va a serle de alguna utilidad. ¿Ganará algo con ello? ¿Le devolverá cierto control sobre su vida y su destino?... Entonces verás que tus dudas se disiparán».

Es dura una campaña electoral a nivel nacional para alguien que nunca ha disimulado su aversión al poder. Vivir en esa contradicción intensifica su sensación de cansancio brutal, que le impide hasta cambiarse de sari esta mañana para ir a votar. Decide dejarse el que lleva puesto. Al fin y al cabo, es blanco, el color de las viudas en la India, y hoy, jornada electoral, llevar ese sari será una manera de mantener vivo el recuerdo de Rajiv. Que es como ayudarse a sí misma a mantenerse viva. Porque todo lo que hace, lo sigue haciendo por custodiar su memoria a falta de poder acariciarlo. Y por sus hijos, Rahul y Priyanka, que tanto la han apoyado en la campaña, en la vida. Nada une tanto como el dolor ante la pérdida de los seres queridos.

Ella, que detesta llamar la atención y ser protagonista; ella, que sólo ha dado dos entrevistas en toda su vida, se ha visto de pronto enardeciendo a multitudes de hasta cien mil personas unas seis veces al día en lugares distintos. Ha hablado en hindi con soltura y un ligero acento, y ha pronunciado discursos al estilo de Indira, esforzándose en convencer a seiscientos millones de electores para que voten al Partido del Congreso. A veces le cuesta creerse que está a la cabeza de la mayor organización política democrática del mundo. Si algún adivino se lo hubiera vaticinado en su juventud, cuando todavía vivía en Italia, lo hubiera tildado de charlatán.

¿Qué les ha dicho a esos millones de votantes que la han escuchado absortos? Les ha hablado de su familia política, una familia que ha gobernado la India durante más de cuatro décadas, pero que lleva siete años fuera del poder. Les ha hablado de los valores que siempre han representado los Nehru-Gandhi: libertad, tolerancia, laicismo y unidad. Ha insistido en que éstas no son unas elecciones ordinarias, sino un enfrentamiento histórico entre valores distintos, entre ideologías diametralmente opuestas. Una lucha entre la luz y el oscurantismo; entre una India donde caben todos y todas las religiones, y otra medieval y excluyente. Lo que está en juego, les ha repetido, es la convivencia entre las innumerables culturas, etnias, castas y religiones que componen la India. En definitiva, la mera existencia del país como nación.

Las ciudades están empapeladas con carteles electorales. El BJP está muy satisfecho de su eslogan: «India brilla», que alude a la buena marcha de la economía. Con un país que crece al 9 %, dos temporadas de abundantes lluvias monzónicas y unas relaciones por fin distendidas con el viejo enemigo Pakistán, están tranquilos y confiados. Piensan que su rival, el Partido del Congreso, está acabado, incapaz de renacer de sus cenizas, aplastado bajo el peso de su propia burocracia. Están convencidos de que Sonia no es una líder lo bastante hábil y experimentada como para resucitarlo, y menos aún para que obtenga suficientes escaños en estas elecciones legislativas. Primero, porque es extranjera y, segundo, porque piensan que no tiene ni el carisma de su suegra ni el encanto de su marido. Dicen que nunca ha expresado una opinión original sobre acontecimientos internacionales o sobre las orientaciones económicas de la India. Tercero, porque creen haber conseguido que sea percibida por la opinión pública como una simple *gungi gudiya*, una muñeca muda, manipulada sin escrúpulos por los viejos dinosaurios del Partido del Congreso. ¿Y no decían eso mismo de Indira Gandhi en sus primeras elecciones?

Pero si sus adversarios la hubieran seguido de cerca durante estas semanas de campaña, quizás no se mostrarían tan prepotentes. Hubieran sido testigos del apoteósico recibimiento que hordas de mujeres y hombres dispensaron a Sonia y a sus hijos, cubriéndoles de rosas y claveles, coreando sus nombres en una especie de frenesí. «Esto no es político, es emocional», comentó un día un periodista europeo a Rahul, que a sus treinta y tres

años se presenta por primera vez como candidato por la circunscripción de Amethi, la de su padre. Si Sonia pierde, ya está su hijo
en la línea de salida. Nadie escapa al destino del apellido.

«¿Para quién brilla la India? –preguntaba Sonia en sus discursos–. ¿Para los campesinos que se suicidan bebiendo raticida
porque no pueden pagar sus deudas?» La multitud recibía sus
palabras con rugidos de aprobación.

Al eslogan «India brilla», dirigido sobre todo a una clase media urbana compuesta por unos trescientos millones de electores,
Sonia ha opuesto uno menos lustroso, pero destinado a esos setecientos millones que todavía no han catado los frutos de la
prosperidad económica: «Elegid un gobierno que os funcione»,
les repite. Es un eslogan de Indira, que utilizó en varias campañas. A la manera moderna de hacer campaña del partido en el
poder, que ha mandado un mensaje de voz del primer ministro a
ciento diez millones de teléfonos fijos y móviles en todo el país
(llegando a trescientos cincuenta y cinco millones de votantes
menores de veinticinco años, una auténtica proeza tecnológica),
Sonia ha opuesto el estilo tradicional de recorrer la India estrechando manos, dando abrazos, conectando con la gente, sumer-
giéndose en la adoración sentimental de las masas.

Muy a menudo, el Tata Safari en el que viajaban tuvo que
detenerse hasta diez veces en una hora al hallarse totalmente
rodeado de campesinos, los rostros enjutos y los cuerpos delga-
dos pegados a las ventanillas. Sonia tuvo que hacer fuerza para
abrir la puerta delantera y ponerse de pie sin bajar del coche,
mientras la muchedumbre se apelotonaba aún más, lanzando
gritos de júbilo, estirando los brazos con la esperanza loca de
poder tocarla.

En esta campaña se ha visto que sus hijos despiertan las mismas pasiones, sobre todo Priyanka, que ya tiene treinta y dos
años. Ha sido una revelación comprobar hasta qué punto cau-
tiva a las multitudes, que han acudido en masa a oírla hablar.
Y eso que ella no se ha presentado a ningún escaño. Acaba de tener una hija, Miraya, que junto al mayor, Rehan, la tienen muy
ocupada. Por eso sólo ha ayudado a su madre y a su hermano esporádicamente. Pero bastaba que hiciese un saludo para que in-

mediatamente cientos de manos se lo devolviesen entre aclamaciones de júbilo. Rahul también despertaba el ardor de las masas: nada más abrir la ventanilla, le llenaban el coche de pétalos de rosa. Un día, el motor se caló, y el chófer no conseguía arrancarlo de nuevo. El hombre salió y abrió el capó, mientras Sonia repetía: «¡Qué caos, qué caos!», intentando ver a través del parabrisas sucio de sudor y de pétalos aplastados si el conductor era capaz de localizar la avería. «Mamá, quédate en el coche», repetía su hijo dándole una palmadita en el hombro, asustado de que su madre tuviera la ocurrencia de salir en ese momento, ignorando los protocolos de seguridad. Al final el conductor volvió y consiguió que de nuevo rugiese el motor.

–¿Qué pasaba? –preguntó Sonia.

–Las flores, Madam –respondió el hombre–. ¡Las margaritas habían bloqueado la correa del ventilador!

Ésa no parece la imagen de una dinastía política que va de cabeza hacia el fracaso, como pronostican sus adversarios, y hasta ciertos compañeros de partido. Es más bien la imagen de una mujer y una familia que consiguen sintonizar con el pueblo, aunque pocos lo quieran reconocer. Lo cierto es que Sonia se ha ganado el respeto y el afecto de su país de adopción por haber aceptado vivir la misma vida que mató a su cuñado, a su marido y a su suegra. El pueblo, acunado desde hace miles de años por las grandes epopeyas del *Ramayana* y del *Mahabharata* donde las hazañas de los hombres rivalizan con las de los dioses, parece reconocerle ese sacrificio y se lo demuestra cada vez que se presenta la ocasión. Y ella no pierde oportunidad de devolverle las muestras de afecto. Durante la campaña, después de cuatro días largos y calurosos, se la vio relajada en una sola ocasión cuando, en medio de una llanura polvorienta, mandó detener la comitiva electoral y se dirigió caminando sola hacia donde había visto un grupo de mujeres nómadas bajo un cobertizo de palos y plásticos negros. Esas mujeres no tenían la más mínima idea de quién era ella. Sonia no entendía su dialecto. Los fotógrafos se habían quedado atrás y nadie iba a capturar ese encuentro. Pero allí, lejos de la muchedumbre, de la prensa y de las reuniones del partido, Sonia Gandhi disfrutó abrazando a los más pobres de la India.

Ella no piensa que vaya a ganar; casi nadie lo cree en el partido, y aún menos fuera del partido. Los sondeos coinciden: el Congress no está entre los favoritos. «*She has no chance*», reza la prensa. No tiene posibilidades. Pero no puede evitar que la gente le pregunte si llegará a ser la primera india de origen extranjero en convertirse en primera ministra. En teoría sí puede, si el Partido del Congreso y sus aliados consiguen la mayoría de escaños necesaria y luego la designan como máxima mandataria. Legalmente también, porque la Constitución no estipula que sólo los individuos nacidos en la India puedan aspirar a los más altos puestos de gobierno. Conscientes de que el mundo de la India es mayor que la propia nación india, los que redactaron la Carta Magna dos años después de la Partición dejaron la posibilidad abierta a todos; y lo hicieron porque la tragedia de la Partición había provocado tanto flujo de refugiados de Pakistán y Bangladesh que prefirieron no poner limitaciones, no añadir nada que pudiera incitar a más división.

De momento, con estas elecciones, Sonia sólo pretende pararles los pies a los nacionalistas hindúes y aupar al Congress, sacarlo del marasmo en el que está sumido. Eso le bastaría para darse por satisfecha. Habría cumplido con su deber hacia su familia y hacia los ideales que siempre defendieron sus miembros, y que hoy se ven tan amenazados. Se quitaría un poco el peso de esa inmensa herencia que lleva a sus espaldas. Y quizás podría descansar un poco.

También, aunque no lo confiese, unos buenos resultados tendrían un agradable sabor de revancha contra todos los que la calumnian, los que la humillan sin tregua desde que en 1998 decidió aceptar la presidencia del Partido. A medida que se ha ido acercando la fecha de la votación, los ataques se han recrudecido. Sus detractores le han propinado un golpe bajo: han sacado a la luz que Sonia optó por la nacionalidad india en 1983, es decir un año antes de que su marido se convirtiese en primer ministro. «¿Por qué no lo hizo antes, si llevaba casada desde 1968 y dice sentirse tan india?... Lo hizo para ayudar a su marido a ganar las elecciones, apuntan pérfidamente. Su pretendida "indianidad" es pura sed de poder», añaden. Es un argumento falaz que busca ensuciar su imagen mostrándola como una ambiciosa. En realidad lo hizo para contrarrestar los ataques de Maneka, que fue la primera en agitar el espectro de su «italianidad». Además, quizás en 1983 Sonia no se sentía india del todo, quizás su proceso de indianización ha sido lento y ha crecido a la sombra de los años, y de las tragedias familiares... pero ¿a quién le importa la verdad? Sus orígenes se han convertido en caballo de batalla electoral.

Los ataques son tan bajos que la Corte Suprema, a principios de abril, intervino con una propuesta de ley para prohibir las «calumnias» en tiempos electorales. Pero ya era tarde; los ánimos estaban demasiado caldeados. La paz de las urnas seguirá siendo un sueño inalcanzable. Hace dos días, Sonia ha intentado por última vez zanjar las críticas sobre sus orígenes. En un mitin multitudinario de fin de campaña, se ha dirigido a sus miles de seguidores en Sriperumbudur, la ciudad donde Rajiv fue asesinado: «Aquí estoy, pisando esta tierra mezclada con la sangre de mi marido. Os aseguro que no me cabe mayor honor que compartir su destino por el bien de la India». El pueblo no parece dudar de la sinceridad de sus palabras, sabedor de que en Sonia Gandhi lo político y lo personal están íntimamente imbricados. Al final, lo comedido de sus reacciones y la inmensa dignidad que ha mostrado frente a los ataques más sucios le hacen parecer aún más india, más digna de su confianza.

Hoy está afónica, por eso responde con un gesto y una sonrisa al mayordomo cuando éste le avisa de que ya la están esperando para llevarla a votar. Sonia, arreglada y con su bolso colgado del brazo, permanece clavada frente al televisor, cuyo informativo matutino desgrana las noticias del mundo: hoy hace diez años que Mandela, el hombre que ella más admira y a quien conoce personalmente, accedía al poder en Sudáfrica, y en otra campaña electoral, la norteamericana, el presidente Bush acumula ventaja frente al candidato demócrata John Kerry, a pesar de que el apoyo popular a la guerra de Irak está en su momento más bajo... No sólo en la India la política está llena de contradicciones y de sorpresas.

Pero lo que espera con ansia es el vaticinio electoral del conocido astrólogo Ajay Bahambi, que se hizo famoso cuando Hillary

Clinton le pidió que le leyese la mano. Por fin aparece en pantalla, y con el tono firme y decidido de quien está muy convencido de lo que dice, el oráculo barbudo asegura que el partido actualmente en el poder revalidará su mandato con más de 320 escaños. Eso significa una derrota humillante para el Congress. La precisión del dato y el tono de suficiencia del hombre dejan a Sonia abatida. No teme la derrota, pero sí teme ser barrida y hacer el ridículo. Aprieta enérgicamente el botón del mando a distancia para apagar el televisor y se levanta. Antes de salir, pasa por la cocina para dar instrucciones. Hoy vendrán a comer sus hijos y sus nietecitos. Hubiera preferido reunirse con ellos en La Piazza, el exquisito restaurante italiano del hotel Hyatt, como suelen hacer los domingos o cuando hay algo que celebrar. Pero como no quiere atizar la controversia sobre su «italianidad», prefiere quedarse en casa. No es el momento de salir en una foto comiendo pasta.

Espera a que sean las nueve para salir. A fuerza de vivir en la India, se le han contagiado un poco las creencias locales, y según un diputado del partido que le ha llamado esta mañana desde Kerala, en el sur, el Rahu Kalam cae hoy entre las siete y media y las nueve de la mañana. Éste es un momento del día considerado poco auspicioso para emprender cualquier actividad. Lo calculan meticulosamente los astrólogos y lo publican en los calendarios hindúes. No es que Sonia crea a pies juntillas en esas supersticiones, pero nunca se sabe, tal y como están las cosas mejor poner todo de su parte...

Nada más franquear la puerta que da al jardín, siente una bofetada de aire caliente. Sólo falta un mes para que descarguen las lluvias monzónicas, y hasta entonces la temperatura seguirá subiendo, inexorablemente. Se coloca sus sempiternas y grandes gafas de sol y echa un vistazo a su alrededor: el césped amarillea, los parterres de flores que lo engalanaban en febrero se han marchitado ya. Pero la sombra de los grandes árboles protege el resto de la vegetación. Hoy el mercurio marca 43 grados, lo que no impide que, del otro lado de la tapia de su casa, un grupo de simpatizantes lleve horas aguardando en la acera para tener su *darshan*. Pero no podrán verla. Con tantas medidas de seguridad, Sonia no puede hacer lo que hacía Indira, que se quedaba a conversar un rato a las puertas de su residencia con los que venían a verla. Eran otros tiempos. Ahora, el Servicio de Inteligencia ha hecho saber que existe una «amenaza permanente» contra ella y su familia por parte de grupos marginales y xenófobos hindúes. Sonia está acostumbrada a convivir con ese miedo en el cuerpo y no ha tenido más remedio que aceptarlo después de tantos años y tantos sustos. Pero lo más duro, a lo que nunca podrá acostumbrarse, es a pensar que podría ocurrirle algo a sus hijos, y ahora también a sus nietos.

Los soldados de guardia en la garita de su residencia apenas tienen tiempo de saludarla cuando su Ambassador blindado color crema sale a toda velocidad con un rechinar de neumáticos, seguido por sus escoltas en otro automóvil con una luz giratoria en el techo. Sonia ha bajado la ventanilla de cristal ahumado y hace un gesto rápido con la mano desde el interior del vehículo, pero va tan deprisa que no está segura de que sus admiradores la hayan visto. El trayecto desde su casa hasta Nirman Bhawan, un complejo de edificios del gobierno donde está la oficina en la que tiene que depositar el voto, es corto. No se tarda más de diez minutos, sobre todo hoy, día festivo por ser jornada electoral. Y es agradable porque las anchas avenidas están bordeadas de grandes árboles siempre verdes, muchos de ellos en flor. La ciudad ha cambiado mucho, ha pasado de tres millones de habitantes cuando llegó Sonia a más de quince ahora. Hay gasolineras coloridas con tienda anexa como en Europa, grandes almacenes, centros comerciales, cafeterías, restaurantes de todo tipo, una plétora de hoteles de lujo, supermercados donde se encuentra de todo, desde salmón ahumado de Escocia hasta vino de Rioja. Pero el núcleo central sigue igual, sobre todo cuando no hay tráfico. Todo son recuerdos para Sonia. Cada esquina, cada calle, cada comercio: en esa confitería le compraba a Rajiv su postre favorito; en esta plaza vivía su amiga Sunita; en aquella bocacalle, que da a la avenida Akbar, llevaba los niños a la guardería; en ese terraplén se estrelló la avioneta de su cuñado... Y por estas mismas avenidas circulaba en un Ambassador similar a éste el día que les cambió la vida. Le parecía que aquel coche no llegaba nunca. La sangre de Indira empapaba los asientos tapizados de terciopelo, formando una enorme mancha negra.

Por eso siente que su corazón pertenece a estas calles, a esta ciudad, a este país. Para defenderse de tanta calumnia, ha mandado pegar unos carteles en la circunscripción de su marido que muestran distintas fotos de su vida en la India, empezando por su llegada cuando era novia de Rajiv. «¿Qué tradición india he incumplido? –pregunta el texto–. ¿Como nuera, esposa, viuda o miembro del Congress, qué tradición he dejado de observar?» Sonia sigue traumatizada por la virulencia de los ataques contra ella.

Los accesos a Nirman Bhawan están fuertemente custodiados por policías y soldados en previsión de su llegada. Los guardias en la verja de entrada la saludan juntando las manos y llevándolas al pecho musitando el tradicional *namasté*. Todo son sonrisas. El suyo es el único vehículo autorizado a entrar en el recinto. Frente a su oficina electoral, la número 84, la están esperando caras conocidas y una nube de periodistas, fotógrafos y simpatizantes. «¿Cómo se siente una italiana votando en la India?», le pregunta un viejo periodista malicioso que no disimula sus tendencias políticas. «Me siento india. No me siento italiana, ni siquiera un poco», le suelta Sonia con la voz ronca.

El apoderado de su mesa electoral la saluda con una ancha sonrisa y le cuelga una guirnalda de clavelinas alrededor del cuello:

–Unos compañeros del Congress nos dijeron que vendría a las siete de la mañana –le dice.

–Siento haberme retrasado. Me disculpo.

–No hay de qué, por favor... –responde el hombre, ruborizado–. Es usted la decimosexta votante de esta mesa... Es un buen número, señora, le traerá suerte –añade mientras muestra a Sonia el funcionamiento de la flamante máquina de votar electrónica, orgullo de la tecnología india. Más de un millón de estas cajas de plástico, del tamaño de una pequeña maleta y que funcionan a pilas, se han repartido por primera vez a lo largo y a lo ancho de todo el territorio –en los lugares más remotos, a lomos de elefante–, con la esperanza de acelerar el recuento y de luchar contra el fraude. Ya no habrá más muertos ni heridos durante las peleas entre facciones políticas rivales que se acusaban mutuamente de traficar con el contenido de las urnas. Ahora un simple bip después de pulsar la tecla adyacente al nombre y al símbolo del candidato elegido indica que el voto ha sido registrado en una unidad de control. De esta manera novedosa Sonia emite su voto, como una más entre los millones de indios que hoy escucharán el mismo sonido durante la última jornada de las elecciones generales. La prensa de pronto se vuelve hacia una anciana que acude a votar, sentada en una silla que unos parientes llevan en volandas. Tiene ciento ocho años, es una refugiada birmana que responde a los periodistas con voz temblorosa: «Siempre he votado por el Congress porque nos ayudó a emigrar a la India cuando China declaró la guerra a Birmania». Aprieta la tecla y... ¡bip!

A la salida de Nirman Bhawan, ya de regreso a casa, hay tanta gente jaleándola que el coche apenas consigue abrirse camino. De modo que pide al conductor que se detenga. Sonia baja del automóvil e inmediatamente sus escoltas la rodean y le indican que vuelva a meterse en el vehículo, pero ella se niega y hace un gesto con firmeza para que se aparten. No piensa irse sin saludar a toda esa muchedumbre enfervorizada que jalea su nombre y que repite sin tregua eslóganes que la glorifican. Es lo mínimo que puede hacer por todos los que están esperando bajo este sol de justicia. Ajena al nerviosismo de sus escoltas, se dirige a la multitud, saluda con la cabeza, junta las manos en alto, da las gracias, sonríe... todos la quieren tocar y ella quisiera abrazarlos uno por uno, si pudiera. Reconoce la misma corriente de simpatía que siempre ha existido entre sucesivas generaciones de indios y los miembros de su familia, una corriente casi eléctrica entre ella y el pueblo que se traduce en un intercambio de miradas, a veces un apretón de manos, una comunicación que surge por encima de todas las barreras.

Cuando vuelve a meterse en el coche, de pronto se pregunta si el astrólogo de esta mañana en la televisión no habrá exagerado en su predicción negativa. Pero es un pensamiento fugaz. Ella sabe mejor que nadie que se pueden perder unas elecciones, aunque un millón de personas hayan estado aclamándote la víspera.

48

A esta primera convocatoria del siglo XXI acuden seiscientos setenta millones de electores, un tamaño de electorado dos veces mayor que el de su rival más próximo, que serían las elecciones al Parlamento europeo. Para conseguir tal proeza organizativa y para garantizar la seguridad de los electores, se ha dividido esta convocatoria en cuatro jornadas a lo largo de tres semanas, la última siendo hoy, 10 de mayo de 2004. Cuatro millones de funcionarios han sido movilizados en setecientas mil mesas electorales para conseguir unos resultados que afectarán la suerte de una sexta parte de la población mundial durante los próximos cinco años. La tecnología ha sido la gran novedad en estas elecciones. En las de 1999, había sólo tres canales de televisión; hoy hay más de una docena que retransmiten veinticuatro horas al día, y eso sin contar los que se ven por satélite. Cinco años atrás había cerca de un millón y medio de móviles; hoy hay treinta millones. La televisión ha retransmitido las sonrisas, los atuendos, las expresiones de cansancio, de alegría, de estupor de los candidatos, sus miradas expectantes y también algún que otro gesto que le ha costado a un político su popularidad. Pero nadie sabe en el fondo qué partido se beneficiará más de la televisión.

El recuento comenzará el día 13 de mayo y los primeros resultados se darán a conocer el 14, a finales de semana, gracias precisamente a la rapidez que proporcionan las nuevas urnas electrónicas. Pero, para los candidatos, será una semana larga. Ya le gustaría a Sonia irse unos días a disfrutar del frescor de las montañas, pero no puede parecer que se desentiende de la gran contienda. Sus propios compañeros del Congress no comprenderían que no se mantuviese en su puesto, en la capital, en primera fila, defendiéndose de algún ataque de última hora, galvanizando a sus compañeros, corrigiendo a alguno de sus diputados díscolos...

Jueves 13 de mayo de 2004. Esta mañana se esperan los primeros resultados. En las aldeas, los campesinos aprovechan el calor para hacer un alto en sus faenas y agruparse alrededor de un transistor o un televisor. En un país donde todos participan de las celebraciones de los demás, el gran espectáculo de la democracia se vive como una festividad más, quizás porque celebrar el valor supremo del individuo adquiere aún más valor en un lugar tan densamente poblado. En las numerosas aldeas fuera del alcance de las ondas, habrá que esperar la llegada de algún viajero con noticias; allí, los resultados pueden tardar hasta dos semanas en saberse. En Nueva Delhi se vive una gran expectación en los cuarteles generales de los dos grandes partidos, ambos en el centro, donde se han decidido las estrategias y se han marcado las pautas. Son salas diáfanas bañadas por el nirvana del aire acondicionado, llenas de monitores de televisión, ordenadores, cámaras de vídeo, impresoras y toda la parafernalia tecnológica. Jóvenes vestidos a la occidental se afanan entre los despachos, los teléfonos portátiles pegados a la oreja y, como concesión a la tradición, una taza de té con leche en la mano. En el cuartel general del Congress, hay más periodistas que miembros del partido; éstos se esconden en sus casas, agobiados por las especulaciones derrotistas de la radio y la televisión. Algunos, los más optimistas, tocados con el famoso gorro que popularizó Nehru, charlan y gesticulan con periodistas que están al acecho de las primeras reacciones.

No muy lejos de allí, en la residencia de Sonia, la atmósfera está cargada de tensión. Un silencio espeso envuelve la casa, decorada con objetos traídos de toda la India, muchos de ellos tribales, de bellísimas telas y de algunas pinturas antiguas sobre cristal a las que Sonia es muy aficionada. Nada evoca la ostentación o el hecho de que sea el hogar de una familia especial, excepto el estudio, que sigue tal y como lo dejó Rajiv. Las fotos, en marcos de plata sobre las mesas, muestran momentos compartidos de los Nehru con los Kennedy, Gorbachov, De Gaulle y demás personajes ilustres del siglo XX. Y allí están los famosos retratos de Nehru, Indira y Rajiv, colgados en sus marcos de madera sobre las paredes blancas, que hoy también parecen tener vida propia, como si desde el más allá estuvieran participando en el suspense del momento.

Sentados en los sofás y en cuclillas, los colaboradores de Sonia aceptan de buen grado el té con aroma de cardamomo que les ofrece la anfitriona. Todos observan un silencio incómodo y es que Sonia prefiere tener la televisión apagada. Tiene miedo a los resultados y quiere ahorrarse la agonía de ir conociendo cifras parciales. Prefiere saberlo todo de golpe, cuando tenga que ser. Tan cerca del final, tiene miedo a defraudar a «la familia». Sabe que, si gana, será la victoria de Sonia Gandhi, que se ha proyectado ante el electorado como lo que es, una mujer vulnerable, sincera y audaz; si pierde, será la derrota de la «viuda de Rajiv» o de la «nuera de Indira», la «italiana» que no ha estado a la altura de las circunstancias y que carecía tanto de ambición como de talento político. «¿Realmente se merece ganar?», parece preguntarse en este momento en el que le asaltan todo tipo de pensamientos incongruentes y hasta contradictorios.

El portátil de su amiga Ambika, secretaria general del partido y la compañera que más horas ha pasado con ella últimamente, suena con el estribillo del Congress. La mujer posa su taza de té sobre una mesilla y pega el móvil a la oreja. En seguida esboza una sonrisa, y cuelga: «Sonia, nuestros aliados en Tamil Nadu han ganado». La buena nueva relaja un poco el ambiente. «Allí no haremos el ridículo», piensa Sonia. Tamil Nadu es un gran estado, ciertamente importante en el resultado final, pero todos están impacientes por conocer las cifras de estados clave como Uttar Pradesh, Maharashtra o Karnataka. Sonia arde en deseos de saberlo y al mismo tiempo no quiere.

Unos segundos después, suena otro móvil. «¡Sonia, hemos ganado en Maharashtra!», anuncia otro miembro de su equipo. El sonido del fax se suma al de los móviles: la máquina escupe fotocopias de periódicos con mensajes que vienen de varias delegaciones del partido... Y todos con buenas noticias. En un instante, el estudio está invadido por una cacofonía de ruidos, sonidos y fragmentos de conversación. Sonia está desconcertada, hasta que recibe una llamada por el teléfono privado de casa:

–¡Enhorabuena, Soniaji! No sólo estamos ganando, estamos arrasando. En mi nombre y en el de todos los miembros del Congress, te transmito nuestra más sincera enhorabuena.

–No lancemos las campanas al vuelo todavía, hay que ser prudente... –dice ella.

–Sí, tienes razón, pero ya conocemos la tendencia...

Sonia pasea su mirada por los miembros de su equipo, con una sonrisa que resucita sus famosos hoyuelos, los que siempre aparecían cuando se sentía feliz.

–Voy a encender la televisión... –dice al levantarse.

Lo que muestra la pantalla es un lugar muy familiar: la calle Akbar, donde se encuentran las oficinas del partido, a menos de cinco minutos de su casa. Simpatizantes enfervorizados portan pancartas de apoyo y gritan eslóganes: «¡Viva Sonia Gandhi!», «¡Viva el Congress!», mientras otros encienden petardos, bailan y beben en la calle. «¡La han tildado de extranjera, pero el pueblo ha dado una contundente respuesta!», afirma una simpatizante llevando una bandera con los colores nacionales azafrán, verde y blanco. «¡Esto es un regalo del todopoderoso!», declara un conocido miembro del partido con lágrimas en los ojos. Esa primera reacción de júbilo deja a todos atónitos, pero para lo que Sonia no está preparada es para oír un grito que surge entre la multitud: «¡Viva la primera ministra Sonia Gandhi!». Se queda de piedra, como si la realidad de su nueva situación la asaltase desde la pantalla del televisor. Aturdida por la enormidad de lo que se le viene encima, se sienta en el borde del sofá. Quiere disimular su zozobra, pero está tan impresionada que se le hace imposible.

–¿Te encuentras bien? –le pregunta Ambika.

Sonia respira hondo, y se señala el pecho, como si tuviera un principio de crisis.

–¿Quieres que vaya a por tu inhalador?

–No hace falta... ya se me pasa.

En el fondo reza para que no le dé un ataque de asma. Lo que tiene es ansiedad, una ansiedad que los gritos de los enfervorizados simpatizantes de la calle Akbar no hacen más que agravar: «¡Sonia Gandhi, primera ministra!».

El presentador vuelve a los resultados. Al desgranarlos por estados, es como si la voz de los diferentes pueblos de la India penetrase hasta el interior del despacho, como un eco que viene de muy lejos, de las aldeas que pueblan las laderas tibetanas del Himalaya, de las chozas de barro de los bishnois del desierto de Thar, de las tribus que habitan los manglares del sur, de los pescadores en sus inmensas playas de Kerala, de los musulmanes de Gujarat que sobrevivieron a las recientes matanzas de los fundamentalistas hindúes, de los millones de chabolistas de Bombay y Calcuta... Y la voz del pueblo se repite, asombrando a Sonia, a sus colaboradores, a sus adversarios, a la India, y también al mundo. Una voz que desafía las predicciones de los expertos en política, de los magnates de la televisión y de los institutos de opinión. Una voz que se rebela contra el pretendido dominio de los medios de comunicación sobre las masas. Ni un solo experto ha sido capaz de barruntar la derrota espectacular del partido en el poder. Los resultados barren también de un plumazo la credibilidad de tantos astrólogos, quirománticos y supuestos magos que han sembrado de engaños y mentiras la vida del país. ¡El famoso astrólogo Ajay Bahambi se ha cubierto de gloria!...

La sorpresa inicial se torna pronto en euforia, cuando la televisión anuncia que el Congress está a punto de conseguir 145 escaños, lo que le permite, junto a sus aliados, alcanzar en coalición la mágica cifra de 272. Es decir, la capacidad de gobernar. Los 272 que Sonia anunció prematuramente en 1999, ahora sí los ha conseguido. A la ansiedad se mezcla un sentimiento de profunda satisfacción. Y como guinda de esta jornada triunfal, salta la noticia de que Rahul ha salido elegido diputado al Parlamento por la circunscripción de Amethi, digno heredero de su padre. Doble victoria que restaura en el poder a la familia más admirada y vilipendiada de la India. En seguida, los gritos de la muchedumbre que se ha ido acercando hasta la casa y que aclama a Sonia desde la calle ahogan el sonido de la televisión. En la sede de Akbar Road, el responsable de seguridad del partido llama a la policía de Nueva Delhi para que mande refuerzos al número 10 de Janpath en previsión de grandes concentraciones de personas.

El BJP pierde en veinticuatro de los veintiocho estados de la India. Pierde hasta en los bastiones que creía inexpugnables, como la ciudad santa de Benarés o la propia Ayodhya. Esta vez, su convencimiento de que los disturbios comunales se traducen en votos ha resultado ser un error garrafal.

–El pueblo ha reaccionado –dice Priyanka cuando viene a felicitar a su madre.

Cada minuto que pasa, el eslogan de los hinduistas, «India brilla», parece más ridículo todavía, como si los votantes hubieran destapado la falsedad de esa propaganda triunfalista, que dejaba fuera de juego a la mayoría del pueblo, esa que no se ve en las ciudades, pero que ahora toma su revancha desde las llanuras ardientes y las aldeas perdidas. La expresión en la mirada de Sonia traduce el sentir de sus correligionarios: triunfo, placer, risas y, en un momento dado, unas lágrimas. Ella que se lanzó a la carrera electoral con la única esperanza de no ser arrollada, alcanza la meta como vencedora absoluta.

49

«Impresionante conmoción», titula la portada de su edición especial el *Hindustan Times*, el diario en inglés más leído de Nueva Delhi, al día siguiente, viernes 14 de mayo. En la residencia de Sonia, la ingente cantidad de mensajes de felicitación y de apoyo han colapsado el fax. Cartas, telegramas, SMS... de todas partes y por todos los medios llueven mensajes de enhorabuena para la futura «primera ministra». Carlo Marroni, alcalde de Orbassano, le manda un telegrama en nombre de los veinticinco mil habitantes de su ciudad: «Estamos orgullosos de usted y le deseamos que siga por el camino del desarrollo y la solidaridad en la mayor democracia del mundo. Compartimos con usted, con su India, esos valores que nos unen a todos». Paola, la madre de Sonia, se ha enterado del triunfo de su hija desde su casa de Via Bellini por un periodista local. Luego ha recibido un aluvión de llamadas. «Sí, claro que estoy satisfecha –repite disimulando su desasosiego–, pero me siento asediada y no tengo nada que decir.» ¿Cómo decir que teme que a su hija le ocurra lo mismo que a su yerno? Por eso Paola prefiere callarse, y decide no contestar más al teléfono.

Ahora la tarea de Sonia es la de afianzar una coalición capaz de gobernar. No duda un instante en apelar a su viejo amigo, el brillante economista sij Manmohan Singh, su gurú en temas de economía. Con él, se dedica a redactar un acuerdo de mínimos para conseguir la firme adhesión de los demás miembros de la coalición, que cuenta con más de veinte partidos. ¡Qué lejos quedan los tiempos de Indira, o de Rajiv, cuando el Congress gobernaba con mayoría absoluta! La política es ahora como una marmita gigantesca donde bullen los sueños, las aspiraciones y los intereses cada vez más diversos, incluso enfrentados, de una sexta parte de la humanidad. Y Sonia se encuentra de pronto en el puesto de cocinera jefe. Tiene que aderezar bien el guiso, contentando a los comunistas del frente de izquierdas y también a los liberales, a los partidos regionales y a los representantes de castas... Pero la tarea no la pilla desprevenida: lleva meses tejiendo alianzas, hablando con unos y con otros, allanando el camino. Su labor de zapa, invisible, ahora da sus frutos. Como ya apuntaban las monjas del internado de Giaveno, donde estudió, tiene talento para el consenso: en eso, no es como su suegra, que era más propensa al autoritarismo. A Sonia lo que de verdad le interesa son las grandes cuestiones de Estado como reducir la pobreza y asegurar el crecimiento económico; o cómo conseguir la paz con Pakistán y resolver el contencioso de Cachemira. No ocurre lo mismo con sus socios. La mayoría son auténticos sátrapas, cabecillas de partidos regionales con egos mayores que sus organizaciones. Cada cual acerca el ascua a su sardina exigiendo carteras ministeriales, políticas específicas de apoyo a los miembros de su casta o sus votantes. El conocido líder de uno de los estados más pobres le exige, a cambio de su apoyo, el Ministerio de Ferrocarriles, muy importante porque emplea a más de diez millones de personas. Y todos piensan que Sonia será la primera ministra. Algunos hasta lo exigen, porque no quieren quedarse sin ese valioso liderazgo que les va a permitir disfrutar de su parcela de poder; piensan que sin ella la coalición tendrá una vida muy corta.

Después del anuncio de que el partido va a nombrarla líder de su grupo parlamentario, el país entero da por sentado que la italiana asumirá el puesto. Por si hubiera alguna duda, cuando una periodista le pregunta si es cierto que el líder del grupo parlamentario será el próximo primer ministro, Sonia responde: «Normalmente, así es». Tres palabras que son como otras tantas bofetadas a sus adversarios. Una dulce venganza, que en seguida recibe su réplica cuando un dirigente del partido derrotado declara en televisión que le parece una vergüenza que una extranjera gobierne la India. Otro líder del mismo partido añade que boicoteará el acto de investidura de la coalición si Sonia Gandhi es primera ministra. Un terremoto nacionalista sacude el país, y afecta hasta a miembros del propio partido de Sonia. Una jefa de gobierno del estado de Madhya Pradesh, una mujer de mediana edad llamada Uma Bharti, una extremista hindú afiliada al BJP, anuncia su dimisión alegando que «poner» a una extranjera en el puesto más alto es un insulto al país y pone en peligro la seguridad nacional. Otra mujer, una respetada líder del partido derrotado, llamada Sushma Swaraj, solicita una entrevista con el presidente de la República, el científico musulmán Abdul Kalam, para expresarle el «dolor y angustia» que le produce el tema. «Si Sonia acaba de primera ministra, me raparé la cabeza, me vestiré con ropa blanca, dormiré en el suelo y haré una huelga de hambre indefinida. Movilizaré la nación contra ella», amenaza a la salida de su entrevista frente a los medios de comunicación.

Pero sin duda el acontecimiento que causa mayor impacto es el suicidio en un pueblo cerca de Bangalore de un activista del partido derrotado, un padre de familia de treinta años llamado Mahesh Prabhu, que antes de tragar un bote de raticida ha dejado una nota explicando que «no puede soportar la idea de que en un país de mil cien millones no se haya podido encontrar un solo líder indio para dirigir la nación». El hombre deja viuda y un hijo de dieciocho meses, y a un país perplejo.

Demasiado barullo, demasiada división, demasiada histeria... Las consecuencias de su victoria empiezan a asustarla. Ha tocado la fibra del nacionalismo, un sentimiento irracional que rápidamente puede rozar la locura. A pesar de que el resultado de las elecciones ha demostrado que poco le importan sus orígenes al pueblo, el tema sigue siendo explosivo. Está tan escarmentada y es tan cautelosa que a un entrevistador de la televisión italiana le responde en inglés y no en su lengua materna, sumiendo al periodista en la perplejidad más absoluta. ¿Cómo hacer entender a alguien que te entrevista cinco minutos que no puedes hablarle en su idioma, aunque quieras? ¿Cómo explicar lo que significa ser extranjera en la India y estar tan cerca del poder que sientes su calor abrasador? ¿Cómo contar la violencia que ha diezmado a su familia y que acecha como un animal agazapado? ¿Cómo explicar tanto luto, tanto dolor, tanta angustia y tanto miedo? ¿Cómo contar todo eso, sin lo cual nadie puede entender sus reacciones? Tendría que empezar de cero cada vez que habla con un periodista, y nunca hay tiempo para eso.

Para aumentar aún más la inquietud general, el índice de la bolsa de Bombay, el Sensex, se derrumba en la mayor caída en la historia financiera de la India, alimentado por el temor a un gobierno en el que el peso de la izquierda acabe con las reformas hasta ahora conseguidas. Sonia urge a su hombre de confianza, Manmohan Singh, a que haga unas declaraciones para calmar los mercados, esperando que las aguas vuelvan a su cauce lo antes posible.

Necesita pensar. A la mañana siguiente, acompañada de sus hijos, sale discretamente de casa, pero la policía está nerviosa y sus escoltas habituales, todavía más. Era previsible que después de su victoria electoral las medidas de seguridad cercenarían aún más su casi inexistente libertad de movimientos. Ahora debe avisar con más anticipación de sus desplazamientos para que, además de su escolta personal, la policía de Delhi esté sobre aviso.

Una ligera neblina envuelve las calles vacías a esta hora temprana. Es el mejor momento del día para evitar el calor y circular rápidamente. El coche de Sonia recorre las anchas avenidas de la parte nueva hasta llegar a los jardines donde están los mausoleos de la familia. Se oye el canto de los pájaros sobre el murmullo ronco de la nueva autopista que cruza Delhi de norte a sur. Los tres se recogen unos instantes y luego cada uno hace su ofrenda floral, lanzando unos pétalos de rosa sobre el mausoleo. ¿Qué diría Rajiv de esta inesperada victoria de su mujer, que vuelve a poner a toda la familia en el candelero? Ella, que huía de la atención mediática como de la peste, recuerda ahora el momento en que, siendo su marido primer ministro, le dejó plantado con un equipo de la televisión francesa que insistía en tener unos planos de la familia reunida... «Ni siquiera yo puedo hacerla cambiar de parecer», había dicho Rajiv al periodista. Ahora su marido debe de estar riéndose en el cielo. Debe de estar sorprendido, como todos en la India; y orgulloso también, seguro; pero sobre todo asustado, por ella, por sus hijos y por los nietos que no ha conocido. Ojo con la victoria, que puede volverse en contra y destruir todo lo que se pone por delante. Ojo con la cara oculta del triunfo, no se sabe lo que esconde. «¿Y tú, Rajiv, qué harías en mi lugar?»

En las sucesivas entrevistas que realiza ese día con diferentes miembros de su coalición, evita mencionar el tema del liderazgo. A un periodista de la BBC le suelta: «No tengo en mente ningún puesto».

Al día siguiente, 15 de mayo, los adalides más respetados del partido, asustados ante la idea de quedarse huérfanos de líder, le ruegan, sea cual sea su decisión, que la retrase unas horas. Quieren ganar tiempo para que lleguen todos los mensajes de apoyo que los aliados envían desde los últimos rincones de la India. Normalmente el candidato a primer ministro se dirige al presidente de la República con ese aval para recibir la autorización oficial de formar gobierno. Es un paso que ella tendrá que dar en breve, llevando en su cartera esos mensajes que la ensalzan y que hacen ver que es la líder indispensable sin la cual la coalición carece de sentido. Socios y aliados esperan que Sonia acabe por ceder: el partido necesita probar a sus bases que ha encontrado su guía. A esto se suma la presión emocional de sus amigos, con los que ha compartido tantos sinsabores y momentos difíciles. Tiene la impresión de que los dejará tirados si no acepta el puesto. No es fácil decirles ahora: ya no juego. ¿Podrán entenderlo? Para tranquilizarla le aseguran: «Aceptaremos tu decisión final». Sonia tiene todavía tres días para pensárselo.

Por la tarde del día 15, después de haber sido formalmente elegida por unanimidad líder del grupo parlamentario del Congress, Sonia Gandhi se dirige a sus diputados: «Aquí estoy, en el lugar ocupado por mis grandes maestros, Nehru, Indira y Rajiv. Sus vidas han guiado mi recorrido. Su valor y su entera devoción a la India me han dado la fuerza de continuar su camino años después de su martirio. Quiero recordarlos hoy, quiero homenajearlos hoy. El pueblo ha reafirmado que el alma de nuestra nación es integradora, laica y unida. Ha rechazado las políticas de ataques personales y las campañas negativas. Ha rechazado la ideología de los partidos fundamentalistas. Pronto tendremos aquí, en el gobierno central, una coalición liderada por el Congress. Hemos triunfado contra todo pronóstico. Hemos prevalecido a pesar de los vaticinios agoreros. En nombre de todos vosotros, quiero expresar mi agradecimiento de todo corazón al pueblo de la India. Gracias».

La sala prorrumpe en una larga ovación y a continuación los diputados se disponen a felicitarla personalmente. Todos quieren acercarse al artífice de tanta alegría y tanta expectación, la persona que tiene la llave del poder. En esa sala que ha sido testigo de tantos dramas nacionales, de tantas agrias discusiones, ahora se respira un ambiente festivo. Sonia está radiante. Hay tanta algarabía que los diputados tienen que guardar cola para estrecharle la mano o, mejor aún, intercambiar algún comentario que sea lo suficientemente ocurrente como para que ella lo recuerde... todo puede servir en el futuro. Entre los últimos en esperar su turno se encuentra un chico joven, vestido con una *kurta* blanca y pantalones anchos, su hijo Rahul, que se ha revelado en estas elecciones como un prometedor líder de las juventudes del partido. Sonia le sonríe afectuosamente mientras le tiende la mano, como a los demás.

Sin embargo, los veteranos y los más cercanos a Sonia están preocupados porque en todo su discurso no ha dicho una sola palabra sobre su papel en la nueva coalición. Cuando le sugieren que acuda al día siguiente al presidente de la República para solicitar formalmente permiso para formar gobierno, Sonia se zafa diciendo que el bloque de izquierdas no ha confirmado todavía su apoyo, lo que no deja de ser una burda excusa. La verdad es que quiere emplear todo el tiempo disponible para pensar.

Después de pasar un día entero en casa con sus hijos sopesando la situación, el lunes 17 de mayo se reúne con sus aliados más próximos. Tiene algo importante que decirles. Ellos lo ven venir, y no se equivocan: «Pienso que no debo aceptar el cargo de primera ministra». No lo dice de manera tajante, como si su decisión fuese firme, lo dice como si quisiera medir la reacción. «No quiero ser la causante de la división del país», añade, dejándolos a todos incómodos y perplejos. Y pasa a sugerir una solución salomónica, que causa cierta irritación: su idea es que ella continúe en la presidencia del Partido... y Manmohan Singh sea primer ministro. Es una idea revolucionaria porque supone una dirección bicéfala, un experimento en el arte de gobernar.

Un profundo silencio acoge sus palabras. Sonia prosigue: «Es honrado, tiene una excelente reputación como economista, tiene experiencia en la administración... Estoy convencida de que será un gran primer ministro». Pero la sugerencia los deja fríos. Es bien sabido que Manmohan Singh no tiene carisma. Es un hombre serio, un tecnócrata, no un político. «Es como decir que esta victoria no ha servido para nada. La coalición no se sostendrá sin una Gandhi, sin la única líder capaz de aglutinar grupos tan dispares», apostilla uno de los suyos. La idea tampoco encandila a los líderes más veteranos, algunos de los cuales llevan cincuenta años de militancia en el partido. Manmohan Singh apenas lleva catorce años, es un advenedizo. Además es un sij, representante de una minoría que apenas suma el 6 % de la población india. Sería la primera vez que un no hindú asumiese ese puesto desde la independencia. ¿Cómo se lo tomará la mayoría hindú?

–El pueblo ha votado por una India laica, secular, donde la religión no tiene que influir en la política –les recuerda Sonia.

Pero es sobre todo el hecho de no contar con una Gandhi en el puesto clave lo que preocupa –y mucho– a su gente. A estas alturas, la mística del apellido cuenta más que todo lo demás. «Será el gobierno más corto de la historia», vaticinan unos. Otros no se dan por vencidos y ruegan que recapacite. Hasta los dos miembros de su partido que se quejaban en privado de tener como líder a «un ama de casa italiana sin estudios» le suplican ahora que acepte ser primera ministra. En una semana, ha pasado de ser una vulgar «ama de casa» a «una amiga, una guía, la salvadora de la nación».

Al filo de la tarde llega Manmohan Singh al número 10 de Janpath, tocado con su sempiterno turbante azul, con su barba blanca, sus ojillos negros llenos de inteligencia y su aire de ave frágil. A duras penas consigue abrirse paso entre la multitud de diputados y simpatizantes que han acudido a la llamada de los que están reunidos con Sonia, y que bloquean la entrada. Hay tantos que ya no caben en casa. Esperan en el jardín o en la calle, bajo un sol de justicia y a 43 grados a la sombra, a que su líder se pronuncie. A Sonia, la situación le resulta familiar; tiene la impresión de haberla vivido ya, cuando la presionaban para que aceptase la presidencia del partido. Pero si antes era difícil decir «no», ahora que lo que está en juego es el poder, resulta prácticamente imposible. Por mucho que intente argumentarlo, no aceptan su decisión. No entienden que se pueda rechazar el cargo de mayor poder, que es el sueño de todos los políticos. Les resulta inaceptable, a pesar de saber que para Sonia el poder nunca ha sido una meta en sí. Saben que está en política por compromiso personal, porque el destino lo ha querido así. «Sería un desastre para el partido, para la coalición, para el país...», repiten sin cesar. «Sonia, no nos abandones.»

Enfrentada a una auténtica rebelión en sus filas, Sonia pide que le den todo su tiempo. Pero la situación llega a ser tan enconada, la oposición tan fuerte –uno de ellos amenaza con quemarse a lo bonzo si ella rechaza el puesto–, que Sonia se asusta y da marcha atrás. Dos horas después de haber sugerido que quizás no aceptaría el puesto de máxima mandataria, Manmohan Singh sale al jardín y anuncia con su vocecilla: «La señora Gandhi ha aceptado reunirse mañana por la mañana con el presidente de la República». ¡Uf!... Un murmullo de aprobación surge de la multitud. El anuncio consigue distender los ánimos. Los que empiezan a irse lo hacen convencidos de que la presión ha funcionado, que su criterio ha prevalecido. Al final, la líder ha aceptado asumir su responsabilidad. El Congress estará de nuevo instalado en el poder, en manos de una Gandhi. La historia se repite. La multitud se dispersa en paz.

Para Sonia, el problema es cómo hacer tragar esa amarga píldora a los que la veneran, a los que esperan todo de ella. ¿Cómo hacerlos entrar en razón? ¿Cómo se les ocurre pensar que ella puede gobernar sola este país? La oposición no le dará tregua, un día sí y otro también le echarán en cara el tema de sus orígenes. Algún loco acabará matándola, está convencida. Además, tampoco tiene experiencia y se quemaría muy pronto.

Lo que necesita ahora es estar sola. En su habitación, abre las ventanas antes de acostarse. Respira hondo el aire cálido. Toca madera para que no le dé un ataque de asma. Toda su infancia ha dormido con las ventanas abiertas, a pesar del frío.

Hoy siente de nuevo esa antigua angustia. Es una sensación de ahogo que vuelve cada vez que tiene que tomar una decisión importante. Cada vez que siente una presión insoportable.

Apaga el aire acondicionado y deja la ventana abierta. La brisa hincha los visillos, que se mueven como fantasmas de algodón. Pero es una brisa caliente, que no alivia. Una neblina rojiza ilumina el cielo contaminado de la ciudad. Los perros ladran. En la avenida, algún motocarro con el tubo de escape roto petardea.

Por fin se hace el silencio, que tanto anhela. Estos últimos días la casa parecía un gallinero. Tanto ruido no deja oír. Necesita silencio para entrar en contacto consigo misma, para escucharse. Para saber qué hacer mañana. O mejor dicho, cómo hacerlo.

50

El martes 18 de mayo es un día que los miembros del Congress no olvidarán fácilmente. Unos doscientos diputados del partido esperan en el hemiciclo del Parlamento, la misma sala que ha sido testigo de la elección de doce primeros ministros de la India, a que Sonia Gandhi anuncie su decisión.

Cuando hace su aparición, seguida de sus hijos Rahul y Priyanka, ambos con el semblante serio y hermético, algunos se temen ya que las noticias no serán buenas. Sonia viene sin la carpeta que debería contener las cartas y mensajes de apoyo que cientos de líderes del Congress le han enviado para animarla a asumir el cargo. Es una tradición que los anteriores primeros ministros han cumplido siempre. Quizás ella la esté incumpliendo por capricho, se atreven a pensar los que se resisten a perder el último resquicio de esperanza. Son los optimistas, los que piensan que no será capaz de rechazar el cargo después de tanta presión.

Un silencio sepulcral invade la sala mientras Sonia, impecable en un sari color siena, el pelo cuidadosamente peinado hacia atrás cayendo sobre los hombros, saluda a varios compañeros juntando las manos a la altura del rostro mientras se abre paso hacia el micrófono. Se pone las gafas para ver sus notas y les dice: «Desde que hace seis años entré con reticencia en la política, siempre he tenido muy claro –y lo he declarado en varias ocasiones– que el puesto de primera ministra no era mi objetivo. Siempre he estado segura de que si me encontrase algún día en la posición en la que me encuentro hoy, obedecería a mi voz interior». Hace una pausa, y el silencio se hace más tenso, si cabe. Sonia levanta la cabeza y mira a sus hijos, luego al resto de la asistencia: «Hoy esa voz me dice que debo humildemente rechazar ese puesto».

Un violento terremoto no hubiera causado más revuelo. Un clamor ensordecedor invade la sala. Sonia eleva el tono mientras con la mano pide silencio para hacerse escuchar: «He sido sometida a muchas presiones para que reconsidere mi postura, pero he decidido obedecer mi voz. El poder nunca ha representado una tentación para mí...». Un coro de lamentos y de enérgicas protestas la interrumpen. «¡No puedes abandonarnos ahora!», claman unos. «No puede traicionar al pueblo de la India... –exclama Mani Shankar Aiyar, viejo amigo de Rajiv e influyente político–. ¡La voz interior del pueblo dice que usted tiene que ser la próxima primera ministra de la India!»

–Os pido que por favor respetéis mi decisión... –dice Sonia con firmeza, pero de nuevo la interrumpen.

–Sin usted en ese puesto, señora, tampoco estará nuestra inspiración.

Una docena de diputados se turnan para hacer sus discursos, en los que invocan el ejemplo de servicio público de su marido y de su suegra. «¡Haga usted lo mismo! –le repiten–. ¡Esté a la altura!»

Durante más de dos horas continúa el enfrentamiento enconado entre la irresistible desesperación de los diputados y la determinación inamovible de Sonia. Los discursos oscilan entre las reprimendas que la tildan de egoísta y cierta admiración por el gesto insólito de renunciar al poder. Algunos la acusan de dar la espalda al mandato que millones de indios han depositado en ella. Sonia escucha a esa horda de huérfanos, impasible, la mandíbula prieta. Al final, los diputados presentan una resolución conjunta para que reconsidere su decisión, pero ella, de manera elegante y con un aire siempre enigmático, les dice que no cree que sea posible. «Habéis expresado vuestros puntos de vista, vuestro dolor, vuestra angustia por la decisión que he tomado. Pero si tenéis confianza en mí, permitidme que la mantenga.»

Es cuestión de insistir, piensan unos. Muchos recuerdan la crisis de 1999, cuando anunció su dimisión como presidenta del partido. Acabó cediendo después de que los líderes le rogasen que regresase. El problema ahora es que el tiempo se acaba. Por ley, hay que formar gobierno antes de que acabe la semana. Un diputado de Uttar Pradesh les recuerda que la decisión de Sonia tiene un precedente en la historia de la India: «Señora, usted ha dado un ejemplo como el que dio el Mahatma Gandhi –dijo refiriéndose a cuando el padre de la nación renunció a formar parte del primer gobierno después de la independencia–. Pero aquel día el Mahatma Gandhi tenía a Jawaharlal Nehru. ¿Quién es el Nehru de hoy?».

Sonia no habla de Manmohan Singh, su as en la manga, aunque los más allegados saben que ésa es su jugada. Cuando abandona la sala dejando a sus diputados afligidos y desengañados, la prensa se arremolina alrededor de sus hijos: «Como miembro del parlamento recién elegido –declara Rahul–, me gustaría que mi madre fuese primera ministra, pero como hijo suyo, respeto su decisión». Priyanka es menos diplomática. Cuando le preguntan si es cierto que ella y su hermano han influenciado a su madre con el argumento de que «hemos perdido a un padre, no queremos perder a una madre, es un asunto de familia», ella replica diciendo una gran verdad: «Nunca hemos sido dueños de nuestra familia. Siempre la hemos compartido con la nación».

Los miembros del Congress no tiran la toalla tan fácilmente. Al regresar a casa, Sonia se encuentra con una multitud que le pide lo mismo, que cambie de parecer. Se lo exigen a gritos, algunos con lágrimas en los ojos, otros tirándose a sus pies. Tanta adulación la irrita. Es como la otra cara del odio que le muestran sus detractores. Tan malsano es lo uno como lo otro. Al entrar en casa, se encuentra con otro desafío, una montaña de cartas de los miembros del Comité de Trabajo del Congress y otros afiliados que anuncian su dimisión si ella no acepta el máximo cargo. Fuera, en la calle, un simpatizante que amenaza con cortarse las venas en el acto es reducido por la policía. Parece que la locura se ha apoderado de Nueva Delhi.

Pero en este pulso Sonia no cede. Por sentido común, por convicción íntima, porque está segura de que su decisión es la más sabia para el país, para la familia, para ella. Hasta el último momento lo intentan todo para doblegarla: la súplica, los ruegos, las amenazas veladas, pero Sonia se ha hecho más fuerte que todos, y no sucumbe. Al contrario, se asegura el apoyo de otros miembros de la coalición para que acepten un primer ministro que no sea un Gandhi. Ella marca el paso, y todos, hasta los más escépticos, la acaban siguiendo. Esa fuerza es la recompensa de su triunfo.

Además cuenta con el inesperado apoyo de la prensa, que parece redescubrirla y que se deshace en elogios: «Sonia apaga el poder, enciende los corazones», titula el *Asian Times*. «Renuncia al poder, alcanza la gloria», reza el *Times of India*. Al decir «no», la popularidad de Sonia se dispara. Al «abdicar», ha introducido la noción de sacrificio en el vocabulario de la política india. Y pasa de ser líder del Congress a líder de la nación. Un auténtico milagro.

Rashtrapati Bhawan, el antiguo palacio del virrey, es el escenario de una ceremonia corta, pero llena de significado, y que al final de esa turbulenta semana da por zanjada la crisis de poder. El sábado 22 de mayo, después de tres días de resistencia numantina contra los jefes de su propio partido, Sonia Gandhi es testigo de la jura de Manmohan Singh como primer ministro, en presencia del presidente de la República. Es un momento histórico porque es la primera vez que un sij es nombrado jefe de gobierno. El hombre no ha pegado ojo durante la noche porque una multitud de correligionarios lo han estado celebrando frente a su residencia. ¡Cómo han cambiado las cosas desde que los sijs eran perseguidos como animales en los días que siguieron al asesinato de Indira!

Después de jurar el cargo, en un gesto que alude al acuerdo que han alcanzado, Manmohan Singh se acerca a Sonia e inclina ligeramente la cabeza. Como si quisiese dejar claro que él gobierna, pero ella reina.

Es un momento histórico por otra razón, cargada de un simbolismo que demuestra la diversidad de la India, su capacidad para la convivencia y su creciente movilidad social. Sonia Gandhi, criada como católica, cede el poder a un primer ministro sij, nacido en 1932 en una familia muy humilde del Punjab occidental, hoy perteneciente a Pakistán, y conocido por su irreprochable honestidad. Y lo hace en presencia de un presidente de la República musulmán llamado Abdul Kalam, nacido en una familia paupérrima y experto en física nuclear. Hace menos de un siglo, nadie hubiera podido imaginar que esto pudiera ocurrir en el país donde hasta hace poco el nacimiento, y no el mérito, determinaba el curso de la existencia. Y hace tan sólo un mes, ¿quién hubiera podido predecir semejante ceremonia entre tres representantes de religiones minoritarias?

En pocos días, Sonia ha provocado una revolución silenciosa, cuyo impacto se sentirá durante años. Con su renuncia, ha demostrado que la política no siempre es equivalente a la codicia. También ha demostrado que uno no se hace indio sólo por un accidente de nacimiento. Ser indio se consigue amando el país, comprometiéndose con él y siendo fuerte para anteponer los intereses de la nación a los propios. Por su gesto histórico, Sonia Gandhi ha recordado a los hindúes que la auténtica fuerza de su nación radica en su tolerancia, en su tradicional apertura hacia los demás, en su creencia de que todas las religiones forman parte de una búsqueda común de la humanidad para encontrar un sentido a la existencia. Por curiosidades de la vida, ha tenido que ser una cristiana la que haya devuelto la dignidad y la confianza a la gran mayoría de los hindúes, esos que nunca se han sentido representados en el anterior gobierno.

Esa noche, Sonia vuelve a casa con la satisfacción del deber cumplido. Ha preferido mantenerse detrás del trono, galvanizando al pueblo pero dejando el poder a su gran visir enturbantado y de barba cana.

Por fin va a poder descansar después de esta semana enloquecida. Pero, antes de recogerse en su dormitorio, pasa por el despacho, para sentir la presencia del hombre que sigue queriendo como el primer día, o quizás más, si el amor pudiese medirse. Con tanto calor, las flores de la guirnalda alrededor de la foto de Rajiv están un poco marchitas.

–Mañana las cambiaré –se dice.

Se queda mirando la imagen de su marido. Cierra los ojos y se concentra intensamente, hasta que lo resucita en su mente. Lo tiene tan cerca que le parece estar oyendo su voz de terciopelo, bien modulada, con su impecable acento inglés, musitándole al oído palabras de amor... Hasta le parece oler su piel, con ese olor a limpio que se mezcla con su propio perfume de jazmín.

Y que la transporta al pasado, al tiempo perdido, a sus mejores recuerdos, esos que Sonia guarda en su corazón porque es un tesoro que han hecho juntos.

La ensoñación, placentera y dolorosa a la vez, dura poco, pero es muy intensa porque los muertos viven en los corazones de los vivos. Cuando reabre los ojos, pasea su mirada por las demás fotos. Las ha visto millones de veces, pero hoy le gusta volverlas a ver, una y otra vez, quizás porque le recuerdan el sentido de su vida. Rajiv y su sonrisa le siguen provocando un pellizco en el corazón, siempre será así; Indira también, con su capacidad para reírse de sí misma, para no olvidar un cumpleaños o la enfermedad de un niño en medio de las preocupaciones de los asuntos de Estado. Ahora más que nunca, Sonia se da cuenta de que ha heredado de Indira la «mística de la dinastía» y que está aplicando todo lo que ha aprendido de ella: la paciencia y la tenacidad, el atrevimiento, el coraje y el sentido de la oportunidad... Su mirada se detiene en una foto pequeña sobre la mesa en la que se ve al Mahatma Gandhi con Nehru. En aquellos días tristes después de la muerte de su suegra en los que se refugió en su correspondencia, como si de esa manera pudiese comunicar con ella, también aprendió, sin saberlo, algo sobre la esencia del liderazgo político. Encontró un texto del Mahatma Gandhi a Nehru, que estaba entre los papeles de Indira: «No tengas miedo, pon tu fe en la verdad; escucha las necesidades de la gente, pero al mismo tiempo asegúrate de que adquieres suficiente autoridad moral como para hacerte escuchar; sé democrático, pero valora la única aristocracia que de verdad importa: la nobleza de espíritu».

No ha sido fácil el viaje desde la plácida existencia de un ama de casa satisfecha de su vida doméstica al centro frenético de la actividad política. Como ella misma lo define, ha sido una historia de luz y de sombras, de misterio y de la mano oculta del destino[1]. Una historia de lucha interior y de tormento, de cómo la experiencia de la pérdida puede aportar un sentido más profundo a la existencia. Pero a pesar de todas las triste-

1. Gandhi, Sonia, *What India Has Taught Me*, Tillburg, Nexus Institute, 2007, p. 16.

zas, las humillaciones, las dificultades y los malos ratos, esta
noche se siente realizada como nunca antes. Como si de pronto
entendiese algo que intuía profundamente, pero que sin embargo se le escapaba, y que tiene que ver con su profunda razón de
ser. «La familia con la que primero me comprometí al casarme
estaba restringida al límite de un hogar —escribirá Sonia más
tarde—. Hoy mi lealtad abarca una familia más amplia, la India,
mi país, cuya gente me ha recibido tan cálidamente que me han
convertido en uno de ellos[1].» Sonia es honesta cuando dice que
ya no es italiana. No lo es porque ha pasado de ser parte de la
familia Nehru-Gandhi a convertirse en la heredera de la dinastía. Y la dinastía Nehru-Gandhi es la India.

1. Gandhi, Sonia, *What India Has Taught Me*, *op. cit.*, p. 16.

EPÍLOGO

Paradójicamente, al renunciar al poder, Sonia Gandhi se ha hecho todavía más poderosa. El pueblo, que admira los ideales de altruismo y renuncia tan engarzados en la religión y la filosofía hindúes, ha pasado de considerarla una líder política a venerarla como una diosa. Y eso la convierte en la persona más influyente de la India. En el mundo, su estatura no cesa de crecer. La revista *Forbes* la clasifica entre las tres mujeres más poderosas de la Tierra. No está mal para alguien que siempre ha despreciado el poder.

Es querida por el pueblo no sólo porque ha obrado el milagro de devolver el carácter aconfesional a un país que estaba en una peligrosa deriva, no sólo porque ha colocado a la cabeza de un sistema democrático corrupto y caótico a un hombre de gran inteligencia, irreprochable integridad y profunda experiencia, sino porque ha logrado conectar con el hombre y la mujer de la calle. Ellas valoran su sacrificio como madre y esposa; ellos, el sentido de su lucha. Todos admiran su entrega a los ideales de la familia. Entienden el sufrimiento que ha padecido al perder a Indira y luego al quedarse viuda, de manera tan trágica, de un marido tan joven y tan bueno que nunca debía haberse encontrado en la línea de fuego. Se identifican con ella.

El dolor ante la pérdida de los seres más queridos suscita la compasión de los que sufren todos los días, de forma anónima y en silencio, una vida de privaciones. Pero a los Gandhi no se les quiere tanto por pertenecer a una familia excepcional, sino por lo que tienen en común con la gente normal. Por ejemplo, las rencillas familiares: el desprecio que Nehru sentía hacia el marido de Indira; o las tensiones entre Indira y la mujer de Sanjay; o la hostilidad entre las cuñadas... nada de eso tiene que ver con la grandeza de espíritu, sino todo lo contrario, con la vida cotidiana de todo el mundo. Si la mayoría de las familias viven estos dramas domésticos en la intimidad de sus hogares, los Nehru-Gandhi los han vivido siempre a la luz pública, y encima manejando el destino de la mayor democracia que se haya conocido jamás. ¿Cómo no sentirse fascinados por personajes tan normales que sin embargo viven circunstancias tan extraordinarias? ¿Cómo no sentir interés por esa familia que ahora se encuentra dividida y en las antípodas del espectro político, Sonia y sus hijos dedicados al Congress, Maneka y Firoz Varun al BJP? Ése es el material mismo del que están hechas las grandes sagas de la mitología que nutren la imaginación del pueblo desde la noche de los tiempos. Para muchos habitantes de las aldeas y los campos de la India, la saga de los Nehru-Gandhi, que dura desde el siglo XIX y tiene visos de perdurar bien entrado el siglo XXI, es el puente que vincula su pasado feudal al presente democrático y, ojalá, a un futuro que se adivina más próspero. Si antes las dinastías servían para preservar el orden social, ahora sirven para reforzar el vínculo de los habitantes de una misma nación. Ayudan a unificar el país, a cimentarlo en el imaginario popular. Tienen un poco el papel que asumen las familias reinantes en las monarquías constitucionales, como en el Reino Unido, los países escandinavos o España. Es el caso de los Bhutto en Pakistán, los Bandaranaike en Sri Lanka, o los Rehman en Bangladesh. Es una tradición profundamente anclada en los países de Asia, aunque no exclusiva de esa parte del mundo. En Estados Unidos, las dinastías políticas han producido senadores, gobernadores y presidentes con regularidad, como ha sido el caso de los Roosevelt, los Kennedy, los Bush o los Clinton. En otros países, la familia no gobierna pero el manto ha pasado de padre a hija, como en el caso de Aun San Suu Kyi en Birmania. Es en Asia donde sin duda las dinastías políticas encuentran el suelo más fértil para reproducirse.

En la India, son muchos los que critican la política dinástica de «la familia» tildándola de poco democrática, pero eso es olvidar que, aunque una gran parte del electorado sea analfabeta, no significa que sea ignorante. En las dinastías modernas de los países democráticos, ya sean los Kennedy, los Bush o los Gandhi, el puesto no se hereda automáticamente, hay que ganárselo, como lo ha hecho Indira, y ahora Sonia. Si antiguamente las dinastías se imponían a los sujetos, hoy son los ciudadanos los que deciden seguir gobernados por clanes o familias. ¿Cuál es la razón? Para unos, tiene que ver con cierta nostalgia que impulsa al pueblo indio a recrear la clase gobernante del pasado con su horda de nababs, rajás, ranas y toda la panoplia de reyes-emperadores y sátrapas. Otros lo explican con argumentos de mercadotecnia: los apellidos son marcas tan reconocibles como las de pasta dentífrica o detergente y eso ayuda a orientarse en el marasmo de la política local. Otros piensan que quizás sea un reflejo para protegerse de los abusos del poder, esperando que los que ya están en la cumbre sean compasivos y magnánimos y no se dediquen al pillaje y al robo, un comportamiento más propio de los advenedizos.

Un efecto lógico de la renuncia de Sonia al poder fue que el prestigio de la dinastía Nehru-Gandhi saliera fortalecido. En 2006, en una conferencia del Congress en Hyderabad, los incondicionales de Sonia reclamaron un mayor papel para su hijo dentro de la organización. El coro de voces, ahora tan familiar, reclamaba la presencia de Rahul. Sonia les respondió que no pensaba influenciar en su hijo, que él era libre de elegir su camino. Y Rahul pidió tiempo. Pero, en septiembre de 2008, la antorcha ha empezado a cambiar de mano, al ser nombrado como uno de los secretarios generales del Congress, en una maniobra concebida para mezclar juventud con experiencia en la dirección del partido en vistas a las próximas elecciones generales. Ahora Rahul forma parte del comité directivo, el órgano de toma de decisiones del Congress. Por primera vez en muchos años existe un número dos en la organización que cuenta con el respaldo total del número uno. Desde hace meses, Rahul recorre el país galvanizando a sus seguidores y, al igual que su padre, está empezando a descuidar su seguridad personal. Varias veces, los agentes encargados de protegerlo se han quejado de que Rahul les despista o no hace caso a sus instrucciones. Él se da cuenta, como su padre, de que es imposible hacer política sin bañarse en multitudes. Muchos de los conflictos que surgieron en tiempos de Indira y de

Rajiv se han solucionado o están en vías de solución, pero un personaje público, máxime si pertenece a «la dinastía», siempre está en peligro de ser agredido por algún fanático. Sin ir más lejos, en febrero de 2007, la policía arrestó a un hombre armado de una pistola en un mitin que daba Sonia en la ciudad de Almora. Resultó que el hombre, un empleado de Correos local, no formaba parte de ninguna conspiración, simplemente padecía trastornos psíquicos.

Recientemente, el asesinato de una vieja amiga de la familia en el vecino Pakistán ha venido a recordarles la fragilidad y lo tenue de sus existencias. Benazir Bhutto ha muerto de manera parecida a Rajiv. Ambos estaban fuera del poder pero estaban a punto de volver a conquistarlo. Ambos descuidaron su seguridad en aras de un mayor contacto con el pueblo. Los Gandhi saben que el atentado contra Benazir Bhutto es un reflejo de lo que les puede pasar en cualquier momento, si cometen el error de bajar la guardia. ¿Habrá aprendido Rahul a no dejarse llevar por el sentido del destino? El tío Sanjay habría seguido vivo si hubiera sido más cauto. Sus maniobras políticas para controlar a los sijs crearon un monstruo que devoró a su madre; Indira tampoco hizo caso cuando le dijeron que debía deshacerse de sus escoltas sijs. A Rajiv, el propio Rahul intuyó lo que iba a ocurrirle... ¿Habrán aprendido los miembros de esta nueva generación la lección de sus predecesores? De momento, Sonia sigue allí para recordárselo día tras día, para que nunca lo olviden.

Priyanka está alejada de la política y lleva una existencia tranquila en Nueva Delhi, ocupándose de su marido y sus hijos. En febrero de 2008, hizo un viaje al sur de la India que la puso en el candelero. Quiso hacerlo de incógnito, pero en seguida fue localizada por la prensa. Llevaba tiempo con la idea de visitar a Nalini Murugan, la mujer que cumple cadena perpetua por haber participado en el complot para asesinar a Rajiv. Han transcurrido casi veinte años desde el atentado en Sriperumbudur, pero el sufrimiento por la pérdida de un padre no cesa con el tiempo. Son heridas que nunca cicatrizan del todo. Priyanka quiso verse a solas con la mujer que ayudó a salvar de la pena capital cuando hizo intervenir a su madre para que se la conmutaran. ¿Para qué fue a verla? «Es un asunto puramente privado –declaró a la prensa–, una visita personal que es fruto de mi propia iniciativa.» Ambas mujeres rompieron en sollozos cuando se encontraron frente a frente en la destartalada sala de visitas de la cárcel. Se supo que, al final del encuentro, hablaron de sus experiencias de dar a luz a sus respectivos hijos, ya que a ambas se les tuvo que practicar una cesárea. Hablaron de la vida más que de la muerte, lo que sugiere que Priyanka la había perdonado. ¿No son la justicia y el perdón etapas imprescindibles para reconciliarse con una tragedia? Al término del encuentro, Nalini confesó a su propio hermano que sentía «como si todos mis pecados hubieran sido lavados por la visita de Priyanka». El hinduismo enseña que el perdón no es señal de debilidad, sino de fuerza. Es una manera de liberarse, de encontrar la paz. «Mi encuentro con Nalini ha sido mi manera de hacer las paces con la violencia y la pérdida que he vivido.» Ésa fue la declaración de Priyanka, tan escueta y sencilla como heroica, que terminaba de la siguiente manera: «No creo en la rabia, ni en el odio ni en la violencia. Me niego a dejar que esos sentimientos dominen mi vida». Los Gandhi siempre han sabido crecerse con la adversidad. Dios les proteja.

Sonia vive una existencia recluida en su fortaleza del número 10 de Janpath, aunque Paola, su madre, pasa los inviernos con ella. Todos los domingos se la puede ver en misa de diez en la iglesia de la nunciatura. Aparte de sus hijos, Sonia se rodea de unos pocos amigos íntimos, los mismos que tenía cuando Rajiv vivía. No se deja ver fácilmente, excepto en los actos oficiales. No se mezcla con la farándula de Nueva Delhi, ni frecuenta el ambiente diplomático. Se reúne con los ministros del Congress y otros líderes de la coalición tantas veces como lo solicitan. De media, en su calidad de presidenta del partido y líder de la coalición en el poder, puede llegar a ver a unas treinta personas al día y a examinar decenas de informes. Su pequeño despacho en el Comité del Partido del Congreso está siempre lleno de gente pobre que viene a pedir ayuda. Su secretaria tiene instrucciones de atenderlos a todos.

Fiel a la costumbre que heredó de su suegra, procura ayunar un día a la semana y hacer ejercicios de yoga todas las mañanas. La mujer que un día confesaba sentirse mal vestida de india se ha trasformado hoy en una señora elegante que sólo viste saris. Le siguen fascinando las telas así como la artesanía tradicional y las antigüedades. Le gustaría tener más tiempo para leer. Aprovecha los días de vacaciones que todos los años se toma en junio para descansar en casa de un viejo amigo de la familia, el periodista Suman Dubey, en Kosani, en las estribaciones del Himalaya, y es cuando se pone al día en las lecturas atrasadas. Le gustan esas montañas que le recuerdan a los Alpes de su infancia y sueña con hacerse una casa propia para huir del calor premonzónico en compañía de sus hijos y nietos. Los viajes que hace al extranjero suelen ser oficiales o para dar alguna conferencia. Ahora se la ve menos crispada. Ha declarado que se encuentra «cómoda» en política, a pesar de que podría hacer suyas las palabras de Benazir Bhutto: «No he elegido esta vida. Me ha elegido a mí». Quizás no tenga las riendas de su vida, pero tiene bien asidas las del país. Hasta sus oponentes admiten que no da un paso en falso. Tanto sus detractores como sus simpatizantes coinciden en reconocer su habilidad para manejar las reglas de un gobierno de coalición, algo que ni Indira ni Rajiv se vieron en la obligación de aprender nunca. Sonia ha sido capaz de desarrollar una relación armoniosa con algunos colaboradores políticos próximos, una relación basada en la lealtad mutua. Nunca Indira hubiera podido tener una relación como la que la une a Manmohan Singh.

Uno de los grandes logros de Sonia ha sido la lucha contra la corrupción. ¿No calculaba Rajiv que el 85 % de todos los gastos de desarrollo en la India acababan en los bolsillos de los burócratas? Para evitarlo, Sonia y el primer ministro Manmohan Singh lograron que el Parlamento votase una ley que permite a cualquier ciudadano examinar las ofertas de los contratos de licitación pública y evitar así la prevaricación y el cohecho. La gente en posición de poder está ahora obligada a ser mucho más cauta a la hora de hacer sus chanchullos, porque existe la posibilidad real de caer en las redes de la justicia.

Tanto Sonia como el primer ministro saben que es en la capacidad de reformar el Estado, de modernizarlo y limpiarlo de corrupción, donde yace la clave del desarrollo de la India, que a pesar de todo, durante los últimos quince años, ha sido el país del mundo que más rápidamente ha crecido después de China. Si se consiguen esas reformas se prevé que en un par de décadas la economía india será la tercera economía mundial. El país habrá dejado atrás su pasado arcaico y habrá conquistado un futuro liderado por la ciencia y la tecnología. Se cumplirá entonces el viejo sueño de Nehru.

Hoy por hoy, los pobres sólo tienen el consuelo de las proyecciones oficiales que les auguran una renta per cápita treinta y cinco veces mayor para entonces. Ellos son la mayor preocupación de Sonia. Quizás sea el resultado de su formación católica, o porque tiene muy presente que nació en una familia humilde allá en los montes Asiago, pero le siguen hiriendo los contrastes de la India. ¿No decía Indira que todo lo que se dijese de la India, y lo opuesto, era igualmente cierto? Bombay cuenta con el barrio de chabolas más grande de Asia y la mayor concentración de prostitutas infantiles del mundo, pero se acaba de convertir en la cuarta ciudad del planeta en número de billonarios –uno de ellos ha regalado un Airbus a su mujer para su 44.º cumpleaños–. ¿Cómo acostumbrarse a esas diferencias? ¿Cómo es posible que el Estado se muestre incapaz de construir letrinas en los barrios de chabolas, o de suministrar tiza a las escuelas o jeringuillas limpias a los dispensarios rurales y, sin embargo, el programa espacial sea considerado tan bueno como el de cualquier potencia occidental, o quizás mejor? El día en que se acostumbre será el día en que tenga que dejar la política.

Lo que ha hecho Sonia ha sido rodearse de expertos en desarrollo como la activista Aruna Roy o el economista belga Jean Dreze, que vive en un barrio de chabolas de Delhi con su mujer india. Juntos han esbozado un plan de ayuda a las zonas rurales que significa el mayor esfuerzo jamás realizado por el Estado indio para mejorar la situación de las poblaciones del campo. Pero los obstáculos para poner en práctica estos programas de desarrollo son enormes. La India, con sus aeropuertos destartalados, sus carreteras desmoronadas, sus enormes barrios de chabolas y sus aldeas empobrecidas, necesita todos sus recursos para construir infraestructuras de todo tipo, y en esa carrera hacia el desarrollo la suerte de los más pobres sigue sin ser prioritaria en la mente de los tecnócratas que dirigen el país. La idea que prevalece en el gobierno, la de que el desarrollo terminará por incluir cada vez a más gente y que así se acabará con la pobreza, era la idea que defendía Rajiv. «Pero ¿cuándo?», pregunta Sonia, que no olvida el compromiso adquirido con los pobres que la han votado. Se resiste ante los argumentos excesivamente técnicos de sus propios aliados, los hombres que ella misma ha aupado al poder, incluido el poderoso ministro de Finanzas. Para él, esos programas se alejan de la ortodoxia económica; para ella, son imprescindibles para dar sentido al poder que el pueblo le ha confiado. ¿No decía Victor Hugo que «todo poder es deber»? Sonia lo tiene muy presente, y no ceja en su lucha. En los distritos donde ha conseguido que se ponga en práctica el programa de garantía de cien días de empleo, los campesinos han notado la diferencia. Es la diferencia entre la pobreza y la miseria. El programa no les saca de pobres, pero evita que caigan en el pozo de la miseria, que es cuando a la escasez material se une la desesperanza. Es la diferencia entre la vida y la muerte. El otro programa es más difícil de implementar. Se trata de dar a los campesinos créditos bancarios a interés muy reducido para liberarlos de la tiranía de la deuda que tienen contraída con los prestamistas locales y que les empuja muchas veces al suicidio. Es un problema que viene de lejos, y ya Indira quiso hincarle el diente cuando estaba en vigor la *Emergency*. Es difícil de solucionar porque la mayoría son analfabetos y no saben lo que es ir a un banco. Lo importante es darles una salida, una luz de esperanza, que sepan que nadie tiene que quitarse la vida por no poder devolver un puñado de rupias. Gracias a Sonia, los «más pobres de entre los pobres», como ella los llama según la expresión popularizada por otra europea que dejó su marca en la India, la Madre Teresa, tienen una aliada fiel. Una aliada que los tiene bien presentes, todos los días y en todo momento, esté en la cúspide del poder, o fuera de él.

AGRADECIMIENTOS

Siento no poder citar aquí a todos los que me han ayudado durante esta larga investigación, en Italia y en la India, porque prefieren permanecer en el anonimato. De todo corazón, gracias por la información proporcionada sin la que no hubiera podido escribir este libro.

Quiero especialmente expresar mi profunda gratitud a mi mujer Sita por su apoyo, su compañía y su buen humor durante los viajes de investigación y los largos meses de escritura.

Sin el eficaz y valioso acompañamiento de mi editora Elena Ramírez durante todo el proceso de elaboración, y sin su entusiasmo, esta aventura hubiera sido mucho más ardua. A ti, Elena, mi más sentido agradecimiento, como a todo el equipo de Seix Barral y del grupo Planeta que ha participado en la confección del libro.

Gracias a Dominique Lapierre, que siempre creyó en esta historia y me animó a escribirla, contándome de paso sus anécdotas con Indira Gandhi que solía recibirle en sus viajes a la India.

Todo mi reconocimiento a Michelguglielmo Torri, catedrático de Historia moderna y contemporánea de Asia de la Universidad de Turín, eminente especialista y enamorado de la India, por sus consejos, su ayuda y su generosidad a la hora de invertir su preciado tiempo en disipar mis dudas y en corregir el texto.

Gracias también a Eva Borreguero; Álvaro Enterría, por sus minuciosas y perspicaces correcciones; a Bernadette Lapierre, a Christian y Patricia Boyer.

En la India, tengo un recuerdo especial para Kamal Pareek, que nos dejó en septiembre de 2007. Echaré siempre mucho de menos sus explicaciones, su disponibilidad, su manera de contarme las cosas indias difíciles de entender para un occidental, y sobre todo el placer de su amistad.

Mi reconocimiento a Ashwini Kumar por contarme sus anécdotas sobre la época en la que gobernaba Indira Gandhi y proporcionarme valiosos contactos, así como al Major Dalbir Singh, secretario nacional de *All India Congress Committee*. Tampoco olvido a Mani Shankar Aiyar, compañero de Rajiv Gandhi y ministro en el actual gobierno, ni a su sobrina Pallavi Aiyar y su marido Julio Arias.

Gracias también a nuestros viejos amigos Francis Wacziarg y Aman Nath por estar siempre allí.

Y a Christian von Stieglitz por haber compartido tan generosamente conmigo sus recuerdos de Rajiv y Sonia, así como a Josto Maffeo por contarme tan detenidamente la vida en Orbassano.

Gracias también a Alex Ehrlich, Farah Khan, Josefina Young y Nello del Gatto por su ayuda, su compañía y su hospitalidad. A Suman Dubey también, por hacer de mensajero. Y a Andrés Trapiello y Laura Garrido.

Por último, quiero agradecer a Susana Garcés y a la compañía aérea KLM su continuo apoyo y colaboración.

BIBLIOGRAFÍA

Me siento especialmente en deuda con cinco libros que me han sido particularmente útiles:

ADAMS, Jad y Philip WHITEHEAD, *The Dinasty - The Nehru Gandhi Story*, Nueva York, Penguin, 1997.
FRANK, Katherine, *Indira: The Life of Indira Nehru Gandhi*, Londres, HarperCollins, 2002.
GANDHI, Sonia, *Rajiv*, Nueva Delhi, Viking-Penguin, 1992.
JAYAKAR, Pupul, *Indira Gandhi: A Biography*, Nueva Delhi, Penguin, 1995.
KIDWAI, Rasheed, *Sonia*, Nueva Delhi, Penguin, 2003.

Además:

ALEXANDER, P. C., *My years with Indira Gandhi*, Nueva Delhi, Vision Books, 1991.
—, *Through the Corridors of Power. An Insider's Story*, Nueva Delhi, HarperCollins, 2004.
ALI, Tariq, *The Nehrus and the Gandhis: an Indian Dinasty*, Londres, Pan Books, 1985.
ANSARI, Yusuf, *Triumph of Will*, Nueva Delhi, Tara-India Research Press, 2006.
ASAF, Ali Aruna, *Indira Gandhi: Statesmen, Scholars and Friends Remember*, Nueva Delhi, Radiant Publishers, 1989.
BHAGAT, Usha, *Indiraji through my eyes*, Nueva Delhi, Viking-Penguin, 2006.
BHANOT, Arun *et al.*, *Sonia Gandhi (A Biography)*, Nueva Delhi, Diamond Books, 2005.
CARRAS, Mary, *Indira Gandhi: in the Crucible of Leadership*, Boston, Beacon Press, 1979.
CHATTERJEE, Rupa, *The Sonia Mystique*, Nueva Delhi, Virgo Publications, 2000.

CHATWIN, Bruce, ¿Qué hago yo aquí?, Barcelona, El Aleph, 2002.

DHAR, P. N., Gandhi, the Emergency and Indian Democracy, Nueva Delhi, Oxford University Press, 2000.

FRANKEL, Francine R., India's Political Economy, Nueva Delhi, Oxford University Press, 2005.

GANDHI, Indira, Letters to An American Friend, Nueva York, HBJ, 1985.

—, What I Am [conversación con Pupul Jayakar], Nueva Delhi, Indira Gandhi Memorial Trust, 1986.

—, My Truth, Nueva Delhi, Vision Books, 1980.

GANDHI, Maneka, Sanjay Gandhi, Nueva Delhi, Vakis, Feffer & Simons, 1980.

GANDHI, Sonia, Two alone, two together, Nueva Delhi, Penguin, 2004.

—, Living Politics, La Haya, Nexus Institute, 2007.

—, Rajiv's World, Nueva Delhi, Viking, 1994.

GILL, S. S., The Dinasty - A Political Biography of the Premier Ruling Family of Modern India, Nueva Delhi, HarperCollins, 1996.

GUHA, Ramachandra, India after Gandhi, Nueva York, HarperCollins, 2007.

KHILNANI, Sunil, The Idea of India, Londres, Penguin, 1997.

LAPIERRE, Dominique y Larry COLLINS, Esta noche, la libertad, Barcelona, Plaza y Janés, 1975. [Barcelona, Círculo de Lectores, 1994.]

LUCE, Edward, In Spite of the Gods, Nueva York, Doubleday, 2007.

MALHOTRA, Inder, Dynasties of India and Beyond: Pakistan, Sri Lanka, Bangladesh, Nueva Delhi, HarperCollins, 2003.

MASANI, Zareer, Indira Gandhi, Londres, Hamish Hamilton, 1975. [Indira Gandhi, Barcelona, Dopesa, 1976.]

MEHTA, Ved, Portrait of India, Nueva York, Farrar, Strauss & Giroud, 1970.

—, Rajiv Gandhi and Rama's Kingdom, New Haven, Yale University Press, 1983.

MEHTA, Vinod, The Sanjay Story, Bombay, Jaico Pub. Co., 1978.

MORAES, Dom, Mrs Gandhi, Londres, Jonathan Cape, 1980.

NANDA, B. R., The Nehrus, Nueva York, The John Day Co., 1963.

NATH Mishra, Dina, Sonia the Unknown, India First Foundation, 2004.

NEHRU, Jawaharlal, An Autobiography, Londres, Oxford University Press, 2002.

—, The Discovery of India, Nueva Delhi, Penguin, 2004.

NUGENT, Nicholas, *Rajiv Gandhi - Son of a Dinasty*, Nueva Delhi, BBC Books, 1990.

PAUL, Swaraj, *Beyond Boundaries*, Nueva Delhi, Viking, 1998.

PRAKASH, Surya A., *Issue of Foreign Origin. Sonia under Scrutiny*, Nueva Delhi, Indian First Foundation, 2004.

SINGAVARAPU, sir Dr. Ravi, *Sonia Gandhi Through a Different Lens*, Londres, Fultus Publishing, 2004.

SINGH, B. P. y Pavan K. VARMA, *The Millenium Book on New Delhi*, Nueva Delhi, Oxford University Press, 2001.

SINGH, Darshan, *Sonia Gandhi: Tryst with Destiny*, Nueva Delhi, United Children's Movement, 2004.

SINGH, Kushwant, *Truth, Love & A Little Malice*, Nueva Delhi, Penguin, 2002.

THAPAR, Raj, *All These Years*, Nueva Delhi, Seminar Publications, 1991.

TORRI, Michelguglielmo, *Storia dell'India*, Roma, Laterza, 2000.

TULLY, Mark, *No Full Stops in India*, Nueva Delhi, Penguin, 1991.

VASUDEV, Uma, *Indira Gandhi: Revolution in Restraint*, Nueva Delhi, Vikas, 1973.

VON TUNZELMANN, Alex, *Indian Summer*, Nueva York, Henry Holt, 2007.

YUNUS, Mohammed, *People, Passions and Politics*, Nueva Delhi, Vikas, 1980.

Créditos de las fotografías

CRÉDITOS DE LAS FOTOGRAFÍAS

1. © Javier Moro.
2, 3, 7: © Jawaharlal Nehru Memorial Fund.
4, 19, 23: © Bettmann / Corbis.
5: © The Nehru Memorial Museum and Library.
6: © Hulton-Deutsch Collection / Corbis.
9: © SRL.
10, 15, 13: © Cannot buddy / Sygma / Corbis.
16: © Vithala Prabhakar.
21: © Raghu Rai.
22: © Wally McNamee / Corbis.
24: © Ghislain von Sneipir.
25, 28: © Alain Nogues / Corbis.
27: © Jacques Langevin / Corbis Sygma.
26: © Bhawan Singh / India Today.
30: © T. C. Malhotra / Zuma / Corbis.
32: © Rajesh Kumar Singh / AP Photo / Racial Press.
34: © Karim Kara / Magnum / Photos.
35: © Silk Market.

11, 12, 17, 18, 20, 29, 31, 33: Derechos reservados.

ÍNDICE

Índice